KB033467
남을 속이는 비밀은 있어도
나를 속이는 비밀은 없다.
2019. 10. 18

비익조

比翼鳥

下

이수연 장편소설

비익조

比翼鳥

下

이수연 장편소설

D&C BOOKS

✦ 목 차 ✦

03. 소명, 소망 그리고 소멸

03. 소명, 소망 그리고 소멸

“다시 뵙게 되어 기쁩니다.”

키얀을 향해 기쁘다 인사를 건네는 묘길의 표정은 내뱉는 말과는 달리 무표정했다. 그녀가 조금 더 숨겨 왔던 광기를 드러내거나, 혹은 조금 더 즐거워하거나, 그도 아니면 하다못해 노여워하거나 안타까워할 것이라 여겼던 키얀은 의외라는 시선으로 그녀를 살폈다.

“감상과 달리 그다지 기뻐 보이지는 않는군.”

“그럼요?”

“아무것도.”

아무것도 느껴지지 않는다. 초연하다는 말을 이럴 때 쓰는 걸까? 키얀은 이내 상념을 지워 내고 그녀를 향해 물었다.

“온 황제는 어떻게 됐지?”

"추격 중입니다."

"군대가 입성하기 전에 처리하겠다고 하지 않았나?"

"사랑의 힘이 죽음도 초월한다는 걸 잠시 잊어서요."

그렇게 답한 묘길이 넓은 옷소매로 감추고 있던 자신의 옆구리를 보였다. 하얀 무녀복에 붉은 핏물이 흥건했다. 누가 봐도 치명상으로 보이는 출혈이었다. 키얀이 미간을 좁혔다.

"다쳤군."

"치료했습니다. 시간이 좀 걸렸죠. 그 온순한 여인이 제 몸에 칼을 꽂을 줄은 상상도 못 했답니다."

묘길은 당시의 상황을 떠올리며 피식 웃었다.

서국의 침공이 있기 전, 나투국의 황성.

이른 아침, 성벽으로 동이 터 오는 풍경은 여느 때와 마찬가지로 평화로웠다. 그것이 비록 전시 상황일지라도.

나투국, 기름진 평야. 그 지평선 너머로 황금 고리가 떠오르며 햇살이 퍼지는 광경은 언제 보아도 장관이었다. 밤새 뜬 눈으로 성벽 위에서 보초를 서던 병사들이 뻑뻑한 눈꺼풀을 문지르며 하품을 했다. 그러다 슬쩍 주위를 살피며 상관이 없는지 확인하는 것도 잊지 않았다.

"교대 시간 다 됐네."

"수고해."

교대 시간이 되어 찾아온 병사와 자리를 바꾸려던 때였다. 창을 들고 전방을 바라보던 병사가 의아하게 읊조렸다.

"저게 뭐야?"

병사가 손을 들어 한 곳을 가리켰다. 너른 평야 위 뿌연 흙먼지가 날리는 가운데, 새카만 갑주를 입은 서국의 군대가 자리했다. 태양을 등진 그들은 눈부신 광휘에 휩싸인 채 곧장 성벽을 향해 진격해 오고 있었다. 병사의 얼굴이 경악으로 물들었다.

"북을 쳐라!!! 적습이다!!!"

적습을 알리는 긴급한 북소리가 성벽에서부터 나투국 황성 전체로 울려 퍼졌다.

"시작하라."

키얀의 명령에 대기하고 있던 병사들이 투석기의 밧줄을 끊었다. 팽팽하게 당겨졌던 거대한 투석기가 엄청난 반동으로 바위를 내던졌다. 하늘로 날아올랐던 바위가 포물선을 그리며 추락했다. 사방에서 성벽을 향해 날아드는 거대한 바위에 성벽이 허물어지고 병사들이 튕겨 날아가거나 압사했다.

"궁수 부대 앞으로!!! 쏴라!!!"

서국의 궁수 부대가 일사불란하게 화살을 쏘았다. 바위와 함께 날아드는 수천의 화살은 비처럼 성벽과 성 안에 퍼부어졌다.

한편, 군사 회의에 참석하기 전 묘길의 처소에서 그녀의 신병을 확인하던 홍 장군은 밖에서 들려오는 북소리에 놀라 고개를 돌렸다. 그와 마주하고 있던 묘길이 입매를 당겼다.

"가 보셔야 하는 것 아닙니까?"

"자네……!"

웃고 있는 그녀의 모습에 무언가 일이 잘못되었음을 깨달은 홍 장군은 급히 그녀의 처소를 나섰다.

조용해진 처소 안. 밖에서 들려오는 북소리에 몸을 일으킨 그녀가 옷장을 열었다. 그러고는 옷장의 안쪽에 있는 벽을 밀어 열고 그 안으로 들어갔다. 순식간에 묘길은 자취를 감췄다. 처소 밖을 지키는 병사들 중 누구도 그녀가 사라졌다는 사실을 알지 못했다.

묘길은 등불을 들고 지하로 이어진 계단을 밟고 내려갔다. 본디 황궁에는 비상시에 황족들이 대피할 수 있도록 만들어진 비밀 통로가 있었는데, 이곳은 그녀 외에는 아무도 모르는 비밀 통로였다.

잠시 뒤 그녀는 서늘한 한기가 느껴지는 지하 공간에 도착했다. 보초를 서던 호위 무녀들이 그녀를 향해 고개를 숙였다. 묘길은 호위 무녀들을 지나 그들이 지키고 있는 감옥으로 다가갔다.

갇혀 있던 최 승상과 길림은 지상을 요란하게 오가는 사람들의 발소리에 무언가 심상치 않은 일이 벌어졌음을 직감했다. 묘길은 긴장의 빛이 역력한 시선으로 자신을 바라보는 그들을 향해 말했다.

"마침내 시작되었습니다."

"밖에서 무슨 일이 벌어지고 있는 건가!"

"손님이 왔지요. 키얀 모르. 꽤나 두터운 친분이 있는 사이지요?"

묘길의 입에서 나온 서국 황제의 이름에 최 승상과 길림의 낯이 동시에 굳어졌다. 묘길이 미소 지었다.

"상황을 아시겠습니까? 그가 예까지 놀러 왔을 리는 없으니."

"묘길-!!!"

"그리 부르셔도 소용없습니다. 이미 전투는 시작되었습니다. 홍장군이 사색이 되어 달려가더군요. 국경으로 병력을 다 보내, 남은 수도의 병력은 고작 이삼천뿐일 텐데 과연 언제까지 막아 낼 수 있을지…….”

“원군이 올 것이다! 내가 이런 때를 미리 대비하지 않으리라 여겼나! 전투가 벌어진 즉시 지방의 모든 성으로 연락이 갔을 거다!”

최 승상의 말에도 묘길은 초연하게 고개를 끄덕였다.

“알고 있습니다. 하지만 국경은 서국의 10만 대군이 공격하고 있고, 부관을 잃은 대장군은 쉬이 그곳을 벗어나지 못합니다. 새로 파견된 병마절도사 도백은 열정은 넘치는 자이나 아직 신출내기라 전투 경험이 부족하거든요. 또, 다른 성에 지원을 요청했다고 한들 지원군이 수도에 당도하려면 최소 6일에서 7일의 시간이 걸립니다. 그 전에 이미 온 황제는 죽고 수도는 함락되어 있겠지요. 이제 아시겠습니까? 아무리 연락을 취한다 한들 소용없는 짓이라는 걸.”

“9백 년의 역사 동안 적들의 침입은 수없이 많았다. 이리 쉽게 무너질 것 같은가!”

“그 9백 년의 역사를 눈으로 지켜본 게 바로 저입니다.”

날카로운 묘길의 음성이 지하 공간을 울렸다.

“이 내가 살아 있는 역사 그 자체란 말입니다. 건국대제? 일월무제? 나라를 세우고 영토를 넓힌 그들이 대단하다 한들 지금껏 살아 있습니까? 1백 년도 못 사는 목숨, 탐심으로 얼룩져 약소국을 짓밟고, 혈육을 살인하고, 또 죽이고, 죽이고! 그렇게 정점에 서니 자기가 신이라도 된 줄 알더이다. 영생을 누리려 신력을 탐하고 무녀들을 만들어 손에 쥐고 세상을 흔드는 꼴을 나는 모두 보았습니다. 그렇게 거의 천 년에 가까운 세월을 인내하고 또 인내했습니다.”

묘길이 계속해서 말을 이었다.

“나는 계속 기다렸습니다. 그들이 나태해지기를, 권력에 도취되어 나약해지기를. 그렇게 초대 황제부터 시작해 수많은 황제들의 죽음을 지켜봤습니다. 힘에 취해 나태해져 가는 제국의 평화를 계속해서 지켜보았습니다. 그리고 마침내 때가 온 겁니다. 이 지옥을 뒤엎어 버릴 순간이!"

9백 년이 넘는 세월이었다. 거의 천 년에 가까운 시간이었다. 묘길은 그 긴긴 시간을 인내하며 이 땅의 멸망을 바랐다.

그녀의 분노를 마주한 최 승상과 길림은 감히 상상조차 할 수 없는 그녀의 역사에, 그 긴긴 시간 동안 켜켜이 쌓인 분노에 넋을 놓았다.

두 사람 모두 묘길이 자신들보다 훨씬 더 많은 세월을 살아왔으리라 소문으로 짐작했으나, 그 시작이 나투국의 건국과 이어져 있을 줄은 꿈에도 상상하지 못했다. 그것은 인간으로서는 도저히 상상할 수 없는 세월이었다.

"계속해서 죽음을 원했던 나를 이 땅에 잡아 둔 것은 당신들입니다. 원망하려거든 그대들의 선조와 그들의 역사, 이 제국을 원망하세요."

말을 마친 그녀가 호위 무녀들을 이끌고 지하 공간을 벗어났다.

"묘길!!! 거기 멈춰라! 묘길-!!! 제기랄……!"

최 승상이 소리쳤으나 그들을 막을 수는 없었다. 문 밖의 기척이 완전히 사라진 것을 확인한 길림이 지하 공간을 살피며 감옥의 이음매 부분을 살폈다. 낡은 경첩에 녹이 슬어 있었다.

"기회입니다. 감시가 없는 틈을 타 이곳에서 나가야 합니다."

"문을 열 수 있겠나?"

"단단해 보이나 오래되어 경첩 부분이 많이 낡았습니다. 힘껏 부쉬 보는 수밖에요."

"돕겠네."

길림과 최 승상이 있는 힘을 다해 잠겨 있는 옥사의 문을 발로 차기 시작했다.

"방패를 들어라!!! 전열을 갖춰라!!!"

급히 말을 몰아 성벽으로 달려온 홍 장군이 병사들을 향해 소리쳤다. 성벽 안으로 날아드는 바위에 백성들이 비명을 지르며 안쪽으로 달아났다. 바위에 맞은 가옥들이 무참히 파괴되었다. 성벽이 일부 무너져 내리고 부러진 깃발이 아래로 추락했다.

홍 장군은 쉬지 않고 날아드는 바위와 화살에 간신히 성벽 위로 올랐다. 바라본 성 아래로 무장한 서국의 군대가 무서운 기세로 접근하고 있었다.

"전군 응대하라!!! 화살을 쏴라!!!"

홍 장군의 뒤를 따른 궁수 부대가 일제히 화살을 날렸다. 하지만 밀려드는 적군의 기세를 꺾진 못했다. 진영으로 날아드는 화살을 바라보며 키얀이 함께 전차에 타고 있던 혜린을 향해 말했다.

"신력을 사용하라."

"예, 폐하."

혜린이 기다렸다는 듯이 하늘 위로 손을 들었다. 그리고는 손끝에서 실같이 뽑아낸 신력을 공중에 띄워 마치 비구름처럼 엮었다. 점점 더 몸집을 부풀리던 신력이 한순간 서국 병사들의 머리 위로 낙하했다. 눈에 보이지 않는 신력의 비가 병사들의 머리와 몸 위로 떨어졌다. 혜린이 말했던 일시적으로 통각을 마비시키는 힘이었다.

그런 병사들의 머리 위로 화살이 날아들었다. 머리, 가슴, 배 할 것 없이 화살에 맞은 병사들은 잠시 주춤했을 뿐, 이내 정신을 차리고 다시 성벽을 향해 달려 나갔다.

"저건, 혜린 무녀입니다-!!!"

부상자를 치료하기 위해 홍 장군과 함께 성벽에 올랐던 무녀들이 경악했다.

혜린은 윤조가 나타나기 전까지 역대 무녀들 중에서 최연소로 가장 강력한 신력의 운용을 갖고 있다 칭송받던 무녀였다. 신력의 방출량은 막대하지 않았으나 그 힘을 운용하는 능력은 가히 천재적이라 여겨졌다.

그렇기에 스물셋밖에 안 된 나이로 최연소 감찰 무녀와 시험관 무녀의 자리에 올랐다. 또 그녀는 무녀들 중 신력으로 인체의 일부 또는 전신을 마취하는 것에 재능을 보인 유일무이한 무녀이기도 했다.

"혜린이 어떻게 저기에……!"

경악하는 홍 장군을 바라보며 혜린이 조소했다.

"그간 강녕하셨습니까, 아버님."

그녀는 자신의 가문과 자신을 무참히 버린 나투국의 황성을 바라보며 바드득 이를 갈았다. 키얀이 만족스러운 표정으로 진격하는 병사들을 바라보며 명했다.

"성벽을 넘어라! 성문을 열고 황성을 함락하라!!!"

키얀을 따라 황성을 치러 온 서국의 군대는 일반 병사들로만 이루어진 군대가 아니었다. 5백에 달하는 황제의 정예부대 괴혈단과 함께였다. 도깨비 가면을 쓴 괴혈단이 탑차를 타고 성벽을 오르거나 손에 찬 갈고리 같은 병기를 이용해 일제히 벽을 타기 시작했다.

"하센, 성문을 격파하라."

"존명."

하센이 이끄는 여희단의 마차가 황성의 정문을 향해 진격하는 전차부대의 뒤로 따라붙었다. 그들이 모는 마차의 정체는 화차火車였다.

화차는 그 안에 끓는 기름이 든 솥과 아궁이가 있어 성문을 향해 충돌한 후 솥 안으로 찬물이 쏟아지게 해 급격한 온도 차이로 폭발하게 만든 병기로, 공성전에서 적의 성문을 폭발시켜 버리기 위한 일종의 이동식 폭탄이었다.

"전차 부대!!! 여희단을 엄호하라!!!"

날아드는 화살을 방어하기 위해 설계된 서국의 전차가 여희단을 엄호했다. 그러는 사이에도 괴혈단이 계속해서 성벽을 타고 성 안으로 들어왔다.

괴혈단과의 전투로 성벽 위는 이미 아수라장이었다. 달려드는 괴혈단원의 목을 베며 성벽을 확인한 홍 장군은 무서운 속도로 달려오는 전차 부대와 그 뒤를 따르는 마차의 모습에 급히 소리쳤다.

"저들을 막아라!!!"

하지만 성문을 지켜야 할 노궁병들은 이미 운명을 달리한 뒤였다.

성문에 다다른 하센과 여희단이 마차 양옆으로 붙은 전차 위로 뛰어내렸다. 그들을 태운 전차가 양옆으로 갈라져 달려가고, 곧 성문과 충돌한 화차가 굉음과 함께 폭발했다. 지축을 뒤흔드는 진동과 함께 피어오르던 연기가 걷혔다. 반파되었을 것이라는 하센의 예측과 달리 성문은 굳건했다.

"대장! 쇠문입니다! 화차로는 폭파할 수 없습니다!"

여의단원의 외침에 하센이 미간을 좁혔다. 지난 사건 이후 나무문이 아닌 쇠문을 단 모양이었다.

"충차로 문을 들이받아라!!! 열릴 때까지 멈추지 마라!!!"

서국의 충차가 쉼 없이 성문을 들이받았다. 상황이 급박했다. 병사들이 지원을 요청하는 북을 울렸다. 긴급한 북소리에 황성과 성안을 수비하던 병력들이 모두 성벽과 성문으로 몰려들었다.

"성문을 사수하라!!! 절대 안으로 들어오게 해서는 안 된다-!!!"

국경을 수비하기 위해 나람성으로 병력을 거의 다 보냈기 때문에 황성 안에 남아 있는 수비군의 숫자는 기껏해야 이삼천에 불과했다.

'국경에 있어야 할 서국의 황제가 어찌 이곳에 있단 말인가!'

홍 장군은 멀리 보이는 전차 위에 자리한 키얀을 알아보고 치를 떨었다. 그는 뒤늦게 키얀의 작전을 깨달았다. 10만의 병력으로 국경을 위협했던 것은 시선을 돌리기 위함이었음을. 애초에 그가 노렸던 것은 나투국의 황성이었다는 것을.

홍 장군의 낯빛이 하얗게 질려 갔다. 지원군을 요청하기에는 시간이 턱없이 부족했다. 그러는 중에도 성벽으로는 계속해서 화살이나 창 따위가 날아들고 있었다. 성벽을 넘은 괴혈단이 쉼 없이 밀려들었다.

날아드는 화살을 검으로 쳐 내며, 그는 이제 뼈대밖에 남지 않는 전각의 기둥 뒤로 몸을 피했다. 머리 위로 바위가 지나갔다. 위기가 정신없이 몰아치며 혼란으로 치닫는 때였다. 황궁에서 불길과 함께 검은 연기가 피어오르는 것이 보였다.

"폐하……!!!"

황궁에 무슨 변고가 생긴 것이 틀림없었다. 수비대장에게 성벽을 사수하라는 명을 남긴 채 홍 장군은 급히 말을 몰아 황궁을 향해 내달렸다.

그 시각, 나투국의 황궁.

"어서 황후마마를 밖으로 뫼셔라!!! 어서-!!!"

어디에서부터 시작됐는지 모를 불길이 삽시간에 황후궁을 집어삼켰다. 매캐하고 짙은 연기가 복도에 자욱한 가운데 여기저기에서 궁인들의 비명이 난무했다.

50명에 달하는 호위 무녀들과 함께 나타난 묘길이 불길에 놀라 건물 밖으로 달려 나오던 궁인들을 무참히 도륙했다. 황후궁으로 이어지는 길목마다 보초를 서고 있던 병사들은 이미 숨통이 끊어진 뒤였다.

"마마! 오시면 안 됩니다! 도망치십시오!!!"

건물 밖으로 나왔던 궁인들이 검을 든 호위 무녀들에게 둘러싸인 채 건물 안을 향해 소리쳤다. 궁인들의 호위를 받으며 서둘러 밖으로 향하던 황후가 이 광경을 목격하고 자리에 멈춰 섰다. 그녀는 건물 입구에 피를 쏟으며 죽어 있는 자신의 궁인들과 묘길을 발견하고는 진노하여 소리쳤다.

"무녀장! 대체 이게 무슨 짓인가-!!!"

"무녀장 묘길, 황후마마를 뵈옵니다. 하도 나오시지 않기에 연기에 질식해 죽어 버린 줄 알았습니다."

"묘길 자네-!!!"

황후가 비명처럼 외쳤으나 묘길은 아랑곳하지 않았다. 그녀는 도열한 호위 무녀들을 향해 말했다.

"황후를 죽여라. 그리고 무녀를 제외한 황궁 안에 남아 있는 모든 궁인들을 죽여라. 나는 황제에게 가겠다."

"멈춰라, 묘길!!! 감히 이런 짓을 벌이고도 무사할 줄 아느냐!!!"

황후의 외침에 묘길이 고개를 돌려 그녀를 향했다.

"지금 제 걱정을 하시는 겁니까? 황은이 망극하나이다."

고개를 까딱이며 인사를 마친 묘길이 그대로 등을 돌려 황후궁을 벗어났다. 그녀를 뒤따르는 호위 무녀들과 함께였다. 황후와 궁인들을 모두 죽이라 명받은 호위 무녀들이 검을 뽑아 든 채 달아나는 황후와 궁인들의 뒤를 쫓기 시작했다. 높은 비명 소리가 울려 퍼졌다. 묘길은 그 비명을 등진 채 황제가 있는 곳으로 향했다.

"폐하!!! 큰일 났습니다! 황후궁이 불타고 있습니다!!!"

"폐하-! 성문이 버틸 수 없을 것 같습니다! 어서 몸을 피하셔야 합니다!!!"

"황후는? 황후는 어찌 된 것이냐-!!!"

"마마의 생사를 알 수 없습니다. 병사들도 궁인들도 모두 죽었습니다! 속히 몸을 피하셔야 합니다!"

"폐하! 내란입니다! 무녀장 묘길이 내란을 일으켰습니다!!!"

밖의 상황을 살피고 온 내관과 궁인들이 아우성쳤다.

"내란이라니? 무녀장이? 그게 무슨……!!!"

"무녀장 묘길이 호위 무녀들을 대동하고 이쪽으로 오고 있습니다! 황후궁에 불을 지르고 궁인들을 죽인 것도 그들인 것 같습니다! 폐하! 어서 몸을 피하셔야 합니다-!!!"

머리가 아찔했다. 묘길이 내란을 일으켰다니. 황후궁에 불을 지르고 궁인들을 죽였다니. 황후의 생사를 알 수 없다니. 온 황제가 머리를 짚었다. 몸에 힘이 들어가지 않았다. 비틀거리는 그를 상선이 부축했다.

"어서 폐하를 뫼셔라! 마차를 준비하라!!!"

밖을 향해 소리친 상선이 급히 온 황제를 부축했다. 돌연 복도에서부터 비명이 울려 퍼졌다.

"폐하! 폐하, 피하십시오! 폐하……!"

바닥에 거꾸러진 내관을 지나 문 안으로 모습을 드러낸 사람은 다름 아닌 묘길이었다.

"무녀장! 감히 뉘 앞에서 이런 행패를 부리는 것이오!"

"상선, 도망치지 않고 아직도 계셨습니까?"

점점 다가오는 묘길의 모습에 상선이 온 황제의 앞을 가로막았다.

"물러나라!!!"

상선의 위협에도 묘길은 걸음을 멈추지 않았다. 상선은 그녀의 손에 검이나 날붙이 같은 무기가 없다는 것을 확인하고 그대로 몸을 날려 그녀를 붙잡았다.

"폐하! 어서 달아나십시오! 어서-!!!"

상선이 소리쳤으나 그 외침은 얼마 가지 못했다. 저항 없이 그의 손에 붙잡혀 있던 묘길이 가만히 손을 들어 그의 얼굴을 움켜쥐었다. 그다음은 순식간이었다. 눈 깜짝할 사이에 묘길의 손안에서 뿜어진 신력이 상선의 전신을 강타했다. 전기에 감전된 사람처럼 부르르 몸을 떨던 상선이 그대로 바닥에 쓰러졌다.

"상선-!!!"

온 황제가 경악하여 소리쳤으나 상선은 대답하지 못했다.

"이미 죽었습니다."

차가운 묘길의 음성에 온 황제가 그녀를 바라봤다.

"그대 대체 왜 이러는가!!! 대체 무슨 이유로 이런 끔찍한 일을 벌였느냔 말이야!!!"

"폐하께서 말씀하시지 않았습니까? 진심으로 제가 행복하길 바란다고요."

"뭐라……?"

"다른 방법을 찾아보려 수없이 애썼습니다. 인간으로서는 헤아리기도 어려운 세월을 살며 수없이, 수없이 애썼습니다. 하지만 다른 방법은 없었습니다. 애초에 이 땅에서 살아가는 것 자체가 지옥인 것을요."

"왜 그런 말을 하나? 지옥이라니. 이곳이 그대에겐 지옥이었나?"

"폐하께서는, 당신은 모릅니다. 이 제국이 제게 어떤 고통을 주었는지."

고운 그녀의 미간에 주름이 졌다. 한없는 슬픔을 감내하는 그녀의 눈동자를, 눈물을 참는 것인지 노여움을 참는 것인지 굳게 다문 그녀의 입술을, 그 표정을 온 황제는 누구보다 잘 알고 있었다.

"행복하기 위해서 이런 일을 벌였다고?"

"예."

"진심으로 행복한가?"

"예, 행복합니다. 드디어 이 지옥에서 벗어날 수 있다고 생각하니 진심으로 마음이 놓입니다."

"그런데 왜 그대는 여전히 그런 표정을 짓는 걸까?"

"무슨……."

"그거 아나? 내가 그대 앞에 솔직했듯이 그대도 내게만 드러내는 솔직한 표정이 있다는 걸."

"허튼소리 마십시오."

"무엇을 그리 참나 했지. 처음 봤던 그날부터 그대가 무엇을 인내하기에 그리도 슬픈 눈을 하는지, 그리 화가 나 있는 건지 묻고 싶었지만 차마 묻지 못했지. 그대의 아픔을 감당하기에는 내가 너무 어릴까 봐. 그대를 보듬어 주기에는 내가 너무도 나약하여. 그래서 손을 뻗었지. 주름진 그대의 미간을 가만히 펴 주며 말했지. 고운 얼굴에 주름지니 찡그리지 말라, 그리 표현할 수밖에 없었지. 그렇게라도 그대에게 닿고 싶어서. 그렇게라도 그대의 마음을 달래 주려고."

온 황제가 묘길을 향해 한 걸음 다가섰다.

"몸이 자라면, 황위에 오르면 내가 큰 사람이 될 거라 여겼지. 자네를 보듬어 줄 정도로 큰 사람이 될 거라 여겼지. 이 자리가 그대에게서 더 멀어지는 길이 될 줄 알았더라면 그리 열심히 얻으려 하지 않았을 텐데……."

가까워지는 온 황제의 모습에 묘길이 뒷걸음질 쳤다.

"무슨 말씀을 하시는 겁니까-!!! 아직도 상황을 모르겠습니까? 다 제가 한 일입니다! 서국의 황제와 내통한 것도! 대승상과 부관 길림을 납치한 것도! 황후궁에 불을 지른 것도! 황후와 궁인들을 죽이라 명한 것도! 내관들을 죽이고 폐하를 죽이기 위해 이곳에 온 것도! 다 제가 한 짓이란 말입니다!!! 그런데 왜 아직도 미련을 못 버리십니까!!!"

"내게 어찌 자네를 버리라 하나-!!!"

온 황제가 괴롭게 소리쳤다.

"단 한 번도 그대 마음속에는 내가 없었나? 단 한 번도 그대에게 내 마음이 닿지 않았단 말인가! 단 한 번이라도 알았다면 어찌 그런 잔인한 말을 하는가!!!"

슬픔으로 일그러진 그의 눈에서 눈물이 흘렀다. 처음 마주했던 그날처럼 울고 있는 온 황제를 바라보며 묘길 역시 얼굴을 일그러뜨렸다. 피가 날 정도로 꽉 깨문 그녀의 입술이 바르르 떨렸다. 결심한 듯 주먹을 움켜쥔 그녀가 온 황제를 향해 신력을 담은 손을 뻗는 순간이었다.

옆구리에서 엄청난 통증이 느껴졌다.

"허억."

저절로 숨이 차올랐다. 고개를 숙여 통증이 치미는 곳을 바라보자 그녀의 옆구리를 뚫고 나온 장검이 보였다. 대체 누가. 고개를 돌려 확인하자, 그을음과 핏물에 엉망이 된 황후의 모습과 그 뒤로 경악 어린 홍 장군의 모습이 보였다. 황후는 홍 장군의 것으로 보이는 검을 들고 있었다.

황후가 묘길을 찌른 장검을 뽑아냈다. 동시에 검이 관통했던 묘길의 옆구리에서 피가 솟구쳤다. 정신이 아찔했다. 황후는 사람을 찔렀다는 사실에 충격을 받은 것인지 굳어 있었으나, 잠시뿐이었다. 심지를 굳힌 그녀의 까만 눈동자가 묘길을 노려봤다.

"폐하의 곁은 내가 지킬 것이다-!!!"

그 자리를 감히 넘보지 말라는 경고가 섞인 외침이었다. 묘길이 자조적으로 웃었다. 황후를 향해 손을 뻗었으나 휘청이던 몸이 힘없이 바닥으로 쓰러졌다. 상처에서 울컥울컥 피가 솟았다. 치명상이었다.

“폐하! 어서 이곳을 빠져나가야 합니다! 홍 장군! 어서 폐하를 뫼시게-!!!”

황후는 홍 장군과 함께 묘길의 모습에 충격을 받은 채 굳어 버린 온 황제의 팔을 잡아 이끌었다. 묘길은 멀어져 가는 그들의 모습을 바라보며 숨을 헐떡였다. 여기에서 죽을 수는 없다.

상처 입은 옆구리를 향해 신력을 집중하자 서서히 피가 멎어 갔다. 급소를 찔려 회복이 더뎠다. 뒤늦게 현장에 도착한 호위 무녀들이 묘길을 치료하기 시작했다. 아득했던 정신이 점차 또렷해졌다. 호위 무녀들의 부축을 받아 몸을 일으킨 묘길이 급히 소리쳤다.

“황제와 황후가 도망쳤다. 어서 추격하라!”

같은 시각, 최 승상과 길림이 묘길의 감옥에서 탈출했다. 하지만 아무리 비밀 통로의 문을 열려고 해도 문은 꿈쩍하지 않았다.

“뭔가 장치가 있는 모양입니다.”

길림의 말에 최 승상이 문 가까이에 있는 벽을 살폈다.

“바깥쪽에서 문을 잠근 것인가.”

하지만 이곳도 황궁이다. 황족들이 사용하는 비밀 통로와 같은 구조로 설계되었다면 안쪽에서도 문을 여는 장치가 숨겨져 있을 것이다.

벽을 살피는 그의 손이 조급하게 움직였다. 그의 손이 등불이 걸려 있는 부근의 벽을 살피던 때였다. 벽돌이 별안간 안으로 밀려 들어가며 기계 장치가 움직이는 소리가 났다.

“이런 곳에 문이……?”

문이 열린 곳은 의외의 장소였다. 두 사람은 자신들이 갇혀 있던 돌로 된 감옥의 바닥이 열리며 드러난 공간에 놀란 눈을 했다.

"더 깊은 지하에도 공간이 있는 모양입니다."

순간 밖에서 인기척이 들렸다. 밖을 지키던 호위 무녀들이 기계 장치가 움직이는 소리를 들은 모양이었다. 계단을 내려오는 소리에 위험을 직감한 두 사람은 서둘러 감옥 아래로 난 계단을 타고 내려갔다.

그곳에는 커다란 땅굴이 마치 미로처럼 펼쳐져 있었다. 횃불을 집어 든 최 승상이 벽에 새겨진 문양을 확인했다. 전설 속 나투국을 축복했다는 여신의 옆모습을 형상화한 그 문양은 초대 황제인 건국대제를 상징하는 문양이었다.

"초대 황제의 문양이다. 적어도 9백 년 전에 만들어진 곳인 것 같군."

"황궁 지하에 이런 공간이 있을 줄은 꿈에도 몰랐습니다."

"마찬가지일세."

계단 위에서 그들을 추격해 오는 발소리가 들렸다. 다급해진 최 승상이 길림을 향해 말했다.

"여기서 갈라지지. 이곳 어딘가에 분명 지상으로 통하는 문이 있을 걸세. 내가 저들의 시선을 끌겠네."

담담한 척했지만 최 승상은 많이 지쳐 있는 상태였다. 길림도 마찬가지겠지만 무관인 그와는 체력적으로 차이가 났다. 이대로는 짐만 될 것이다.

"위험합니다. 함께 통로를 찾는 게……!"

"둘 다 붙잡히면 희망이 없어! 자네는 대장군을 도와 반드시 수도를 되찾게! 알겠나!!!"

최 승상의 말에 갈등하던 길림은 하는 수 없이 고개를 끄덕였다.

“살아서 뵙겠습니다.”
“그러세.”
달려가는 길림의 뒷모습을 바라보던 최 승상은 그와는 반대편으로 뛰기 시작했다. 단 하나의 병력이라도 더 필요한 때다. 하물며 길림은 나투국 최강의 궁수 부대를 지휘하는 장수이자 7년 전쟁에 종지부를 찍은 신궁이었다. 그가 합류한다면 아군의 전력은 크게 오를 것이다. 비록 자신의 목숨이 위태로워질지라도.
문득 지상에 있을 아내와 딸의 모습이 떠올랐다. 그가 지친 다리를 움직이며 어금니를 깨물었다. 이 선택이 그들을 살릴 수 있는 길이 되기를.
한편, 최 승상과 반대편으로 향했던 길림은 복잡한 미로를 헤맸다. 길을 돌고 돌아도 같은 공간만 반복되는 것 같았다. 발아래로 드문드문 생긴 물웅덩이를 밟을 때마다 찰팍거리는 소리가 났다.
“침작하자. 후…….”
잠시 자리에서 멈춰 선 그가 방향을 가늠할 때였다. ‘찰팍’ 하고 물웅덩이를 밟는 소리가 났다. 가벼운 발소리였다. 소리는 점점 더 가까워졌다.
모퉁이에 몸을 숨긴 그가 바로 앞까지 접근한 발소리에 빠르게 튀어나갔다. 모퉁이를 돌아 나오던 호위 무녀를 제압하고 검을 빼앗았다. 무녀가 온 길 저편을 살폈지만 다행히 다른 호위 무녀들의 모습은 보이지 않았다.
“출구로 안내해라.”
호위 무녀의 목에 새파란 검이 밀어졌다. 길림의 손에서 빠져나가기 위해 몸부림을 치던 무녀는 목을 파고드는 날카로운 검날에 양손을 머리 위로 들어 올렸다. 항복의 표시였다.

호위 무녀를 따라 출구로 나온 길림은 그곳이 예부터 여신에게 제사를 지내던 자명전慈明殿의 안이라는 것을 깨달았다. 그곳은 황제가 정사를 돌보는 사민전思僶殿과도 매우 가까운 곳에 위치한 건물이었다. 그는 묘길이 이 통로를 이용해 비밀스럽게 드나들며 각종 기밀을 염탐했다는 것을 깨달았다. 밖을 살피니 궁인들과 병사들이 모두 죽어 있었다.

"제기랄……!"

사로잡은 호위 무녀를 기절시킨 그가 빠르게 황궁을 가로질렀다. 황후궁이 불타올라 하늘로 검은 연기가 피어오르고 있었다. 멀리 성벽에서 긴급한 북소리가 울려 댔다. 지나치는 길목마다 궁인들의 시체가 즐비했다. 금부에서 활과 화살을 챙긴 그가 급히 말을 몰았다.

"폐하! 마마와 함께 피하십시오!"

홍 장군이 공격해 오는 호위 무녀들의 검을 막아 내며 뒤를 향해 외쳤다. 온 황제와 황후가 곧장 보이는 황궁의 뒷길로 달리기 작했다. 화재로 장시간 연기를 들이마셨던 황후가 계속해서 기침을 토했다.

"황후! 기운을 내시오!"

"폐하, 저는 괜찮으니 폐하만이시라도 몸을 피하십시오!"

"그런 소리 마시오! 어서, 내 팔을 잡으시오. 어서-!"

홍 장군이 미처 다 막아 내지 못한 호위 무녀들이 온 황제와 황후를 노리고 달려들었다. 황후의 등 뒤로 뻗어 오는 검에 온 황제가 몸을 날려 황후를 감쌌다.

"폐하-!!!"

황후의 비명이 메아리쳤다. 온 황제가 자신의 어깨를 관통한 검을 붙잡고 호위 무녀와 대치했다.

"이런……! 폐하!!!"

다수의 호위 무녀를 상대하던 홍 장군이 급히 무녀들의 검을 쳐내고 황제와 황후를 향해 내달렸다. 그의 검에 순식간에 앞서가던 두 명의 무녀가 즉사했다.

관통한 검날을 붙잡은 채 신음하던 온 황제는 칼이 빠지지 않자 당황하는 호위 무녀를 발로 차 밀어냈다. 밀려난 무녀가 다시 금 온 황제를 죽이기 위해 달려들었으나 허공을 가르고 날아온 화살에 절명했다. 홍 장군이 화살이 날아온 방향으로 고개를 돌렸다.

"길림-!!!"

바라본 곳, 말을 타고 나타난 길림이 호위 무녀들을 향해 화살을 쏘고 있었다. 따라붙은 무녀들을 처리한 길림이 말에서 내려 홍 장군을 향해 달려왔다.

"장군! 괜찮으십니까?"

"길림, 자네 어떻게……."

"심려 끼쳐 죄송합니다. 우선 폐하와 마마를 모시겠습니다."

"그래, 그러세."

두 사람은 급히 온 황제의 상처를 살폈다. 다행히 급소는 비껴갔으나 검을 뽑아야 했다.

"폐하, 검을 뽑겠습니다."

"준비됐네."

홍 장군은 온 황제의 어깨에 박힌 검을 잡고 빠르게 뽑아냈다. 지혈이 시급했다. 황후가 자신의 치마를 찢어 상처를 동여맸다.

길림은 자신이 타고 온 말에 황제와 황후를 오르게 한 후 홍 장군과 함께 그곳을 벗어났다. 마차가 있다면 좋았겠지만 지금은 그런 것을 따질 때가 아니었다. 추격대가 따라붙기 전에 수도를 벗어나야 했다. 전화에 휩싸인 황궁에서 무사히 탈출한 이들은 그렇게 네 사람이 전부였다. 그들은 곧장 준영이 있는 나람성을 향했다.

나람성에 있던 준영에게 수도의 함락 사실이 전해진 건 그다음 날 아침이었다.

"대장군!!! 큰일 났습니다! 수도가, 황성이 함락되었다고 합니다-!!!"

"뭐라!!!"

급히 달려온 도백이 들고 있던 서신을 준영에게 내밀었다.

별동대 침공. 묘길 내전.

급하게 휘갈겨 쓴 글씨체로 짧게 적힌 서신에는 서국의 별동대가 수도를 침공했으며 무녀장 묘길이 내전을 일으켰다는 내용이 담겨 있었다.

"이럴 리가……!!!"

준영은 성벽 너머 서국의 진영을 바라봤다. 진영의 가장 안쪽에 자리한 거대한 막사. 붉은색 바탕에 금실로 치장된 서국 황제의 깃발이 버젓이 펄럭이고 있었다. 함정이다. 저건 우리에게 보여 주기 위한…….

그제야 사실을 깨달은 준영이 분노하여 소리쳤다.

"키얀-!!!"

그가 성벽을 내리치며 바득 이를 갈았다. 그러고는 빠르게 수도로 보낼 부대를 편성하기 시작했다.

"별동대로 수도를 공격했다면 그 수가 많지 않을 것이다. 더 늦기 전에 2만 5천의 군사를 보내 수도를……!"

그때 서국의 진영에서 전투를 알리는 고둥 소리와 북소리가 울려 퍼졌다. 동시에 나람성의 성벽 위에서도 긴급 상황을 알리는 북소리가 울렸다.

"전군! 도열하라-!!! 오늘이야말로 나람성을 함락한다!!!"

서국의 보병 부대와 궁수 부대, 창병 부대와 기마 부대 전체가 전투 준비를 마쳤다. 가료가 키얀에게서 온 서신을 파이옌에게 내밀었다. 서신에는 나투국의 수도를 함락했으며 지방에서 올라오는 나투국의 원군이 7일 안에 도착하니 그 전에 군대를 이끌고 수도로 오라는 내용이 담겨 있었다.

서신을 읽은 파이옌이 굳건한 나람성을 바라봤다. 준영과 윤조가 나투국 황성의 침공 소식을 들었다면 분명 황성으로 향하려 할 것이다.

'그렇게 되면 홍준영은 죽는다. 그리고 윤조도…….'

갈등하는 파이옌의 주먹이 세게 쥐어졌다. 홍준영이 황성으로 향하는 것을 막는다면 그의 죽음도, 윤조가 위험해지는 일도 막을 수 있다. 하지만 그렇게 되면 이야기가 정한 결말에 다다를 수 없고 자신이 원래의 세상으로 돌아갈 기회 또한 사라지고 만다.

'하나를 얻으려면 하나는 포기해야 한다.'

갈등하던 파이옌은 이내 결심을 굳혔다. 나람성이 이토록 오래 서국의 군대를 막아 낸 것은 애초에 준영을 유인하고 나투국 황성의 방어를 약화하기 위한 키얀의 계획이었으나, 어찌 보면 파이옌에게는 다시없을 기회였다.

"총력전을 펼친다."

"지금부터 군대를 이동해도 삼사 일은 걸릴 텐데, 오늘 안에 성을 뚫긴 쉽지 않을 겁니다."

"나도 알아. 하지만 나람성이 수세에 몰리지 않으면 홍준영이 분대를 꾸려 황성으로 향할 거야. 하지만 총공격을 당한다면 자리를 비우지 못할 거다."

현재 나람성에 주둔한 준영의 군대와 서국 군대의 수는 비등비등했다. 유능한 지휘관과 잘 훈련된 군대가 있다면 수성전은 최대 열 배의 적까지도 막아 낼 수 있다.

하지만 준영에게는 현재 수도군의 지휘를 맡길 부관이 없었다. 더군다나 새벽의 일로 준영은 파이옌이 나람성에 있다는 것을 알았다. 자리를 비운다면 승리를 장담할 수 없다고 여길 것이다.

괴혈단은 철갑 기마 부대이나 언제라도 창병이나 궁수로도 활약할 수 있으며, 말을 버리고 성벽을 오르는 것쯤이야 식은 죽 먹기인 자들이다. 따라서 준영은 공격당하는 나람성을 두고 황성으로 향할 수 없다. 최후의 보루인 이곳을 버리고 갈 수는 없을 테니까.

파이옌의 말에 동감한 가료가 고개를 숙였다.

"알겠습니다. 행림산성과 진한산성에 주둔한 병력도 최소만 남기고 모두 이쪽으로 오고 있습니다. 매복조도 합류하면 전력이 올라갈 겁니다."

"좋아. 가료 너는 이곳의 지휘를 맡아. 그 틈에 나는 분대를 꾸려 산을 돌아 나투국 황성으로 향하겠다. 지금 출발하면 놈들의 지원군보다는 일찍 도착할 수 있어. 전투는 치열할수록 좋다. 내 부재가 드러나지 않게 대역을 써라."

"알겠습니다, 장군."

파이옌은 군대를 이끌고 나람성으로 향하는 가료를 바라보며 작게 읊조렸다.

"미안하다."

파이옌은 키얀을 향한 가료의 충성심이 얼마나 깊은지 알고 있었다. 지금부터 자신이 할 일은 그런 가료의 등에 비수를 꽂는 것과 다름없는 일이 될 것이다.

'키얀을 죽인다.'

현재 나투국의 황성에서 키얀의 곁을 지키는 장수는 하센뿐이었다. 가료라면 모를까, 여희단 정도는 임무를 정해 주고 그들이 자리를 비운 틈을 타 키얀을 급습할 여지는 충분하다. 키얀을 도와 이 전쟁을 시작한 것도 자신이었으니 맺는 것도 자신이어야 했다. 홍준영과 윤조가 황성에 도착하기 전에 모든 일을 결착지어야만 한다.

"성 밖을 지키던 수비군을 성안으로 불러들여라. 성벽 측면의 방어를 강화한다."

북소리가 울리기 무섭게 준영도 수성전의 준비를 완료했다. 성 밖의 참호를 지키던 수비군을 안으로 불러들여 성벽에 배치해 방어를 강화하고, 궁수 부대 전원 또한 공격 태세를 마쳤다.

"저도 돕겠습니다."
윤조의 말에 준영이 반대했다.
"위험하다. 내가 있으니 윤조 너는 부상자를 맡아다오."
"노궁도 바닥났습니다. 공성병기를 막을 수 있는 자는 이 성에 저뿐입니다. 성문을 사수해야 하지 않겠습니까?"
그녀의 말에 도백이 동의했다.
"대장군, 윤조 무녀님의 말이 맞습니다. 적의 공성병기를 막아낼 사람은 무녀님뿐입니다."
"공성병기를 막다니, 무슨 수로?"
믿을 수 없다는 준영의 말에 윤조가 씩 웃으며 옷소매를 걷었다.
"설명할 시간이 없으니 눈으로 직접 보시죠."
"내 곁에서 절대 떨어지지 말거라."
준영이 윤조를 자신의 곁에 서게 했다. 성 밖으로 까맣게 밀려오는 서국의 병사들이 보였다. 전에는 보이지 않던 투석기까지 함께였다. 엄청난 크기의 바위를 장전한 투석기의 모습에 윤조의 얼굴이 하얗게 질렸다.
"저런 건 없었잖아!"
"막아 내실 수 있겠습니까?"
"시, 시도는 해 볼게요."
덩달아 하얗게 질린 도백의 물음에 윤조가 울며 겨자 먹기로 신력을 모았다.
"바위를 날려라-!!!"
가료의 명령에 투석기에서 던져진 바위가 엄청난 속도로 성벽을 향해 날아들었다. 윤조가 재빨리 손안에서 뽑아낸 신력으로 바위를 막으려 했으나 거대한 크기와 육중한 무게, 거기에 빠른 속도까지 더해진 바위를 막아 내는 건 무리였다.

"윤조야!"

준영이 머리 위로 날아드는 바위를 피해 윤조를 끌어안고 몸을 날렸다. 두 사람이 서 있던 누각이 반파되고 기둥이 부러졌다. 머리 위로 떨어지는 누각의 지붕에 준영이 자신의 몸으로 윤조를 감쌌다.

수초가 지나도 느껴지는 고통이 없자 준영이 눈을 떴다. 그는 숨을 몰아쉬며 누각의 지붕을 향해 손을 뻗은 윤조를 바라봤다. 그녀의 손에서 뻗어 나온 신력이 무너지던 지붕을 떠받치고 있었다.

"이게 어떻게……?"

"바위는 무리지만 이 정도는 막을 수 있어요. 헤헤."

준영이 몸을 바로 하며 윤조를 일으켰다. 그녀는 '끙' 하는 소리와 함께 들고 있던 지붕을 성 밖으로 냅다 집어 던졌다. '쾅!' 하고 지면을 강타한 지붕에 진격해 오던 서국의 병사들이 비명을 지르며 나가떨어졌다. 준영의 눈이 놀라 동그랗게 변하는 모양을 지켜보던 윤조가 손바닥을 털었다.

"보셨죠? 충차랑 탑차 정도는 거뜬하게 막을 수 있어요."

"언제부터 이런 힘을 쓸 수 있게 되었느냐?"

"특별한 힘이 아니라 신력이에요. 공격이나 방어가 가능하도록 조금 응용해 봤어요."

"놀랍군."

"그럼 저도 도와드려도 되죠?"

"엄호하겠다."

간밤에 윤조에게 치료를 받았던 팔이 가뿐했다. 준영이 지체 없이 검을 휘둘러 날아드는 화살을 쳐 냈다. 바위며 화살 따위가 계속해서 날아들었다. 준영은 방패를 들어 윤조를 엄호하며 성벽 위로 올라오는 적군을 베었다.

날아오는 바위를 피하던 윤조는 바위를 완전히 막을 수 없다면 방향만이라도 꺾어 아군의 피해를 최소화할 방법을 생각했다. 그녀는 곧장 부서진 성벽의 잔해를 들어 올려 날아드는 바위의 측면을 가격했다. 궤도가 꺾인 바위가 성벽을 스쳤다. 하지만 파괴력은 여전했다. 이대로는 성벽이 완전히 부서지고 말 것이다. 바위를 막으려면 투석기를 부수는 방법밖에 없었다.

주변을 살폈으나 마땅히 던질 만한 것이 보이지 않았다. 그러던 중 그녀는 성문을 향해 돌진해 오는 충차를 발견하고, 성문과 충차 사이에 신력을 둘러 충격을 막았다. 그러고는 곧장 충차를 들어 올려 투석기를 향해 내던졌다.

"으, 무거워-!!!"

있는 힘을 다해 내던진 충차가 허공을 날아 투석기에 충돌했다. 바위를 던지려던 힘 그대로 충차에 충돌한 투석기가 큰 소리를 내며 부서졌다. 폭탄이라도 터진 것 같은 굉음이 메아리쳤다. 나머지 한 대의 투석기도 마저 부서뜨린 윤조가 기쁨에 발을 굴렀다.

"오예-!!!"

"잘했다!"

그녀를 끌어안은 준영이 방패를 들어 날아오는 화살을 막았다. 가까워진 그의 거친 숨결이 윤조의 귓가를 스쳤다.

"위험하니 이제 그만 내려가거라."

"지아비를 두고 제가 가긴 어딜 갑니까?"

준영의 뒤로 성벽을 넘은 서국의 병사가 달려들었다. 손을 뻗은 윤조가 신력으로 병사의 검을 막았다. 재빨리 몸을 돌린 준영이 윤조를 끌어안은 채 방패로 병사를 가격했다. 준영에게로 향하는 화살을 공중에서 붙잡은 윤조가 그를 보며 말했다.

"지켜 드릴게요."

단호한 그 한마디에 준영의 입에서 웃음이 새어 나왔다. 감히 대장군인 자신을 겁도 없이 지켜 주겠다고 하는 이가 자신의 반려였다. 아수라장 중심에서도 이리 웃을 수 있다니. 흐트러진 표정을 갈무리한 그가 윤조의 머리를 자신의 손바닥으로 덮었다.

"고맙다."

다정한 그 음성이 기뻐서 윤조는 갑자기 눈물이 날 것 같았다. 드디어 스스로의 힘으로 지켜 낼 수 있게 되었다. 짐이 되는 것이 아니라 준영과 동등하게 마주 설 수 있었다.

하지만 감상에 젖어 있을 시간이 없었다. 상황은 급박했고, 서국의 군대를 막아 내야 했다. 그녀는 미리 대기하고 있던 민병대에게 화염병을 준비시켰다. 준영과 눈짓을 주고받은 그녀가 지휘권자로 준영의 옆에 섰다.

"민병대!!! 다들 요리 준비되셨습니까-!!!"

"예-!!!"

다시 돌아온 화끈한 요리 시간이었다. 민병대의 외침에 그들과 함께 대기 중이던 늑대들이 높게 울었다.

"폐하! 폐하! 정신을 잃으시면 안 됩니다! 폐하!"

황후가 소리쳤다. 온 황제의 어깨를 동여맸던 천에 피가 흥건했다. 금방이라도 낙마할 듯 휘청거리는 황제의 모습에 황후가 다급히 황제를 끌어안았다. 홍 장군과 길림이 말에서 황제를 내려 상태를 살폈다. 온몸이 불덩이 같았다.

"장군, 아무래도 무녀의 검에 독이 발라져 있던 모양입니다. 이대로 피를 계속 흘리면 폐하의 목숨이 위태롭습니다. 더 이상의 행군은 무립니다."

"근처에 묵을 만한 곳이 있는지 알아보게."

"예."

황궁에서 탈출한 그들은 꼬박 이틀 동안 산길을 달렸다. 먹은 음식이라고는 냇가에서 목을 축이고 나무에 열린 열매를 조금 먹은 게 다였다. 서산으로 해가 지고 있었다. 길림이 근처를 수색하는 동안 홍 장군은 황후와 함께 온 황제를 살폈다. 숨소리가 거칠다. 홍 장군의 미간이 좁혀졌다.

"폐하, 소신의 음성이 들리십니까?"

"홍 장군……."

"예, 폐하. 소신 여기 있습니다. 마음을 굳게 다잡으셔야 합니다. 절대 정신을 놓으시면 안 됩니다."

말을 타고 나갔던 길림이 돌아와 한 곳을 가리켰다.

"장군! 멀지 않은 곳에 버려진 오두막이 있습니다."

"어서 그리로 가지."

홍 장군과 길림이 급히 황제와 황후를 모시고 오두막으로 향했다. 나뭇가지를 모아 빗자루처럼 바닥을 쓸어 길에 난 발자국을 감추는 것도 잊지 않았다. 오두막은 길을 벗어난 울창한 숲 가운데에 자리했다. 잠깐이라면 은신처로 사용하기에 괜찮을 것이다.

"홍 장군, 이대로는 나람성까지 갈 수 없습니다. 폐하를 치료해야 합니다."

"하지만 무녀들은 모두……."

황후의 말에 홍 장군이 침음했다. 현재 수도의 모든 무녀는 서국군의 손에 사로잡힌 상태였다. 이런 산중에 치료사 무녀가 있을 리 만무했다. 실의에 빠졌던 홍 장군은 순간 나람성에 있을 윤조를 떠올렸다.

"나람성에 윤조가 있다."

지금 그들이 있는 오두막에서 나람성까지는 말로 빠르게 달려간다면 하루 정도면 도착할 수 있을 거리였다.

"장군, 제가 다녀오겠습니다. 가서 윤조 님을 모셔 오겠습니다."

"시간이 없으니 서둘러 주게."

"예."

말에 오른 길림이 서둘러 오두막을 벗어나 나람성으로 향했다. 숲을 지나 산을 넘었다. 개울을 건너고 들판을 지났다. 해가 지고 다시 뜨는 동안에도 그는 고삐를 놓지 않았다. 저녁 무렵, 어느새 멀지 않은 곳에 나람성이 보였다.

"도와주시오-! 아군이오! 도와주시오!"

길림의 외침에 성의 뒷문에서 바위나 돌 등을 모아 성안으로 나르고 있던 민병대의 아낙들이 창을 들며 경계했다.

"누, 누구요!!!"

"나는 대장군님의 부관 길림이다. 윤조 무녀님은 성 안에 계신가?"

"물러나시오! 성으로는 들어갈 수 없소! 당신이 첩자인지 아닌지 어떻게 안단 말이오!"

납치된 직후 탈출한 상황이라 신분을 증명할 만한 패도 무엇도 없었다. 아낙들의 위협에 길림이 말에서 내려 그들의 앞에 무릎을 꿇었다.

"폐하께서 위중하시다. 제발 무녀님을 불러다오!"

"폐하께서……?"

창을 들고 길림을 위협하던 아낙들은 다른 아낙들에게 성으로 가 사람을 불러오라 소리쳤다. 아낙들이 손에 들고 있던 돌을 버리고 급히 성안으로 달려갔다.

"무녀님! 무녀님! 성 뒷문에 무녀님을 찾는 자가 있습니다!"

전투 직후 부상자들을 돌보고 있던 윤조가 몸을 일으켰다.

"저를 찾는 사람이요?"

"예! 대장군님의 부관이라고 했습니다! 길림이라는 자입니다!"

"예?"

"첩자일지도 몰라 잡아 두었습니다. 어떡할까요?"

"길림이라고요? 정말 그렇게 말했습니까?"

"예! 똑똑히 들었습니다!"

길림이라니. 놀란 윤조가 아낙들과 함께 성의 뒷문으로 향했다. 그녀는 창을 든 아낙들에게 둘러싸인 길림을 발견하고 소리쳤다.

"부관님!!!"

동시에 그녀를 본 길림이 바닥에서 일어났다.

"윤조 님-!"

"모두 물러나도 괜찮습니다. 이분은 대장군님의 부관입니다."

윤조가 아낙들을 물리고 길림에게 다가갔다.

"어떻게, 어떻게 이런……! 저는 부관님이 돌아가신 줄만 알았습니다!"

"그럴 뻔했지요."

"살아 계셔서 정말 다행입니다. 대장군님은 안에 계십니다."

윤조가 급히 그를 성안으로 이끌었다. 길림은 실례인 줄 알면서도 다급히 그녀의 팔을 붙잡았다.

"저는 윤조 님을 모시러 왔습니다. 무녀가 필요합니다. 폐하께서 위중하십니다."

그의 말에 윤조의 눈이 휘둥그레졌다. 지금껏 나람성의 누구도 황제의 생사를 알지 못했다. 황제가 살아 있다는 소식에 그녀가 아낙들에게 소리쳐 준영을 불러오라 했다. 윤조의 시선이 다시 길림을 향했다.

"폐하께서 살아 계신 겁니까? 위중하시다니요? 어떻게 된 일입니까?"

"홍 장군님과 함께 폐하와 황후마마를 모시고 탈출하는 데 성공했습니다. 그러던 중 폐하께서 검에 찔리셨습니다. 검에 독이 발라져 있었는지 피가 잘 멎지 않습니다. 이대로는 위험합니다."

"다들 어디에 계십니까?"

"하루 거리에 있는 오두막에 계십니다. 추격대가 발견하기 전에 폐하를 치료해 이곳으로 모셔야 합니다."

길림이 나람성으로 오는 데 하루를 썼으니 오두막으로 돌아가는 하루까지 하면 벌써 이틀이었다. 서두르지 않으면 온 황제가 위험했다. 아낙들과 함께 뒷문으로 나오던 준영은 윤조와 함께 있는 길림을 발견하고 크게 놀랐다.

"길림 자네……!"

"부관 길림, 대장군님께 복귀를 알립니다."

무사한 길림의 모습에 안도하는 준영을 향해 윤조가 말했다.

"대장군님, 폐하께서 부상으로 위중하시다고 해요. 저는 바로 길림 부관을 따라 폐하께 가겠습니다."

"폐하께서 살아 계신가!"

"황후마마와 홍 장군님도 함께 계십니다."

지금껏 들었던 소식 중 가장 기쁜 소식이었다. 준영은 진심으로 안도했다.

"함께 가고 싶으나 성을 비울 수가 없구나."

"대장군님은 성을 지키셔야죠. 조심히 다녀올 테니 걱정 마세요."

"마차와 병사들을 붙여 주마. 윤조야, 폐하를 부탁한다."

"저만 믿으세요."

마차에 오른 윤조가 나람성을 벗어났다. 뒤따르는 열 명의 병사들도 함께였다. 그들은 길림이 나람성으로 왔던 길을 되돌아 꼬박 하루를 내달렸다.

오두막으로 향하는 동안 윤조는 길림에게서 그와 함께 실종됐었던 최 승상에 대한 이야기를 들었다. 함께 묘길의 감옥에서 탈출은 했으나 그 이후 생사를 알 수 없다는 내용이었다. 나래 역시 묘길의 손에 잡혀 있을 가능성이 높다는 말에 윤조가 침음했다. 반드시 황성을 탈환해 그들을 구해야 했다. 그러기 위해서는 황제 폐하께서 살아 계셔야 한다.

윤조가 오두막에 도착한 시각은 다음 날 땅거미가 질 무렵이었다.

"윤조야!"

오두막 밖에서 보초를 서던 홍 장군이 마차에서 내리는 윤조를 와락 끌어안았다. 다리까지 공중으로 달랑 들어 올려진 윤조가 놀라 소리쳤다.

"으아아아! 아버님! 어지러워요!"

"어이쿠, 괜찮으냐? 너무 좋아서 그만."

"헤헤, 괜찮아요. 저 때문에 걱정 많으셨죠. 죄송해요……."

"돌아왔으니 됐다. 우선 안으로 들어가자."

오두막 안으로 들어가자 누워 있는 온 황제의 모습과 그 옆을 지키는 황후의 모습이 보였다. 자리에서 벌떡 일어난 황후가 다가와 윤조의 손을 잡았다.

"윤조 무녀, 제발 폐하를 살려 주게."

"최선을 다하겠습니다, 마마."

윤조가 급히 자리에 앉아 온 황제의 상태를 살폈다. 온 황제는 간신히 의식의 끈을 붙잡고 있었으나 대화를 할 만한 상태는 아니었다. 황후의 말을 들어 보니 찬물로 계속해서 열을 내리려 했지만 좀처럼 체온이 내려가지 않는다고 했다.

어깨의 상처를 살핀 윤조는 독이 번져 보라색으로 변한 상처 부분이 점점 퍼져 나가고 있는 것을 확인하고 미간을 좁혔다. 하루라도 더 늦었다면 목숨을 장담할 수 없는 상황이었다.

"길림 부관님, 가져온 물과 깨끗한 천을 준비해 주세요. 바로 치료하겠습니다."

독을 제거하는 게 먼저였다. 손안에 신력을 모은 윤조가 온 황제의 상처 위를 덮었다. 순간 울컥 하며 상처에서 검은 피가 솟구쳤다. 갑작스러운 출혈에 놀란 황후가 걱정스러운 얼굴을 했다.

"피가 많이 나는데 괜찮은 것이냐?"

"죽은피가 나오고 있어서 그렇습니다. 원래라면 많은 양의 신력을 단숨에 몸 안으로 넣어 독을 정화하고 피부를 재생했겠지만 그러기엔 폐하의 상태가 좋지 않습니다. 자칫 정신을 잃었다간 깨어나지 못하실 수도 있습니다."

"혹, 내가 도울 일은 없는가?"

"피를 닦아 주시겠습니까? 선홍색의 피가 나오기 시작하면 상처를 봉합하겠습니다."

"그러마."

황후가 깨끗한 천으로 검은 피를 닦아 냈다. 그렇게 얼마의 시간이 흐르고, 상처에서 흘러나오던 검은 피가 이내 선홍색으로 바뀌었다.

"봉합하겠습니다."

손가락 끝에 모아진 신력이 가느다란 은사가 되어 뽑아졌다. 윤조는 서국의 황궁에서 혜린이 키얀의 상처를 봉합했던 것처럼 세심하게 손가락을 움직였다. 확실히 커다란 물체를 들어 올리는 것보다 집중력과 섬세함을 요구하는 작업이다.

숨을 쉬는 것도 잊은 채 바짝 집중한 그녀의 이마에는 어느새 송골송골 땀방울이 맺혀 있었다. 관통상이어서 그런지 안쪽부터 혈관과 신경을 잇는 작업이 만만치 않았다. 눈으로 볼 수 없는 부분은 신력을 불어넣어 재생하고 눈으로 보이는 부분은 은사를 뽑아 내어 봉합했다.

그렇게 네 식경에 가까운 봉합이 끝나고, 윤조는 상처 부위를 씻어 내고 깨끗한 천으로 감았다. 그러는 사이 펄펄 끓어오르던 열도 거의 내려가 있었다. 평온한 표정으로 잠이 든 온 황제를 바라보며 윤조가 얼굴에 흐른 땀을 닦았다.

"휴, 끝났습니다."

"폐하께서는 괜찮으시겠는가?"

"예, 잘 버텨 주셨습니다. 충분히 안정을 취한다면 곧 회복되실 겁니다."

"고맙네. 이 은혜 잊지 않겠네."

"제가 폐하께 갚아야 할 은혜가 더 큰걸요. 대장군님을 만나게 해 주신 것도 폐하시니까요."

"그리 생각해 주니 그 또한 고맙네. 폐하의 치료도 무사히 마쳤으니 깨어나시는 대로 출발하면 되겠군. 고생했네."

"황공합니다, 마마."

두 사람의 대화를 지켜보던 홍 장군이 윤조를 향해 조용히 입을 열었다.

"그 기술, 혜린의 것이구나."

홍 장군은 혜린의 치료 방식을 알고 있었기에 윤조가 사용하는 은사가 혜린의 기술이라는 것을 단번에 알아챘다. 그의 말에 윤조가 고개를 끄덕였다.

"예, 혜린 무녀의 기술입니다. 서국 황궁에서 봤었는데 이리 유용하게 쓰일 줄은 몰랐어요."

"서국의 황궁에서 봤었다니?"

"혜린 무녀가 이 기술로 서국의 황제를 치료했습니다."

무겁게 떨어진 윤조의 말에 황후가 놀라 그녀를 바라봤다.

"그게 무슨 말인가? 혜린 무녀라니? 혜린이 그 아이가 서국에 있었단 말인가? 서국의 황제를 치료했다고?"

황후와 혜린은 같은 문씨 집안의 사람이었다. 황후가 죽은 문 비서랑의 누이이니 혜린에게는 고모였고, 황후에게 혜린은 조카였다. 당연히 그 애정이 각별할 수밖에 없었다. 대신들 앞에서는 미처 티 내지 못했지만 황후는 실종되었던 혜린을 내심 염려하고 있던 터였다. 하지만 다음 순간 홍 장군의 입에서 나온 말에 황후는 탄식하며 이마를 짚었다.

"황성이 공격받았을 때 혜린 무녀를 봤습니다. 서국의 황제와 함께 전차를 타고 있더군요. 신력을 사용해 서국의 군대를 불도병不倒兵[1]으로 만들었습니다."

"그 아이가 서국 황제의 밑으로 들어갔단 말입니까! 아아……."

"황후마마! 괜찮으십니까?"

충격에 비틀거리는 황후를 윤조가 부축했다. 황후가 창백한 낯빛으로 깊은 한숨을 내쉬었다.

"다 내가 부덕한 탓입니다. 내가 오라비와 그 아이를 잘 돌보았더라면 이런 일은 없었을 텐데……."

"혜린 무녀는 문 비서랑님의 복수를 하려는 것 같았어요."

윤조는 서국에서 혜린과 만났던 때를 떠올렸다.

—아버님을 이용해 죽게 하고, 내 가문을 멸하고, 나를 나락으로 떨어뜨린 그자를 찾아 내 손으로 직접 찢어 죽이고 말 것이다.

그리 말하며 자신을 비웃던 그 살기 어린 눈빛이 아직도 뇌리에 선명했다.

"무녀장을 직접 처단할 생각이로군요. 그럼 오히려 우리에겐 좋은 일 아닙니까? 저들이 분열한다면 우리에겐 기회입니다."

길림의 말에 홍 장군이 무겁게 신음했다.

"묘길을 얕보고 행동했다간 오히려 개죽음을 당할 거다. 서국의 황제 역시 혜린보다는 묘길을 택할 테니까."

황궁을 탈출하기 전 황후가 묘길을 찔러 치명상을 입혔으나 황후도 홍 장군도 그녀가 죽었을 거란 생각은 하지 않았다. 상대는 무녀장이다. 같은 신력을 다루는 무녀라 할지라도 그 격이 달랐다. 심장이나 목을 베어 내지 않는 한 그 정도는 시간 끌기에 불과할 것이다.

더군다나 묘길에게는 그녀를 따르는 호위 무녀들이 있었다. 치유력을 가진 것도 모자라 무관들처럼 무예를 익힌 자들이다. 결코 만만히 볼 상대가 아니었다.

"혜린이라면 제 아비에 대한 복수심만으로 적국의 편에 서진 않았을 겁니다. 아비의 누명을 벗기지 않고 자신을 방치한 저와 다른 신료들에게도 분노하고 있을 거예요. 나투국을 완전히 등진다는 결심을 하지 않고서는 그리 행동할 아이가 아닙니다. 영민한 아이니 무녀장에게 복수하기 위해서라도 교묘히 판을 짤 겁니다."

누구보다 혜린을 잘 아는 황후였기에 혜린의 생각을 읽는 것도 가능했다. 혜린은 준영과 마찬가지로 어려서 어머니를 잃었다. 상

---

1) 불도병(不倒兵): 쓰러지지 않는 병사, 죽지 않는 병사를 의미한다. 혜린의 마비술에 걸려 있는 동안은 고통을 느끼지도, 쓰러지지도 않기에 붙은 이름이다.

실감을 검으로 달랬던 준영과 달리 혜린은 감정을 절제하고 자신을 감췄다. 그리고 신력의 운용법을 익히는 데 전념했다.

그녀에게 어머니를 잃은 상실감은 상실감이 아닌 약점으로 다가왔다. 남보다 부족하거나 남보다 못한 것을 죽도록 싫어하는 그녀였기에 어머니의 부재는 그녀에게 치명적인 약점이었다. 그런 그녀를 가엽게 여겨 어려서부터 부모처럼 돌봐 왔던 황후였다.

황후는 과거 무녀 후보생으로 그녀가 벽록서에 가기 전 자신을 만나러 왔던 때를 떠올렸다. 당시 벽록서에 무녀 후보생으로 들어가는 가문의 자제들 중에는 혜린을 얕잡아 보거나 무시하는 아이들도 더러 있었다. 혜린의 어머니가 일찍 세상을 떴다는 이유 때문이었다.

또한 그 죽음이 병사나 사고사가 아닌 '자살'이라는 점도 따돌림에 큰 이유가 되었다. 귀족에게 스스로 목숨을 끊는 일은 명예를 버리는 것과 마찬가지인 최악의 죽음이었기 때문이다. 때문에 문씨 가문의 장녀임에도 당시 혜린은 또래 아이들에게 사생아와 같은 취급을 받았다.

황후는 그런 아이들과 함께 동방생으로 지내게 될 혜린을 걱정했다. 황후인 내가 뒤에 있으니 너는 아무 걱정 말라, 가족으로서 그리 위로했을 때 돌아온 혜린의 대답은 의외의 것이었다.

—저를 위해 아무것도 하지 말아 주십시오, 고모님.

고작 열한 살밖에 안 된 아이가 그리 말하며 어른같이 웃었다.

—저를 무시하는 자들을 하나하나 그 자리에서 끌어내려 밟고 올라서는 것 또한 저의 즐거움입니다.

전신에 소름이 돋았다. 당시 황후는 어린아이가 아닌 어린아이의 탈을 쓴 무언가와 마주하고 있는 것 같은 기분에 사로잡혔을 정도였다. 그리고 실제로 혜린은 그 말처럼 무녀들의 정점에 올랐다.

황후가 회상을 마무리하며 마주한 사람들을 바라봤다.

"원하는 바를 위해서라면 적에게 머리 숙이는 일조차 기꺼이 받아들일 아이입니다. 오히려 걱정해야 할 것은 혜린이 무녀장의 편으로 돌아서서 우리와 적으로 마주하게 될 경우지요. 호위 무녀들에게 불도병의 기술을 사용하게 된다면 괴혈단보다도 무서운 군대가 될 겁니다."

무녀의 기술을 같은 무녀에게 사용하지 말란 법은 없었다. 황후의 말에 홍 장군과 길림이 고개를 끄덕였다. 직접 검을 맞대 본 바, 호위 무녀들의 무예는 잘 훈련된 군사들에 뒤지지 않았다. 약점이 있다면 체력이나 체격적인 차이 때문에 힘과 지구력이 떨어진다는 점이었다.

하지만 혜린이 사용하는 불도병의 기술이 더해진다면 그들은 며칠간 먹고 마시지 않아도 지치지 않고, 상처를 입어도 고통을 느낄 수 없으며, 그 상처마저도 신력으로 치료할 수 있는 최강의 병기가 되고 만다. 일반적인 불도병들은 시간이 지나 신력의 영향이 풀려갈 때가 되면 심각한 부상을 이겨 내지 못하고 대부분 죽었다. 하지만 무녀들은 신력이 있으니 죽지도 않을 것이다.

"말 그대로 걸어 다니는 재앙이 되겠군……."

"하지만 반대로 생각하면 호위 무녀들만 따돌리면 무녀장을 처리하는 일은 쉽다는 것 아니겠습니까? 혜린 무녀도 그걸 노리고 있을 가능성이 높습니다."

홍 장군의 말에 길림이 의문했다. 하지만 반박은 의외의 곳에서 들려왔다.

"호위 무녀들을 따돌린다 해도 묘길을 죽이는 건 쉽지 않을 걸세."

"폐하!"

황후가 잠에서 깨어 자리에서 일어나는 온 황제의 모습에 안도하며 그를 부축했다.

"몸은 좀 어떠십니까? 윤조 무녀가 폐하를 치료했습니다."

"한결 가벼워졌소. 고맙구나, 윤조야."

"황공합니다, 폐하. 혹 불편한 곳이 있다면 바로 알려 주셔요."

"그러마."

자리에서 일어나 바로 앉은 황제가 홍 장군과 길림을 바라봤다.

"묘길이 상선에게 이상한 힘을 사용하는 것을 보았네. 무기도 무엇도 없었네. 그저 손을 들어 상선의 얼굴을 감쌌지. 그리고 일순 상선의 몸이 물고기처럼 튀어 오르더니 그대로 죽었네."

온 황제의 말에 윤조가 놀라 입을 벌렸다. '생명을 빼앗는 힘'. 설마 묘길도 자신이 박유에게 사용했던 그 기술을 사용할 수 있다는 건가! 충격을 받은 건 윤조뿐만이 아니었다. 자리에 있던 모든 사람들의 얼굴이 경악으로 물들었다.

"날붙이도 없이 상선을 죽였단 말입니까?"

홍 장군의 물음에 온 황제가 고개를 끄덕였다.

"두 눈으로 똑똑히 보았네. 묘길은 그 힘을 이용해 짐도 죽일 생각이었겠지……."

슬프게 말끝을 흐리는 황제의 모습에 홍 장군은 묘길의 손에서 온 황제를 구해 냈던 당시를 회상했다.

생각해 보면 온 황제에게 접근하는 묘길의 기세가 심상치 않아

위기를 느꼈을 뿐 그녀의 손은 비어 있었다. 그다음은 순식간에 자신의 검을 빼앗아 묘길을 찌른 황후의 모습에 넋이 나가 상황을 제대로 살피지 못했다. 그 직후도 묘길을 자세히 살필 겨를은 없었다. 몰려오는 호위 무녀들을 피해 서둘러 밖으로 도망쳐야 했으니까.

"그럼 무녀장은 신력 외에 사람의 목숨을 빼앗는 힘까지 사용할 수 있다는 건가……."

"따로 있는 힘이 아니에요."

윤조가 말했다.

"그 이상한 힘도 치유력도 모두 같은 신력입니다."

"같은 신력이라니? 윤조야, 그 힘에 대해 아는 바가 있느냐?"

"네. 저도 그 힘을 사용할 수 있어요. 더 자세히 말씀드리자면, 예전에는 신력에 그런 능력이 있다는 것조차 몰랐지만 서국으로 납치되는 동안 알게 됐습니다."

"그 능력을 사용한 적이 있는가?"

윤조가 잠시 주저하다 답했다.

"예, 폐하."

박유의 죽음을 생각하니 자연스럽게 죽어 간 소의의 모습이 떠올랐다. 슬픈 시선으로 온 황제를 바라본 윤조가 말을 이었다.

"나람성에서 제 언니를 죽인 병마절도사 박유에게 그 능력을 사용했습니다."

"그자는……."

"한순간에 절명했습니다. 언니의 죽음을 목격한 직후 이성을 잃었고, 무의식중에 그런 힘이 발현되었는데 그 힘이 신력과 같은 힘이라는 것을 깨달은 건 서국의 황궁에 도착해서였습니다."

윤조의 말을 듣고 있던 길림은 당시 나람성에서 죽어 있던 박유를 발견했을 때와 금부의 지하 감옥에서 묘길의 손에 기절했던 때를 떠올렸다.

"당시 나람성의 옥상에서 박유를 발견했을 때 사인을 알 수 없었습니다. 시신 어디에도 치명상이 될 만한 상처는 보이지 않았죠. 그 이유가 신력이었다면 말이 되는군요. 무녀장이 저와 대승상님을 지하 감옥에서 납치했을 때 사용했던 힘도 그것이었습니다."

"하지만 자네는 살았지 않나?"

"그건 제가 말씀드릴게요."

홍 장군의 의문에 윤조가 답했다.

"제가 깨달은 바로는 신력에도 '치사량'이 있다는 겁니다. 마치 독처럼요. 독은 적은 양을 사용하면 약이 될 수도 있지만 많은 양은 결국 목숨을 앗아 갑니다. 신력도 같은 원리 같아요. 대상에게 기준치 이상의 신력이 가해졌을 경우 기절하거나 죽게 됩니다. 제가 대장군님의 상처를 치료했을 때도 그랬고, 방으로 들어온 독사를 잡아 기절시켰을 때도 같은 원리였어요. 대상의 부상이 심각한 경우에는 기적과 같은 치유력으로 나타나지만 그렇지 않은 경우에는 막대한 신력을 받아들이지 못해 죽을 수도 있는 거죠."

황후가 경악했다.

"그런! 하지만 지금껏 무녀들 중 누구도 그런 방식으로 사람을 해쳤던 적은 없지 않나?"

"무지했던 겁니다. 정확히는 '무지'를 가르쳤죠. 벽록서에서 무녀들을 가르칠 때에는 '신력'은 철저하게 선한 힘이며 상처를 치료하고 목숨을 구하는 힘이라는 것을 강조합니다. 무녀 후보생 시절부터 정식 무녀 시험을 치르기 전까지 수년 동안 무녀들의 머릿속에 각인시키죠. 그런 가르침을 받은 무녀들은 신력에 양면성이 있으며 사람을 죽일 수도 있는 힘이라는 것을 깨닫지 못합니다. 무녀들에게 신력은 철저한 선이자 여신의 축복이 담긴 힘이니까요."

"하지만 무녀장이 그런 힘을 사용했다는 건 그녀 혹은 그녀가 모셔 왔던 역대의 황제들 중 누군가가 그 사실을 감추기 위해 무녀와 백성들을 철저히 속여 왔다는 말이 되지."

온 황제의 음성에 진노가 어렸다. 묘길은 이 땅이 지옥이라고 했다. 자신에게 무슨 일이 있었는지 아무도 모를 거라고 했다. 온 황제는 그녀의 말이 양면성을 지닌 신력의 힘과 관련이 있을 거라고 생각했다. 이야기를 듣고 있던 길림과 홍 장군 역시 묘길이 자신들에게 했던 말을 떠올리며 누구도 알지 못하는 그녀만이 알고 있는 어떠한 비밀이 있다는 것을 어렴풋이 짐작할 수 있었다.

"9백 년 동안 인내한 분노라고 했습니다. 자신이 이 땅의 살아 있는 역사라며, 더는 견딜 수 없어 이곳을 파괴하겠다고 분명 그렇게 말했습니다."

"9백 년이라니? 무녀장이 9백 년의 세월을 살아온 자란 말입니까? 폐하께서는 알고 계셨습니까?"

길림의 말에 놀란 황후가 온 황제를 바라봤다. 온 황제 역시 묘길이 정확히 언제부터 황실의 무녀로 존재했는지 그 역사를 명확히 알진 못했다. 분명한 것은 부친이었던 선대 황제와 조부였던 그 전대 황제 시대에도 그녀가 존재했다는 사실이었다.

그녀는 온 황제가 황위에 오르기 이전부터 너무도 자연스럽게 황궁에 존재했다. 모두가 그녀를 무녀장이라 불렀고, 역대의 황제들도 그러했다. 오래된 불문율이었다. 명확한 것은 그녀는 무녀장으로서 앞으로도 새로운 나투국의 황제들을 모셔야 한다는 점이었다.

"9백 년 전이라면 초대 황제인 건국대제 시절부터 그녀가 나투국 황실을 위해 일했다는 말인가……."

초대 황제인 건국대제에 관한 기록은 황가의 사람조차 열람이 제한되어 있었다. 관련한 기록은 모두 문씨 가문에서 관리했는데, 문씨 가문의 사람일지라도 비서랑직을 맡지 않는 이상 자료가 있는 비서고에는 접근조차 할 수 없으며, 타인에게 비밀을 발설할 시 피를 토하며 죽게 되는 저주가 걸려 있다고 했다.

온 황제 역시 과거에 그 기록을 어렵게 살핀 적이 있으나, 거의 대부분이 건국대제의 전설적인 영웅담을 칭송하는 내용이었으며 나투국의 탄생 일화와 여신의 강림을 찬양하는 글뿐이었다.

문득 온 황제는 건국대제가 역사를 왜곡하여 기록했을지도 모른다는 위험한 상상을 했다. 당시 그의 위용은 가히 신에 필적할 수준이었다고 전해진다. 그렇다면 그가 원하는 대로 역사를 조작하는 것쯤은 손쉬운 일이 아니었을까.

"관련 사료를 살펴보기 전까지는 진위를 알 수 없구나."

"무녀장이 백 년을 살았든 9백 년을 살았든, 역모를 꾀하고 나투국을 배신한 자라는 것은 변함없습니다. 백성들을 구하기 위해서라도 반드시 황성을 탈환하고 그녀와 서국의 황제를 처단해야 합니다."

황후의 말에 온 황제가 깊이 시름에 잠겼다. 황후는 아직도 황제의 마음속에 묘길이 있다는 것을 알았다.

두 사람은 혼례를 올리기 전부터 죽마고우였다. 그녀의 출신이 세도가인 문씨 가문임에도 황후의 자리에 오를 수 있었던 것은 황제와 그녀가 서로를 신뢰하는 우정이 깊었기 때문에 가능한 일이었다. 황후는 그를 사랑했으나 신의로 그 사랑을 덮었다.

그렇게 혼례를 올린 두 사람은 서로에게 둘도 없는 벗이자 신하이자 군주였다. 눈빛이나 표정만 보아도 무슨 생각을 하는지 알 수 있었다. 황후는 단호한 눈빛으로 황제를 바라봤다.

"나라를 구하고 백성을 구하는 길을 생각하십시오. 지금은 주저하고 흔들릴 때가 아닙니다, 폐하."

온 황제의 시선이 황후에게 닿았다. 검은 연기에 그을리고 피투성이가 되어도 그녀의 눈빛은 굳건했다.

어려서부터 단 한 번도 신의를 저버리지 않았던 친우였다. 외척에 휘둘리던 전대 황제의 실수를 밟지 않기 위해 젊은 시절부터 철저히 황권을 강화하고자 했던 자신의 뜻에 따라 아이를 갖는 것조차 포기했던 그녀였다. 황권 강화 정책에 반발한 지방의 귀족들이 올린 독주를 대신 마시고 거의 불임이나 다름없는 몸이 되었음에도 그녀는 자신을 살려 다행이라며 웃었다.

그렇게 수년을 떠도는 갖은 악질적인 소문에도 괜찮다 말하며 견뎠다. 그리고 이번에도 황후궁의 타는 불길 속에서 살아 돌아와 가장 먼저 자신의 목숨을 살렸던 이가 바로 그녀였다.

"반드시 그리하리다, 황후."

신의로 평생을 괴로움 속에 내던져졌던 그녀를 위해 온 황제가 할 수 있는 것은 그런 신의를 지키는 것뿐이었다. 언제까지 쓰러져 있을 수는 없다. 자리에서 일어난 온 황제가 도열한 신하들을 향해 말했다.

"속히 나람성으로 갈 것이다. 채비하라."

"황명을 받듭니다."

오두막 밖으로 나온 황제와 황후가 마차에 올랐다. 말을 타지 못하는 윤조도 함께였다. 뒤이어 홍 장군과 길림이 말에 오르고 병사들도 준비를 마쳤다.

그때 어디선가 날아온 화살이 순식간에 병사들을 쏘아 맞혔다. 말에서 떨어지는 병사들의 모습에 홍 장군이 소리쳤다.

"어서 마차를 출발하라!!!"

급히 마차가 출발했다. 길림과 홍 장군이 말을 달리며 마차의 뒤로 바짝 붙었다. 매복해 있던 하센과 추격대가 그들을 가로막는 나투국 병사들을 무참히 베어 냈다.

"마차를 추격해라! 황제를 잡아라!!!"

하센의 명령에 서국의 추격대가 빠르게 말을 몰아 마차를 추격했다. 바짝 쫓아오는 적들의 모습에 길림이 계속해서 화살을 날렸다. 화살에 맞은 서국의 병사들이 단말마와 함께 낙마했다. 바닥을 박차는 말발굽 소리가 긴박하게 울려 댔다.

"이러다 잡히겠습니다-!"

길림이 소리쳤다.

"마차를 더 빨리 몰아라! 어서!!!"

홍 장군이 마부석에 앉은 병사를 재촉했다. 그들의 뒤를 바짝 따라붙은 하센이 양옆에 있는 여희단 단원을 향해 명령했다.

"타미르! 타샤! 마차를 멈춰라! 황제와 황후는 죽여도 좋다!"

"명 받듭니다!"

"저희만 믿으시라!"

마차의 양쪽으로 갈라져서 거리를 좁혀 가던 여희단의 타미르와 타샤 쌍둥이가 품에서 채찍을 꺼내 휘둘렀다. 홍 장군과 길림이 각각 마차 측면에 붙어 날아드는 채찍을 검으로 쳐 냈다.

"아이, 정말 귀찮게 구는 오빠들이네!"

연둣빛 무희복을 입은 타샤가 우는 소리를 내며 더욱 세게 채찍을 휘둘렀다. 길림을 향해 곧장 날아가던 채찍이 궤도를 바꿔 검을 든 그의 팔을 칭칭 감았다.

"윽!"

"그러게 잡히랄 때 얌전히 잡혔으면 좋잖아?"

거세게 당겨지는 채찍의 힘에 길림이 검을 놓쳤다. 조금이라도 방심했다가는 말에서 떨어질 것 같았다. 그는 말고삐를 쥐고 있던 한 손을 놓은 채 팔에 감긴 채찍을 잡아당겼다.

"어머나! 라고 할 줄 알았지?"

세게 당겨지는 힘에 놀란 척 입을 벌리던 타샤가 곧장 자신이 타고 있던 말에서 몸을 날려 길림의 말 위로 착지했다. 달리는 말 위를 가뿐히 뛰어 넘은 그녀가 채찍으로 길림의 몸을 휘감았다. 옴짝달싹도 할 수 없게 된 길림이 당황하여 소리쳤다.

"이 무슨-!"

"여기 예쁜 오빠 처리요!"

타샤가 그대로 길림을 발로 차 말 아래로 떨어뜨리려던 순간이었다. 순식간에 두 사람의 몸이 공중으로 치솟았다.

"꺄아악-!!!"

이번에야말로 기겁할 정도로 놀란 타샤가 높이 비명을 질러 댔다.

"타샤!"

홍 장군을 상대하던 타미르가 허공으로 치솟은 쌍둥이 동생의 모습에 경악하여 소리쳤다. 경악한 건 그녀뿐만이 아니었다. 그녀를 상대하던 홍 장군도, 마차를 쫓으며 이 광경을 목격한 하센과 서국의 추격대도 마찬가지였다. 달리는 마차 위에 둥둥 떠 있는 길림과 타샤의 모습에 하센이 기함했다.

"저게 대체……!"

"꺄아악! 이게 뭐야! 내려 줘! 내려 달라고!"

타샤가 비명을 지르며 허공에서 몸부림을 쳤지만 소용없는 일이었다. 그사이 느슨해진 채찍에 길림의 몸이 자유로워졌다. 타샤와 마찬가지로 놀라 몸을 살피던 길림은 열린 마차의 창문으로 팔을 뻗은 윤조를 발견했다. 길림과 눈이 마주친 윤조가 씩 웃었다. 그러고는 잔뜩 겁을 먹은 타샤를 아래위로 마구 흔들어 대기 시작했다.

"꺄아아아악! 내려 줘! 아아악!!! 살려 줘-!!! 타미르 언니!!! 아아악-!!!"

허공에서 위아래로 미친 듯이 흔들리는 몸에 한동안 비명을 지르던 타샤가 기절한 듯 몸을 축 늘어뜨렸다.

"타샤-!!!"

타미르가 채찍을 날려 타샤의 몸을 감았다. 세게 당겨지는 힘에 윤조가 타샤를 잡고 있던 신력을 풀었다. 반동으로 날아드는 타샤를 간신히 받아 낸 타미르가 작게 신음했다. 그 틈에 마차 위에 착지한 길림이 창문을 통해 마차 안으로 들어왔다. 윤조는 반대편 창문을 열어 이번에는 타미르를 신력으로 휘감았다.

"너는……!"

윤조를 알아본 타미르가 눈을 부릅떴다. 황금색 머리카락과 황금색 눈동자. 한 번 본다면 결코 그 모습을 쉽게 잊을 리 없는 색이었다.

"아트완의 감옥에 감금되어 있어야 할 무녀가 어떻게 이곳에 있는 것이냐!!!"

몸이 허공으로 떠올랐음에도 타미르는 당황하지 않았다. 그녀는 곧장 하센을 향해 외쳤다.

"대장! 무녀입니다!!! 무녀가 마차에 타고 있습니다!!! 아트완에 있던 그 무녀입니다-!"

타미르의 외침에 하센의 낯빛이 딱딱하게 굳어졌다.

"무슨 소리를 하는 것이냐! 그렇다면 황후마마는! 황후마마는 지금 누가 치료하고 있는 것이냐-!"

황후의 치료를 위해 잡아 두었던 무녀였다. 그런 무녀가 없다면 지금 아트완 황성에 있는 황후는 대체 누가 치료하고 있단 말인가! 하센이 화살을 뽑아 타미르를 견제하는 홍 장군을 향해 쏘아 댔다.

"당장 마차를 멈춰라!!! 당장!!!"

갑자기 날아든 화살을 미처 다 피하지 못한 홍 장군이 등에 화살을 맞고 비틀거렸다.

"아버님-!!!"

윤조가 비명을 지르며 한 손을 뻗어 말에서 추락하려는 홍 장군의 몸을 신력으로 붙잡았다. 그사이 자신의 몸을 휘감은 힘이 약해진 것을 알아챈 타미르가 곧장 채찍으로 마차의 바퀴를 휘감아 당겼다.

그다음은 순식간이었다. 한쪽 바퀴를 잃은 마차가 중심을 잃고 기울어졌다. 마차 바퀴를 뽑음과 동시에 반동으로 날아간 타미르가 타샤를 안고 바닥을 뒹굴었다. 동시에 빠른 속력을 이기지 못하고 달리던 마차 역시 바닥을 쓸며 나아가다 나무에 처박혔다.

"폐하—!!! 윤조야!!!"

홍 장군이 급히 말을 몰아 마차를 향해 달려갔다. 부서지고 무너진 마차의 모습에 그가 넋을 놓았다. 마차를 몰던 병사와 말들도 죽었다. 마차 안의 사람이라고 무사할 리 없었다.

"다 죽었겠군."

뒤에서 들려오는 하센의 목소리에 홍 장군이 말을 돌려 그녀와 그의 부하들을 견제했다. 검을 든 그의 팔을 따라 피가 흘렀다.

"나투국 황제의 머리를 베어 오는 자에게 큰 상을 내릴 것이다."

하센의 말에 검을 든 병사들이 홍 장군을 향해 달려들었다. 부상을 입었지만 홍 장군의 기세는 쉬이 꺾이지 않았다. 거칠게 몰아치는 그의 대검에 앞서 있던 서국의 병사 두셋이 한 번에 썰려 나갔다.

"다 늙은 노인네가……!"

하센의 외침에 홍 장군이 콧방귀를 뀌었다.

"그대는 언제까지 창창할 줄 아는가?"

비웃는 그의 말에 하센이 화살 두 대를 한 번에 시위에 걸어 활을 당겼다.

"죽어서도 지껄일 수 있나 보자."

빠르게 쏘아진 화살이 정확히 홍 장군의 머리를 노리고 나아갔다. 대치한 병사들과 검을 맞대고 있던 홍 장군은 화살을 피할 수 없었다. 하지만 다음 순간 놀랍게도 홍 장군과 화살 사이에 방패처럼 날아든 물체가 있었다. 부서진 마차의 문이었다. 화살을 막아낸 문은 그대로 하센을 향해 날아갔다.

"이런!"

말 위에서 뛰어내려 날아든 마차의 문을 피한 그녀가 바닥을 굴렀다. '쾅!' 하는 소리와 함께 뒤에 있던 커다란 밤나무에 처박힌 마차의 문이 반으로 부서졌다.

큰 충격에 흔들린 나무에서 밤송이가 비처럼 쏟아져 내렸다. 머리 위로 쏟아져 내리는 뾰족한 밤송이에 하센이 두 팔로 머리를 감쌌다. 동시에 공중으로 날아오른 마차의 잔해가 홍 장군을 공격하던 서국 병사들을 가격했다.

"아버님! 괜찮으세요?"

부서진 마차 안에서 헐레벌떡 달려온 윤조가 홍 장군의 상처를 살폈다. 화살을 뽑고 치료할 시간이 없었다. 윤조는 하는 수 없이 약간의 신력으로 상처를 지혈했다.

"나중에 화살을 뽑을 때 조금 아프실 겁니다."

"괜찮다. 당장 움직일 수 있다면 족하다."

그는 윤조와 그녀를 뒤따라 마차에서 빠져나온 길림과 황제, 황후를 바라봤다. 다친 곳 없이 무사한 그들의 모습에 홍 장군이 놀란 표정으로 윤조를 돌아봤다.

"이게 어떻게 된 일이냐?"

"신력으로 충격을 막았어요."

마차가 바퀴를 잃고 중심을 잃던 순간, 윤조는 본능적으로 실처럼 뽑아낸 무수한 신력으로 마차 안을 감쌌다. 마치 누에고치처럼 사람들과 윤조를 감싼 신력이 충격을 흡수했다. 너무도 순식간에 일어난 일이라 윤조도 상황을 파악하고 마차를 빠져나오는 데 시간이 걸렸다. 정신없는 틈을 타 주인 잃은 말에 오른 그들이 빠르게 달아나기 시작했다.

"놈들을 끝까지 추격하라!"

말에 오른 하센과 추격대도 빠르게 그 뒤를 쫓았다. 홍 장군의 뒤에 함께 말을 타고 있던 윤조는 악착같이 추격해 오는 하센과 병사들의 모습에 어금니를 깨물었다. 온 황제를 죽이거나 잡아가기 전까지는 절대 추격을 포기하지 않을 것 같았다.

숲이 끝나는 길 너머로 절벽이 보였다. 절벽은 맞은편 절벽과 흔들다리로 연결되어 있었다. 나무판자와 밧줄을 엮어 만든 다리는 말을 달려 벗어날 수 있을 만큼 튼튼하지 않았다. 말에서 내린 길림이 먼저 황제와 황후에게 다리를 건너가게 했다. 그들을 뒤따르며 날아드는 화살을 검으로 막아 낸 그가 소리쳤다.

"돌아보지 말고 건너십시오-!!!"

황제와 황후가 다리를 다 건널 때까지 시간을 벌어야 했다. 말에서 내린 홍 장군과 윤조가 하센과 추격대의 앞을 막아섰다.

"이 뒤로는 한 발자국도 못 지나간다!"

홍 장군은 달려드는 병사를 검으로 베어 냈다. 화살에 당한 부상 때문인지 점점 움직임이 둔해지고 있었다. 그의 상태를 눈치챈 윤조가 홍 장군을 보호하며 날아드는 화살을 막았다. 하센의 시선이 윤조를 향했다. 공격하는 족족 막아 내는 알 수 없는 저 힘을 쓰지 못하게 해야 했다.

곡도를 뽑아 든 하센이 윤조를 노리고 달려들었다. 홍 장군이 빠르게 그녀의 검을 쳐 냈으나 하센은 물러나지 않고 검을 들고 쇄도했다. 춤을 추듯 유연한 검술이 홍 장군을 비껴 윤조를 향했다. 아차 하는 사이 윤조의 코앞까지 곡도가 다다랐으나 결코 닿지는 못했다.

“제가 후회할 거라고 했죠?”

속삭이는 윤조의 말에 하센은 그녀를 수르암에 놓고 돌아섰던 때를 떠올렸다. 할 말이 있으니 멈춰 보라며 고래고래 소리치던 윤조가 마지막에 남긴 말이 멈추지 않으면 후회하게 될 거라는 말이었다.

하센의 몸을 옭아맨 신력이 팽팽하게 당겨지며 두 다리가 허공으로 들어 올려졌다. 움직일 수 없는 그녀의 손에서 곡도를 빼앗아 든 윤조가 하센을 인질로 삼아 서국의 추격대를 향해 소리쳤다.

“멈추지 않으면 이자는 죽는다!”

멈칫하며 뒤로 물러나는 추격대의 모습에 윤조가 홍 장군을 향해 외쳤다.

“아버님! 다리를 건너세요!”

“너는 어쩌려는 것이야!”

“곧 따라가겠습니다! 어서요!!!”

다급한 윤조의 외침에 주저하던 홍 장군이 다리를 건너기 시작했다. 하센을 인질로 잡은 윤조 역시 다리를 건너려던 때였다.

“손이 떨고 있구나.”

하센이 읊조렸다. 그녀의 말처럼 그녀의 목에 곡도를 겨눈 윤조의 손은 잘게 떨리고 있었다.

“사람을 베어 본 적이 있긴 한가?”

“닥쳐.”

“너는 우리를 막지 못한다.”

“닥치라고!”

“나는 상관 말고 다리를 끊어라!!!”

하센의 외침에 주춤하던 추격대가 동시에 다리를 향해 달려들었다.

"제기랄!"

윤조가 하센을 밀치며 추격대를 향해 신력을 쏘았으나 모두 막아내진 못했다. 추격대가 휘두른 곡도에 다리를 지지하던 밧줄이 끊어졌다. 하나의 밧줄이 끊어지자 뒤이어 반대쪽을 지지하던 다른 밧줄마저도 버티지 못하고 끊어졌다.

"안 돼-!!!"

윤조가 비명을 지르며 절벽 너머를 바라봤다. 아버님은? 아버님은 어디에……! 황망한 그녀의 시선이 절벽 아래를 훑었다. 빠르게 휘몰아치는 계곡 물 위로는 아무것도 보이지 않았다.

"윤조야!"

문득 들려오는 홍 장군의 음성에 그녀의 시선이 정면을 향했다. 끊어진 밧줄에 매달린 홍 장군의 모습이 보였다. 길림과 온 황제가 급히 밧줄을 끌어 올렸다.

"다행이다. 정말 다행이다."

손발이 바르르 떨려 왔다. 혈압이 오른 머리가 핑핑 돌았다.

"윤조야-!!!"

다시금 홍 장군의 음성이 절벽을 메아리쳤다. 비명에 가까운 높은 부름이었다. 오싹한 느낌에 그녀가 고개를 돌려 뒤를 향했으나 너무 늦었다. 어느새 접근한 하센이 곡도의 손잡이로 그녀의 목뒤를 세게 내려쳐 기절시켰다.

"제기랄……!"

곡도를 고쳐 쥔 그녀가 기절한 윤조의 목을 베어 버릴 듯 검을 들었으나 이내 그만두었다. 무녀만은 절대 죽이지 말라는 키얀의 명령만 아니었더라도 윤조를 살려 둘 일은 없었을 것이다.

"하센 님, 어떡할까요?"

"부상병들을 챙겨라. 나투국 황성으로 돌아간다."

같은 시각, 파이옌은 산을 돌아 강을 타고 나투국 황성으로 향하는 중이었다. 어둠이 내린 하늘과 강물은 온통 검었다.

"장군, 생각보다 빨리 나투국 황성에 도착할 것 같습니다."

"왜지?"

"강 중류의 물길이 바뀌었습니다. 다시 땅을 밟을 필요 없이 곧장 하류까지 가면 됩니다."

북쪽에서 남쪽으로 흐르는 강줄기는 나투국 황성과 가까운 평야로 흘러들었다. 하지만 강을 탄다고 곧장 목적지에 닿는 것은 아니었다. 강의 중류에는 오래전부터 물이 솟아나는 수원水原이 곳곳에 있었는데, 그 흐름이 얼마나 센지 그곳을 지나던 배들은 하류로 나아가지 못했다.

그러나 1년 중 단 두 번 수원의 물길이 잠잠해지는 때가 있었는데, 이번이 그때인 것 같았다. 덕분에 이틀 동안 다시 산을 넘을 필요 없이 나투국 황성까지 갈 수 있게 됐다.

"물길이 바뀌는 때를 맞추다니 하늘이 돕나 봅니다. 내일 새벽에는 나투국 황성에 도착할 것 같습니다."

"알겠다."

뗏목 위에 선 파이옌이 강물 위로 비친 달을 바라봤다.

"하늘이 돕는다라……."

'키얀의 죽음이 한층 앞당겨지는구나.'

그렇게 생각한 그가 뒤돌아 자신을 따르는 무수한 뗏목을 바라봤다. 1만의 군사가 그를 따르고 있었다. 나람성과의 전투가 남아 있어 많은 병력을 빼올 수는 없었다. 키얀을 제거하려면 군대는 적을수록 좋았다.

문제는 가료가 홍준영을 얼마나 오래 붙잡아 둘 수 있는가였다. 사실 키얀을 제거하기로 마음먹은 이상, 홍준영이 군대를 보내 나투국 황성을 탈환하고자 전투를 벌이는 일은 나쁘지 않았다. 오히려 전투가 일어난다면 기회를 잡기에도 좋다. 하지만 문제는 빌어먹을 이야기의 전개였다.

그는 키얀과 준영이 황성에서 재회하는 순간, 책이 원하는 결말을 향해 키얀에게 유리한 방향으로 이야기가 흘러갈 것이라는 아주 불길하고 확실한 예감이 들었다. 책은 끝까지 자신이 원하는 결말을 놓지 않을 것이다. 그렇게 되면 준영과 함께 황성 탈환을 위해 싸우거나 혹은 위기에 빠진 준영을 구하기 위해 나설 윤조의 안전 역시 장담할 수 없게 된다.

그렇게 될 바에는 준영이 키얀과 재회하기 전에, 윤조가 황성에 도착하기 전에 자신이 홀로 키얀을 제거하는 편이 나았다. 그 길이 원래의 세상으로 다신 돌아갈 수 없는 길이 된다고 하더라도 윤조나 혹은 다른 누군가에 의해 저지당하는 것보다는 스스로 포기하는 편이 나았다.

순간 10여 년 넘게 이 세계에서 그를 살게 했던 생존 의지가 그를 향해 물었다.

'그 뒤는?'

파이옌은 애써 그 물음을 모른 척했다.

'그 뒤는 어떻게 되지?'

그는 계속해서 머릿속에 시끄럽게 떠오르는 물음을 무시했다. 한 손으로 품 안을 뒤적이자 손끝에 걸리는 물건이 있었다. 오래도록 품 안에 소중히 넣어 두었던 종이였다.

원래 깨끗했던 종이는 언제 튀었는지 모를 자신의 피와, 물에 젖었다가 마른 흔적으로 구깃구깃했다. 종이를 펼치자 동글동글한 글씨가 보였다. '차용증'. 또박또박 종이의 맨 위에 적힌 제목에 실소하던 그가 시선을 내려 맨 아래에 적힌 특약 조항을 눈에 담았다.

을 철수가 갑 윤조에게 금화 한 냥을 갚지 못할 경우, 남은 생을 윤조를 위해 열심히 일할 것!

열심히 살아가 달라는 뜻이라며 눈을 빛내던 윤조의 모습이 선했다. 그 밝은 미소에 가슴 저렸던 순간이 너무도 선명했다.

"어쩌냐. 평생 갚을 생각 없는데."

다소 퉁명스럽게 튀어 나간 혼잣말이 강물에 흩어졌다. 어느 때보다 유난히 선명하게 그려지는 윤조의 모습에 그는 가만히 눈을 감았다.

다음 날 오전 나람성.

밤사이 있었던 한차례의 전투로 양 진영은 대치 상태였다. 팽팽한 긴장감이 맴도는 가운데, 준영과 도백이 있던 회의실의 문이 벌컥 열렸다.

"대장군님! 절도사님! 폐하께서 도착하셨습니다!"

다급한 병사의 보고에 준영과 도백이 벌떡 일어나 밖으로 향했다. 웅성거리는 사람들 사이로 온 황제와 황후, 홍 장군과 길림의 모습이 보였다. 준영이 온 황제의 앞에 무릎을 꿇으며 외쳤다.

"대장군 홍가 준영. 지고하신 황제 폐하와 황후마마를 뵙습니다!"

"지고하신 황제 폐하와 황후마마를 뵙습니다!!!"

병사들이 준영의 외침을 따라 일제히 부복했다. 함께 있던 백성들도 모두 고개를 조아렸다.

"대장군, 일어나게."

자리에서 일어난 준영이 황제를 살폈다.

"위중하시다 들었습니다. 괜찮으십니까?"

"괜찮네. 윤조 무녀 덕분에 살았지."

"다행입니다. 폐하와 황후마마 두 분 다 무사하셔서 정말 다행입니다."

"홍 장군과 길림이 아니었다면 나람성까지 오지 못했을 겁니다. 그리고 윤조 무녀가 아니었다면……."

말끝을 흐리던 황후가 차마 준영을 똑바로 마주하지 못하고 시선을 돌렸다. 준영은 그제야 사람들 틈에 윤조의 모습이 보이지 않는다는 것을 깨달았다.

"윤조는 어디에 있습니까?"

그의 말에 온 황제조차도 쉬이 입을 열지 못했다.

"길림, 아버지. 윤조는 어디에 있습니까?"

준영의 물음에 길림이 주먹을 움켜쥔 채 흐느꼈다.

"죄송합니다! 대장군, 윤조 님을 지키지 못했습니다……!"

억눌린 그의 외침에 주위가 찬물을 끼얹은 것처럼 조용해졌다.

심장이 쿵, 하고 내려앉았다. 그런 길림의 모습에 벌어졌던 준영의 입이 닫히고 열리고를 반복했다. 목소리가 목에 걸린 것같이 갑갑했다.

"그게 무슨, 무슨 말인가? 지키지 못했다니……?"

"준영아."

홍 장군이 눈물을 참으며 준영을 끌어안았다.

"윤조가 우리를 살렸다. 우리를 살리고 추격대에게 잡혔다. 죽었는지 살았는지 알 수가 없구나……."

"지금 무슨 말씀을 하시는 겁니까……?"

"준영아, 마음 굳게 잡거라."

준영의 이름을 부르는 홍 장군의 목소리가 잘게 떨려 왔다.

"아버지, 지금 무슨 말씀을 하시는……!!!"

순간 준영의 귓가에 정적이 내려앉았다. '삐-' 하는 이명이 그의 세상을 울렸다. 그를 세게 끌어안으며 무어라 말하는 홍 장군의 목소리도, 흐느끼며 외치는 길림의 목소리도 무엇 하나 들리지 않았다.

세상이 빛을 잃고 잿빛으로 변하며 일그러졌다. 한참 후에야 준영은 그것이 세상이 일그러진 것이 아니라 자신의 눈을 가리고 있는 눈물이라는 것을 깨달았다. 두 눈 가득 고인 눈물이 그의 볼을 타고 홍 장군의 어깨 위로 떨어졌다.

전날 마지막으로 보았던 윤조의 모습이 눈앞에 선했다. 그녀와 나눴던 마지막 대화만이 이명 사이로 나지막하게 들려왔다.

—함께 가고 싶으나 성을 비울 수가 없구나.

—대장군님은 성을 지키셔야죠. 조심히 다녀올 테니 걱정 마세요.

—마차와 병사들을 붙여 주마. 윤조야, 폐하를 부탁한다.

—저만 믿으세요.

그 부탁을 하는 게 아니었다. 폐하를 맡긴다는 부탁을 네게 하는 게 아니었다. 아버지와 길림이 함께 있다는 사실에 긴급한 상황이란 걸 알면서도 안심했다. 너를 내 곁에서 떼어 놓는 게 아니었다. 내 잘못이다. 너를 보내는 게 아니었다. 너를 그리 보낸 내 잘못이다.

"함께 가자고 해 놓고 왜 혼자 갔느냐……."

이 전쟁이 끝나면 함께 황성으로 돌아가자고 약속 해 놓고, 무엇이 그리 급해서 혼자 갔느냐. 무엇이 그리 급해서…….

준영이 눈물 젖은 얼굴을 들어 길림을 바라봤다.

"부관은 답하라. 윤조가, 그 아이가 확실히 죽었느냐?"

"대장군……."

"답하라. 신궁인 네 눈으로 본 것만을 답하라."

"계곡 건너에서 제가 본 것은 추격대를 이끄는 자가 곡도를 들어 윤조 님을 내리치는 장면이었습니다."

끔찍한 묘사에 주변에 있던 민병대 아낙들이 울음을 터뜨렸다. 길림이 당시를 떠올리며 얼굴을 일그러뜨렸다. 공격당하는 윤조를 목격한 건 계곡 건너편이었다. 보통 사람이라면 그저 사람의 움직임 정도만 분간할 거리였으나 준영은 길림의 눈을 믿었다.

하지만 길림의 눈조차도 깊은 밤의 어둠 속에서, 그것도 큰 계곡을 사이에 둔 거리의 사물을 분간하기란 쉬운 일이 아니었다. 그가 분명히 본 것은 허공으로 치켜 올라갔던 곡도의 예리한 빛과 그것이 윤조가 있는 아래로 빠르게 향했다는 것이었다.

길림의 말에 준영이 질끈 눈을 감았다. 하지만 물음을 멈추진 않았다.

"그리고?"
"대장군 더는……!"
"그리고 그다음으로 본 것을 말하라!!!"
준영을 바라보던 길림이 주저하다 입을 열었다.
"그자가 한 번 더 곡도를 들어 윤조 님을 향하다 말았습니다. 그리고 쓰러져 있던 다른 추격대와 함께 윤조 님을……."
기억을 더듬어 답하던 길림은 자신의 기억 속 윤조의 마지막 모습을 떠올렸다. 어둠 속에서 서국의 병사들이 쓰러진 윤조의 몸을 어디론가 옮기고 있었다.
'옮겼다……?'
순간 그가 번쩍 고개를 들어 준영을 바라봤다.
"대장군. 어쩌면, 어쩌면 윤조 님이 살아 계실 수도 있습니다!"
"윤조에게 곡도를 휘두르는 것을 보았다 하지 않았나?"
"저도 그 때문에 윤조 님이 죽었다고 믿었습니다. 하지만 윤조 님이 죽었다면 굳이 데려갈 이유가 없습니다."
"데리고 갔다?"
"예. 주변을 수습하는 동안 윤조 님을 말 위에 싣는 것을 분명 보았습니다."
죽은 자라면 굳이 먼 길을 데려갈 이유가 없다. 물론 그렇지 않은 경우도 있었다. 황제를 추격하다 잡지 못하고 빈손으로 돌아가게 되었으니 도망친 무녀라도 잡았다 하여 변명거리를 만들 셈이라거나, 혹은 윤조가 아트완의 감옥에 감금되어 있던 무녀라는 사실을 알아본 누군가가 사실 확인을 위해 그녀의 시신을 황제의 앞에 보이고자 했을 수도 있다.

하지만 준영은 믿고 싶었다. 윤조가 살아 있다고. 살아서 자신이 오기만을 기다리고 있을 거라고 굳게 믿었다.

"황성을 탈환한다. 윤조의 생사는 내 두 눈으로 확인할 것이다."

"으……."

앓는 신음과 함께 윤조가 눈을 떴다. 목뒤가 망치로 얻어맞은 것처럼 아팠다. 통증이 느껴지는 곳으로 자연스럽게 신력을 흘려보내자 점차 정신이 또렷해졌다. 정신을 차린 그녀는 팔다리가 묶인 채 짐짝처럼 말 위에 실린 상태라는 것을 깨달았다.

고개를 숙인 상태로 힐끗 눈동자만 굴려 주변을 확인하자 서국 병사들의 모습이 보였다. 그녀는 자신이 죽지 않고 살아 있다는 사실에 의문하면서도 한편으로 안도했다. 하센에게 공격을 당했을 때는 정말 죽을 것이라고 생각했기 때문이다.

'시간이 얼마나 지났지? 아버님은? 폐하는? 다들 나람성에 도착했을까? 하센은 왜 나를 죽이지 않고 살려 둔 거지?'

머릿속으로 수많은 물음이 떠올랐다. 주변은 여전히 어두웠다. 바닥에 어스름하게 푸른빛이 비치는 걸 봐서는 동틀 무렵이 가까운 새벽인 모양이었다. 문득 말발굽 소리가 가까워졌다. 그녀는 기절한 척 몸을 늘어뜨렸다. 머리 위로 익숙한 목소리가 들렸다. 하센이었다.

"무녀는?"

"아직 정신을 차리지 못한 것 같습니다."

"곧 황성에 도착한다. 나는 곧장 폐하께 갈 것이니 너희는 그동안 무녀를 감시하라. 깨어나는 대로 내게 알려야 할 것이다."

"예."

하센은 축 늘어진 윤조를 노려봤다. 무녀가 정신을 잃은 지 하루가 지났다. 여희단의 타미르와 타샤가 부상당하고 병사를 스무 명 가까이 잃었는데도 온 황제를 잡지 못했다. 이 무녀 하나 때문에.

"무녀만은 절대 해치지 말라는 황명만 아니었어도 너는 내 손에 죽었을 것이다."

하센이 바드득 이를 갈았다. 뒤통수로 느껴지는 선명한 살기에 윤조의 입 안이 바싹 타들어 갔다. 예쁜 언니가 많이 화가 난 모양이었다. 목숨이 아까워 마른침만 삼키고 있던 윤조는 멀어지는 하센의 기척에 참았던 숨을 내쉬었다.

'어떡하지.'

신력을 사용하면 손발에 묶인 밧줄을 푸는 거야 어렵지 않겠지만 문제는 그다음이었다. 혼자서 상대하기에는 병사들의 수도 너무 많을뿐더러, 병사들은 어떻게 해결한다고 해도 하센이 순순히 자신을 보내 줄 리 없었다. 상대는 일개 병사가 아닌 전투로 다져진 장수다. 완력으로나 실력으로나 전면전으로는 상대가 될 리 없었다.

'목숨이 여러 개도 아니고 괜히 덤볐다가 이번에야말로 정말 죽을지도…….'

보이지 않아도 느껴지던 하센의 살기에 오소소 소름이 돋았다.

'침착하자. 잘 생각해 보면 이대로 황성에 가는 것도 나쁘지는 않아. 하센이 키얀을 만나러 간 틈을 타 도망치는 거야. 그리고 황성

안의 상황을 살피고 나람성에 알릴 수 있다면 오히려 기회가 된다.'

지금까지는 황성 안의 상황을 명확히 알지 못했기에 황성 탈환의 구체적인 계획을 세우지 못했다.

'하지만 황성 내부에 침투해 밖으로 알릴 수만 있다면……!'

위험한 계획이나 일이 이렇게 된 이상 어떻게든 해 보는 수밖에 없다. 코앞에 닥친 가장 큰 위험 요소는 바로 키얀이었다. 무슨 수를 써서라도 키얀의 눈에는 절대로 띄어선 안 된다.

'황후를 돌보지 않고 내가 탈출한 사실을 알게 되면 분명 날 죽일 거야. 하지만 이대로는 황궁 안까지 끌려가게 될 텐데. 황궁에서 혼자 탈출할 수 있을까?'

두려움과 혼란으로 머릿속이 뒤죽박죽이었다. 그때 전진하던 말이 멈춰 섰다. 그녀가 슬쩍 고개를 돌려 확인하자 나투국 황궁이 보였다.

'으아아아! 벌써 도착했어! 어떡해!!! 어떡하냐고-!!!'

할 수만 있다면 다시 기절하고 싶은 심정이었다. 윤조는 속으로 비명을 지르면서도 겉으로는 착실하게 기절한 척 연기를 했다. 나투국 황궁의 후문이 열리고, 말이 다시 움직이기 시작했다. 말 위에 축 늘어진 그녀의 몸이 시계추처럼 흔들렸다.

'으, 머리에 피 쏠려.'

먹은 게 있었다면 다 게워 냈을지도 모르겠다. 압박된 복부가 저려 왔다. 머리로 피가 쏠려 힘겨웠다. 그나마 긴 머리카락이 얼굴을 가려 줘서 다행이지, 드러나 있었다면 힘든 표정을 숨기지 못했을 것 같았다.

"폐하를 뵙고 오겠다. 너희는 여기에서 대기하라."

하센이 말을 마치고 멀어졌다. 병사들이 눈치채지 못하게 주변을 살피니 대령전大令殿 근처였다. 대령전은 황궁에서 가장 큰 회의장이 있는 궁으로, 근처에는 자명전과 사민전이 있었다. 황궁의 지리는 잘 모르는 윤조였지만 궁에서 가장 큰 전각과 그 주변에 있는 건물 정도는 알고 있었다.

또 혼례식이 열렸던 연회장은 자명전을 지나 동쪽에 자리했다. 그녀는 연회장의 남쪽으로 궁인들만 은밀히 드나들던 출입구를 떠올렸다. 당시 마차에서 내린 윤조와 나래를 마중 나온 궁인들이 몰래 궁 안까지 인도했던 바로 그 출입구였다.

'그곳을 통하면 밖으로 나갈 수 있을 거야.'

그곳도 병사들이 지키고 있을지도 모른다. 하지만 작은 쪽문이니 문지기를 붙였더라도 소수일 것이다. 기습한다면 이길 수 있다. 문제는 당장 이곳에서 탈출해 들키지 않고 그곳까지 갈 수 있는가였다.

지켜보는 눈이 너무 많았다. 탈출을 위해 소란이 일어난다면 추격은 피할 수 없다. 아무리 빠르게 달려도 자명전과 연회장을 지나 출입구까지 가려면 못해도 삼사백 미터를 정도를 쉬지 않고 달려야 했다. 하센이 돌아오기 전까지 시간이 많지 않았다. 불안하게 주변을 살피던 그녀가 손을 묶은 밧줄을 풀어내려 할 때였다.

"뭐야, 이건?"

머리 위로 익숙한 음성이 들렸다. 동시에 윤조의 주변에 있던 병사들이 빠르게 도열해 고개를 숙였다.

"좌장군을 뵙습니다!"

'파이옌?!'

서국의 좌장군이라면 파이옌밖에 없다. 당황한 윤조가 밧줄을 풀어내던 것을 멈추고 축 늘어진 채 두 눈을 질끈 감았다.

'뭐야? 파이옌이 왜 여기에 있어? 파이옌은 가료와 함께 나람성에 있었는데 대체 언제! 아니, 왜 하필 지금……!'

혼란함에 가쁜 숨을 몰아쉬던 그녀가 감았던 눈을 떴다. 눈앞으로 그녀의 긴 머리카락을 커튼처럼 들어 올린 파이옌의 얼굴이 보였다. 그는 경악하는 윤조의 얼굴을 바라보다 재빨리 한 손으로 그녀의 입을 틀어막았다. 절로 튀어나오던 비명이 목 안으로 삼켜졌다.

고개를 숙인 채 도열한 병사들을 힐끗 쳐다보던 파이옌이 윤조의 입을 막고 있던 손을 천천히 떼어 냈다. 그러고는 그녀를 향해 소리 없이 입술을 움직였다. 그는 이내 몸을 바로 했다. 멀어지는 그의 모습에 윤조의 눈동자가 이전보다 더 큰 혼란으로 흔들렸다.

'방금, 뭐라고……?'

파이옌이 병사들을 향해 물었다.

"아트완의 감옥에 있어야 할 무녀가 왜 여기에 있는 거냐?"

"죄송합니다, 장군. 탈출한 것 같습니다."

"탈출한 것 같습니다? 아직 본국에 확인도 안 한 거냐? 황후마마께서 위중하신 이때에?"

"죄, 죄송합니다! 바로 서신을 보내 확인하겠습니다!"

윤조가 탈출한 사실을 본국에서 모르는 것은 어떻게 보면 당연한 일이었다. 애초에 출정 직전 키얀의 명령으로 윤조를 잡아갔던 병사들이 모두 나투국의 정보원들이었기 때문이다. 그런 사실을 알고 있는 이는 오직 파이옌뿐이었다.

험악한 그의 일갈에 병사 하나가 어디론가 달려갔다. 그가 나머지 병사들을 바라보며 미간을 찌푸렸다.

“보고하라.”

“예! 나투국 황제를 추격하던 중 황제와 함께 있던 무녀를 하센 님이 사로잡았습니다.”

“나투국 황제를 추격했다며 왜 무녀를 잡아? 황제는?”

“죄송합니다. 놓쳤습니다.”

순간 파이옌의 표정이 사납게 돌변했다. 앞서 대답한 병사를 세게 걷어찬 그가 곡도를 뽑아 들었다.

“놓쳐? 지금 내가 잘못 들은 건가?”

“죄송합니다!”

“추격대가 한 놈이야, 두 놈이야? 여기 있는 머릿수만 해도 여덟인데? 팔다리 성한 놈들이 고작 기절한 무녀 하나만 지키고 있나!!!”

“죄송합니다. 죽을죄를 지었습니다-!!!”

“전혀 죽을 만한 꼴이 아닌데?”

“죄송합니다!!! 시정하겠습니다!!!”

분노한 파이옌의 검에 썰릴세라 병사들이 일제히 바닥에 머리를 박고 엎드렸다. 기회를 놓치지 않고 밧줄을 풀어낸 윤조가 미끄러지듯 말에서 내려왔다.

‘좋아, 이대로 조용히……!’

살금살금 움직이던 그녀가 자리를 벗어날 때였다.

“무녀가 도망친다!”

기합받는 중에 한눈을 판 병사가 있었는지 들키고 말았다. 바닥에서 일어나는 병사들의 모습과 동시에 뒤돌아 자신을 바라보는 파이옌의 모습이 보였다.

‘미안하다.’

윤조가 입 모양으로 중얼거림과 동시에 파이엔의 몸이 공중으로 솟구쳤다.

"장군-!!!"

병사들이 경악하며 허공으로 끌려 올라간 파이엔을 바라봤다. 공중을 날고 있음에도 파이엔은 여전히 상황 파악을 못 한 눈치였다. 그가 멍한 눈으로 윤조를 바라봤다. 그리고 다음 순간 윤조가 높이 들었던 팔을 병사들을 향해 뻗었다. 동시에 신력으로 잡고 있던 파이엔이 병사들의 머리 위로 패대기쳐졌다.

떨어지는 파이엔을 받아 내기 위해 모여들었던 병사들이 비명과 함께 바닥으로 나동그라졌다. 흙먼지가 휘날렸다. 병사들을 깔고 누운 파이엔이 황망하게 하늘을 바라보며 실소했다.

"지금 나를 던진 거야……?"

빼근한 목뒤를 주무르던 그가 옆에서 끙끙거리며 일어나는 병사에게 물었다.

"쟤가 지금 나를 던진 거지?"

무섭도록 싸늘한 그의 표정에 눈이 마주친 병사가 미친 듯이 고개를 끄덕였다. 파이엔의 고개가 정면을 향했다. 품 안에 넣어 둔 차용증이 바스락거렸다. 윤조가 달아난 방향을 바라보던 그는 지난밤 그녀를 생각하며 청승을 떨었던 자신의 모습을 떠올렸다.

"하하, 하하하, 하하하하……!"

새어 나오는 웃음을 참지 않던 그가 표정을 지우며 병사들을 돌아봤다.

"죽일까."

대관절 누구를 죽이고 싶은 건지 모르겠지만 일단 살고 보자. 그렇게 생각한 병사들이 정신을 차리고 윤조를 뒤쫓기 시작했다.

'으아아아! 저 미친놈이 도망치랄 때는 언제고 죽자고 쫓아와!!!'

힐끗 뒤를 돌아본 윤조는 한눈에도 자신을 잡아 죽일 듯이 달려오는 파이엔의 모습에 질겁하며 내달렸다. 그녀는 자신과 눈이 마주친 순간 입 모양으로 '도망쳐'라고 말했던 파이엔의 모습을 기억했다.

"그럼 그 상황에서 뭘 어떡하라고! 어떻게 도망치라는 말은 안 했잖아!"

어쩔 수 없는 상황이었다고, 어쩔 수 없는 상황! 아주 조금 미안한 마음이 들긴 했지만 저 인간한테는 미안한 일보다 당한 일이 더 많으니 일단 제쳐 놓기로 하자. 가슴 깊숙한 곳에서 들끓는 이 후련함에 절대 악의는 없다는 걸 알아주시길. 흥.

내달리던 그녀는 작은 몸을 이용해 건물 아래의 틈과 계단 밑을 요리조리 통과하며 파이엔과 병사들을 따돌렸다.

"무녀가 달아났다! 무녀를 잡아라-!!!"

갑작스러운 소란에 여기저기에서 병사들이 점점 더 모여들었다. 몇 번이고 바닥에 미끄러질 뻔했지만 신력으로 건물의 벽이나 기둥을 붙잡아 중심을 잡았다. 스파이더맨이라도 된 기분이네.

상념을 털어 내며 그녀는 쉬지 않고 다리를 움직였다. 자명전을 지나 연회장을 가로지르려던 그녀는 연회장 입구를 지키고 있는 병사들을 발견하고 급히 담장 뒤로 몸을 숨겼다.

"뭐지? 저 안에 뭐가 있기에 병사들이 저렇게 많은 거지?"

연회장 입구 안팎을 지키는 병사의 수만 넷에 그 앞을 순찰하는 병사의 수가 또 넷이었다. 이래서는 연회장을 가로지를 수 없다.

'어떡하지.'

뒤에서는 파이엔과 병사들이 점점 가까워지는 소리가 들렸다. 어디로 가야 할까. 연회장의 출구로 나갈 수 없다면 대체 어디로……! 그녀가 당황하며 주변을 살피는데, 어둠 속에서 그녀의 뒷덜미를 끌어당기는 손이 있었다.

"억!"

"쉿. 조용히 하게."

세게 당겨진 힘에 거의 뒤로 넘어가다시피 한 그녀는 거꾸로 마주 본 얼굴에 놀라 입을 벌렸다.

"대승상님……!"

넘어진 그녀를 일으켜 세운 최 승상이 손짓으로 조용히 그녀를 안내했다. 최 승상의 뒤를 따라 지나쳤던 자명전의 안으로 들어온 윤조가 조용히 문을 닫았다. 병사들이 지나치는 소리가 들렸다.

"어떻게 여길 왔나? 혼자인가?"

"예, 저 혼자예요. 폐하의 부상을 치료하다가 붙잡혔습니다. 폐하와 황후마마 두 분 다 무사하세요. 홍 장군님과 길림 부관님과 함께 나람성으로 가셨습니다."

윤조의 말에 최 승상이 안도의 한숨을 내쉬었다.

"그거 정말 다행이군."

"대승상님도 무사하셔서 다행이에요. 줄곧 황궁 안에 숨어 계셨나요?"

"황궁 안팎으로 드나들 수 있는 비밀 통로가 있네. 이곳 자명전과도 연결되어 있더군."

"그렇군요. 그럼 탈출하는 건 문제없겠어요. 대장군님께 연락할 방법이 있을까요?"

"나도 서신을 보낼 매를 찾아봤지만 응방에 남아 있는 매가 하나도 없었다."

"하나도요?"

"다 잡아 죽인 모양이야."

"그런……!"

준영에게 연락할 방법이 없다면 황성의 상황을 전할 수도 없이 정말 갇힌 꼴이었다.

"어떻게 방법이 없을까요?"

"한 가지 남아 있는 방법이 있지. 이곳은 위험하니 우선 자리를 옮기세."

윤조는 최 승상을 따라 건물 지하로 연결된 비밀 통로로 들어갔다. 서늘한 내부는 습한 냄새가 났다. 사방이 조용했다. 횃불을 든 최 승상이 윤조를 어딘가로 안내했다.

"지금부터는 내가 밟은 바닥만을 똑같이 밟아야 하네. 다른 곳을 밟았다간 벽에서 화살이 쏘아지거나 천장에서 도끼가 떨어질지도 모르니까."

"함정인 건가요?"

"침입자를 대비해서 만들어 놓은 모양이야. 나도 몇 번 죽을 뻔했지."

최 승상이 자신의 팔이며 다리, 이마에 난 상처를 가리켰다. 윤조가 마른침을 삼키며 크게 고개를 끄덕였다.

"명심하겠습니다."

윤조는 최 승상이 밟는 바닥을 살피며 조심조심 그 뒤를 따랐다.

"전에는 호위 무녀들이 돌아다녔지만 어느 순간부터 보이지 않더군. 내가 탈출했거나 혹은 함정에 걸려 죽었다고 생각한 모양이야."

"무녀장도 이곳을 알고 있나요?"

"그녀밖에 몰랐지. 이곳은 내가 아는 황가의 비밀 통로보다도 더 깊고 정교한 곳이다. 9백 년 전 건국대제 시절에 만들어진 곳 같더군."

최 승상이 손을 들어 통로의 벽면을 가리켰다. 커다란 장식용 벽돌에 여신의 옆모습을 본뜬 문양이 새겨져 있었다. 윤조는 그 문양을 알아봤다. 벽록서에서도 똑같은 문양을 본 기억이 있었다.

"길림 부관님께 들었어요. 무녀장이 9백 년 전부터 살았던 사람이라고."

"믿기 힘든 이야기지."

최 승상이 그렇게 말하며 멈춘 곳은 어딘가로 통하는 문 앞이었다. 그가 손으로 벽을 더듬자 벽돌이 안으로 밀려 들어가며 문이 열렸다. 최 승상은 비밀 통로를 나서기 전 들고 있던 횃불을 벽에 걸고 문을 닫았다. 문 안으로 들어가자, 드넓은 공간에 자리한 책장에 가득 꽂혀 있는 오래된 고서들이 보였다.

"여기는 어디죠?"

"황실 비서고다. 이곳에서 문 비서랑이 목을 맨 채 발견되었지."

"이곳에서요……?"

최 승상의 말에 윤조의 표정이 딱딱하게 굳어졌다. 가뜩이나 주위도 어두컴컴한데 누군가 죽은 장소라고 하니 더욱 을씨년스러웠다.

"아까 그곳과는 정반대편에 위치한 곳이다. 이곳은 지키는 병사들도 없으니 안심해도 좋다."

"예. 아까 연락할 방법이 남아 있다고 하셨던 건 무엇인가요?"

"나투국에서 유일하게 매가 아닌 다른 새를 전서구로 쓰는 사람이 있지."

"그게 누구죠?"

"나래다."

최 승상의 말에 윤조는 나래의 전서구인 비둘기 앵두를 떠올렸다. 맞아! 나래의 전서구가 있었어! 홍씨 가문 사저에서 함께 지낼 때 봤던 앵두를 기억해 낸 그녀의 안색이 밝아졌다. 최 승상은 어두운 비서고 가운데에 자리한 탁자에서 의자를 당겨 빼내 앉았다. 윤조도 그를 따라 맞은편에 자리했다.

"앵두는 본디 전서구용 비둘기가 아니다. 하지만 나래가 그렇게 훈련시켰지. 서국인들에게 볼 빨간 비둘기는 여인들의 손 노리개용으로 기르는 애완용 새일 뿐이다. 전서구라고는 생각지 못할 거야."

"앵두는 지금 어디에 있나요?"

"아마 나래 방에 있을 거다. 문제는 그곳까지 가는 게 쉽지 않다는 거지."

황궁 밖에서는 아직도 시가전이 곳곳에서 일어나고 있었다.

"황궁 밖으로 통하는 비밀 통로 중에 그곳과 가장 가까운 곳은 어디입니까?"

"홍씨 가문이다. 다 살펴봐도 그곳보다 가까운 곳은 없더군."

"홍씨 가문이요? 그곳으로 연결되는 비밀 통로가 있다는 말씀입니까?"

"홍씨 가문의 어화당 뒤편 낡은 우물과 연결되어 있지. 그곳으로 나가려면 물속을 지나야 한다."

"어화당이라면……."

전에 한번 윤조도 찾은 적이 있던 곳이었다. 돌아가신 준영의 어머님이 사용하신 것 같았던 공간. 그녀는 최 승상의 누이이기도 했다.

"알고 있느냐? 내 누이가 생전에 지냈던 곳이지."

"네, 알고 있습니다. 잠수는 곧잘 하는 편이라 물속을 통과하는 건 어렵지 않지만 그래도 최씨 가문 사저까지 거리가 꽤 되는군요."

"그래. 거기다 내 생사가 확실하지 않으니 병사들이 더 많이 붙었다."

최 승상은 자신의 사저 주변에 서 있던 보초병들을 떠올리고 미간을 좁혔다. 그의 이야기를 듣던 윤조가 알겠다며 고개를 끄덕였다.

"병사들만 따돌리면 되는 거죠?"

"방법이 있겠나?"

"제가 요즘 새롭게 연마한 기술이 있는데……."

윤조가 말끝을 흐리며 손을 뻗어 눈앞에 있던 탁자와 책장에 꽂힌 책들을 공중으로 들어 올렸다.

"이 정도면 시선을 끄는 건 문제없겠죠?"

놀라 입을 벌린 최 승상의 모습을 바라보며 윤조가 자신 있게 미소 지었다.

"황제를 놓쳐? 누굴 사로잡아 왔다고? 윤조가 나투국 황성에 있다니 그게 무슨 말이냐!!!"

온 황제와 황후를 놓치고 윤조를 사로잡았다는 하센의 보고에 키얀이 대노하여 소리쳤다.

"송구합니다. 어떻게 된 일인지 본국에 연락해 확인해 보겠습니다."

"무녀는? 무녀는 지금 어디에 있느냐?"

"병사들이 지키고 있습니다. 기절시켰는데 아직 정신을 차리지 못했습니다."

"데려오라. 윤조가 맞는지 직접 확인해야겠다."

"예, 폐하."

하센이 키얀의 앞에서 물러나려던 때였다. 밖이 소란했다. 불길한 예감에 빠르게 밖으로 나온 하센이 윤조가 있던 곳으로 향했다. 하지만 남아 있는 것은 그녀의 손과 발을 묶었던 밧줄과 말뿐이었다.

"무녀는 어디에 있나!!!"

"무녀가 도망쳤습니다. 추격 중입니다."

"대체 어떻게 된 일이냐! 뭘 하고 있었기에 그깟 애송이 하나를 감시하지 못해!!!"

"그 무녀가 좌장군님을 던져 버리고 도주하는 바람에……."

"누가 누굴 던졌다고?"

못 들을 것을 들은 사람처럼 하센의 눈이 화등잔만 하게 커졌다.

"그 무녀가 기이한 힘을 사용해서 좌장군님을 허공에 띄우더니 병사들을 향해 집어 던져 버렸습니다."

"그게 무슨! 좌장군께서 황성에 왔나?"

"조금 전에 분대와 함께 합류하셨습니다."

"좌장군님은 지금 어디 계신가? 혹 많이 다치셨나?"

걱정 어린 그녀의 물음에 병사가 겁에 질린 표정인지 혹은 질색하는 표정인지 알 수 없는 얼굴로 손을 들어 한 곳을 가리켰다. 파이엔이 미친 듯이 윤조를 쫓아간 방향이었다.

"죽여 버리겠다며 쫓아가셨습니다."

"젠장……!"

하센이 급히 말에 올라 병사가 가리킨 방향을 향해 달렸다. 사고 치기 전에 파이옌을 말려야 했다. 설마 싶지만 정말 파이옌이 그 윤조라는 무녀를 죽이기라도 했다가는 묘길과의 연대가 부서지고 말 것이다.

나투국을 넘겨주고 전쟁을 돕는 대신 묘길이 원한 것은 딱 한 가지였다. '절대로 무녀는 해치지 말 것.'. 서국의 입장에서도 무녀는 훌륭한 자원이었기에 키얀은 그 조건을 수락했다. 무슨 일이 있어도 무녀만은 절대로 건드리지 않겠다고. 황궁을 수색하는 병사들을 지난 그녀는 곧장 파이옌을 찾았다.

"좌장군님! 어디에 계십니까! 대답해 주십시오!"

"여기다."

목소리가 들려온 곳은 머리 위였다. 하센이 퍼뜩 고개를 들어 전각 위 지붕을 바라봤다.

"좌장군!"

"하센, 나 지금 바쁘니까 뭔지 몰라도 조금 이따 말해."

"거기에서 뭐 하십니까?"

"수색. 그런데 안 보여."

파이옌이 지붕 위에서 내려다보이는 황궁의 길목 곳곳을 날카롭게 주시했으나 윤조의 머리털 하나 보이지 않았다.

"이 대범한 무녀가 어디로 간 건지."

하늘이 밝아지며 먼동이 텄다. 붉은 그의 머리카락이 빛을 받아 마치 타오르는 것 같았다. 눈부신 햇살에 손을 들어 이마 위로 그림자를 만든 그의 표정이 심상치 않게 굳어 있었다.

“젠장 맞게 안 보인다고. 이 망할 병아리가.”

대체 어디로 간 건지. 제대로 도망치긴 한 건지. 대체 왜 네가 이곳에 있는 건지. 아슬아슬한 줄다리기에 심장이 덜컥거리는 기분이었다.

오른손을 왼쪽 가슴 위로 가져간 파이엔이 주먹을 말아 쥐었다. 예감했던 빌어먹을 이야기의 전개가 맞아떨어져 가고 있었다.

같은 시각, 나람성 회의실에서는 황성 탈환에 대한 회의가 한창이었다.

“황성의 상황을 알지 못하는 상태에서 무작정 군대를 보내는 것은 무리한 행동이다.”

“대장군, 홍 장군님의 말씀이 맞습니다. 내부 상황을 파악하지 못하면 오히려 나람성이 함락되고 황성으로 향한 군대마저 위험해질 수 있습니다.”

홍 장군의 말에 길림이 동의했다. 두 사람도 마음 같아서는 당장이라도 윤조를 구하기 위해 군대를 이끌고 황성으로 향하고 싶었으나 무작정 군대를 움직일 수는 없는 노릇이었다. 계속되는 전투에 나람성의 병사들도 지쳐 가고 있었다. 게다가 전투를 틈타 서국의 분대가 진영을 이탈했다. 병력 충원을 위해 키안이 나투국 황성으로 불러들인 것이 틀림없었다.

이런 상황에서 황성으로 병력을 보냈다가 나람성이 함락되기라도 하면 희망이 없었다. 황성을 탈환하는 것도 중요하나 최우선은 황제를 지키는 일이었다. 이런 때일수록 냉정해야 한다. 이지를 잃는 순간 싸움에서 지게 될 것이다. 윤조의 모습을 떠올리던 준영이 간신히 냉정을 되찾았다.

"길림, 황성 내부 상황을 파악할 방법은 있겠나? 정보원들은?"

"정보원들에게 연락을 취했지만 답이 오지 않습니다. 아마 사로잡혔거나 죽은 것 같습니다. 무녀장이 이용하는 비밀 통로가 자명전으로 이어져 있었습니다. 그곳을 통해 사민전에서 기밀을 염탐한 것 같습니다."

"제기랄! 그렇다면 군사 기밀까지 죄다 까발려진 게 아닌가."

홍 장군이 진노하며 탁자를 내리쳤다. 그들은 지금껏 헐벗은 채로 완전무장한 적과 싸운 것과 다름없었다.

"사실 무녀장이 우리에 대해 모르는 건 없다고 봐야 합니다. 전략도 공격 방식도 어떤 식으로 응대하건 이미 준비를 마쳤을 테니까요."

준영의 말에 신음하던 홍 장군이 길림을 바라봤다.

"최 승상이 따로 부리는 정보원들이 있다. 그들이라면 드러나지 않았을지도 모르니 연락을 해 보는 건 어떤가?"

"이미 들켰습니다. 대승상님과 탈출하기 전에 무녀장은 이미 그 사실까지 모두 알고 있었습니다. 문제는 원군입니다. 대승상께서는 이미 정보원들이 지방에 연락해 원군을 불렀을 거라며 무녀장을 압박했지만 무녀장은 조금도 반응하지 않았습니다. 오히려 가소롭다는 듯이 웃더군요. 사실을 이미 알고 있고, 설령 원군이 온다 해도 7일 이상 걸릴 거라면서요."

"자네가 보기엔 어땠나? 정말 대승상의 정보원들이 원군을 요청하는 데 성공한 것 같았나?"

"무녀장이 이미 알고 있었으니 연락이 가지 않았을 확률이 더 높다고 봅니다. 원군이 온다면 이틀 뒤에는 황성으로 군대를 출발해야 합니다. 하지만 원군이 없다면 나람성을 버리는 꼴이 될지도 모릅니다."

"자칫 잘못했다간 병사들과 황성에 인질로 잡힌 백성들만 죽어 나가겠지."

준영이 심각한 표정으로 골몰했다. 이틀. 이틀 안에 무녀장이 발견하지 못한 허점을 발견해야 했다. 그녀가 읽어 내지 못한 수를 읽어 내 파고들어 가야 했다. 딱 한 수. 딱 한 수만 발견한다면 전황을 뒤집을 수도 있을 것이다.

"밖이 소란하더군요. 병사들이 궁 주변을 수색 중이던데 무슨 일이 있습니까?"

찻물을 우리던 묘길이 키안을 향해 물었다.

"별일 아니다. 간밤에 무녀 하나가 도주한 모양이더군."

"설마 죽이실 작정은 아니겠지요?"

키안의 붉은 눈동자를 빤히 마주해 오는 보랏빛 눈동자에 기묘한 감정이 얽혔다. 어딘지 모르게 집착과도 닮아 보이는 광기 어린 감정.

"약속은 지킨다. 무녀는 죽이지 않겠다고 했으니까."

"감사합니다."

"준비한다던 무녀들은 다 준비되었나?"

"마음이 급하시군요."

"황후를 언제까지 그대로 둘 수는 없다. 하루라도 빨리 치료를 시작해야 한다."

"나람성이 함락될 때까지 기다리기로 하신 것 아니었습니까? 그곳을 통하는 게 서국으로 가는 가장 빠르고 안전한 길일 텐데요."

"황제가 나람성으로 도주했다. 누구의 실책인가?"

"그 일은 죄송하게 생각합니다."

"황제가 나람성에 있으니 나람성의 방어를 포기하지 않을 거다. 이대로 전투가 길어지면 황후가 위험하다. 손 놓고 두고 볼 수는 없지. 우회해서라도 호송한다."

"설마 윤조 무녀에게 무슨 일이 생긴 건 아니겠지요?"

묘길이 키얀의 앞으로 찻잔을 내밀었다. 키얀은 아무렇지 않게 그녀가 건넨 찻잔을 집어 들었다.

"황후의 상태가 좋지 않다. 혼자서는 치료가 버거운 모양이지."

"다른 무녀들을 보내 주면 그녀를 제게 무사히 보내 주신다 약조했습니다. 혹, 그녀가 고문을 당했다거나 문제가 생겨 치료가 어려워진 것이라면……."

묘길이 말을 줄이며 키얀을 향해 미소 지었다.

"설마 그럴 일은 없겠지만 만약에라도 불미스러운 일은 없길 바랍니다."

"다른 무녀들도 많은데 꼭 그 아이를 원하는 이유가 뭔가?"

"말씀드려도 잘 이해되지 않으실 겁니다. 그저 개인적인 일을 처리하기 위함이라는 것만 알아주십시오. 폐하께 누가 되는 일은 없을 겁니다."

"비밀이 많군."

"알고도 저와 손잡으신 것 아니었습니까?"

"그랬지. 그 비밀이 내 뒤를 치려는 수작이 된다면 살려 두지 않을 것이다."

"그럴 리가요. 저는 폐하께 정말 감사하고 있답니다."

묘길이 옅은 미소와 함께 말을 이었다.

"숨어 있는 무녀들이 있어 시내를 수색 중이었는데 오늘 안으로 끝내겠습니다. 명색이 황후마마를 모셔야 할 아이들인데 실력이 제대로 된 무녀들이 좋지 않겠습니까? 폐하께서 마음이 급하신 듯하니 내일 아침에는 출발할 수 있도록 준비하겠습니다."

"믿겠다."

"그리 말씀해 주시니 황공합니다."

"그런데 혜린이 보이지 않는군."

"혜린 무녀라면 지금쯤 호위 무녀들과 함께 수도 안에 숨어 있는 무녀들을 추적하고 있을 겁니다."

묘길의 말에 키얀이 의문했다.

"혜린이 그대의 명령을 따르던가?"

혜린의 아버지인 문 비서랑을 자살로 위장해 죽인 사람이 바로 묘길이다. 상황을 봤다면 묘길이 나투국을 배신하고 문씨 가문에 누명을 씌운 자라는 것을 모르지 않을 텐데 순순히 묘길의 명령을 따른단 말인가? 그의 의문에 묘길이 작게 웃으며 답했다.

"예. 그렇지 않아도 제 뒤에서 칼을 갈고 있겠지요."

"조만간 또 칼에 찔릴지도 모르겠군."

"이번에도 치명상이려나요?"

"아무리 무녀라도 목숨은 하나다. 그대는 목숨이 중하지 않나?"

"이미 오래전에 내놓은 목숨입니다. 그리고……."

묘길이 말끝을 흐리며 차를 홀짝였다.

"죽고 싶어도 마음대로 죽을 수가 없는 몸이랍니다."

"근처에 숨어 있는 무녀들이 있다. 너희는 왼쪽 길로, 나와 호위 무녀들은 오른쪽 길로 간다. 한 명도 빠짐없이 잡아야 할 것이다."

"예."

시장의 중앙로. 갈림길에서 감찰부 무녀들과 일부 호위 무녀들을 시장 골목 왼쪽 길로 보낸 혜린이 자신을 뒤따르는 나머지 호위 무녀들과 함께 오른쪽 길로 향했다.

혜린의 손에는 황성에 소속된 정식 무녀들의 신력이 기록된 한 권의 책이 들려 있었다. 이 책의 종이를 만드는 재료는 오직 나투국 황성에서만 자라는 신목神木을 사용하는데 이 나무로 만든 종이는 무녀들의 신력을 흡수, 유지해 기록할 수 있는 힘이 있었다.

일종의 명부처럼 책 안에는 무녀들의 이름이 적혀 있으며, 낱장마다 개개인의 신력을 일부 흡수해 기록해 놓았다. 이렇게 기록된 신력은 원래의 주인을 찾아가려는 성질이 있어 자연스럽게 무녀가 있는 장소를 추적할 수 있었다.

골목으로 들어간 혜린이 한 창고 앞에 멈춰 섰다. 도망친 무녀의 이름이 적힌 책장이 해당 무녀의 신력에 반응해 꼿꼿하게 일어났다. 책장 안에 기록된 신력이 희게 빛나며 무녀가 있는 장소를 가리켰다. 책장을 바라보던 혜린이 호위 무녀들에게 창고 안을 가리켰다.

닫힌 창고의 문을 열고 안으로 들어간 호위 무녀들이 숨어 있던 무녀를 잡아끌고 나왔다. 붙잡힌 무녀가 반항하며 비명을 질렀다. 그녀의 부모로 보이는 노부부가 닫혀 있던 상점에서 뛰어나와 호위 무녀들을 말렸으나 이내 바닥에 나동그라졌다.

"제발 저희 딸을 돌려주십시오! 죽은 듯이 지낼 테니 제발……!"

잡힌 무녀의 아버지로 보이는 자가 혜린의 다리에 매달려 애원했다. 순간 혜린은 움찔 몸을 떨었다. 하지만 무어라 대답할 겨를도 없이 호위 무녀들이 그를 붙잡아 바닥에 패대기쳤다. 계속해서 딸을 풀어 달라며 다리에 매달리는 그를 호위 무녀들이 매섭게 발길질해 댔다.

"아악! 아버지!!! 아버지!!! 잘못했습니다! 아버지를 살려 주세요! 혜린 무녀님! 제발 저희 아버지 좀 살려 주세요……!"

무녀가 바닥을 기어 혜린의 앞에 엎드렸다. 손이 발이 되도록 빌며 우는 그녀의 모습에 인상을 찌푸리던 혜린이 호위 무녀들을 불러 세웠다.

"그만 됐다. 무녀를 황궁으로 옮겨라."

"예."

혜린의 지시에 호위 무녀들이 사로잡은 무녀를 데리고 황궁으로 향했다. 왼쪽 길로 향했던 감찰부 무녀들도 숨어 있던 무녀를 잡았는지 맞은편 골목에서 처절한 비명 소리가 들려왔다.

혜린이 고개를 돌려 바닥에 쓰러진 무녀의 아버지를 바라봤다. 딸을 잃고 통곡하는 아비의 모습에 그녀는 자신도 모르게 주먹을 말아 쥐었다. 뒤돌아 멀어지는 그녀의 등을 향해 원망과 저주의 목소리가 날아들었다. 골목 곳곳에서 들려오는 무녀들의 비명 소리에 귀가 멀어 버릴 것 같았다.

계속되는 시가전에 상처 입고 죽어 가는 백성들이 길가에 널려 있었다. 살려 달라고 아우성치는 목소리가 그녀의 고막을 세차게 때렸다. 혜린이 호위 무녀들을 향해 말했다.

"너희는 먼저 황궁으로 가라. 나는 좀 더 살펴보다 가겠다."

"알겠습니다."

혜린은 그들을 뒤로한 채 발을 옮겼다. 상점과 가옥이 불타는 매캐한 냄새와 피 냄새가 가시지 않았다. 황성 곳곳을 돌아다니는 서국의 병사들이 백성들을 억압했다.

혜린이 발길을 멈춘 곳은 이미 폐허가 되어 버린 문씨 가문의 저택 앞이었다. 그녀는 전투 중에 허물어진 담벼락과 불타 버린 저택의 모습을 멍하니 눈에 담았다.

닫힌 대문에는 대각선으로 얇고 긴 종이가 붙어 있었는데, 붉은색으로 반복되는 글귀가 적혀 있었다. '萬古逆賊(만고역적) 忘恩背義(망은배의)'. 역사에 유래가 없을 만큼 끔찍한 역적이며 은혜를 잊고 의리를 배반했다는 뜻이었다.

"하……!"

숨통이 조이는 기분에 그녀는 헛웃음을 토하며 가슴을 두드렸다. 금방이라도 대문이 열리며 '아가씨!' 하고 자신을 모시던 시녀가 달려 나올 것 같았다. 하지만 그녀는 이미 죽었다. 국경을 넘어 서국으로 향하던 당시, 산적의 습격에 자신을 구하고 목숨을 잃었다. 때맞춰 산적 떼를 토벌하기 위해 매복해 있던 서국의 병사들이 나타나지 않았더라면 자신 역시 죽은 목숨이었을 것이다.

그 길로 가료의 손에 붙잡힌 그녀는 아트완으로 가 키얀 앞에 충성을 맹세했다. 아버지도, 가문도, 시녀도, 남은 것은 아무것도 없었다. 더는 잃을 게 없으니 두려울 것도 없었다. 원수를 갚자. 이 치욕을 반드시 되갚아 줄 것이다. 복수를 위해선 무엇이든 할 것이다. 그리 생각했다. 복받치는 감정에 굳게 다문 입술 사이로 흐느낌이 새어 나왔다.

손으로 대문을 더듬던 그녀가 자리에 미끄러지듯 주저앉았다. 차가운 바닥의 냉기가 느껴졌다. 꺽꺽 숨을 참으며 울분을 삼키던 그녀가 양손에 얼굴을 묻었다. 그때 가까운 곳에서 여인의 비명 소리가 들려왔다. 어린아이의 울음소리도 함께였다.

흠칫 놀란 그녀가 고개를 들어 소리가 난 방향을 바라봤다. 살려달라는 비명 소리가 꼭 자신이 알던 시녀의 목소리 같았다. 벌떡 자리에서 일어난 혜린이 그곳으로 향했다. 어두운 골목길, 한 서국의 병사가 한 여인을 희롱하고 있었다. 혜린과 같은 무녀였다.

"지금 뭐 하는 짓이냐."

차갑게 튀어 나간 그녀의 음성에 골목 안에서 무녀를 희롱하던 병사가 뒤로 돌아 혜린을 바라봤다. 울고 있던 무녀가 반쯤 벗겨져 있던 옷을 급히 추슬렀다. 무녀는 병사에게서 벗어나 곁에 있던 아이를 안아 들었다. 닮은 얼굴을 보니 가족인 것 같았다. 혜린의 얼굴이 무섭게 구겨졌다. 머릿속이 뜨거웠다.

"무녀에게 손대지 말라 명했을 텐데."

벗어 던진 갑옷이며 옷 따위를 급히 주워 입던 병사가 무어라 변명했으나 혜린의 귀에는 닿지 못했다. 주체할 수 없을 정도의 감정이 치밀었다. 살심이었다.

그녀는 바닥에 떨어져 있던 곡도를 들어 그대로 병사의 목을 찔렀다. 너무나 순식간이었다. 병사의 입에서 피가 울컥 쏟아졌다. 비명조차 지르지 못하고 바닥에 쓰러진 병사가 경련하며 움찔움찔 몸을 떨었다.

"감히."

혜린이 죽어 가는 병사의 등을 발로 세게 내리눌렀다. 울음과 함께 가슴 깊숙이 삭히던 분노가 폭발했다.

"감히……!"

분노한 그녀의 음성이 잘게 떨려 왔다. 그녀가 들고 있던 곡도를 양손으로 잡아 높이 치켜들었다. 그러고는 그대로 병사의 등 위에 내리꽂았다.

"감히 북방의 더러운 오랑캐 따위가, 감히……!!!"

분을 참지 못하고 소리치던 그녀가 거칠게 숨을 몰아쉬며 검에서 손을 뗐다. 그녀의 얼굴과 옷 위로 붉은 피가 튀었다. 눈가에 맺혀 있던 눈물이 흘렀다.

비틀거리며 몸을 일으키자 죽은 병사 너머로 두려움에 떨고 있는 무녀와 아이의 모습이 보였다. 동생으로 보이는 아이를 품에 끌어안은 채 오들오들 떨던 무녀가 머리를 조아렸다.

"부, 부탁입니다. 제발 모른 척해 주세요. 동생에게 남은 가족이 저뿐입니다. 제가 잡히면 이 아이는 죽습니다! 이렇게 빕니다. 제발 모른 척해 주세요. 제발……!"

"……."

혜린은 대답하지 않고 그들을 바라봤다. 손을 들어 얼굴을 닦자 눈물과 함께 진득한 피가 묻어났다. 혜린은 더러운 것을 닦아 내듯 손을 옷에 거칠게 문질렀다. 어느새 울음을 그친 아이의 말간 눈동자가 혜린을 향했다. 혜린은 아이의 눈에 비친 자신의 모습을 바라보다 말없이 몸을 돌려 자리를 떠났다.

"감사합니다! 정말 감사합니다!"

등 뒤로 무녀의 목소리가 들려왔으나 혜린은 걸음을 멈추지 않았다. 비틀거리는 그녀의 걸음걸이가 어딘지 모르게 위태로웠다. 그 날은 하루 종일 황성 안에서 무녀들의 비명 소리가 끊이지 않았다.

비슷한 시각, 홍씨 가문 어화당의 우물가.

최 승상과 함께 우물을 통해 어화당으로 빠져나온 윤조가 숨을 몰아쉬었다. 잠수를 해야 한다는 건 알았지만 생각보다 시야가 어두워서 하마터면 우물로 나오지 못하고 익사할 뻔했다.

"콜록, 콜록!"

"괜찮느냐?"

"콜록. 예, 저는 괜찮습니다. 대승상님은 괜찮으세요?"

"이 나이에 할 짓은 못 되는구나."

최 승상이 고개를 절레절레 흔들며 옷의 물기를 짜냈다. 우물 밖으로 연결된 밧줄을 당겨 준 건 숨어 있던 유모와 홍씨 가문의 식솔들이었다. 그리고 그들과 함께 몸을 피해 있던 윤조의 어머니와 네 명의 동생들도 함께였다. 윤조의 어머니는 무사한 그녀의 모습을 보자마자 팔을 벌려 그녀를 와락 끌어안았다.

"윤조야, 예쁜 우리 딸. 엄마는 이제 다시 못 보는 줄 알고 얼마나, 얼마나……."

"어머니."

그리운 음성에, 그리운 체취에 윤조는 전보다 더 여윈 것 같은 어머니의 품을 꽉 끌어안았다.

"누님!"
"언니다!"
"흐아앙!"
"짠언니!"
저마다 기뻐하거나 엉엉 울음을 터뜨리며 눈물 콧물을 쏟는 윤조의 동생들도 그녀의 품을 파고들었다. 차가운 물에 흠뻑 젖은 옷에 어린 동생들이 감기라도 걸릴까 주저하던 그녀는 물에 젖은 옷과는 상관없이 매달리는 동생들을 하나하나 안아 주며 눈물을 참았다.
"미안해. 누나가, 언니가 너무 늦게 와서 미안해."
"흐아앙! 누나 미워! 짠누나 미워! 어디 갔다 이제 와!"
"미안해. 정말 미안해……."
"윤예, 누님이 곤란해하시잖아. 사내대장부가 아무 때나 우는 거 아니다."
"윤인 오빠 말이 맞아. 윤예는 울보야! 뚝 그쳐!"
"흐아아앙! 윤예 형도 윤의 누나도 미워! 다 미워-!"
"오옹? 다 미워? 오빠야, 윤지도 미워?"
막내 여동생의 물음에 다 밉다며 발을 동동 구르던 윤예가 울음을 뚝 그쳤다.
"아니, 윤지는 안 미워!"
"응! 윤지는 안 미워. 윤지는 예쁘니까!"
"맞아. 우리 윤지는 예뻐! 헤헤."
언제 울었냐는 듯이 막냇동생 윤지를 챙기는 여섯째 윤예의 모습에 넷째 윤인과 다섯째 윤의가 고개를 절레절레 흔들었다.
"마님, 다시 뵙게 되어 기쁩니다."

"유모님. 다들 정말 보고 싶었어요. 모두 무사한가요?"

"예. 다행히 모두 무사합니다."

유모는 홍씨 가문 저택 지하에 대피 공간이 있어 모두 살아남을 수 있었다고 했다. 그곳을 통해 어화당으로 몸을 피했던 유모는 우물을 넘어온 최 승상을 만나게 되었다는 말도 덧붙였다. 유모의 도움으로 젖은 옷을 갈아입은 윤조와 최 승상이 사람들과 함께 어화당 안에 모였다. 윤조가 모두를 바라보며 말했다.

"해가 지면 대장군님께 연락할 전서구를 구하러 최씨 가문의 사저로 갈 겁니다. 그 전에 병사들을 따돌리려면 준비해야 할 게 많아요. 유모님과 여러분의 도움이 필요합니다."

"무엇이든 말씀만 하십시오, 마님. 목숨을 걸고서라도 돕겠습니다."

유모의 말에 윤조가 고개를 저었다.

"여러분들의 목숨을 위태롭게 할 수는 없습니다. 가는 건 저와 최 승상님 둘입니다."

"하지만 윤조야, 밖은 위험하다. 나갔다간 병사들에게 잡히고 말 거야."

어머니의 만류에 윤조가 그녀의 손을 맞잡았다.

"괜찮아요, 어머니. 꼭 해야만 해요. 무사히 돌아올게요. 약속해요."

"윤조야……."

어머니를 다독이며 윤조가 식솔들을 바라봤다.

"여러분께 부탁드릴 게 있습니다."

윤조는 우물로 나오기 전 최 승상과 미리 짜 두었던 작전을 사람들에게 설명했다. 윤조의 작전을 들은 유모와 식솔들이 감탄하며 손뼉을 쳤다.

"그런 방법이라면 충분히 병사들의 시선을 따돌릴 수 있을 겁니다."

"저녁까지 준비 가능할까요?"

"아무렴요. 무조건 해야지요."

"고마워요. 모두 힘내 주세요."

"예, 마님! 저희만 믿으십시오!"

윤조의 지시에 사람들이 일사불란하게 움직이기 시작했다. 그 모습을 지켜보던 윤조의 동생들이 멍하니 입을 벌렸다.

"언니 멋있다……."

윤의의 중얼거림에 의젓하게 동생들을 지키고 선 윤인도 고개를 끄덕였다. 울어서 눈이 퉁퉁 부은 윤예도 입을 '헤' 벌리고 그 모습을 바라봤다.

"오빠야, 침 떨어지겠다."

막내 윤지의 말에 윤예가 입을 다물었다.

"나도 짠언니 도와줘야지!"

엉덩이를 씰룩이던 막내 윤지가 조르르 달려가 짚단을 나르는 식솔들을 도왔다. 고사리 같은 손으로 지푸라기를 들어 나르는 막내의 모습에 나머지 남매들도 달려가 식솔들을 돕기 시작했다.

"언제 저렇게 자랐는지……."

그 모습을 지켜보던 윤조의 어머니는 가족들을 책임지는 것도 모자라 이제는 한 가문의 안주인으로서 사람들과 함께 나라를 구하기 위해 힘쓰는 딸의 모습에 눈시울을 붉혔다.

그 뒤로 한동안 거리에 어둑어둑한 땅거미가 질 때까지 어화당을 밝힌 작은 등불의 빛은 꺼질 줄 몰랐다.

"다녀오겠습니다. 여러분은 이곳에 남아 저택을 지켜 주세요."

"조심, 또 조심해야 한다."

"네, 어머니. 조심할게요."

"정말 두 분만 가셔도 괜찮겠습니까?"

유모의 염려에 윤조가 고개를 끄덕였다.

"몰려가면 오히려 병사들의 눈에 띌 거예요."

"마님, 그럼 이거라도 가져가십시오."

유모가 윤조에게 내민 것은 윤조의 손에서 팔꿈치 정도 길이의 짧은 검이었다. 일자 형태의 검은 일반적인 검보다도 얇고 가벼워 윤조가 사용하기에도 좋았다.

"어화당에서 발견했습니다. 오래전 홍 장군님께서 마님께 선물했던 검입니다. 위험한 때에 도움이 될 겁니다."

"고마워요, 유모."

옷 속에 검을 숨긴 윤조가 최 승상과 함께 저택을 나섰다. 길 곳곳에는 서국의 병사들이 돌아다니고 있었다.

"제가 병사들의 주위를 끌 테니 대승상님께서는 곧장 사가로 향하십시오. 혹 제가 잡히더라도 대승상님께서는 곧장 홍씨 가문 저택으로 돌아가시는 겁니다."

유모에게 듣기로 키얀이 무녀들을 절대로 해치지 말라는 황명을 내렸다고 했다. 도중에 잡혀 황궁으로 끌려간다고 해도 비밀 통로를 알고 있으니 탈출하면 된다. 윤조의 말에 최 승상이 고개를 끄덕였다.

"알겠네."

"예. 제가 신호하면 가십시오."

윤조는 식솔들이 만들어 준 물건 중 짚을 둥글게 엮어 기름을 먹인 공에 불을 붙였다. 그러고는 불이 붙어 활활 타오르는 공 여러 개를 신력을 이용해 공중에 띄워 움직였다. 모르는 사람이 본다면 도깨비불로 착각할 만큼 기이하고 두려운 광경이었다.

"자, 그럼 어디 귀신 놀이를 시작해 볼까요?"

씨익 웃은 윤조가 불 공을 움직였다. 신력에 묶인 채 순식간에 공중을 날아간 불 공이 순찰을 돌고 있던 서국 병사들을 가로막았다.

처음에는 갑자기 눈앞에 나타난 불 공에 굳어 있던 그들은 서서히 공중에서 움직이며 자신들 주위를 빠르게 맴도는 불 공의 모습에 주춤거리며 뒷걸음쳤다. 그러다 한순간 불 공이 움직임을 멈췄다. 윤조가 손가락을 튕기자 멈춰 있던 불 공들이 순식간에 서국의 병사들을 공격하기 시작했다.

"으악! 이게 뭐야!"

"도, 도깨비불이다-!!!"

"사람 살려!"

혼비백산한 병사들이 그들의 뒤를 쫓는 불 공을 피해 달아났다.

"지금이에요. 어서 가세요!"

윤조의 신호에 최 승상이 빠르게 움직였다. 그런 최 승상의 뒤를 따르며 윤조는 길 곳곳을 순찰하던 병사들을 따돌렸다. 어느덧 불 공이 다 타들어 가 새카만 재가 되었다. 바로 길 건너편에 최씨 가문의 사가가 보였다. 저택의 입구에는 최 승상의 말처럼 병사들이 보초를 서고 있었다.

담벼락 뒤에 숨어 있던 윤조와 최 승상이 시선을 교환했다. 윤조는 등에 메고 있던, 짚으로 만든 인형을 꺼냈다. 커다란 인형은 최 승상의 관복이 입혀져 있었다. 우물에서 나오면서 물에 젖어 벗어

두었던 바로 그 옷이었다.

윤조는 최 승상의 도움을 받아 근처에 있는 건물 지붕으로 올라갔다. 거리가 한눈에 내려다보이는 곳에 자리를 잡은 그녀가 납작 엎드렸다. 짚 인형의 팔다리를 신력으로 묶어 마치 사람이 움직이는 것처럼 조종했다. 자세히 보면 인형인 티가 나지만 짧은 순간 얼핏 본다면 최 승상으로 착각할만한 모습이었다.

삐걱거리며 천천히 길을 걷던 인형은 어느새 그녀의 손짓을 따라 빠르게 거리를 내달렸다. 거리를 달려 반대편으로 도망치는 인형의 모습을 발견한 병사들이 소리쳤다.

"대승상이 나타났다! 쫓아라!!!"

저택의 입구를 지키던 병사들이 인형의 뒤를 쫓아 멀어졌다.

"어서 저택으로!"

윤조의 외침에 최 승상이 재빨리 저택으로 달려갔다. 윤조는 무사히 저택 안으로 들어간 최 승상을 확인하고 계속해서 인형을 조종했다. 병사들에게 잡히지 않게 인형을 거리 이곳저곳으로 보내며 시간을 재는 그녀의 표정이 초조했다.

같은 시각, 황궁으로 향하던 혜린이 자리에 우뚝 멈춰 섰다. 그녀가 들고 있던 신목의 책이 진동하며 반응하고 있었다. 근처에 무녀가 있다는 신호였다. 그것도 꽤나 강력한 신력을 지닌.

'설마 아까 도망쳤던 그 무녀인가? 하지만 그 무녀의 신력은 이렇게 강할 리가…….'

의아하게 책을 바라보던 그녀가 주변을 살폈다. 그러고는 폐허가 된 골목의 빈 창고 안에 들어가 빠르게 문을 닫았다. 책을 펼치자, 저절로 빠르게 넘어간 책장이 눈부실 정도로 강한 흰빛을 머금었다.

혜린은 하늘을 향해 꼿꼿하게 선 책장에 적힌 이름을 확인했다. '윤조'. 성이 없는 그 두 글자 이름에 혜린의 눈이 커졌다.

"윤조가 이곳에 있다고?"

윤조가 황성에 잡혀 온 사실을 몰랐던 혜린은 급히 책이 가리키는 방향을 확인했다.

"아트완에 있어야 할 그 아이가 어떻게 이곳에……?"

책을 덮은 혜린이 급히 창고를 나섰다.

저택 안으로 향했던 최 승상은 무사히 나래의 방에 도착했다. 새장 안에서 먹이를 쪼아 먹고 있던 앵두가 최 승상을 알아보고 날개를 퍼덕였다. 최 승상이 새장 가까이에 있던 나래의 서랍을 열었다.

서랍 안에는 나래가 앵두를 교육시키며 사용했던 색색의 전서구 전용 서신 함이 들어 있었다. 작은 앵두의 다리에 맞게 재작된 서신 함은 '붉은색-황성', '노란색-저택', '푸른색-나람성', '검은색-행림산성' 등으로 행선지를 구분해 앵두에게 인식하게 한 다음 편지를 담아 앵두의 다리에 묶어 보내는 교육용 함이었다.

나람성용 푸른색 함을 찾은 최 승상이 그것을 품에 넣었다. 순간 방 밖으로 사람의 발소리가 들렸다. 숨을 곳을 찾던 최 승상이 장식용 병풍 뒤로 몸을 숨겼다. 곧 방문이 열리는 소리가 들렸다.

"무슨 소리가 들렸는데……."

작게 읊조리는 목소리는 여인의 것이었다. 조심스럽게 병풍 밖을 살피던 최 승상이 밖으로 걸어 나왔다.

"부인."

작은 그의 부름에 방 안을 살피던 그의 부인이 놀라 뒤돌았다.

"여보!"

생사를 알 길이 없던 남편이 돌아온 것에 놀란 나래의 어머니가 최 승상에게 달려갔다. 남편이 살아 돌아왔다는 기쁨에 울컥하기도 잠시, 그녀는 최 승상을 잡기 위해 혈안이 된 서국의 병사들을 떠올리고 얼굴을 창백하게 굳혔다.

"여보, 어서 가세요. 곧 병사들이 돌아올 거예요. 당신만은 절대 잡히면 안 돼요."

"부인은 어떻게 지냈소? 다친 곳은 없소? 나래는?"

그의 물음에 나래의 어머니가 참았던 눈물을 왈칵 쏟았다.

"호위 무녀들이 나래를 황궁으로 데려갔어요. 제 힘으로는 도저히 막을 수가 없었어요. 내일 아침 무녀들을 서국으로 호송한다고 해요."

"뭐라고?"

"서국의 황제가 나투국 무녀들을 모두 잡아간다고 했어요. 무녀장의 지시를 받은 감찰 무녀들이 숨어 있는 무녀들을 추적해 모두 잡아들이고 있어요. 그들이 나래를, 우리 딸을 잡아갔어요……!"

나래의 어머니가 서럽게 울며 최 승상의 품에 매달렸다. 나래가 잡혀갔다니. 내일 아침이면 서국으로 끌려간다니. 머리가 아찔했다. 호송단이 국경을 넘어 서국 땅을 밟으면 나래를 영영 볼 수 없을지도 모른다. 어떻게든 무녀들이 끌려가는 것을 막아야 했다. 정신을 차린 최 승상이 급히 앵두를 챙기고 울고 있는 그의 부인을 달랬다.

"부인, 마음 단단히 먹어야 합니다. 나래는 내가 반드시 구하겠소."

"저도 가겠습니다. 저도 함께 가겠습니다!"

"밖은 너무 위험하오. 부인은 이곳에 남아 저택과 가솔들을 살펴 주시오."

"혼자 뭘 어쩌시려고요. 그러다 당신이 잘못되기라도 하는 날에는……!"

"혼자가 아니오."

"여보."

"반드시, 반드시 돌아오리다."

최 승상이 급히 저택을 나섰다. 지붕 위에 있던 윤조는 최 승상이 무사히 빠져나와 홍씨 가문 저택을 향하는 것을 확인하고 안도했다.

"좋아. 이제 인형만 어떻게 처리하면……!"

그녀가 조종하던 인형을 최대한 최 승상과 멀리 떨어진 곳으로 이동시켰다. 사람처럼 달리던 인형이 한순간 허공으로 높이 날아 지붕 위에 착지했다. 그 괴이한 모습에 놀란 서국의 병사들이 입을 벌려 지붕 위를 가리켰다.

윤조의 손짓을 따라, 지붕 위에 있던 인형이 강시처럼 콩콩거리며 풀쩍 뛰어 맞은편 건물의 지붕에 안착했다. 한동안 지붕 위를 콩콩거리며 뛰어다니던 인형이 이번에는 방향을 바꿔 병사들을 향해 뛰어내렸다. 그러자 병사들 사이에서 비명이 터져 나왔다.

"으아아아! 귀신이다-!!! 대승상이 귀신이 되어 돌아왔다!!!"

오예, 반응 좋고! 들려오는 비명에 만족한 윤조는 미리 준비해 두었던 푹신한 건초 더미 위로 뛰어내려 빠르게 지붕에서 내려왔다.

병사들이 인형의 정체를 확인하기까지는 오랜 시간이 걸리지 않을 것이다. 서둘러야 했다. 주변을 살피며 골목을 내달리던 그녀는 돌연 자신의 앞에 나타난 사람의 모습에 우뚝 자리에 멈춰 섰다.

"혜린 무녀."

윤조의 앞을 막아선 이는 혜린이었다. 그녀를 바라보는 윤조의 표정이 좋지 못했다.

'낭패다. 하필 이럴 때!'

놀란 것은 혜린도 마찬가지였다. 설마 진짜로 윤조가 황성에 있으리라고는 생각지 못했던 그녀였다. 윤조의 신력을 쫓아 급히 달려왔던 혜린이 숨을 몰아쉬었다.

"네가 어떻게 이곳에 있는 것이냐? 아트완의 감옥에 있어야 할 네가!"

"탈출했죠. 언제까지 잡혀 있을 줄 알았습니까?"

"이런……! 무녀들을 호송하는 일이 서둘러진 게 다 네년 때문이었어!"

혜린은 그제야 키얀과 묘길이 갑자기 무녀들의 호송을 서두르는 이유를 알아채고 소리쳤다. 그녀의 말에 윤조가 미간을 좁혔다.

"무녀들을 호송한다고요? 그게 언제입니까?"

"당장 내일 아침이다. 이 멍청한 년! 네가 얌전히 잡혀 있기만 했어도 무녀들을 호송하는 일이 이렇게 급해지진 않았을 거다! 다 틀렸다. 시간이 없어. 묘길을 처리해도 무녀들을 구해 낼 방법이 없다고!"

혜린의 말을 듣고 있던 윤조가 의아하게 그녀를 바라봤다.

"당신, 나투국을 배반한 게 아니었나요?"

"맞다."
"그런데 왜……?"
혜린이 표독스럽게 윤조를 노려봤다.
"네가 후보생으로 지내기 전부터 나는 그들을 알았다. 내게 책임감 따위가 조금도 없을 거라고 생각하나? 내 세상에서 그들은 내 전부였다. 나를 믿고 따르던 내 사람들이었단 말이다!"
"책임감?"
윤조가 어처구니없다는 듯이 그녀를 바라봤다.
"당신 입에서 그런 소리가 나오다니 놀랍네. 책임감? 지금 책임감이라고 했습니까? 서국 황제 편에 서서 그들이 황성을 침공하는 것을 도와 놓고 이제와 책임감이라고? 당신이 한 짓이잖아. 당신이 군대를 도와 황성을 이따위로 짓밟았잖아. 그런데 이제 와서 뭐라고?"
"서국이 황성을 침공하는 일은 애초에 막을 수 없는 일이었다. 이미 무녀장과 함께 오래전부터 계획한 일이었단 말이다!"
"닥쳐."
윤조가 혜린을 향해 사납게 소리쳤다.
"어쩔 수 없는 일이었다고 핑계 대지 마. 그건 당신이 선택한 일이야. 누가 등 떠민 것도 아니고, 당신이 그렇게 선택한 일이라고. 당신을 믿고 따르던 사람들이 그렇게 소중했으면 지킬 생각을 해야지. 그들의 모든 것을 파괴해 놓고 이제 와 그들이 소중해? 당신의 전부였어? 눈이 있으면 봐. 귀가 있으면 들어. 다 네 선택의 결과야."
"너는 모른다. 내가 얼마나 궁지에 몰렸는지! 내 아버지의 죽음이 얼마나 원통했는지! 사람들에게 버림받은 내가 어떤 심정이었는지 너 따위는!"

"내가 그걸 알아야 합니까?"

"뭐?"

"내가 그걸 알아야 하냐고 물었습니다. 아니면 알아 달라고 떼쓰는 겁니까? 다른 사람들이 당신의 마음을 헤아려 주길 바라는 겁니까? 당신이 느꼈던 고통을 조금이라도 이해해 줬으면 바라는 거예요? 그런 걸로 당신이 한 짓이 정당화된다고 생각해요?"

"나는……!"

"후회할 거면 처음부터 시작하지 말았어야지. 왜? 당신을 버린 사람들에게 복수할 건 생각했으면서, 그들이 죽어 버렸으면 바랐으면서 막상 그렇게 되니 무서워요? 후회돼요? 그래서 뭐 어쩌라고. 나 따위에게 천한 동정심이라도 바라는 겁니까, 지금?"

윤조가 혜린을 향해 성큼성큼 다가갔다.

"슬프다 말했으면 함께 슬퍼해 줄 수 있었어요. 괴롭다 말했으면 함께 괴로워했을 겁니다. 도와 달라고 말했으면 도왔을 거예요. 부모가 억울하게 죽임을 당했는데 분노하고 괴롭지 않을 자식이 어디 있겠습니까. 하지만 당신은 당신의 그 알량한 자존심 때문에 모두를 등지고 배반했어. 높은 자리에서 내려오기 싫어서, 남에게 머리 숙이기 싫어서, 아쉬운 소리 하고 싶지 않아서 그 자존심에 모두를 다 버렸어."

"그러는 너는! 그러는 너는 뭘 할 수 있다는 거냐! 네가 나였어도 이랬을 거다! 네가 나였어도……!"

"갖다 붙이지 마요. 기분 더러우니까. 나는 죽어도 당신처럼은 안 살아. 비참하게 바닥을 기더라도 당신처럼은 안 살아."

윤조는 멍하게 서 있는 혜린을 밀치고 지나쳤다. 내일 아침이 오기 전에 황궁에 잡혀 있는 무녀들을 구해 내야 했다.

가까스로 홍씨 가문의 저택에 다다른 윤조가 숨을 몰아쉬었다. 죄책감에 사로잡혀 있던 혜린의 모습이 떠올랐으나 고개를 흔들었다. 기분이 착잡했다. 어화당에서 윤조가 오기만을 기다리고 있던 사람들이 그녀의 귀환에 안도했다.

"윤조야! 시간이 지나도 오지 않아 걱정했다!"

"죄송해요, 어머니. 저 괜찮아요."

"마님, 무사하셔서 다행입니다."

"다들 도와주신 덕분에 성공할 수 있었어요. 고마워요."

"별말씀을요! 당연히 도와야죠."

사람들 너머에 있던 최 승상이 윤조를 발견하고 자리에서 벌떡 일어났다. 초조한 낯을 한 그가 급히 이야기를 꺼냈다.

"내일 아침 황궁에서 무녀들이 서국으로 호송된다고 한다."

"저도 들었어요. 구하려면 오늘 밤밖에 시간이 없어요."

"듣다니? 누구에게?"

"도망치던 길에 혜린 무녀를 만났어요."

혜린 무녀라는 말에 최 승상의 표정이 사납게 바뀌었다.

"혜린 무녀를? 별일 없었나?"

"네, 괜찮아요. 아무 일도 없었어요. 그저 자신이 저지른 일에 대해 죄책감을 느끼는 것 같더군요."

"이제 와 후회라도 하고 있는 건가."

"그래 보였어요. 무녀들의 호송이 바로 내일 아침이라고 알려 주더군요."

"그 외에 별다른 말은 없었나?"

"도움이 될 만한 내용은 없었어요. 더 이야기를 나눌 여유도 없었고요."

"그랬군. 내일 아침 호송되는 무녀 중에 나래도 있는 것 같다."

"나래가요?"

윤조가 입술을 깨물었다.

"구해야 해요. 나래도, 다른 무녀들도."

"하지만 황궁 어디에 잡혀 있는지 알 수가 없다."

'무녀들이 잡혀 있을 만한 곳.'

윤조가 곰곰이 황궁 내부 구조를 떠올렸다. 감옥은 아닐 것이다. 그러기엔 무녀의 수가 너무 많다. 내가 키얀이라면 어떻게 했을까? 아마 감시하기 좋은 공간에 모두 모아 두지 않았을까?

'잠깐.'

윤조가 퍼뜩 고개를 들었다.

"어딘지 알 것 같아요. 어제 연회장 앞에 진을 치고 있는 병사들을 봤어요. 연회장에는 특별히 감시할 만한 것도 없는데 말이에요."

"무녀들을 그곳에 가뒀군."

"무녀들의 수가 많아 감옥은 부족했을 거예요. 원형 형태의 연회장은 병사들을 두고 무녀들을 한 번에 감시하기에도 좋을 거고요."

최 승상이 고개를 끄덕였다.

"연회장 안으로 이어지는 비밀 통로가 있을 거다."

"하지만 무녀들을 구출하는 데 성공한다 해도 금세 잡히고 말 거예요. 혜린 무녀가 제가 있는 위치를 알아냈던 것도 신력을 추적했기 때문일 겁니다."

혜린이 자신을 잡아가지 않은 건 천만다행이었으나 혜린 외에도 무녀들을 추적할 수 있는 감찰 무녀들이 있을 것이다. 그들이 무녀들을 잡아들이고 있다면 자신의 위치가 발각되는 것도 시간문제였다. 이런 식으로는 무녀들을 탈출시킨다 해도 곧 다시 잡히고 만다.

"황성 안에는 무녀들이 안전하게 숨어 있을 만한 장소가 없어요. 다른 방법이 없을까요?"

"호송대가 통과하는 길목만 알아내면 나람성으로 전서구를 보내 무녀들을 구할 수 있을 거다."

"어느 곳을 통할지 예측 가능할까요?"

"지도만 있다면."

"제가 지도를 가져오겠습니다."

지하 통로를 통해 어화당 밖으로 나갔던 유모는 준영의 방 안에 있던 지도를 가져왔다. 탁자 위에 지도를 펼친 최 승상이 붓을 들어 두 곳을 표시했다.

"나람성을 통과하지 못한다면 그들이 우회할 길목은 이렇게 두 곳뿐이다."

"두 곳 중 가장 빠른 길은요?"

"그렇다면 이곳."

최 승상이 지도에 표시한 곳은 나람성과 멀지 않은 곳에 위치한 산봉우리 근처였다.

"산성이 끝나는 산봉우리 바로 옆에 위치한 협곡이다. 산세가 험하고 길이 좁아 매복에 당할 우려가 높지. 원래라면 통과하지 않을 곳이다."

"하지만 아트완에 제가 없다는 것을 알았으니 황후를 치료하기 위해서라도 무리해서 이곳을 지나갈 거예요. 그때를 노려 급습한다면 무녀들을 구해 낼 수 있어요."

"하지만 만에 하나 이곳이 아닌 다른 길을 우회한다면……."

예상 지점 두 곳에 모두 군대를 매복시킬 수도 있었지만, 현재 나람성의 상황으로는 병력이 분산되는 건 최대한 줄여야 했다. 자칫 역으로 공격이라도 당했다간 병력만 잃고 나래와 다른 무녀들의 목숨마저 위태로워진다. 신중해야 한다. 골몰하던 윤조가 최 승상에게 말했다.

"확인해 줄 사람이 한 명 있어요."

"그게 누군가?"

"파이옌입니다."

"파이옌? 설마 괴혈단의 좌장군을 말함인가?"

최 승상은 물론이고 윤조의 말을 듣고 있던 사람들 모두 기함했다. 혼례식에서 병사들과 함께 황궁에 침입한 것도 모자라 윤조를 납치해 간 장본인이 바로 파이옌이었기 때문이다.

"그는 자네를 납치했던 장본인이다! 그자를 어떻게 믿고 이런 중요한 일을 알린단 말인가!"

최 승상이 화를 내는 것도 당연했다. 윤조는 그와 사람들의 부정적인 반응에 난처한 얼굴을 하며 말을 이었다.

"예. 화를 내시는 것도, 다들 놀라시는 이유도 알아요. 다 설명할 수 없지만 그동안 많은 일이 있었습니다. 오늘 대승상님을 만나기 전에 병사들의 손에서 도망칠 수 있었던 것도 파이옌 덕분이었어요. 그라면 호송대가 어디를 통과할지 알고 있을 거예요."

윤조의 말에 최 승상이 믿기지 않는다는 듯 되물었다.

"괴혈단의 좌장군이 그대의 탈출을 도왔다는 말인가?"

"네, 맞아요. 그는 저를 해칠 생각이 없습니다. 오히려 지금까지, 서국으로 납치당했을 때도 목숨이 위험할 때마다 저를 도와주었어요. 믿어 주세요. 그라면 정확한 길을 알 수 있을 겁니다."

"자네의 말을 믿는다 치지. 하지만 그자를 만나러 황궁에 갔다가 오히려 잡히기라도 하면!"

윤조가 흥분한 최 승상을 진정시키며 말을 이었다.

"제 말을 들어 보세요. 혹 그들에게 잡힌다 해도 둘러댈 핑계는 많습니다. 저들은 아직 제가 대승상님과 함께 행동하고 있다는 사실을 몰라요. 비밀 통로를 이용해 밖으로 빠져나온 사실도 모르니 지금도 황궁 어딘가에 숨어 있다고만 생각할 겁니다. 그러니 저는 무녀들과 나래가 갇혀 있다는 걸 알고 그들을 구하려다 잡힌 걸로 하면 됩니다."

"안 된다, 윤조야! 너를 납치한 자를 만나는 것도 모자라 스스로 잡힐 생각이라니! 너무 위험한 일이야!"

"어머니, 어차피 감찰 무녀들이 신력을 추적해 무녀를 잡아들이고 있는 이상 제가 이곳에 계속 있는 건 모두에게 위험해요. 황성에 있는 한 저는 어차피 잡힐 겁니다. 저 때문에 이곳에 있는 모두를 위험하게 할 수는 없어요."

"그런……."

윤조를 바라보던 최 승상이 이마를 짚었다. 흥분을 가라앉힌 그가 자리에 앉았다. 그녀의 말이 틀리지 않았기 때문이다.

"그대의 말이 옳다. 신력이 추적당하고 있다면 무녀인 자네로서는 피할 수 없겠지. 계속 이야기해 보게."

"제가 저들에게 잡혀 나래와 함께 호송된다고 해도 최 승상님께서 나람성에 전서구를 보내 알릴 것이니 후에 저는 구출될 겁니다. 만약 변수가 생겨 제가 황성에 붙잡히는 신세가 된다 해도 황성 내부의 상황을 가장 가까이에서 살필 수 있는 기회가 생기는 것이니 앞일을 생각하면 오히려 기회가 될 수 있습니다."

"자네가 죽을 수도 있어! 서국의 황제가 자네를 살려 둘 거라 여기는가?"

윤조는 하센의 손에 황성으로 잡혀 오면서 들었던 말을 떠올렸다.

―무녀만은 절대 해치지 말라는 황명만 아니었어도 너는 내 손에 죽었을 것이다.

하센은 분명 키얀이 무녀를 절대 죽이지 말라는 명령을 내렸다고 했다. 처음에 그 이야기를 들었던 윤조는 황후의 치료를 위해 무녀들이 필요하기 때문에 내린 명령인 줄 알았으나, 가만히 생각하니 그것과는 조금 달랐다.

황후를 치료하기 위해 나투국의 모든 무녀를 살려 둘 필요는 없다. 강한 신력을 가진, 치료술에 능한 무녀 열에서 스무 명 정도만 추려 서국으로 호송하면 그만이다. 하지만 하센은 그 명령을 이야기하며 자신을 살려 뒀다. 아트완의 감옥에서 탈출한 것도 모자라 황후를 치료하라던 키얀의 명령까지 무시하고 도주해 버린 자를 살려 둔 것이다.

'이제는 아무 쓸모가 없어진 무녀를.'

그렇다면 역으로 키얀에겐 그런 명령을 내릴 수밖에 없는 중요한 이유가 있다는 말이 된다. 그리고 그 명령은 아무리 위급하고 긴급한 상황에서도 절대적으로 지켜져야 한다는 것도. 이제는 쓸모가 없어진 무녀조차도 쉬이 건드려서는 안 될 만큼 중요한 이유가.

판단을 마친 윤조가 입을 열었다.

"서국의 황제는 저를 죽이지 않을 겁니다. 아니, 못 할 겁니다."

키얀에게 그런 조건을 걸 수 있는 사람은 오직 하나였다.

'묘길.'

그 명령이 자신이 추측한 것처럼 묘길과의 연대에서 나온 것이라면 아직 무녀들을 서국으로 호송하지 못한 지금의 상황에서 키얀은 무녀들을 함부로 해칠 수 없다. 무녀장이 용의주도한 자라는 것을 누구보다 잘 알고 있는 장본인이니 괜한 위험 요소를 만들고 싶지 않을 테니까.

'무녀장은 왜 나투국을 배신하고도 무녀들만은 해치지 말라는 조건을 걸었을까? 연민? 혹은 동료애일까?'

윤조는 고개를 저었다. 온 황제나 홍 장군, 대승상은 그보다 더 오래전부터 묘길과 친분을 다진 사이라고 알고 있다. 그런 친우들조차 잔인하게 등지고 죽이려 했던 사람이 같은 무녀라고 해서 이유 없이 살려 두었을 리가 없었다.

'뭔가가 더 있어.'

대체 묘길이 감추고 있는 비밀이 무엇일까? 직접 부딪쳐 보기 전에는 찾을 수 없는 답이다. 결심한 윤조가 최 승상을 바라봤다.

"황궁으로 가 파이엔을 만나겠습니다."

"그자를 어디로 가면 만날 수 있는지는 아는가?"

"그건 걱정 마세요. 메시지를 보내면 알아서 올 겁니다."

"메시지?"

"일종의 서신 같은 겁니다."

잠시 뒤, 우물을 통해 다시 황궁 안으로 침입한 최 승상과 윤조는 비밀 통로를 통해 자명전 안으로 들어왔다.

가족과 사람들의 반대를 무릅쓰고 감행한 일이어서 그런지 윤조의 마음이 불편했다. 소의처럼 자신을 잃을 수 없다며 반대하던 어머니의 모습이 떠올랐다. 하지만 숨어 있는 것만으로는 아무것도 할 수 없다. 그곳에 숨어 있었다면 가족들은 물론이고 식솔들 전체가 위험해졌을 것이다.

아무도 없는 자명전의 내부는 여전히 고요했다. 윤조가 축축하게 젖은 머리카락을 꾹 짜내며 얼굴을 닦았다. 좋지 않은 그녀의 표정에 윤조를 빤히 바라보던 최 승상이 조용히 말을 건넸다.

“자네는 옳은 일을 한 걸세. 솔직히 나도 말리고 싶지만 사안이 사안인 만큼 그대의 편을 들 수밖에 없군.”

“편이 되어 주셔서 감사합니다.”

“힘든 결정이라는 거 아네. 무슨 일이 있더라도 자네의 가족들만은 지킬 테니 걱정 말게.”

“감사합니다.”

최 승상의 위로에 윤조가 작게 웃으며 말을 이었다.

“우물을 통하다 보니 몸이 젖는다는 문제가 있네요. 승상님은 나오지 말고 통로 안에 계세요. 조금 떨어져 있는 편이 좋을 것 같아요. 파이옌이 생각보다 감이 좋아서요. 잘못하면 숨어 계신 곳이 들통날 수도 있어요.”

“알겠네. 나도 따로 알아볼 게 있으니 비서고에서 만나도록 하지. 한데 그걸 어떻게 할 생각인가?”

최 승상이 불안한 시선으로 묻자 윤조가 잠시 기다리라며 자명전 안에서 찾은 종이 위에 붓으로 무언가를 적어 내렸다. 그러고는 미리 가져왔던 주먹만 한 돌멩이에 종이를 묶었다.

"지붕에 올라 신력으로 띄워서 날릴 겁니다. 병사들이 저를 찾고 있을 테니 파이옌도 근처에 있겠죠."

"뭐라고 적은 건가? 알 수 없는 글자던데."

최 승상은 윤조가 종이에 적었던 알 수 없는 문자에 의문했다. 알아볼 수 없는 게 당연했다. 윤조가 종이에 적은 글자는 한글이었으니까.

"그냥 욕 좀 적었어요."

윤조는 차마 종이에 쓴 내용을 읽을 수는 없어 머쓱하게 웃었다. 그런 윤조를 바라보던 최 승상이 깊은 한숨을 내쉬었다. 근심 가득한 얼굴이었다.

"솔직히 나는 믿기가 힘들군. 그 악명 높은 괴혈단의 좌장군이 그대의 탈출을 도왔다니? 그와 서국 황제 사이에 내분이라도 일어났단 말인가?"

"그 둘은 애초에 충성과 신의와는 거리가 먼 사이였어요. 파이옌은 키안을 주군으로 섬기지 않고 키안 역시 파이옌을 신하라고 생각하지 않아요. 어떻게 보면 계약 용병 같은 셈이죠. 목적이 어긋나면 언제든지 갈라설 수 있는 사이랄까요. 대장군님께서도 알고 계시는 사실이니 믿으셔도 괜찮아요."

"대장군도 알고 있는 사실이라면 믿을 수밖에. 이 상황에 딱히 다른 방법이 있는 것도 아니니. 하지만 조심하게."

"알겠습니다. 그럼 비서고에서 뵐게요."

최 승상을 보내고 비밀 통로를 닫은 윤조가 자명전의 문을 열어

밖을 살폈다. 아무도 없는 것을 확인 한 그녀는 신력을 이용해 지붕 위에 올랐다.

'어디에 있으려나?'

고개를 들어 파이옌의 위치를 확인하던 그녀는 가까운 연회장 안에서 어슬렁거리며 걷고 있는 파이옌을 발견했다. 그의 가까이로는 무녀들을 가둬 놓은 수레도 여러 개 보였다.

파이옌의 위치를 확인한 윤조는 곧장 신력으로 돌멩이를 날려 보냈다. 그러고는 누가 볼세라 급히 지붕에서 내려와 자명전 안에 숨었다.

'설마 누가 맞았다거나 한 건 아니겠지?'

파이옌을 노리고 던지긴 했는데 서둘러 지붕 위에서 내려오느라 미처 확인하지 못했다. 설마 하는 생각에 흠칫한 윤조는 자신이 종이에 적은 저주가 정말로 실현되지 않았기를 간절히 빌었다.

한편, 키얀의 명령으로 연회장 안에 잡혀 있는 무녀들의 상태를 확인하던 파이옌은 수레 안에 감금되어 있던 나래를 발견했다.

"어? 까칠한 무녀님도 여기 있었네."

"당신……!"

파이옌의 등장에 화난 얼굴의 나래가 그를 노려봤다.

"윤조는 어디에 있어! 윤조를 어떻게 한 거야!!!"

"황궁 안에 도망친 무녀가 있다는 얘기 들었지?"

"뭐?"

"누굴 거 같아?"

"무슨 소리야? 설마 윤조가 지금 황성 안에 있다는 소리야?"

놀라는 나래의 모습에 파이옌이 무어라 대답하려던 때였다. 하늘 위에서 빠른 속도로 떨어지는 물체에 반응한 그가 검을 뽑았다. 동시에 '챙!' 하는 소리와 함께 검에 부딪친 둔탁한 물체가 바닥에 떨어졌다.

"윽!"

검으로 물체를 막아 낸 파이옌이 검을 통해 느껴진 강한 충돌에 뒷걸음질 쳤다. 느껴진 무게감과 속도가 상당했다.

"뭐야, 이건!"

파이옌과 나래의 시선이 동시에 바닥에 떨어진 물체를 향했다. 사람 주먹만 한 돌멩이였다. 곧장 검을 뽑아 쳐 내지 않았다면 정통으로 안면을 강타당할 뻔했다. 검으로 막았음에도 타격이 상당했다. 열받은 파이옌이 돌멩이를 주워 들었다. 그리고 돌멩이에 묶여 있는 서신을 발견했다.

"이건……."

주변을 살핀 그가 수레 뒤에 숨어 서신을 확인했다. 윤조의 서신이었다. 서신의 내용을 확인한 그는 돌멩이가 날아들었던 방향을 바라봤다.

"설마."

"뭐야, 그거. 돌은 뭐고 그건 또 뭐야?"

수레 밖으로 손을 뻗은 나래가 파이옌의 옷을 붙잡았다. 함께 붙잡혀 있던 무녀들이 기겁하며 수레 안쪽으로 달아났다. 그 파이옌의 옷을 잡다니! 무슨 일이 일어나도 일어날 것 같았기 때문이다.

"이거 놔라."

"어딜 가려는 건데? 그건 뭐냐고 묻잖아."

"놓으라고 했다?"

"확 소리 질러 버린다?"

서로를 노려보던 두 사람 중 시선을 먼저 거둔 건 파이옌이었다. 나래에게만 들리는 작은 목소리로 그가 읊조렸다.

"이 짱돌, 누구 짓일 거 같냐?"

말귀를 알아들었는지 놀란 눈으로 자신을 바라보는 나래의 모습에 파이옌이 고개를 끄덕였다. 그의 옷을 놓아준 나래가 알 수 없는 눈으로 그를 바라봤다. 윤조가 왜 그에게 연락을 했는지 이해할 수 없다는 기색이었다.

"뭐가 어떻게 된 거야……?"

"가 보면 알겠지."

"거기 서! 윤조를 어떻게 하려는 거야!"

걸어가던 그가 힐끗 고개를 돌려 나래를 향했다.

"지켜야지."

말을 마치고 멀어지는 그의 뒷모습을 바라보며 나래가 넋 나간 표정으로 중얼거렸다.

"지금 뭐라고……?"

입구를 지키는 병사들을 뒤로한 채 파이옌이 연회장을 나섰다. 사람이 없는 것을 확인한 그가 돌멩이에 묶여 있던 종이를 펼쳤다.

파이옌 이 짱돌 맞을 놈아! 도망치랄 때는 언제고 죽자고 쫓아오냐!ㅗㅗㅗ 확 넘어져서 코나 깨져 버려라! 추신. 누군가 이 돌에 맞았다면 정말 죄송합니다. 어차피 뭐라고 적혀 있는지 모르겠지만……. 이랬는데 파이옌 맞으면 개꿀잼^0^/ㅋㅋㅋ 오예!

휘갈겨 쓴 종이의 내용을 빤히 바라보던 파이엔이 굳게 다문 입술을 씰룩였다. 단숨에 종이를 구겨 움켜쥔 그의 손이 바르르 떨려왔다.

"이 정신 나간 병아리가……."

온몸의 감각을 총동원해 돌이 날아온 방향을 계산한 그가 빠르게 발을 움직였다. 얌전히 숨어 있어도 모자랄 판에 이따위 욕 문서를 날려!?

"잡히기만 해 봐라, 아주."

그의 눈동자가 먹잇감을 노리는 맹수처럼 매섭게 빛났다.

같은 시각, 자명전.

"설마 안 오는 건 아니겠지?"

자명전 문가에서 밖을 확인하던 윤조가 작게 중얼거렸다. 제대로 던졌는데? 이상하다.

"으으, 계속 기다리기 너무 추운데."

젖어 있는 옷과 머리가 축축했다. 차가운 가을 밤공기에 몸이 으슬으슬 떨려 왔다. 이럴 줄 알았으면 다른 곳에 들러서 옷이라도 갈아입고 올 걸 그랬다.

차가운 손끝을 문지르며 입김을 불어 대던 때였다. 살짝 열려 있던 자명전의 문이 돌연 벌컥 열렸다. 문가에 서 있던 윤조가 깜짝 놀라 열린 문을 바라봤다.

"너……!"

윤조를 발견한 파이엔이 무어라 소리치려 할 때였다. 손에 든 돌을 보이며 이게 뭐 하는 짓이냐고 따지려던 그는 머리부터 발끝까지 물에 흠뻑 젖은 채 비 맞은 참새인 양 떨고 있는 윤조의 모습에 입을 다물었다. 갑작스러운 그의 등장에 놀란 윤조가 눈을 깜빡이다 어색하게 손을 흔들었다.

"오, 오랜만."

스스로 생각해도 정말 어처구니없을 정도로 어색한 인사였다. 한심함에 절로 이마를 짚는데, 갑자기 몸이 앞으로 당겨졌다.

"떨고 있잖아, 이 한심아. 뭐 하고 다녔기에 꼴이 이 모양이야?"

윤조의 머리 위로 파이옌의 목소리가 들려왔다. 그녀를 품에 끌어안은 파이옌이 윤조의 등 뒤로 두른 팔에 더욱 힘을 주었다. 가쁘게 몰아쉬는 숨소리와 세찬 심장의 고동이 가까이에서 느껴졌다. 후끈하게 느껴지는 그의 체온에 정신을 차린 윤조가 그의 팔을 아프게 때렸다.

"미쳤어요?"

"다들 나만 보면 미쳤대. 미쳤나 보지, 뭐."

"미칠 거면 곱게 미치던가! 빨리 이거 안 놔요?"

윤조가 몸을 비틀며 파이옌을 밀어내려 했으나 꿈쩍도 하지 않았다. 오히려 더욱 세게 끌어안는 힘에 얼굴이 그의 가슴에 파묻히다시피 할 지경이었다.

가까운 곳에서 순찰을 도는 병사들의 발소리가 들려왔다. 윤조를 안은 채 자명전 안으로 들어온 그가 문을 닫았다. '탁' 하는 작은 소리와 함께 스산하게 머리 위로 느껴지던 가을바람이 사라지고 고요가 내려앉았다.

"나 정도면 상당히 곱게 미친 거거든?"

파이옌이 나지막이 속삭였다. 윤조가 혀를 차며 그를 매섭게 노려봤다. 파이옌은 뾰족한 그녀의 시선에도 굴하지 않고 그녀의 눈앞으로 고개를 숙였다. 가까워진 거리에 어둠 속에서도 그의 얼굴이 선명했다.

"어때? 이 정도면 곱지 않냐?"

이전보다 야윈 얼굴로 그렇게 말하는 그의 눈빛이 왠지 모르게 슬퍼서, 욕을 한 바가지로 퍼부어 주려던 윤조는 그저 한숨을 내쉬었다.

'난로라고 생각하자. 이건 난로다, 이건 난로다. 빌어먹을. 따뜻하긴 하네.'

윤조는 자신도 모르게 욕지기를 삼켰다. 매번 이 인간이랑 있을 때마다 욕쟁이가 되는 기분이다. 신력으로 다시 한번 던져 버려? 그렇게 생각하던 그녀가 울컥 치미는 충동을 참았다. 참자. 성질 건드리면 답도 없다. 괜히 병사들만 몰려올라. 그녀는 파이옌을 신력으로 던져 버린 직후 자신을 죽일 듯이 따라왔던 그의 모습을 떠올리고 고개를 흔들었다.

"왜 도망치라고 했어요. 왜 또 나를 도와준 거예요?"

따뜻한 온기에 체온이 돌아왔다. 떨림이 잦아들자 파이옌이 그녀를 놓아주며 뒤로 물러났다.

"글쎄."

"말 돌릴 생각 말고 똑바로 이야기해요. 무슨 생각으로 지금껏 버틴 건지 시센한테 다 들어서 알고 있으니까."

"왜일 것 같은데?"

겉옷을 벗은 파이옌이 윤조를 향해 집어 던졌다. 엉겁결에 그의 옷을 받아 낸 윤조가 뭐 하냐는 눈으로 헐벗은 그의 상체를 바라봤다.

"갑자기 웬 스트립쇼?"

"너는 애가 좀! 사람이 호의를 베풀면 그냥 받아들여!"

"조용히 해요! 병사들 몰려올라……!"

"근처에 인기척 없어."

심드렁하게 중얼거린 그가 바닥에 철퍼덕 앉으며 한쪽 무릎을 세웠다.

"뭐 해? 다리 아파. 앉아."

"하여간 제멋대로야!"

파이옌을 따라 바닥에 앉은 그녀가 코를 씰룩였다. 파이옌이 준 옷은 방석처럼 그녀의 엉덩이 아래에 깔려 있었다.

"걸치라고 준 건데. 깔고 앉으라는 게 아니고."

"일부러 깔고 앉았네요."

"알아서 버려라. 다시 입고 싶지 않다."

투덜거리는 그를 바라보던 윤조는 드러난 그의 상체 곳곳에 보이는 크고 작은 흉터에 눈살을 찌푸렸다.

"왜 나를 도와주는 거예요? 그렇게 필사적으로 돌아가려고 했으면서……."

즐비한 흉터를 가리키는 그녀의 말에 파이옌이 입을 다물었다. 윤조는 시선을 피하는 그를 바라보며 말을 이었다.

"앞으로도 계속 나를 도와줄 거예요?"

"……."

"원래의 세상으로 돌아가지 않을 생각이에요?"

"지금 네 질문이 얼마나 잔인한지 알고는 있지?"

헛웃음을 짓는 그의 얼굴을 바라보던 윤조가 치마를 그러쥐었다.

"미안해요."

"시과하지 마. 무엇을 택하건 내 선택이야. 그 누구와도 상관없는."

"포기할 생각이에요?"

"포기하지 않으면? 홍준영을 죽일까?"

"그럴 생각이었잖아요. 아트완에 있을 때만 해도."

확신 어린 윤조의 말에 파이옌이 소리 내어 웃었다.

"하하. 나도 내가 뭘 해야 할지 몰랐는데 너는 참 당연하다는 듯이 말하네."

"……."

"그렇게 보였다면 그게 맞겠지."

"파이옌."

"나는 그 이름이 너무 싫었어. 저주하고 죽어 버리고 싶을 만큼. 그런데 살아야 했어. 살아야 할 이유가 너무 많았으니까. 죽고 싶은 이유는 하나뿐인데 살아야 할 이유는 너무 많더라. 짜증 날 정도로."

마주한 그의 시선을 똑바로 쳐다볼 수가 없어서 이번에는 윤조가 그의 시선을 피했다. 파이옌은 치마를 꽉 움켜쥔 그녀를 바라보며 어설프게 입매를 당겼다.

"내겐 꼭 돌아가야 할 이유가 있어. 단순히 살고 싶다는 이유 말고, 꼭 돌아가야 할 이유가. 그거 알아? 나를 위해서는 사람을 죽이는 일 따위 못 하겠더라. 그런데 나를 위해서가 아니야. 애초에 나를 위해서가 아니었어. 그래서 견딜 수 있었어. 견뎌야만 했어. 이건 속죄니까. 벌을 받는 건 당연하니까."

속죄. 벌. 무겁게 떨어진 단어에 윤조가 힘겹게 그를 바라봤다.

"그 이유가 뭔지 말해 줄 수 있어요?"

주저하던 파이옌이 고개를 끄덕였다. 더는 숨길 것도, 숨겨야 할 이유도 없었다. 이야기는 이미 끝을 향해 달려가고 있으니.

"살려야 할 사람이 있어. 내가 책을 읽었던 그 병원에. 혼수상태인데 좀처럼 깨어나질 않아. 간호사한테 들었는데 예전부터 잘 아는 사이라고 그랬어. 어머니가 아파서 장기간 입원했었다고. 얼마 전에 어머니가 돌아가셨다고 했어."

파이옌의 이야기에 윤조가 움찔 몸을 떨었다. 어째서인지 그가 말하는 누군가가 처한 상황이 자신이 전생에 처했던 상황과 같았기 때문이었다. 파이옌은 계속해서 말을 이었다.

"보호자를 찾아야 했어. 경찰이 조회했는데 아버지도 이미 돌아가셨다고 하더라. 친인척에게 연락을 시도했지만 연락이 닿는 사람이 하나도 없었어. 남아 있는 가족이 한 명도 없었어."

"그 사람이랑 무슨 일이 있었던 거예요……?"

"사고였어. 너처럼 오토바이 사고. 이름도 비슷해. 아니, 똑같아. 그래서 네 얘기를 들었을 때 그 애가 더 생각났어. 무슨 일이 있어도 돌아가야 한다고 생각했어."

"오토바이가 왜요? 어떻게?"

파이옌이 질끈 눈을 감았다.

"비가 많이 오는 날이었어. 갑자기 쏟아진 비였는데 앞이 보이지 않을 정도였어. 아버지와 싸우고 집을 나온 지 이틀쯤 됐을 때였는데 갑자기 집에서 연락이 왔어. 아버지가 쓰러졌다고. 엄마가 그렇게 우는 건 처음이었어. 마음이 급해서 오토바이 속력을 올렸는데, 그렇게 빨리 달리고 있는 줄도 몰랐어. 아무 생각도 들지 않았어. 그냥 어서 집에 가야 한다는 생각뿐이었어. 그러다 눈앞으로 사람이 뛰어들었는데 피할 수가 없었어. 핸들을 꺾었는데 도저히 피할 수가 없었어…….”

입을 틀어막으며 흐느낌을 참던 파이옌이 숨을 몰아쉬며 천천히 말을 이었다.

“눈을 뜨니 병원이었는데 그새 3일이나 지나 있었어. 3일이나 정신을 잃고 누워 있었는데도 기억이 너무 또렷했어. 빗속에서 오토바이에 튕겨 날아가던 그 애 모습이 너무 선명했어. 같은 병원에 입원해 있었는데 열흘이 지나도록 깨어나지 않았어. 수술은 무사히 마쳤다고 했는데. 회복 경과도 모두 좋고, 호흡도 맥박도 정상이라고. 그런데 2주, 3주가 되도록 눈을 뜨지 않아. 오늘은 깨어나겠지, 내일은 일어날 거야. 한 달이 넘도록 매일 아침에 눈을 뜨면 그 애를 찾았어. 살아 달라고, 제발 깨어나 달라고 그 애 손을 잡고 빌고 또 빌었어. 간호사에게 물으니 꽃을 좋아했다고 해서 도움이 될까 몇 번 사 가기도 했어. 이름도 어려운 꽃이었는데 스, 뭐더라? 보라색이랑 흰색인.”

“스카비오사scabiosa.”

“맞아. 그런 이름이었…….”

멈칫, 말을 멈춘 파이옌의 시선이 윤조를 향했다. 고개를 들어 천천히 돌아본 곳, 어느새 그와 마찬가지로 눈물을 참는 윤조의 모습이 보였다. 언어가 되지 못한 소리가 파이옌의 목구멍을 맴돌았다. 눈물을 흘리며 덜덜 떨리는 그의 턱을 바라보던 윤조가 간신히 목소리를 냈다.

“그 간호사가 뭘 잘못 안 것 같은데. 나 사실 그 꽃 되게 싫어해요. 생긴 건 예쁜데 꽃말이 엄청 거지같거든. 그래도 엄마가 좋아했어요. 이루어질 수 없는 사랑이라니 로맨틱하고 애절하지 않느냐고. 나는 그거 너무 싫었어. 로맨틱은 없고 결국 애절함만 남았거든."

그녀가 어처구니없다는 듯이 웃으며 울었다.

"나 살아 있어요? 나 죽은 거 아니에요? 나 정말 살아 있어요? 저쪽 세상에……?"

이상하다고 생각했다. 왜 읽지도 않은 책 속 세상으로 들어오게 된 것인지. 왜 관련도 없는 자신이 책이 선택한 주인공이 된 것인지. 왜 파이옌과 함께 주인공이라는 운명으로 엮이게 된 것인지. 이제야 그 시작을 알았다.

"죽은 게 아니라면 나는 뭐예요? 여기 있는 나는 뭐예요? 정말 가짜라고? 내가? 윤조인 나는 진짜가 아니라고?"

다 책이 만들어 낸 허상이라고……?

윤조가 주먹을 쥐었던 자신의 손을 들어 바라봤다. 주체할 수 없이 손끝이 떨려 왔다.

어머니는? 가족들은? 소의 언니는? 내가 가짜면 그들은 뭔데? 그들도 모두 가짜라고? 느껴지는 이 떨림이, 이 감각이 모두 거짓이라고? 책이 만들어 낸 가짜라고? 진짜 나는 살아서 원래의 세상에 있다고? 여기 있는 나는 만들어진 존재라고? 혼란으로 머리가 돌아 버릴 것 같았다.

"정말 너라고……?"

서럽게 우는 그녀의 모습에 충격으로 굳어 있던 파이옌이 바닥을 기다시피 다가가 그녀의 손을 잡았다.

"너였어. 너였던 거야. 살아 있었어. 여기 있었어. 그래서 계속 잠들어 있던 거야. 그래서 계속 깨어나지 못했던 거야."

나는 널 만나려고 이곳에 왔던 거야. 진실을 깨달은 그가 울고 있는 윤조를 품에 안았다. 이전과 달리 조심스러운 몸짓이었다. 윤조가 흐느끼며 그의 어깨에 이마를 기댔다. 멈칫거리던 파이옌이 손을 들어 그녀의 뒷머리를 감싸 안았다. 그의 눈에서도 쉼 없이 눈물이 흘렀다.

살아 있어 줘서 고맙다고, 미안하다고 계속해서 속삭이는 그의 말에 윤조는 눈물을 멈출 수 없었다. 파이옌은 윤조가 눈물을 그칠 때까지 그녀의 등을 쓸어 주었다. 이곳의 자신은 무엇이냐고, 만들어진 존재냐고, 가짜인 거냐고 떨면서 물어오는 그녀의 말에 '그럴 리가 없잖아, 이 멍청아.'라고 쏘아붙여 주는 것도 잊지 않으면서.

파이옌은 윤조의 어깨를 잡아 자신을 똑바로 보게 했다.

"너 인마, 정신 똑바로 차려. 이 세계를 사랑하잖아. 지키고 싶은 거 아니었어? 네가 가짜인지 진짜인지가 중요한 게 아니야. 네가 살아가고 싶은 곳이 어디인지가 중요한 거야."

"하지만 당신은 지금까지 원래 세상의 나를 살리기 위해서……."

"다른 건 생각하지 마. 말해. 네가 원하는 세상을."

"나는……."

윤조가 말끝을 흐렸다. 눈물 젖은 파이옌의 눈동자를 한참 동안 바라보던 그녀의 시선이 그 안에 담긴 자신을 향했다. 원래의 세상에 있을 신채영의 모습과 윤조인 자신의 모습이 겹쳐졌다.

힘겹게 얻어 낸 삶이었다. 죽음 앞에서야 비로소 생의 소중함을 느꼈다. 다시 한번 기회가 주어진다면 화목한 가정 안에서 살아 있는 가족들과, 곁에 살아 있는 사람들과 함께 웃으며 행복해지고 싶다고 생각했다.

거짓말처럼 이루어진 꿈 앞에 지독한 가난에 허덕여도 이 꿈이 너무 좋아서. 땅을 파서 흙을 먹는 신세여도 내 옆에 있어 주는 가족들이 있다는 그 사실이 너무 행복해서. 나를 아껴 주는 친구가 너무 좋아서. 나를 사랑한다 말해 주는 연인이 있다는 사실이 너무 기뻐서. 누구도 알아주지 않던 내 슬픔을 자신의 일처럼 슬피 여겨 주는 시아버지가, 목숨을 걸고 함께 싸워 주는 전우들이, 나를 반겨 주는 사람들이 있는 이 세상이 너무 좋아서. 기뻐서. 가짜여도, 가짜이더라도 나는…….

윤조가 두 손을 들어 얼굴을 가렸다. 왈칵 터진 눈물이 그녀의 볼과 손을 타고 흘러내렸다.

"미안해요. 정말 미안해요. 나 이곳이 너무 좋아요. 모두가 있는 이곳이 너무 좋아요. 미안해요. 당신을 도울 수가 없어요. 당신도 간절할 텐데, 원래의 세상으로 돌아가고 싶을 텐데. 이곳을 버릴 수 없어요. 나는 돌아갈 수 없어요. 미안해요. 정말 미안해요……."

"네가 원하는 게 그거라면."

윤조의 손을 잡아 천천히 내린 파이옌이 손끝으로 조심스럽게 그녀의 눈물을 닦아 주었다.

"내가 어떻게 도우면 될지 말해 줘."

잠시 뒤 자명전을 나선 파이옌은 축축하게 젖은 눈두덩을 손등으로 거칠게 문질러 닦았다.

"이거면 된 거야. 이거면……."

울컥 치미는 감정에 절로 얼굴이 구겨졌다. 깨문 입술이 하얗게 질려 있었다. '하' 하고 숨을 내뱉자 뜨거운 숨이 하얗게 흩어졌다. 밤하늘에 높이 뜬 달이 시리도록 눈부셨다.

이상하게도 원래의 세상에 있던 달과 마찬가지로 이쪽 세상의 달을 바라보고 있으면 그리운 마음이 들었다. 문득문득 떠오르는 그리운 얼굴들에, 어쩌면 저 달이 원래의 세상과 이어진 통로가 아닐까 막연히 상상한 적도 있었다. 책 속 세상이란 것을 알기에 어차피 보이는 모든 것이 다 거짓이라고 믿었다. 하지만 이 그리움만큼은 거짓이 아니었다.

진짜일 리가 없을 텐데도 저 달만큼은 생생했다. 노역을 하며 밤늦은 시간까지 맡은 일을 끝마치지 못해 매질을 당했을 때도, 잠이 오지 않는 밤 뜬눈으로 밤을 지새울 때도, 추운 겨울 마구간의 짚더미 위에서 잠이 들었을 때도, 검투장에서 처음으로 사람을 죽였을 때도, 뚫린 천장으로 보이던 달이 너무 밝아서, 밝아서 눈물이 났다. 눈물에 흐려지는 달을 바라보며 파이옌은 원래의 세상에 있을 가족들의 모습을 떠올렸다.

"죄송해요. 끝까지 제멋대로인 아들이어서."

나약한 감상은 여기까지만. 결심을 굳힌 그가 터벅터벅 그곳을 벗어났다.

"대장."

파이옌이 머무는 처소 앞. 그를 기다리고 있던 하센이 벽에 기대고 있던 등을 떼고 고개를 숙였다. 갑작스러운 그녀의 등장에 흠칫 놀랐던 파이옌이 표정을 갈무리했다. 그렇지 않아도 찾아가려고 했는데 만나게 될 줄이야.

"무슨 일이야?"

"폐하께서 부르십니다."

"좀 기다려. 옷만 갈아입고."

"무슨 일 있으셨습니까? 왜 옷이……."

헐벗은 그의 모습에 하센이 의아한 듯 되물었다. 파이옌은 대수롭지 않게 답했다.

"더러워져서 버렸어."

"설마 누굴 죽인 건, 그 무녀라거나……?"

"내가 걜 왜 죽여-!"

"전에 그 무녀 때문에 무척 화가 나신 것 같아서요."

"그건 맞지만 아니야. 안 죽였어."

"그럼 다른……."

"다른 놈도 안 죽였다."

"그럼 다행이고요."

"내가 걸핏하면 누구 죽일 사람으로 보여?"

"걸핏하면 누가 죽어 나가긴 하지요."

파이옌이 고개를 절레절레 흔들며 방 안으로 들어갔다. 대충 보이는 옷을 걸치고 나온 그가 하센을 향해 물었다.

"갑자기 왜 오라는 거야?"

"내일 무녀들의 호송 때문에 부르신 것 같습니다."

"가료는? 나람성 함락이 늦어지는 것 같은데."

"생각보다 전투가 길어지고 있습니다. 방어가 만만치 않은 모양입니다."

"상대는 홍준영이야. 괴혈단 정예병도 모두 이곳에 있으니 쉽지 않을 거다."

"땅굴을 파고 있다고 하니 곧 내부로 침투가 가능할 겁니다. 식수로 쓰는 우물에 독을 풀면 타격이 상당하겠죠."

우물에 독이라. 파이옌이 고개를 끄덕였다. 대령전에 도착하자 키얀이 두 사람을 기다리고 있었다.

"폐하를 뵙습니다."

"윤조는? 잡았나?"

바로 본론을 꺼내는 그의 물음에 하센이 답했다.

"아직 잡지 못했습니다. 황궁에서 빠져나가진 못했을 테니 근처에 숨어 있을 겁니다."

"묘길에게 절대 들키면 안 된다. 적어도 내일 아침 무녀들이 호송되기 전까지는."

"예, 폐하. 명심하겠습니다."

"파이옌, 무녀들을 호송하기 위해 여희단이 자리를 비울 것이니 황궁을 수색하는 일은 네가 맡아라."

"알겠어. 그런데 묘길에게 들키지 말아야 할 이유라도 있어?"

파이옌 역시 키얀과 묘길이 무녀들을 해치지 않는 조건으로 연대를 맺었다는 사실은 알고 있었다. 하지만 묘길에게 들키지 않게 윤조를 잡아들이는 일은 그것과 별개였다. 파이옌의 물음에 잠시 그를 바라보던 키얀이 답했다.

"괜한 분란을 만들고 싶지 않아서다. 황후의 치료를 위해 무녀들이 아트완에 무사히 도착하기 전까지 불상사는 없어야 해."

어쭙잖은 대답을 보아 하니 뭔가 숨기는 게 분명했다. 키얀의 대답에 의심하면서도 그는 대수롭지 않게 고개를 끄덕였다.

"그렇게 하지."

"하센은 여희단과 병사 3백을 이끌고 무녀들을 본국까지 호송하라. 나람성의 함락이 아직이니 우회해야 할 것이다. 최단 거리로 간다."

"예, 알겠습니다."

"혜린 무녀."

"……."

"혜린 무녀?"

"아, 네."

멍하니 생각에 잠겨 있던 혜린이 급히 답했다. 묘길이 그런 혜린을 살피며 물었다.

"밖에서 무슨 일이 있었나요? 안색이 좋지 않군요."

윤조의 모습을 떠올렸던 혜린이 이내 고개를 저었다. 묘길의 손아귀에서 모든 것이 통제되는 지금 유일하게 묘길의 손을 벗어난 것이 있다면 바로 윤조였다. 묘길을 칠 기회를 잡기 위해서는 아직 윤조가 잡혀선 안 됐다.

"아무것도 아닙니다."

"호위 무녀에게 들으니 혼자 이탈을 했었다던데……."

'역시 감시하고 있었군.'

집요한 묘길의 시선에 혜린이 고개를 들어 그녀를 똑바로 마주했다.

"사가에 갔었습니다."

"저런, 충격이 클 만도 하군요. 가 보지 않는 편이 나았을 텐데."

무심하게 답하는 그녀의 태도에 혜린이 입 안의 살을 깨물었다가

놓았다.

“예. 말씀처럼 가 보지 않을 것을 그랬습니다. 괜히 기분만 나빠지더군요.”

안색 하나 변하지 않고 답하는 혜린의 모습을 빤히 바라보던 묘길이 짐짓 걱정스러운 태도로 그녀를 향해 다가왔다.

“마음이 많이 상하셨습니까? 곡주라도 한잔 내올까요?”

“괜찮습니다.”

“속에 담아 두는 것보다는 어떻게든 털어 버리는 게 심신에 좋답니다.”

털어 버려라? 혜린이 속으로 조소하며 묘길을 바라봤다.

“어떤 일이 있어도 내색하지 말라, 귀족답게 품위를 잃지 말라 배웠습니다. 그래서인지 이럴 때는 어떤 식으로 마음을 풀어야 좋을지 잘 모르겠습니다.”

“참지 마세요.”

묘길이 혜린의 어깨를 짚었다.

“애써 참을 필요 없이 마음 가는 대로 해도 된답니다.”

자신에게 위해를 가해도 상관없다, 그리해도 된다고 종용하는 것 같은 묘길의 말에 혜린의 머릿속이 혼란스러웠다.

‘무슨 생각이지? 나를 떠보려는 건가? 아니면 진심으로 하는 소리인가?’

아버지의 죽음과 가문의 몰락으로 자신이 앙심을 품었다는 사실을 묘길이 모를 리 없었다. 그런데 왜 이런 말을……? 잠시 고민하던 혜린이 천천히 입을 열었다.

“진심으로 그리 생각하십니까?”

“예, 진심으로 그리 생각한답니다.”

“무녀장님이라면 어떻게 하시겠습니까?”

“지금처럼 하겠지요.”

순간의 망설임도 없는 즉답이었다. 미소 짓고 있던 묘길의 얼굴에는 어느새 웃음이 지워져 있었다. 섬뜩한 그녀의 눈빛에 혜린이 주춤 뒤로 물러났다.

“아, 이런. 겁을 줄 생각은 아니었는데. 미안합니다.”

“나가 보겠습니다.”

“편히 쉬시길.”

혜린이 다소 급한 걸음으로 그곳을 벗어났다. 혜린의 발소리가 복도 저편으로 사라지는 것을 듣고 있던 묘길이 의아하게 중얼거렸다.

“이상하구나.”

묘길이 곁에 있던 호위 무녀에게 말했다.

“전날까지만 해도 기세등등하던 자가 어디서 실연이라도 당하고 온 것처럼 실의에 찬 기색이라니?”

“문씨 가문 사가는 전투 중에 담이 허물어지고 불길에 소실되었습니다. 그 꼴을 봤으니 충격을 받을 만도 하지요. 신경 쓰이시면 내일부터는 뒤를 밟겠습니다.”

“아니, 그럴 필요 없다. 무엇을 하건 그냥 두어라.”

“그러다 다치기라도 하시면…….”

“잊었느냐? 어차피 창칼로는 나를 죽이지 못한다.”

“하지만…….”

“걱정할 것 없다. 연회장에 무녀들은 모두 준비되었느냐?”

"예. 호송 준비를 마쳤습니다."

"험한 길이라 들었는데."

"협곡을 가로질러 간다고 했습니다."

"그래. 내일이면 정말 다 떠나겠구나."

묘길이 쓸쓸히 읊조렸다.

"당장은 불행해 보여도 이게 옳다."

비서고의 문이 조용히 여닫혔다. 불빛 하나 없는 어둠 속에서도 파이옌은 책장 뒤에 숨어 있던 윤조와 최 승상을 곧장 찾아냈다.

"거기 숨어서 뭐 해?"

등 뒤에서 들려오는 파이옌의 목소리에 놀란 윤조와 최 승상이 뒤로 돌았다.

"하하, 누가 올지 모르니 혹시나 해서."

"내가 병사들이라도 끌고 나타날까 봐?"

"나는 아닌데 대승상님께서 걱정하셔서."

윤조가 곁에 있던 최 승상을 가리켰다. 최 승상은 눈앞에 선 파이옌의 모습에 긴장한 낯이었다.

"정말 괴혈단의 좌장군이로군……."

"사절단 이후로 몇 년 만에 보는 얼굴이네."

"나를 기억하나?"

"잊을 리가. 나나 홍준영 외에 키얀 앞에서 주눅 들지 않은 유일한 사람이었는데."

파이옌은 오래전 서국을 방문했던 최 승상의 모습을 떠올렸다.

"그런데 어째 그때보다 지금이 더 긴장한 표정인걸?"

장난스런 파이옌의 미소에도 최 승상은 웃을 수 없었다. 사절단이 방문했을 때는 군대와 함께였다. 하지만 지금은 다르다. 파이옌이 마음을 바꿔 검을 꺼낸다면 자신은 이곳에서 소리 소문 없이 죽게 될 것이다. 잔뜩 긴장한 최 승상의 모습에 파이옌이 재미있다는 듯이 키득거렸다. 그 모습을 바라보던 윤조가 어처구니없다는 듯이 그의 팔을 때렸다.

"아, 아파!"

"장난 그만 쳐요. 대승상님 죄송합니다. 얘가 좀 성격이 그래요."

"내가 뭐!"

"쉿! 우리 여기에 있다고 광고할 일 있어요?"

윤조에게 맞은 팔뚝을 문지르며 파이옌이 투덜거렸다. 두 사람의 모습을 바라보던 최 승상이 '허' 하고 참았던 숨을 토했다.

"그간 많은 일이 있었다더니 정말 많은 일이 있었나 보군."

그의 말에 윤조가 어색하게 웃으며 고개를 끄덕였다.

"예, 좀. 별일이 많이 있었죠."

"나는 아직 이자를 믿지 못하겠네. 우리를 방해해기 위해 거짓 공작을 펼치는 것일 수 있으니."

"귀찮게 뭐 하러 그런 짓을 합니까? 걸리적거리면 그냥 죽여 버리면 그만인데."

위협적으로 곡도를 꺼내 드는 그의 모습에 최 승상이 흠칫 놀라 뒷걸음질 쳤다. 한숨과 함께 이마를 짚던 윤조가 신력으로 파이옌의 곡도를 빼앗았다.

"부기 압수. 자꾸 대승상님 위협하면 이거에 찔릴 줄 알아요."

위협적으로 허공을 왔다 갔다 하는 곡도를 바라보던 파이옌이 최 승상을 향해 투덜거렸다.

"우리 중에 사실 얘가 가장 위험한 거 알죠?"

"……."

"크흠, 두 분 다 앉아서 말씀 나누시죠."

탁자에 마주 보고 앉은 세 사람이 본론으로 들어갔다. 윤조가 파이옌을 향해 물었다.

"어떻게 됐어요? 호송단이 어디를 통과할지 알았어요?"

"최단 거리로 간다고 했어."

"협곡을 통과할 생각이로군."

최 승상의 말에 파이옌이 고개를 끄덕였다.

"여희단이 호송할 거다. 붙는 병력은 3백. 여희단은 하센까지 열다섯 명이다. 얼마 전에 타미르 타샤 자매가 부상을 당해 빠졌으니 전력이 줄었다. 그 둘이 상대하기 가장 까다로운데 잘됐지. 네가 그랬다며? 대단한데?"

윤조가 우쭐하며 팔짱을 꼈다.

"예전의 제가 아니라고요."

"우쭐하기는. 아, 그리고 한 가지 더. 나람성에 주둔한 군대가 땅굴을 파고 있다더군. 나람성 내부로 침투해 식수로 쓰는 우물에 독을 풀 거라고 했다."

"독이요?"

"그래. 예상보다 함락이 늦어지니 정공법으로는 안 되겠다 싶은 거지."

파이옌의 정보를 가만히 듣고 있던 최 승상이 그를 향해 물었다.

"왜 우리를 돕는 건가?"

"내가 뭐라고 하건 안 믿을 거잖아?"

"그대의 말이 거짓이라고 생각되지 않아서 묻는 거네. 이유가 뭔가? 군사 작전이 드러난 게 밝혀지면 분명 내부에 첩자가 있다고 의심을 사게 될 걸세. 그렇게 되면 자네 목숨이 위험해질 수도 있어. 이렇게까지 우리를 돕는 이유가 대체 뭔가?"

진지한 그의 물음에 파이옌이 힐끗 윤조를 바라보다 고개를 돌렸다.

"진짜 지키고 싶은 것을 찾았을 뿐이야. 거창하게 뭔가를 원해서도 아니니 대가를 요구할 생각도 없어. 그런 걱정이라면 안 해도 돼."

"진심이군."

"진심이야. 그리고 설사 내가 죽는다 해도 너희는 잃을 게 없잖아?"

"아니요."

윤조가 단호히 부정했다.

"절대 죽지 마요."

화가 난 것 같은 그녀의 눈빛에 파이옌이 입을 다물었다.

"우리를 위해서건 누구를 위해서건 죽는다는 생각은 하지 마요. 목숨이 위험해지면 어떻게든 사는 쪽을 택해요."

"어려운 부탁을 하네."

"쉬운 부탁이면 하지도 않아요. 그리고 계약 아직 유효한 거 알죠? 빌려 간 내 돈 갚으려면 열심히 살아야 할 거예요."

"빌린 돈이라니? 자네 윤조에게 돈 빌렸나?"

어리둥절한 최 승상의 물음에 파이옌이 어깨를 으쓱했다.

"금화 한 냥으로 죽을 때까지 부려지게 생겼네."

"나 진지해요."

"나도 진지해. 둘 다 내 목숨일랑 걱정 마시라고. 홍준영이 팔 다치기 전이라면 모를까, 지금은 내가 더 셀걸?"

부정할 수 없는 사실에 윤조와 최 승상 둘 다 입을 다물었다.

"그리고 윤조 너. 키얀이랑 하센이 의심하고 있다. 황궁 밖으로 나갈 리는 없을 텐데 어디에 숨어 있는 걸까 하고 말이야. 이러다 묘길이 비밀 통로를 수색하면 너는 물론이고 대승상까지 끝장나."

"그렇지 않아도 어떻게 해야 하나 고민 중이에요. 혜린 무녀와 감찰 무녀들이 신력을 추적하고 있어서 황궁 밖에 숨어 있어도 곧 잡히고 말 거예요. 어차피 잡힐 거라면 황궁 안에서 잡히는 게 나아요."

무녀들의 호송이 내일이니 수도 안에서 신력을 추적하는 일은 더는 없을지도 모르겠지만 만에 하나라도 걸리는 날에는 끝장이었다.

"하센이 자리를 비우니 키얀이 널 잡는 일을 내게 맡겼다."

"큰일이군. 군사작전이 드러나 나람성 공격과 무녀들을 호송하는 일이 실패하게 되면 첩자가 있다고 의심할 텐데. 자네마저도 잡히지 않으면 당장 파이옌을 의심할 거다."

최 승상의 말에 윤조가 긍정했다.

"분명 그럴 테죠."

고심하던 윤조가 결단했다.

"파이옌, 나를 잡아가요. 호송 작전이 실패하면 차라리 내가 한 짓이라고 알리는 게 나아요."

서국의 군대가 나람성에서 벌일 군사작전은 대장군님께 들켜 실패했다고 해도 넘어갈 수 있다. 하지만 무녀 호송건은 아니다. 아는 사람이 이 황궁에만 있으니 들통나는 즉시 내부자를 의심할 거다.
“키얀이 널 가만히 놔둘 것 같아?”
“하지만 방법이 없잖아요. 가만히 있다가는 모두 끝장이에요.”
윤조의 말에 파이옌이 미간을 좁혔다. 무언가를 떠올리던 그가 눈앞의 두 사람을 바라봤다.
“잠깐만. 방법이 있을 것 같아.”
“방법이요?”
“키얀이 너를 수색하는 일을 묘길이 절대 알지 못하게 하라고 했어. 사실 나도 그 이유는 잘 모르겠지만 모종의 거래가 있었겠지. 네가 이곳에 있다는 걸 묘길이 알게 되면 키얀의 입장이 난처해진다거나.”
“키얀에게 무녀들을 절대 해치지 말라는 조건을 건 것도 무녀장이죠?”
“맞아. 그러니 키얀에게 잡히지 말고 묘길에게 잡히는 건 어떨까? 어차피 잡혀야 한다면 안전이 보장되는 쪽이 낫잖아.”
“확실히 그건 그렇죠…….”
윤조가 말끝을 흐리며 의외라는 듯이 파이옌을 쳐다봤다.
“전에 황실 수로로 침입한 것도 그렇고, 이런 쪽으로 머리가 잘 돌아가네요?”
“내가 잔머리는 좀 쓸 만해.”
“잘난 척은. 아무튼 좋아요. 파이옌의 말대로 묘길의 손에 잡히는 게 좋겠어요. 대승상님, 호송대가 협곡에 도착하는 시기가 언제쯤일까요?”
“내일 아침에 출발하면 이틀 뒤 오전에는 협곡에 도착할 거다.”

"그럼 내일 밤에 잡히는 걸로 하죠. 그 전에 대승상님과 저는 연락할 방법이라든지 작전을 미리 짜야 하고요."

"그러지."

"그때까지 무사할 자신은 있어? 그때쯤이면 키얀은 네가 황궁 밖으로 나갔을 거라 생각하고 병사들을 풀 거다. 키얀의 이상한 행동에 묘길도 무녀들을 보내겠지."

파이옌의 말에 윤조가 싱긋 미소 지었다.

"그거라면 걱정 마요. 방금 좋은 생각이 떠올랐으니까."

그날 밤, 나투국의 하늘 위로 볼 빨간 비둘기 한 마리가 날아올랐다.

"이럴 줄 알았으면 수라간 궁인들은 살려 둘 걸 그랬어."

"내 말이. 꼭두새벽부터 이게 뭐 하는 짓이야."

"시끄럽고, 어서 야채 손질이나 먼저 하자고."

"응? 뭐야, 이거! 재료가 왜 이래?"

"이거 이빨 자국 아니야?"

"쥐가 갉아 먹었나?"

"쥐라기엔 자국이 너무 크지 않아?"

다음 날 이른 아침, 음식을 준비하기 위해 수라간에 들렀던 서국의 취사병들은 엉망이 되어 있는 식재료에 경악했다.

"이거 꼭 누가 한 입씩 베어 먹은 것 같지 않아……?"

그 말처럼 취사병들의 양손에 든 오이나 당근, 무나 호박 따위의 식재료들은 누군가 한 입씩 베어 먹은 이빨 자국이 선명했다. 수라간에서 시작된 작은 소동은 그것으로 그치지 않았다.

"뭐야? 여기 널어놨던 속옷 죄다 어디로 갔어?"

빨랫줄에 널어놓았던 병사들의 속옷이 죄다 사라졌다. 잠에서 깬 병사들은 아침부터 알궁둥이 바람으로 바지를 걸친 채 황궁 안을 뛰어다녔다. 그 많은 속옷이 발견된 장소는 다름 아닌 지붕 위였다. 처마에 아슬아슬하게 걸려 있던 속옷 하나가 바람결에 바닥으로 떨어지기 전까지 그들은 한참 동안이나 속옷을 찾아 헤매야 했다.

그밖에도 병사들의 군화가 사라졌다가 연못에 둥둥 뜬 채 발견되었다든지 하는 괴상한 소동이 빚어졌다. 그리고 그 이야기는 곧장 파이옌과 하센, 키얀의 귀에도 들어갔다. 호송대가 출발할 준비를 마쳤다는 사실을 키얀에게 보고하던 하센은 이 해괴한 소동이 이상한 힘을 사용하는 윤조 때문이라는 것을 알아챘다.

"그 윤조라는 무녀가 무녀들이 호송되는 것을 방해하려고 발악을 하나 봅니다."

"아트완에 있을 때부터 집념 하나는 알아봤다만……."

키얀이 그렇게 말하며 날선 눈빛으로 파이옌을 바라봤다.

"샅샅이 수색하고 있으니 오늘 안으로 잡힐 거야."

"반드시 오늘 안으로 잡아라. 저렇게 사고를 치고 다녔다간 묘길의 눈에 띌 테니."

"벌써 이상하게 생각하고 있을걸? 보통 무녀들이 벌이지는 못할 짓이니까."

"예. 이미 저쪽에서도 사람을 풀어 알아보고 있을 겁니다."

하센도 동감하며 말을 보탰다. 키얀도 모르는 바가 아니었기에 골치 아픈 이마를 짚었다. 절반만 한 것이 누가 홍준영의 반려 아니랄까 봐 여간내기가 아니다.

"하센, 어서 호송대를 이끌고 출발하라. 가료에게는 연락해 두었으니 협곡을 지나는 대로 부대와 합류하도록."

"명 받듭니다."

하센과 여희단이 이끄는 호송대가 무녀들을 가둔 여러 개의 수레와 함께 황성을 나섰다. 파이옌은 떠나는 그들의 모습을 멀리서 씁쓸히 바라봤다. 어쩌면 이게 하센을 보는 마지막일지도 몰랐다.

"정을 주지 않았다 여겼는데……."

말을 흐리던 그가 이내 걸음을 돌렸다.

같은 시각, 변복을 한 채 백성들 틈에 섞여 시내를 지나는 호송대를 지켜보던 최 승상의 시선이 바삐 움직였다. 무녀들이 짐승처럼 수레에 갇혀 병사들에게 끌려가는 모습에 길가로 뛰어나온 무녀들의 부모와 가족들의 통곡이 황성 곳곳에서 메아리쳤다.

사람들 틈으로 무녀들의 수레를 쫓던 최 승상은 한 수레에 갇혀 있는 나래를 발견했다. 부르고 싶어도 차마 부를 수 없는 딸의 이름에 그의 속이 타들어 갈 때쯤, 희망 없는 표정으로 웅크리고 있던 나래가 고개를 들었다.

"아버지……?"

최 승상을 알아본 나래의 눈에 경악이 어렸다. 바닥을 기어 나무로 된 수레의 창살을 붙잡은 그녀가 최 승상을 바라봤다. 죽은 줄만 알았던 아버지가 살아 있었다. 그 사실만으로도 그녀는 희망을 되찾았다.

"어머니를 부탁해요! 어머니를……!"

차마 아버지라고 소리 내어 부르지 못하고 그렇게 외치는 나래의 모습에 최 승상이 조용히 고개를 끄덕였다.

진군하는 행렬을 따라 수레는 점점 더 멀어져 마침내 황성을 벗어났다. 나래의 몸과 시선은 여전히 황성을 향하고 있었다. 함께 갇혀 있던 무녀들이 통곡하며 눈물을 쏟았다.

“죽을 거야. 이대로 끌려가서 다 죽을 거라고!”

넋이 나간 얼굴로 멍하니 중얼거리는 무녀의 말에 나래가 그녀를 붙잡으며 말했다.

“아니, 우린 안 죽어. 우린 안 죽을 거야. 절대 포기하지 마. 절대.”

절대로 포기하지 마. 주변의 무녀들을 향해 그렇게 이야기하는 그녀의 눈빛에 식어 가던 열기가 다시 불꽃을 보였다.

그로부터 조금 더 시간이 지난 오전. 정오에 가까워지는 시각, 나람성으로 날아든 작은 비둘기가 있었다.

“대장군! 전서구입니다! 황성에서 전서구가 왔습니다!”

비둘기를 발견한 도백이 그 다리에 묶인 서신을 발견하고 급히 준영을 찾았다. 깊은 밤까지 이어졌던 전투에 성을 살피고 있던 준영이 도백이 건네는 서신을 받아 들었다.

“황성에서 온 서신이라고?”

급히 서신의 내용을 확인하던 준영의 눈이 믿을 수 없다는 듯이 커졌다. 서신을 보낸 이가 다름 아닌 최 승상이었기 때문이다.

서신에는 사로잡은 무녀들과 함께 서국으로 향하는 호송대가 나람성 근처 협곡을 지날 것이라는 내용과 함께 서국의 군대가 나람성 내부로 침입할 땅굴을 파고 있다는 내용, 그들이 우물에 독을 풀려고 한다는 사실, 파이옌이 아군이 되었다는 내용과 더불어 윤조와 함께 있다는 내용까지 빠짐없이 적혀 있었다.

몇 번이고 서신의 내용을 확인한 준영이 소식을 듣고 달려온 홍 장군과 길림에게 서신을 넘겼다.

"윤조가 살아 있습니다. 살아서 대승상과 함께 황성에 있다고 합니다."

"신이시여……!"

서신을 확인한 홍 장군과 길림이 크게 안도하며 기쁨을 감추지 못했다. 준영이 대기하고 있던 도백을 바라봤다.

"적들이 땅굴을 파고 있다니 당장 병사들을 시켜 위치를 알아보라. 미리 쇳물을 준비하고 발견 즉시 보고하라."

"예, 대장군."

"길림."

"예, 무녀들을 구할 부대를 준비해 바로 출발하겠습니다."

"잠시 기다려라."

준영이 길림과 홍 장군을 바라보며 말했다.

"다시없을 기회다. 이번 기회에 저들의 본진을 와해해야 한다. 그래야 황성을 탈환할 수 있다."

"작전이 있으십니까?"

"무녀들을 호송하는 호송대의 병력이 3백이라고 하니 그들을 급습해 처리한 후 우리가 그들로 위장한다. 저들 쪽에서는 그들과 합류하는 것으로 알고 있다니 방어선을 통과하는 건 어렵지 않을 것이다. 침입하는 즉시 저들의 막사에 불을 지르고 중앙을 친다. 가료를 포함해 지휘관들을 모두 죽여야만 한다. 효시로 신호를 보내면 나와 기마대가 모든 병력을 이끌고 총공격을 할 것이다."

홍 장군과 길림이 고개를 끄덕였다.

"위험 부담이 있지만 괜찮은 작전이다. 이번 기회를 놓치면 다신 공격할 기회가 없을지도 모르니."

"예. 계속되는 전투로 저들의 전력도 많이 줄었습니다. 해 볼 만 합니다."

수성전이 장기전이 되면 결국 불리해지는 건 공격하는 쪽이 된다. 그간의 잦은 전투로 가료의 병력은 나람성에 주둔하는 병력보다 적어졌다. 땅굴을 파 우물에 독을 풀려는 이유도 상황이 불리해져 가기 때문일 것이다. 준영이 황성으로 가는 것을 막기 위해 분대를 돌려 가며 계속해서 전투를 유발하고 있으니 병사들의 체력도 한계에 다다랐을 것이 분명했다.

"병사들에게 알려라. 총공격을 준비한다."

준영의 시선이 성벽 너머로 향했다. 반격의 시간이었다.

"으차."

신력으로 황궁의 지붕 위에 오른 윤조가 아래를 지나는 병사들을 바라봤다. 숙련이 되어서 그런지 이제는 물체를 집어 던지는 것뿐만 아니라 스파이더맨처럼 신력을 밧줄 삼아 소리 없이 지붕을 오르내리는 경지에까지 도달했다.

거기다 예전과는 달리 신력을 쓰면 쓸수록 몸 안에서 신력을 담는 그릇이 더욱 커지는 것 같은 기분마저 들었다. 신력을 소모하면서 기술을 닦는 것이 아니라 유지하면서 기술을 갈고닦는 격이 되다 보니 빠른 속도로 성장하는 것 같았다.

정오가 되어 해가 중천에 떠올랐다. 높고 청명한 가을 하늘에 따뜻하게 내리쬐는 햇살을 온몸으로 맞고 있자니 몸이 나른해지는 기분이다.

'지금쯤이면 나람성에 서신이 도착했겠지?'

"대장군님 보고 싶다."

킁킁거리며 찬바람에 흘러나온 콧물을 훔치던 그녀가 꼬르륵거리는 배를 잡았다.

"배도 고픈데 수라간에 또 한 입씩 하러 가 볼까?"

따끈하게 열이 적당히 오른 기왓장에 차가워진 손을 녹이던 윤조가 병사들이 없는지 두리번거리며 주위를 살피던 때였다.

"저게 뭐지?"

지붕 위에서 수라간을 내려다보던 그녀는 수라간의 구석진 장독대 근처에서 무언가 기웃거리는 것을 발견했다. 움직이는 물체가 무엇인지 가늘게 눈을 뜨고 살피던 그녀가 놀라 입을 가렸다. 커다란 장독대 틈에서 몰래 빠져나와 수라간 안으로 들어가는 누군가의 얼굴이 몹시 익숙했기 때문이었다.

주변에 아무도 없는 것을 확인한 그녀가 빠르게 지붕에서 내려와 수라간 안으로 향했다. 별안간 '탁' 하고 문이 닫히는 소리에 부스럭거리며 식재료를 뒤지던 누군가가 화들짝 놀라 뒤를 돌아봤다.

"너, 너는……!"

수라간에 몰래 숨어든 사람의 정체는 다름 아닌 김의령이었다. 깨물어 먹던 오이로 윤조를 가리킨 그녀의 눈이 동그랗게 커져 있었다. 그녀를 쫓아왔던 윤조 역시 놀란 눈으로 의령을 바라봤다.

"김의령? 네가 여기 왜 있어?"

"그, 그게 숨어 있다가……."

안절부절못하던 의령의 배에서 꼬르륵하는 소리가 울렸다. 들고 있던 오이를 황급히 등 뒤로 감춘 그녀의 얼굴이 새빨갛게 달아올랐다.

"계속 숨어 있었어? 배고파서 온 거야?"

윤조의 물음에 의령이 고개를 끄덕였다. 잔뜩 긴장한 그녀의 모습에 윤조가 괜찮다며 손을 저었다.

"먹어, 먹어. 나도 뭐 좀 먹으러 왔어. 그런데 너 대단하다. 어떻게 지금까지 안 들키고 숨어 있었어?"

"전에 병사들한테 들킨 적도 있었는데 감찰 무녀인 척했어."

윤조는 신력이나 비밀 통로 덕분에 몸을 숨기고 병사들을 피해 다닐 수 있지만 의령은 아니다. 실로 대단한 은신의 재능이다. 윤조가 감탄하며 싱싱한 무를 한입 베어 물어 껍질을 뱉었다. 익숙하게 이로 껍질을 까 무의 속을 씹어 먹는 그녀의 모습에 의령이 눈을 빛냈다.

"그거 맛있어?"

"이거? 먹을 만해. 한입 할래?"

"고마워!"

눈물이 그렁그렁해서 무를 받아 든 의령이 윤조를 따라 껍질을 벗기고 속살을 와삭 깨물어 먹었다. 고맙다는 말까지 들을 줄은 몰랐던 윤조는 얼떨떨한 표정으로 의령을 살폈다.

그간 숨어 지내며 고생을 많이 했는지 이전의 콧대 높은 귀족 아가씨의 기세는 완전히 사라지고 핼쑥하게 변한 가녀린 아가씨만 남았다. 와삭와삭 무를 깨물어 먹으며 울음을 터뜨리는 의령의 모습에 윤조가 가만히 손을 뻗어 의령의 어깨를 다독였다.

"울지 마. 고생했어. 너 정말 대단하다."

"흐윽, 너한테 그런 말을 들은 줄은……."

"나도 너한테 이런 말 하게 될 줄 몰랐지. 괜찮아. 우리 친구잖아."

"정말? 나도 친구야? 맨날 못되게 굴었는데……."

"다 잊었어. 기억도 안 나."

"고, 고마워. 너무 무서운데 나갈 수도 없고, 병사들은 계속 돌아다니고, 무녀들은 다 잡혀가고. 흐어엉!"

"쉿! 이러다 들켜."

"흐흡! 으응. 안 울게."

의령이 두 손으로 입을 가리고 고개를 끄덕였다. 품 안에 먹을 것을 챙긴 윤조가 살짝 문을 열고 수라간 밖을 확인하며 말했다.

"일단 나랑 같이 가자. 계속 여기 있다간 들킬 거야."

"나갔다가 잡히기라도 하면?"

"걱정 마. 나만 믿어. 대신 절대 소리 내면 안 돼. 알겠지?"

"응, 알겠어. 절대 소리 안 낼게."

손으로 단단히 입을 틀어막는 의령의 모습에 윤조가 고개를 끄덕였다. 자명전으로 향하는 중간중간 윤조의 도움으로 병사들의 시선을 피한 의령은 처음에는 갑자기 공중으로 붕 뜨거나 날아가는 몸에 기절할 것처럼 놀라다가 나중에는 신기한지 즐기는 것처럼 보였다. 자명전 안에 도착하자마자 입을 연 의령이 눈을 빛내며 윤조에게 물었다.

"와, 방금 그거 뭐야? 어떻게 한 거야? 내가 새처럼 날다니!"

"신력을 조금 응용해 봤어."

"신력이라고? 신기하다. 나도 배워 보고 싶어."

"나중에 가르쳐 줄게. 일단은 여기로 나가자. 너 혹시 수영은 할 줄 알아?"

"아니."

"잠수 같은 것도 할 줄 몰라?"

"응."

하긴 귀족 집안 아가씨가 수영을 제대로 배웠을 리가 없지. 일 났네. 황궁 밖으로 나가려면 우물을 지나야 하는데. 골몰하는 윤조의 모습에 의령이 걱정스럽게 물었다.

"왜 그래? 문제 있어?"

"그게, 황궁 밖으로 나가려면 물속을 지나서 우물 밖으로 나가야 해서."

"그럴 수가……."

윤조는 절망하는 의령을 다독였다.

"그래도 일단은 내가 비밀 통로랑 숨을 곳을 알고 있으니까 알려 줄게. 병사들이 오면 거기에 숨으면 돼. 조금만 기다리면 대장군님이 구하러 오실 거야. 그때까지만 버티자."

"정말 우리를 구하러 오실까?"

"반드시 오실 거야. 그러니 그때까지 절대 잡히면 안 돼."

"같이 있자. 혼자는 무서워."

"미안해. 나는 오늘 밤 무녀장에게 잡힐 거야."

"뭐?"

윤조는 놀라 펄쩍 뛰는 의령을 진정시켰다.

"괜찮아. 일부러 잡히는 거니까. 잡혀도 네 이야기는 절대로 하지 않을게. 약속해."

"왜 그런 짓을 하는 거야? 일부러 잡히다니?"

"제국을 지킬 거야. 그러기 위해서는 저들이 무엇을 하는지 정보가 필요해. 정보를 얻으면 대장군님께도 도움이 될 거야."

윤조의 대답에 의령이 충격을 받은 사람처럼 멍하니 그녀를 바라봤다.

"너, 넌 무섭지도 않아? 잡히면 죽을 수도 있어……!"

"무슨 이유인지 몰라도 무녀는 절대로 죽이지 않는다고 했어. 그러니 괜찮을 거야. 그런데 넌 어떻게 추적을 피해서 숨어 있었어?"

"나는 신목으로 만든 종이가 모자라서 아직 신력 등록을 못 했어. 그래서 추적에 걸리지 않았고."

"다행이다. 그럼 황궁 안에 숨어 있어도 무녀들이 찾아내지 못할 거야."

"너도 봤어? 혜린 무녀님이 무녀들을 잡아가는 거."

의령의 표정이 어둡게 변했다. 그녀가 가라앉은 목소리로 말을 이었다.

"아니라고 했으면서. 나투국을 배신한 게 아니라고 도와 달라고 했으면서. 그래서 탈출하는 것도 도와드렸는데 왜……!"

원망과 자책이 섞인 그 말에 윤조가 의아한 눈을 했다.

"탈출을 돕다니?"

"너는 그때 없었지. 문 비서랑님이 죽고 혜린 무녀님이 역적으로 몰렸을 때 내가 그분을 도왔어. 전에 우리 가문을 도와준 은혜도 있었고, 그분이 역적이라는 사실을 믿을 수 없었어. 아니라고 생각했어. 혜린 무녀님도 아니라고 했단 말이야. 그래서 도운 건데 서국의 군대와 함께…….”

“그런 일이 있었구나. 혜린 무녀가 억울하게 몰린 건 맞을 거야. 묘길에게 누명을 쓰고 문 비서랑님이 돌아가신 거니까.”

“하지만 정말로 우릴 배신했잖아. 이번에야말로 정말 나투국을 배신한 거라고. 나를 속였어. 그분을 존경하고 따랐던 모두를 기만한 거야. 절대 용서할 수 없어.”

의령이 바드득 이를 갈며 눈을 부릅떴다. 느껴지는 적잖은 원망에 윤조가 착잡한 표정을 감추며 말을 돌렸다.

“우선은 비밀 통로를 안내해 줄게. 함정도 있으니 조심히 따라와.”

“알겠어.”

의령에게 황궁 곳곳으로 통하는 비밀 통로와 대략적인 현재의 상황을 설명한 윤조는 그녀를 비서고에서 쉬게 했다.

“여기 먹을 거 두고 갈게. 그나마 여기가 가장 조용하고 안전해. 그래도 혹시 모르니 경계하고.”

“그럴게. 고마워.”

“나는 이제 가 봐야겠다.”

“잡히러 가는 거야?”

“응. 저녁도 다 되어 가고. 무녀장 처소 근처에서 어슬렁거리다가 잡히지 뭐.”

“몸조심해.”

“그럴게. 너도 조심하고.”

의령과 헤어진 윤조는 비밀 통로를 통해 다시 자명전으로 나왔다. 파이옌과 만날 시간이 가까웠다. 기다리고 있자 문가에서 똑똑

문을 두드리는 소리가 들렸다.

"준비됐어?"

자명전 대청에 앉아 신발을 고쳐 신는 척 신호를 보낸 파이옌이 주변을 살폈다.

"준비됐어."

"해 지고 있다. 뭐 하다가 잡힐 생각이야?"

"염탐이라도 하다가 걸리지 뭐."

살짝 열린 문을 사이에 두고 두 사람의 대화가 이어졌다.

"나한테 쫓기다가 무녀장 처소 쪽으로 도망치는 거다. 오케이?"

"오케이. 아 참, 말해 둘 거 있어."

"뭔데?"

"김의령이라고 나 외에 숨어 있던 무녀를 찾았어. 지금은 비서고에 있고."

"숨어 있던 무녀가 또 있다고?"

"나도 놀랐어. 혼자 지금까지 숨어 있었던 모양이야. 비밀 통로랑 대략적인 상황을 설명했으니 널 봐도 놀라진 않을 거야. 미리 알아 두라고."

"그런 거 다 알려 줬다가 걔가 잡히기라도 하면 어쩌려고?"

"안 잡힐 거 같으니 알려 줬지. 들어 보니 병사들한테 걸린 적도 있었는데 감찰 무녀인 척하고 지나갔데. 무녀들조차 걔가 숨어 있는 줄 몰라. 신력 등록이 안 돼서 추적이 안 된대. 그러니 무녀들한테 걸리는 게 아닌 이상 절대 안 잡혀."

"대단하네. 하긴 병사들은 너 외에 다른 무녀들은 그냥 통과시키니까."

“키얀이 무녀들을 건드리지 못하게 공표한 덕분이지.”

“그놈 덕을 다 보네. 알겠어. 이제 출발하자.”

“후, 그래.”

어느덧 땅거미가 지고 있었다. 어스름하게 어둠이 깔린 밖으로 나온 윤조가 다리를 풀었다.

“열다섯 세고 쫓아와. 여차하면 한 번 더 던진다?”

“젠장. 어서 가기나 해.”

‘후우’ 하고 숨을 들이쉰 윤조가 빠르게 달음박질쳤다. 다람쥐처럼 빠르게 멀어지는 그녀의 모습에 파이엔이 혀를 내둘렀다.

“달리기 하나는 진짜 최고라니까.”

속으로 열다섯까지 센 그가 윤조의 뒤를 쫓기 시작했다. 어느새 저만치 멀어진 그녀의 모습이 모퉁이를 돌아 사라졌다. 도주한 무녀를 은밀히 잡으라는 키얀의 명령에 병사들은 윤조를 발견하고도 크게 소리치지 못했다. 그 덕에 윤조의 뒤를 쫓는 병사들은 파이엔을 포함 몇 되지 않았다. 슬쩍 고개를 돌려 뒤를 확인한 윤조가 가볍게 주먹을 쥐었다.

‘좋아, 다들 잘 따라오고 있고.’

묘길의 처소까지 거리를 확인한 그녀가 가볍게 병사들을 따돌리고 사민전을 돌아 지나치려던 때였다. 갑자기 머리 위로 사민전의 창문이 열리는 소리가 들렸다. 화들짝 놀란 그녀가 빠르게 벽으로 붙었다.

위를 바라보자 긴 담뱃대를 입에 문 키얀의 모습이 보였다. 벌렁거리는 심장이 밖으로 튀어나올 것 같았다. 어깨 위로 늘어진 붉은 장발을 쓸어 넘긴 키얀이 입 안으로 빨아들인 연기를 뱉어 냈다.

느릿하게 공기 중에 퍼지는 연기에 윤조의 심박수는 계속해서 증가했다.

'제발 들어가라. 들어가라. 들어가라.'

기도가 통했는지 키얀이 물고 있던 담뱃대를 입에서 떼었다. 그러고는 타들어 간 재를 창밖으로 탁탁 털었다. 가벼운 가루가 공중에 퍼지며 윤조의 머리 위로 소리 없이 떨어져 내렸다. 매캐한 냄새에 코 속이 간질거렸다. 기침이 나올 것 같아 코와 입을 틀어막았지만 계속해서 코끝이 간질거렸다.

"엣취! 에엣취-!"

시원하게 터진 재채기에 윤조가 아차, 위를 쳐다봤다. 눈이 마주친 키얀이 창문을 닫으려던 자세 그대로 굳어 있었다. 타오르는 붉은색 눈동자가 윤조를 향했다.

"주여."

자신도 모르게 읊조린 그녀가 점차 험악하게 변하는 그의 표정을 바라보다 잽싸게 자리를 벗어났다.

"안, 안녕히 계세요-!!!"

"거기 서라……!!!"

뒤에서 날아든 담뱃대가 그녀를 지나쳐 화살처럼 바닥에 꽂혔다. 놀란 윤조가 비명을 내질렀다. 그녀의 비명에 빠르게 달려온 파이옌이 창밖으로 담뱃대를 집어 던진 채 길길이 화를 내는 키얀과 도망치는 윤조를 발견하고 폭소했다.

"파이옌! 어서 무녀를 잡아라!!!"

키얀의 외침에 파이옌이 빠르게 윤조를 뒤쫓았다. 하지만 추격전은 계속되지 못했다. 키얀을 만나기 위해 사민전으로 오던 묘길과 윤조가 정면으로 마주쳐 버린 까닭이었다. 놀란 묘길의 시선이 윤조를 향했다. 묘길을 뒤따르던 혜린도 경악하여 윤조를 바라봤다.

"윤조 무녀? 그대가 왜 이곳에……?"

"아, 어, 이런……."

이렇게 빨리 잡힐 생각은 없었지만 오히려 잘됐는지도 모르겠다. 윤조는 뒤로 보이는 키얀과 바로 앞에 마주한 묘길을 번갈아 바라봤다. 그녀를 쫓다가 멈춰 선 파이엔 역시 마른침을 삼켰다.

'계획했던 것보다 뭔가 일이 더 커진 것 같은데?'

멈칫했던 파이엔이 무녀를 잡으라는 키얀의 명령대로 윤조에게 다가갔다. 그러자 묘길이 그 앞을 가로막았다.

"잠깐. 이게 어떻게 된 일인지 설명이 필요할 것 같군요."

싸늘한 묘길의 시선이 키얀을 향했다. 묘길의 뒤에 숨어 키얀을 살피던 윤조는 자신을 잡아 죽일 듯이 노려보는 그를 발견하고 모른 척 고개를 돌렸다. 그러자 이번에는 뒤에서 매서운 시선이 날아들었다. 혜린이었다.

"너, 대체 왜……!"

혜린 입장에서는 일부러 숨기려고 했던 윤조가 제 발로 묘길과 키얀 앞에 나타났으니 기가 막힐 만도 했다. 서슬 퍼런 그녀의 눈빛에 윤조가 어색하게 손을 흔들었다. 슬쩍 고개를 돌려 파이엔을 바라보니, 그는 웃음이 터지기 일보 직전이었다. 그래 웃기기도 하겠다. 일이 이렇게 커질 줄은 몰랐는데 삼자대면도 아니고 무려 오자五者대면이라니.

일촉즉발의 상황에 선수를 친 건 키얀이었다.

"무녀들을 호송했으니 약속했던 대로 윤조를 넘겨주겠다. 그럼

된 거 아닌가?"

'약속했던 대로라니? 묘길이 무녀들을 넘기는 조건으로 키안에게 나를 요구했단 말인가?'

알 수 없는 키얀의 말에 윤조와 파이옌, 혜린 모두 의아한 시선으로 두 사람을 바라봤다.

"윤조가 황성에 있다는 말은 듣지 못했는데 어떻게 된 일입니까? 탈출했다던 무녀가 이 아입니까?"

"무녀들을 호송하는 조건으로 넘기기로 했던 것 아닌가? 나는 약속을 지켰다. 다른 말이 필요한가?"

뻔뻔하게도 눈 하나 깜빡하지 않는 키얀의 모습에 묘길이 입을 다물었다.

'무녀들의 호송을 서두르는 이유가 뭔가 했더니 윤조가 황후의 곁에 없기 때문이었군.'

고개를 돌려 윤조를 바라보던 그녀가 키얀을 향해 말했다.

"알겠습니다. 더는 묻지 않지요. 약속대로 윤조는 제가 데려가겠습니다."

"그러게."

"꼴이 좀 우스워졌군요. 들어가겠습니다. 안에서 뵙지요."

"파이옌, 따라 들어와라."

파이옌을 부른 키얀이 창문을 닫고 사민전 안으로 사라졌다.

"우리도 가죠."

"아, 네."

졸지에 묘길과 혜린을 따라 키얀이 있는 사민전 안으로 들어가게 된 윤조가 마른침을 삼켰다.

작은 집무실 안에 다섯 사람이 모였다. 가까이에서 본 키얀은 윤조를 향한 살기를 감추지 않았다. 하지만 묘길의 앞에서 윤조를 해치거나 위협을 가할 수도 없는 노릇이었다. 원형의 탁자를 사이에 두고 키얀과 묘길이 마주 앉았다. 파이옌은 키얀의 옆에, 윤조와 혜린이 각각 묘길의 오른쪽과 왼편에 자리했다. 참으로 기묘한 대치였다.

"이렇게 빨리 약속을 지켜 주실 줄 몰랐는데 말입니다."

운을 뗀 건 묘길이었다. 가시가 있는 그녀의 말에 윤조의 어깨가 흠칫 떨렸다. 묘길의 말이 떨어지기 무섭게 마주한 키얀의 붉은 눈동자가 그녀를 향했기 때문이었다. 노기로 활활 타오르는 그의 날카로운 시선에 뼈와 살이 발리는 기분이었다. 키얀은 분노를 감추며 무심하게 답했다.

"그대에겐 오히려 더 잘된 일이 아닌가?"

"황공하옵니다. 부디 호송된 무녀들도 어여삐 여겨 주시길."

"황후의 치료만 제대로 한다면 문제될 일은 없을 거다."

"아무렴요."

"제후들의 동태는?"

"예상한 대롭니다. 반발하는 제후들도 있으나 원군은 오지 않을 겁니다."

"확실한가?"

"예. 전부터 후사가 없는 온 황제의 후계를 노리고 있던 자들이 대부분입니다. 기회를 만났으니 줄타기를 하겠다는 거죠. 폐하께서 나투국의 황좌를 누구에게 넘길지 고민한다는 글귀만 적었을 뿐인데도 쉽게 넘어왔습니다. 오히려 폐하께 성의를 보이고 싶다며 직접 알현을 요청하더군요. 어찌할까요?"

두 사람의 대화에 윤조가 저절로 주먹을 꾹 말아 쥐었다. 침공 당시 대승상님께서 심어 놓은 정보원들이 지방의 제후들에게 원군을 요청한 사실을 이미 들어 알고 있던 그녀였다.

'시일이 다 되어 가는데도 소식조차 들리지 않더니 원군이 오지 않는 이유가 황위를 찬탈하기 위함이었나!'

황위를 미끼로 제후들까지 포섭했을 줄이야. 자리에 선 윤조의 얼굴이 딱딱하게 굳어졌다. 묘길의 말에 키얀이 흥미로운 눈을 했다.

"성의를 보이고 싶다라?"

"예. 어떻게든 폐하께 잘 보이고 싶어 안달이 난 것 같습니다."

"그렇겠지. 이번 기회를 놓치면 영영 황위는 노릴 수 없을 테니."

검지를 들어 탁자를 두드리던 키얀은 재미있는 생각이 떠올랐다며 미소 지었다.

"이참에 나투국 지방 제후들까지 불러들여 처리하면 앞으로 내 앞을 방해할 자는 없겠구나."

웃음기 어린 그의 음성에 윤조는 물론이고 그 옆에 있던 혜린마저도 두려움에 몸을 떨었다. 위험한 자라는 건 알았지만 이 정도일 줄이야. 키얀이 계속해서 말을 이었다.

"알현을 요청하는 제후들을 모두 황성으로 불러들여라. 단 조건이 있다. 내게 제대로 성의를 보이고 싶다면 그들의 후계자와 가신으로 있는 장수들 중 가장 실력 있는 자를 뽑아 함께 데려와야 할 것이다. 가장 빠르게 도착하는 순서대로 나를 알현할 기회를 줄 것이라는 내용도 전하라."

"치밀하시군요."

키얀의 조건을 듣고 있던 묘길이 작게 미소 지었다.
"제후와 그 후계자는 물론이고 그들을 섬기는 장수들의 목까지 노리시다니."
"후환이 될 놈들은 모두 없애 버리는 게 낫지."
무서운 대화에 소름이 돋을 지경이었다. 키얀과 묘길의 대화에 집중하던 윤조가 힐끗 시선을 들어 파이옌을 바라봤다. 이야기를 듣고 있던 파이옌의 표정도 심상치 않게 굳어 있었다. 윤조는 자신보다도 더 혼란스러운 시선으로 상황을 바라보는 그의 모습에 의아함을 느꼈다.
'무슨 일이지?'
순간 파이옌과 윤조의 시선이 맞닿았다. 당혹감으로 물든 그의 눈을 바라본 순간, 윤조는 무언가 잘못되었음을 직감했다.
잠시 뒤, 윤조는 사민전을 나서는 묘길의 뒤를 따랐다. 파이옌과 대화를 해야 했으나 당장은 기회가 없었다. 몰래 시선을 보낸 그녀가 파이옌과 눈빛을 교환했다. 몰래 만나자는 신호였다.
사민전 밖으로 나가자 밖에서 도열해 있던 호위 무녀들이 묘길의 주변을 호위했다. 묘길의 처소로 향하는 내내 쏟아지는 시선이 따가웠다. 숨 막히는 감시에 윤조는 혜린이 묘길의 가까이에 있음에도 그녀에게 쉬이 접근하지 못하는 이유를 알 것 같았다.
"혜린 무녀는 물러가 보세요."
"알겠습니다."
처소에 도착한 묘길이 혜린을 물러가게 했다. 윤조와 묘길의 대화를 엿들으려던 혜린이 아쉬운 기색을 삼키며 물러났다. 뒤따라 호위 무녀들도 물러나고, 이윽고 처소의 문이 닫혔다.

묘길의 처소 안에 묘길과 단둘이 남게 된 윤조가 꼴깍 마른침을 삼켰다. 몰랐을 때라면 모를까 조금 전에 키얀과 주고받는 그 무서운 대화를 다 들어 버렸는데 예전처럼 묘길을 대할 수 있을 리가 없었다.

"목마르죠? 차를 내오라 했으니 조금만 기다려 주세요."

자리에 앉은 묘길이 윤조를 향해 나긋한 목소리를 냈다. 키얀과 대화할 때와는 사뭇 다른 그녀의 느낌에 윤조의 머릿속이 혼란스러웠다. 시선을 어디에 두어야 할지 몰라 바닥만 바라보는 윤조의 모습이 웃겼던지 묘길이 작게 웃으며 탁자를 두드렸다.

"그렇게 서 있지 말고 어서 앉아요."

"하지만……."

"올려다보려니 고개가 좀 아픈데."

"앉겠습니다."

뻣뻣한 몸짓으로 묘길의 앞에 마주 앉은 윤조가 마른침을 삼켰다.

"오랜만에 보는데 그새 얼굴이 많이 상했네요."

"괜찮습니다."

"그리 긴장할 것 없어요. 서국에서는 별일 없었나요? 서국 황제에게서 위해를 가하는 일은 없을 거라 약조를 받아 두긴 했었는데 워낙 난폭한 사내라 걱정이 되더군요."

"저를 걱정하셨다고요?"

"예. 윤조 무녀는 잘 모르겠지만 납치된 날부터 매일 걱정했답니다."

윤조가 얼떨떨한 표정으로 그녀를 바라봤다.

"왜죠? 왜 제 걱정을……."

"글쎄요."

의미 모를 말이었다. 걱정했다니? 진심으로 하는 말인가? 거짓이라면 조금이라도 티가 날 것이다. 하지만 빙그레 웃는 그녀의 모습에서 악의라고는 조금도 느껴지지 않았다. 오히려 애정마저 느껴지는 그녀의 따뜻한 시선에 윤조의 머릿속은 더욱 혼란스러워졌다.

방문 밖에서 문을 두드리는 소리가 들렸다. 차를 내온 호위 무녀가 곧 물러갔다. 묘길이 따끈하게 우러난 차를 윤조의 앞으로 내밀며 물었다.

"아트완에 있어야 할 윤조 무녀가 어떻게 황성에 있는 건지 물어도 될까요?"

어떻게 대답하야 할지 잠시 고민하던 윤조가 입을 열었다.

"탈출했어요."

"대장군이 서국에 잠입한 정보원들에게 연락했던 모양이군요."

"모르는 게 없으시네요."

"9백 살쯤 먹다 보면 아는 게 너무 많아서 문제랍니다."

'떠볼 속셈이군.'

이미 들어 알고 있는 사실이었지만 윤조는 처음 듣는 말인 척 눈을 동그랗게 뜨고 묘길을 바라봤다.

"예? 9백 살이요?"

"제 나이가 조금 많죠."

"농담이시죠?"

"진담이랍니다. 초대 황제가 있던 시절부터 이 땅에 살았으니 9백 년이 넘었지요."

"그럴 수가. 하지만 어떻게 그게 가능하죠?"

"그러게요. 어떻게 그게 가능했을까요?"

물음에 물음으로 답한 묘길이 윤조의 반응을 살피며 재미있다는 듯 웃었다.

"나이는 숫자에 불과하다던데 제 나이는 무시하기엔 좀 숫자가 크긴 하죠. 그럼 탈출한 뒤에 나람성으로 갔겠군요. 대장군을 만났을 테고."

"맞아요."

"그 뒤의 이야기가 궁금하네요."

어떻게 이야기를 해야 조금이라도 혼란을 줄 수 있으려나? 대승상님과 홍 장군님, 길림에 대한 내용은 반드시 숨겨야 하니 진실로 드러낼 수 있는 이야기는 하나였다. 주저하는 척 입술을 달싹이던 윤조가 천천히 입을 열었다.

"부상당한 폐하를 치료하고자 성 밖으로 나왔다가 잡혔습니다."

윤조의 대답에 묘길의 표정이 굳어졌다.

"온 황제가 다쳤나요?"

"예. 심각한 부상이라 움직일 수가 없었어요. 그래서 제가 성 밖으로 나가야 했고요."

"치료는? 치료는 어떻게 됐나요?"

어딘지 다급한 기색이 역력한 묘길의 반응에 윤조가 말을 아꼈다.

'폐하께서 다치신 일이 무녀장에게 곤란한 일인가?'

하지만 그럴 리 없었다. 추격대까지 보내 죽이려 한 것을 보면 키얀이 황성을 차지한 지금 그들에게 온 황제는 빨리 처리해야 할 인물이었기 때문이다.

'조금 떠보는 게 좋겠어.'

그렇게 판단한 윤조가 시선을 내리깔고 걱정스러운 투로 말했다.

"글쎄요. 제대로 됐는지 모르겠어요. 시간이 워낙 촉박했고 서국의 추격대에게 습격을 당했거든요. 기절해 붙잡힌 뒤로는 저도 어떻게 됐는지 몰라요. 눈을 떴을 때는 이미 황성이었으니까요."

진실과 거짓을 섞어 대답한 윤조가 묘길의 반응을 살폈다. 윤조의 대답에 심각한 표정이 되었던 묘길은 곧 표정을 지우고 미소 띤 얼굴로 돌아왔다.

"그렇군요. 윤조 무녀라면 유능하니 치료를 잘 마쳤겠지요."

능숙한 감정 조절에 윤조가 속으로 감탄하며 혀를 내둘렀다. 이래서는 초짜인 내가 뭘 떠보기는 힘들 것 같은데. 떠지지도 않을 것 같고. 속내를 떠보기보다는 최대한 대화를 많이 하면서 정보를 얻는 편이 빠를 것 같았다.

"그렇다면 다행이죠. 출혈이 너무 심했어요. 그렇게 많은 피를 본 건 처음이라 정신도 없었고요."

"그랬군요. 그 뒤로 황궁에 잡혀 와서 탈출한 거고요?"

"네. 기절한 척하고 있다가 도망쳤어요."

"그게 다가 아닐 텐데……."

말끝을 흐리던 묘길이 윤조의 눈을 똑바로 바라봤다. 이질적인 보라색 눈동자가 윤조의 속내를 낱낱이 들춰 보는 것 같았다.

"특이한 힘을 사용한다고 들었거든요. 무려 좌장군 파이옌을 공중으로 집어 던졌다지요?"

이미 사람을 시켜 조사를 마친 모양이었다. 그래도 이 정도는 괜찮다. 물체를 집어 던지는 정도만 가능하다고 알고 있는 거라면.

"네, 맞아요. 어쩌다 보니 깨우친 힘인데 탈출하는 데 유용했죠."

"어쩌다 보니 깨우친 게 아니라 신력의 다른 응용법을 터득한 거겠죠. 혜린 무녀처럼 신력으로 물리력을 행할 수 있게 된 거니까요."

묘길의 지적에 윤조가 흠칫하며 무릎 위에 두었던 손을 맞잡았다. 긴장으로 손안이 땀으로 젖어 들었다. 의연한 척하려고 해 봐도 묘길은 자신보다 더 많은 사실을 알고 있음이 분명했다. 아는 것이 너무 많아 문제라는 그녀의 말은 허세가 아니었다.

"역시 알고 계셨군요."

"앞서 말했지만 9백 년이랍니다. 신력으로 무엇을 할 수 있는지, 어떤 방식으로 다룰 수 있는지 저보다 더 잘 알고 있는 사람은 없다고 봐야겠죠. 하지만 조금 놀랐어요. 내재된 신력만큼이나 윤조 무녀의 응용력이 그렇게 뛰어날 줄은 미처 몰랐거든요. 짧은 시간에 물리력을 사용할 수 있는 법을 터득하다니 정말 대단해요. 세기의 천재라 불린 혜린 무녀도 몇 년 동안 수련해야 가능했는데 말이죠."

"칭찬 감사합니다."

"그거 외에도 또 터득한 기술이 있지 않나요?"

묘길의 눈이 가늘어졌다.

"박유를 죽였잖아요. 그렇죠?"

굳어 가는 윤조의 표정을 바라보며 묘길이 옅게 웃었다.

"9백 년 전부터 철저하게 묻어 왔던 신력의 진실을 스스로 파헤치는 무녀가 나타날 줄은 초대 황제조차도 몰랐겠죠."

"무슨 말씀을 하시는지……."

"모른 척할 생각이라면 그렇게 해도 괜찮아요. 유쾌한 경험은 아니었을 테니까. 이해해요."

"박유를 나람성에 보냈던 사람도 무녀장님이었나요?"

"맞아요. 나투국에서 홍씨 가문 몰래 군사를 움직이기란 참 쉽지 않은 일이죠. 마침 대장군이 전쟁에서 심각한 부상을 당해 돌아와서 그나마 수월했어요. 그의 복귀가 늦어진 덕에 원하는 대로 일을 마칠 수 있었거든요."

지극히 태연스러운 그녀의 대답에 잠시 침묵하던 윤조가 무겁게 입을 열었다.

"애초에 대장군님의 부상을 치료할 생각이 조금도 없으셨군요."

화가 난 것 같은 윤조의 음성에 묘길이 안타까워하며 긍정했다.

"어쩔 수 없는 일이죠. 계획에 가장 방해가 되는 인물을 도울 수는 없으니……."

"처음 대장군님의 치료를 위해 보냈던 무녀들은 감시였습니까?"

"맞아요. 그런데 의외의 변수가 나타났죠. 바로 당신이요."

묘길이 탁자 위에 놓인 찻잔을 들어 입으로 가져갔다. 따뜻한 찻물을 한 모금 마신 그녀가 느긋한 몸짓으로 다시 찻잔을 내려놓았다.

"설마 정식 무녀도 아닌 무녀 후보생이, 그것도 성씨도 없는 국경 변방 태생의 평민 아이가 홍씨 가문 저택에 숨어들어 그런 일을 벌일 거라고는 전혀 생각지도 못했거든요. 덕분에 조금 긴장했답니다."

"왜 그러신 겁니까? 왜 이런 일을 벌이신 겁니까?"

"그 얘기를 하기에는 시기가 조금 이르니 오늘은 다른 얘기를 할까요? 그것보다는 조금 더 유쾌한 이야기가 좋겠어요."

팔꿈치로 탁자를 짚은 묘길이 두 손을 모아 깍지 낀 손등 위로 턱을 올렸다. 그러고는 궁금해서 견딜 수 없다는 투로 말을 이었다.

"저쪽 세상은 어때요? 통일은 됐나요? 제가 여기 올 때만 해도 7·4남북공동성명으로 축제 분위기였는데. 국토 분단 이후 최초였잖아요. 남한과 북한이 평화 협정에 공식 서명을 했던 일은."

순간 복잡하던 윤조의 머릿속이 새하얗게 변했다. 생각이 이어지지 못하고 뚝 끊어졌다. 마치 열여덟 수줍은 여고생처럼 눈을 빛내며 자신을 바라보는 묘길의 모습에, 그녀의 말에 윤조의 입이 소리 없이 벌어졌다.

넋을 놓은 그녀의 모습에 묘길의 미소가 더욱 짙어졌다. 하얀 이를 드러내며 웃는 그녀의 해맑은 모습에 윤조는 해야 할 말을 찾지 못하고 더듬거렸다.

"지금, 뭐라고 하셨……?"

"하하, 윤조 무녀 얼굴이 꼭 바보같이 변했어요."

"잠깐만요. 저쪽 세상이라니요? 지금 무슨 말씀을……?"

멍청하게 입을 벌린 윤조를 보며 폭소하던 묘길이 고개를 끄덕였다.

"저도 당신처럼 책 밖의 사람이랍니다. 당신이 대장군을 치료한 직후 확신할 수 있었어요. 예상을 벗어나는 변수인 것도. 어쩐지 이상하다고 생각했거든요. 뭐랄까, 꼭 시선을 끌어당기는 것 같은 기이한 힘이 느껴졌어요. 윤조 무녀를 볼 때마다 그랬죠."

윤조는 묘길이 말하는 기이한 힘이 무엇을 말하는 것인지 알 것 같았다. 그녀 역시 묘길을 볼 때마다 꼭 이 세상의 사람이 아닌 것 같은 느낌을 강하게 받았기 때문이다. 전에는 그저 눈 같은 피부와 하얀 머리카락, 기이한 보라색의 눈동자를 가진 그녀의 모습이 일반인과는 거리가 멀어 그렇게 느껴지는 것이라고 여겼는데 그것이 아니었다.

"당신이 저와 같은 세상의 사람일 것이라는 확신이 들었지만 쉽게 밝히거나 물어볼 수는 없었어요. 그래서 떠봤죠."

"떠봤다고요?"

"정식 무녀 시험이 있던 날 제 처소에 왔던 일 기억해요? 나래 무녀와 함께였죠."

"기억해요."

윤조는 당시를 떠올렸다. 대장군님의 단장판을 도둑질했다고 몰려 포박되어 있다가 풀려난 직후 묘길을 따라 그녀의 처소로 갔었던 일을.

—죄를 묻고자 부른 것이 아니니 긴장 푸세요. 따뜻한 차를 내올 것이니 두 분 다 목을 좀 축이시지요.

—감사합니다. 하온데 저희 두 사람을 왜?

—확인하고 싶은 게 있어서 말입니다.

—버드나무 잎으로 보는 간단한 점이지요. 윤조, 당신에 대해 알아보고자 합니다.

—저에 대해서요?

—네. 폐하의 특례로 황궁에서 일하게 되었으나 저의 의견은 조금 다릅니다. 당신이 가 주었으면 하는 곳이 있거든요. 당신에게 어울리는 자리가 어디일지 확실히 하고 싶은 것이니 너무 염려치 않아도 됩니다. 잠시 손을 주겠어요?

그랬다. 그때 윤조는 자신에 대해서 알아보고자 한다는 묘길의 말에 혹시 남들과 다른 자신의 정체를 들키는 것은 아닐까 걱정하며 묘길의 뜻에 따랐었다. 그리고 그녀는 자신에 대한 예언을 남겼다.

—부족한 새가 날개 잃은 새를 어깨동무해 같은 하늘을 날아가는구나. 실로 놀랍다! 변방의 이름 없는 가문에서 태어난 이가 날개 잃은 하늘의 제왕을 다시 일으켜 세우는구나.

—이 땅에 그대로 인해 변할 것이 많구나. 중요한 순간 그대는 두 개의 목숨 중 하나를 선택해야 할 것이다.

그럼 그때 그게 전부 다? 진실을 깨달은 윤조가 놀란 눈으로 묘길을 바라봤다.

"그럼 그때……?"

"맞아요. 내 짐작이 맞는지 당신의 정체를 확인해야 했거든요."

처음부터 간파당하고 있었다는 생각에 윤조의 표정이 사납게 굳어졌다.

"그럼 그때 제 손바닥에 나타났던 비익조 문양도, 제가 타고났다던 운명도 전부 꾸며 낸 거짓이었나요?"

"완전한 거짓은 아니에요. 물론 그 예언을 핑계로 당신을 떠볼 기회를 얻었고 당신이 책 밖의 사람이라는 것을 알게 됐죠. 하지만 당신은 어찌 된 일인지 이쪽 세상에 대해서 조금도 모르는 상태였어요."

"완전한 거짓이 아니라는 건 무슨 뜻이죠?"

"책에 선택받은 주인공들은 모두 비익조의 운명을 타고난답니다. 당신처럼 저 또한 그렇고요."

책에 선택받은 주인공은 모두 비익조의 운명을 타고난다고? 처음 알게 된 사실에 윤조가 조금 다급하게 되물었다.

"무슨 말씀을 하시는 건지 모르겠어요. 주인공들이 모두 비익조의 운명을 타고난다니요?"

"괜찮아요. 다른 주인공들도 잘 모르는 사실이니까요. 책이 선택한 이야기의 주인공은 여성과 남성 두 사람이 서로 짝을 이룬다는 건 알고 있나요?"

"그건 알고 있어요."

"뒤늦게 조력자를 만난 모양이네요. 알고 있다면 이해하긴 쉬울 거예요. 말 그대로 '비익조'는 '이야기 속 남녀 주인공 한 쌍'을 의미하는 운명이거든요. 서로 힘을 합쳐 이야기의 결말을 향해 다가가고 또 사랑하게 될 운명이기도 한."

비익조가 한 쌍의 주인공을 뜻한다면 나머지 하나는 윤조와 짝을 이루는 파이옌일 것이 분명했다. 하지만 윤조는 얼마 전 시센을 만나기 전까지 이 세계에 대한 것을 알지 못했고, 파이옌이 자신의 짝이라는 것도 깨닫지 못했다. 때문에 파이옌이 아닌 준영을 반려로 택했고, 앞으로 나아감에 있어 쌍을 이루는 파이옌과 같은 선택을 하지 않았기 때문에 시센은 이야기가 어그러진 것이라고 했다.

묘길은 윤조의 생각을 읽기라도 한 것처럼 고개를 끄덕였다.

"원래는 파이옌이 당신의 운명이겠지만 또 변수가 생겨 버렸죠. 적으로 만났어야 할 당신과 대장군이 반려로 엮이게 될 줄이야."

"나를 홍씨 가문으로 보낸 폐하의 선택에 영향을 주었던 건 당신이니었니요?"

"맞아요. 하지만 정말 대장군과 연인이 되게 할 생각은 조금도 없었어요."

"처음부터 나를 이용할 생각이었군요."

"너무 나쁘게 생각하진 말아요. 저는 그저 등을 살짝 밀어준 것뿐이에요. 당신이 대장군과 가까이 있어야 파이옌을 만나기가 더욱 수월해질 테니까."

윤조는 가까스로 화를 내리눌렀다.

"파이옌이 이야기의 주인공이란 건 언제부터 알았죠? 그도 당신이 책 밖의 사람이라는 걸 알고 있나요?"

"파이옌은 내 정체를 모릅니다. 내 정체를 아는 건 유일하게 당신뿐이죠. 하지만 파이옌이 주인공이라는 걸 알아내기는 어렵지 않았어요. 서국 황제의 편에 선 출생 불명의 떠오르는 강자. 노예의 신분에서 황제의 정예 부대인 괴혈단의 좌장군이 된 사내. 무엇보다 노예 시절부터 그토록 무수한 괴로움과 고문을 당했음에도 굳이 서국에 남아 키얀의 편에 서려 했다는 것이 상당히 수상했죠. 윤조 무녀가 생각해도 이상하지 않아요? 괴로움밖에 없는 곳을 탈출할 생각은커녕 오히려 황제의 수하가 되어 전쟁 속에 뛰어들다니. 7년 전쟁 중에 그가 나타난 순간부터 알 수 있었죠. 이야기의 주인공이 나타났다는 걸. 그리고 그가 택한 서국의 황제가 이번 이야기의 결말을 짓게 될 가장 중요한 장기 말이라는 것도."

윤조는 그제야 파이옌도 키얀도 그리고 자신도 모두 묘길의 손에 놀아나고 있었다는 사실을 깨달았다.

"당신도 이번 이야기의 주인공이라면 당신과 한 쌍이 되는 짝은 누구죠? 그도 이 사실을 알고 있나요?"

"이번 이야기에 깊이 개입하긴 했지만 저는 이번 이야기의 주인공이 아니랍니다. 그리고 저와 한 쌍이 되었던 짝은……."

순간적으로 무섭게 떠올랐다가 사라진 그녀의 표정에 윤조가 흠칫 몸을 떨었다. 좋지 않은 기억이 떠올랐는지 미간을 찌푸리던 묘길이 이내 빙그레 미소 지었다.

"그는 이미 제 손에 죽었으니 신경 쓰지 마세요."

충격적인 사실에 굳어 있는 윤조를 향해 묘길이 다시금 눈을 빛내며 채근했다.

"잠시 이야기가 딴 길로 샜네요. 그래서 저쪽 세상은 어떤가요? 궁금한 게 너무 많아서 오늘 밤을 새 버릴지도 모르겠어요."

그 뒤, 윤조가 묘길의 처소를 나선 건 깊은 밤중이었다. 묘길의 지시를 받은 호위 무녀가 윤조가 묵을 방을 안내했다.

"이곳에서 지내시면 됩니다."

자신을 혼자 둔 채 돌아가려는 호위 무녀의 모습에 윤조가 의아하게 물었다.

"감시는 안 하나요?"

"그런 명령은 없었습니다. 무녀장님께서는 당신이 불편함 없이 편히 지낼 수 있기를 바라십니다. 불편한 일이나 필요한 것이 있다면 언제든지 말씀하십시오."

"왜 제게 이런 호의를……?"

"저희는 무녀장님의 뜻에 따를 뿐입니다. 위험한 일은 없을 테니 안심하고 쉬십시오."

호위 무녀가 말을 마친 채 방을 벗어났다. 그녀가 방을 나서고, 살금살금 문가로 다가간 윤조가 문을 열고 밖을 확인했다. 문 앞에도 복도 어디에도 감시하는 호위 무녀의 모습은 보이지 않았다. 참으로 이상한 일이었다.

'묘길이라면 단단히 감시를 붙일 줄 알았는데 어째서?'

같은 편이 아닌 이상 어떻게 해서라도 방해할 생각이라는 것을 묘길이 모를 리 없었다.

'황성 안에 나를 도울 사람이 없다고 생각해서 자만한 걸까?'

대승상이 살아 있다는 사실이나 파이옌과 같은 편이 되었다는 사실을 모르니 어쩌면 그런 걸지도 모르겠다.

'말은 저렇게 해 놓고 몰래 감시할지도 모르니 조심해야지.'

묘길이 내준 방은 그녀의 처소에서 가까운 곳에 위치한 곳이었다. 대략적인 위치를 가늠한 윤조가 다시 방문을 닫으려던 때였다. 돌연 열린 문 안으로 혜린이 들어왔다. 급히 방문을 닫은 그녀가 윤조의 팔을 붙잡아 방 안으로 이끌었다.

"너 대체 무슨 생각이야? 숨어 있어도 모자랄 판에 제 발로 기어 나오다니. 미쳤어?"

윤조는 자신의 팔을 움켜쥔 혜린의 손을 밀어내며 그녀를 바라봤다.

"이쯤 되니 정리가 필요할 것 같네요. 저야말로 묻고 싶습니다. 당신, 대체 무슨 생각이에요?"

"알 필요 있나?"

"네, 꼭 알아야겠어요. 우리 적인지 아군인지 확실히 하죠."

"묘길은 내 거다. 네가 무슨 짓을 꾸미고 있는지 모르겠지만 방해는 용납 못 해."

"개인적인 복수심은 그렇다 치더라도, 키얀은요? 여전히 그의 편에서 싸울 생각인가요?"

"서국의 황제 따위는 중요치 않다."

"요즘은 중요하지 않는 사람 편에 서서 나라를 말아먹나 봐요?"

"뭐라고 하건 상관없어. 이용할 수 있다면 이용할 뿐이다."

"그런데 후회는 되고요? 거참 모난 양심을 가졌네."

윤조가 짧게 한숨을 쉬며 표정을 지웠다.

"분명히 말하지만 나는 당신을 응원할 생각도 위로할 마음도 없어. 당신이 저지른 일에 대한 죗값은 반드시 치를 거야. 그건 알아 둬."

첨예하고 단호한 윤조의 태도에 혜린이 움찔 뒷걸음질 쳤다. 그녀는 자신이 그런 행동을 했다는 것에 무척 자존심이 상했으나 본능을 막을 수는 없었다. 마주한 윤조의 시선은 마치 준영이나 홍 장군처럼 숙련된 무장의 눈빛이었다. 그동안 윤조가 어떤 일을 겪었는지 알지 못하는 혜린은 천진하기만 하던 이전과 달리 갑자기 변한 그녀의 기세가 당혹스러웠다.

'언제 이런 기세를…….'

미간을 좁히는 혜린을 바라보며 윤조가 한 걸음 그녀를 향해 다가섰다.

"적의 적은 아군이라고 하던데 일시적으로 당신을 아군이라고 여겨도 되겠습니까?"

"손을 잡자고 제안하는 건가?"

"제안이 아니라 협박입니다. 거절한다면 제가 무슨 짓을 할지 몰라요."

어느새 손끝에 신력을 모은 윤조가 혜린을 천장으로 들어 올렸다. 놀란 혜린이 윤조를 바라봤다. 그녀가 사용하는 신력의 운용이 자신의 것과 같다는 것을 눈치챈 것이다.

"너 언제 이런……!"

"대답하세요. 나를 방해하지 않겠다고, 나를 돕겠다고."

"내가 왜 너를 도와야 하지?"

"기회가 왔을 때 잡는 게 좋을 겁니다."

윤조가 신력을 사용하려는 혜린의 손을 은사로 단단히 옭아맸다. 그러고는 그녀의 몸을 천천히 거꾸로 돌리기 시작했다.

"읏! 당장 풀어!"

"호위 무녀가 그러더군요. 불편한 일이나 필요한 일이 있다면 무엇이든 이야기하라고. 거절하면 혜린 무녀가 앞으로 몹시 불편해질 예정인데 어떡하죠? 호위 무녀를 불러 당신이 묘길에게 복수하기 위해 칼을 갈고 있으니 아무도 모르는 지하 감옥에 가둬 달라 이야기할까요?"

"너……!"

"이야기할까요?"

한 치의 물러남도 없는 윤조의 협박에 혜린이 입술을 깨물었다. 윤조의 손짓을 따라 허공에 뜬 몸이 점점 거꾸로 뒤집어지고 있었다. 핏기 없는 입술이 하얗게 질려 갈 때쯤 혜린이 입을 열었다.

"알겠다. 너를 방해하지 않겠다. 너를 돕기로 하지."

혜린을 바닥에 내려놓은 윤조가 싱긋 미소 지었다.

"응해 주셔서 감사합니다, 손님."

"제길."

"보기보다 입이 험하시네요, 손님."

"말장난 그만하고 말해라. 원하는 게 뭐지?"

"아무것도 하지 마세요. 당신이 느끼는 후회가 진심이라면 무녀장이 시키는 일도 키얀이 지시하는 것도 아무것도 하지 마요. 그저 그들이 무언가를 지시하거나 대화한 내용이 있다면 제게 알려 주고요."

"그것뿐인가?"

"나를 감시하려 들거나, 이렇게 무턱대고 찾아오는 일도 그만둬 주세요. 당신 때문에 위험해지고 싶지 않으니까."

"알겠다."

"한 가지 더."

“뭐지?”

“당신이 서국 병사들에게 사용한 불도병의 기술은 효과가 언제까지 유효하죠?”

“그거라면 이미 효과가 다했다. 불도병의 효과는 최대 3일에서 4일까지다.”

혜린의 말에 윤조가 미소 지었다.

“좋아요. 그거면 됐어요. 당신이 내게 위해를 가하지 않는다면 나도 당신을 해치지 않을 겁니다. 당신이 심판대 위에 서는 건 이 전쟁이 끝난 후니까요.”

“아까 듣고도 포기하지 못했나? 키얀은 지방의 제후들마저 모조리 죽일 거다. 나투국은 패했어. 전황을 뒤집을 수 있을 거라 보나?”

“막판 뒤집기라는 말도 있잖아요?”

“막판 뒤집기?”

“모레쯤이면 알게 될 거예요.”

의미심장한 윤조의 웃음에 혜린이 의아한 눈을 했다. 혜린이 방에서 나간 뒤, 깊은 새벽을 틈타 윤조는 창문을 열고 밖을 확인했다.

‘지붕을 통해서 밖으로 나갈 거라고는 꿈에도 생각하지 못할 거다.’

닫힌 방문에 작은 종이를 끼워 둔 그녀는 베개를 이불 속에 넣어 잠들어 있는 척 그럴듯하게 만든 뒤 조용히 창문을 나서 지붕에 올랐다. 신발을 벗어 품에 넣은 그녀는 발소리가 나지 않게 버선발로 지붕 위를 종종 거닐었다. 무녀장의 처소는 비서고와도 멀지 않은 편이니 오히려 잘되었다.

순찰을 도는 병사들을 지나 지붕에서 나무로, 나무에서 다시 지붕으로 번갈아 오르기를 반복한 그녀는 어느새 비서고에 도착했다. 자유자재로 몸을 둥둥 띄우며 비서고 앞에 안착한 그녀가 조용히 문을 열고 안으로 들어섰다.

"늦었군. 무슨 일이 생긴 줄 알았다."

미리 자리해 있던 최 승상이 윤조를 보며 안도했다. 그와 마주 앉아 있던 파이옌도 왜 이리 늦었냐며 그녀를 타박했다.

"의령인가 뭔가는 저기 책장 뒤에서 잠들었다. 너 없이 우리끼리 있는 게 얼마나 어색한지 모르지?"

"커흠."

왠지 긍정하는 것 같은 최 승상의 헛기침에 윤조가 미안한 얼굴로 의자를 끌어 앉았다.

"죄송해요. 무녀장이 늦게까지 붙잡을 줄은 몰랐어요. 혜린 무녀도 따돌려야 했고요."

"혜린이 계속 방해하는 건가?"

"당분간은 그러지 못할 거예요. 일시적이지만 편이 되기로 했어요. 그렇지 않으면 무녀장에게 말해 감옥에 가둬 버리겠다고 협박했거든요."

윤조의 말에 최 승상이 조금 놀란 눈을 했다. 자신이나 나래라면 모를까 윤조가 그런 협박을 했을 거라고는 생각지 못했기 때문이다. 확실히 일시적으로라도 혜린이 같은 편이 된다면 유리하다. 현재 키얀과 묘길 사이를 오가며 정보를 알아낼 수 있는 자는 그녀가 유일했기 때문이다. 그는 윤조를 매로 키워야 한다던 홍 장군의 말을 떠올리고 미소 지었다.

"잘했군."

"앗, 네. 감사합니다?"

"여전히 이상한 대답이구나?"

"이런 일로 대승상님께 칭찬을 받게 될 줄은 몰라서요."

"이이제이以夷制夷. 적을 이용해 적을 제어한다. 훌륭한 병법이지."

홍씨 가문을 이끌 안주인으로는 부족하지 않을까 걱정했는데 괜한 걱정이었던 모양이다. 어쩐지 흐뭇해 보이는 최 승상의 모습에 윤조가 얼떨떨하게 고개를 끄덕였다. 왜인지 몰라도 어쨌든 대승상님께 인정받은 거니 좋은 거겠지?

"그리고 혜린 무녀에게 물어 불도병의 기술이 얼마나 유지되는지 알았어요. 그 효과는 3일에서 최대 4일 동안 지속된다고 하더군요."

"잘됐다. 호송대를 처리하고 무녀들을 구출하는 일은 무리 없겠어."

최 승상이 그렇게 말하며 품에서 서신을 꺼냈다. 나람성에서 온 답신이었다. 물속을 통과하며 젖었다가 마른 것인지 빳빳해진 종이가 바삭거리는 소리를 냈다.

"좀 전에 도착한 답신일세. 말로만 전해도 되지만 직접 읽어야 할 내용이 있는 것 같아 가져왔네."

윤조가 서신을 읽어 내렸다. 서신에는 호송대로부터 무녀들을 구해 내고 호송대로 변복한 아군이 서국의 진영을 급습할 것이라는 내용과 함께 곧 구하러 갈 테니 무사히 있어 달라는 준영의 부탁이 적혀 있었다. 그리고 서신의 맨 마지막, 추신처럼 붙은 한 문장에 윤조의 시선이 머물렀다.

사랑하게 될 것 같다고 이야기했는데, 돌아보니 어느새 사랑하고 있구나. 더불어 소중한 모든 것을 구하러 가겠다.

준영다운 고백이었다. 그다운 다짐이었다. 그리움이 느껴지는 그의 고백에 윤조가 정말 어쩔 수 없는 남자라며 작게 웃었다.

"기운이 좀 나나?"

최 승상을 보며 윤조가 고개를 끄덕였다.

"마음 써 주셔서 감사해요."

"왜? 뭐라고 썼는데?"

파이옌이 윤조가 들고 있던 서신을 휙 낚아챘다. 돌려 달라며 뻗어 오는 윤조의 손을 피해 내용을 읽은 파이옌이 곧 찝찝한 표정으로 서신을 내려놨다.

"눈 버렸다. 홍준영 그렇게 안 봤는데……."

"대장군님이 뭐 어때서! 멋있기만 한데."

"어후, 닭살. 됐고, 묘길이랑은 별일 없었어? 무슨 얘길 했기에 그렇게 오래 붙잡혀 있었던 거야?"

"아, 그게."

"뭔데 심각해져?"

파이옌과 최 승상을 번갈아 보던 윤조는 의령이 잠들어 있다는 책장 너머를 바라보다 목소리를 낮췄다.

"묘길도 너와 나랑 같아."

"뭐?"

"무녀장도 책 밖의 사람이라고."

"뭐라고……?"

충격적인 사실에 파이옌이 입을 벌렸다. 두 사람이 무슨 이야기를 하는 건지 알아듣지 못한 최 승상이 미간을 좁혔다.

"묘길이 책 밖의 사람이라니? 그게 무슨 말인가?"

복잡한 이야기에 파이옌을 마주 보던 윤조가 작게 고개를 끄덕였다. 더는 숨기지 말자는 뜻이었다. 고민하던 파이옌이 최 승상을 바라봤다.

“이 전쟁, 이 상황, 대승상 당신이 아는 것보다 더 복잡하고 엄청난 일이 얽혀 있어. 설명할 테니 놀라지 말고 들어. 머리 좋은 양반이니 이해는 빠르겠지.”

파이옌이 책 밖의 세상과 책 속의 세상 그리고 이야기의 주인공들에 대해 설명하는 동안 윤조도 중간중간 설명을 보탰다. 처음부터 지금까지 알고 있는 내용을 모두 설명한 두 사람이 최 승상을 바라봤다. 상식 밖의 이야기에 놀랄 법한데도 최 승상은 침착하게 내용 파악을 우선시했다.

“그러니까 지금 이 세계가 두 사람과 묘길에게는 책 속 세상이고 원래 살던 세계는 따로 존재한다는 것인가?”

윤조가 고개를 끄덕였다.

“맞아요.”

“그리고 두 사람은 이번에 진행되는 이야기의 주인공으로 책 속 세상에 들어오게 된 거고?”

“정확해요.”

“조금 전에 한 말을 보면 이야기에 해당되는 주인공은 한 쌍이라고 들었는데 그렇다면 묘길은 어찌 된 일인가?”

“무녀장은 이번 이야기의 주인공이 아니라고 했어요. 그리고 짝이 되는 남자 주인공은 이미 죽였다고 했고요.”

“죽였다고?”

놀란 건 최 승상만이 아니었다. 경악한 파이옌이 되물었다.

"묘길이 그렇게 말했어? 상대를 죽였다고?"

"응. 말투가 이미 오래전의 일인 것 같았어. 그리고 그 이야기를 꺼낼 때 뭔가 분노나 슬픔보다도 깊은 그런 감정이 느껴졌다고 해야 하나……."

파이옌이 심각한 표정으로 골몰했다.

"뭐가 어떻게 된 거야. 그럼 짝이 될 상대를 죽인 예전 이야기의 주인공이 지금의 이야기에 개입했다는 거야? 나와 키얀은 물론이고 너와 홍준영 그리고 나투국과 서국의 모두를 이 전쟁을 일으키기 위해 이용했다고?"

"분명 그렇게 말했어."

"어떻게 이런 일이……."

한탄하며 머릿속으로 복잡한 내용을 정리하던 최 승상이 윤조와 파이옌을 바라봤다.

"아무래도 그자와 관련이 있는 것 같다. 묘길이 이번 전쟁을 일으킨 이유 말이야."

"그럴까요?"

"그동안 묘길이 했던 이야기만 봐도 오랜 과거에 그녀에게 무슨 일이 있었다는 사실은 어렵지 않게 알 수 있지. 정확한 원인이 무엇인지는 알 수 없었지만 그녀가 감정을 드러내며 예민하게 반응한 걸 보면 깊은 연관이 있는 것 같구나."

"대화하면서 좀 더 알아보도록 할게요. 무슨 이유인지 제게 특별한 호감이 있는 것 같아요. 감시도 붙이지 않고 저를 자유롭게 놔둔 점도 그렇고요."

"동질감 때문인지도 모른다."

최 승상이 말했다.

“오랜 시간 비밀로 감춰야 했던 이야기를 꺼낼 수 있는 상대를 만났다는 기쁨 때문일지도.”

묘길은 오랜 시간을 함께 보낸 자신과 홍 장군, 온 황제에게도 과거의 이야기를 꺼낸 적이 없었다. 아마 그녀의 마음속에서 ‘다른 세상의 사람’이라는 선이 그어져 있는 건지도 모르겠다고 그는 생각했다.

확실히 윤조가 느끼기에도 원래의 세상에 대한 이야기를 할 때의 묘길은 조금 달라 보였다. 애정 어린 시선으로 궁금증을 참지 못해 눈을 반짝이던 그녀의 모습을 떠올리던 윤조가 긍정했다.

“듣고 보니 그런 것 같아요. 9백 년에 만에 자신과 같은 세상에서 온 사람을 만나 대화를 나눌 수 있다는 사실이 순수하게 기쁜 걸지도요. 하지만 그래서 더 모르겠어요. 9백 년 전 원래의 세상에 대한 추억을 그렇게나 소중히 여기는 사람이 9백 년 동안 자신이 마주하고 피부로 느꼈던 세상을 사랑하지 않는다고요? 그게 가능할까요?”

“애증이라면?”

파이옌이 말했다.

“너무 사랑해서 너무 미워진 건지도 모르지. 무슨 일이 있었는지 몰라도 묘길의 인생을 뒤흔들 정도의 큰 사건이었던 것만큼은 분명해.”

너무 사랑해서 너무 미워졌다. 그 말에 윤조는 문득 원래의 세상, 자신을 두고 먼저 떠나갔던 부모님의 얼굴을 떠올렸다. 너무나 사랑했기에 너무나 원망스러웠던 그때를. 묘길도 그와 같은 사건이 있었던 걸까? 생각에 잠긴 윤조와 최 승상을 가만히 바라보던 파이옌이 깊은 한숨을 쉬었다.

"그거 말고 문제가 더 있어. 아까 말이야, 키얀이랑 묘길이 나투국 제후들을 불러들여 죽인다고 한일. 그거 없었던 일이야."

"무슨 뜻이야?"

"내가 모르는 일이라고. 내가 읽었던 책의 내용 중에 그런 일은 없었어. 이야기가 변했어."

키얀과 묘길의 대화 중에 파이옌의 표정이 좋지 않게 변하더라니 이유가 이거였나. 그 말에 윤조와 최 승상의 표정도 심상치 않게 굳어졌다. 최 승상은 윤조가 비서고에 오기 전에 파이옌에게 제후들에 관한 이야기를 전해 들었던 후였다.

현재 유일하게 이야기의 결말까지의 내용을 알고 있는 사람은 파이옌이었다. 그런데 그가 모르는 이야기의 진행이라니? 윤조가 다급히 되물었다.

"이야기가 변했다고? 그럼 어떻게 되는 거야? 원래 우리가 알고 있던 이야기는?"

"아마 결말이 변하진 않았을 거야. 책은 자신이 정한 결말을 놓지 않으니까. 하지만 얼마 전부터 확실히 진행이 변했어."

"어디서부터? 어디서부터 변한 건데? 제후들에 관련된 것만 변한 게 아닌 거야?"

"내 짐작으로는 우리가 이야기의 결말을 바꾸려고 결심한 순간부터 변하기 시작한 것 같아."

황성 탈환이라는 가장 중대한 일을 눈앞에 두고 이야기의 전개가 달라져 버리다니. 미래를 알고 있는 파이옌 덕분에 앞으로 닥쳐 올

위협이나 함정은 미리 피할 수 있을 거라고 생각했는데 그게 아니었다.

"원래의 이야기와 달라진 게 또 뭐가 있어? 어떤 것들이 바뀌었어?"

"내가 키얀을 죽이기로 결심하고 황성에 왔다는 이야기는 했나?"

"그런 결심을 했어……?"

꽤나 충격적인 내용에 최 승상마저도 놀라 파이옌을 바라봤다.

"둘 다 뭘 그렇게 놀라? 예상 못 했어? 원래라면 말할 생각도 없던 거지만. 아무튼, 나람성에서 분대를 이끌고 이곳으로 향하면서 결심했어. 키얀을 죽이겠다고. 이 전쟁이 일어난 데에는 키얀과 묘길을 도운 내 책임도 크니까. 그래서 너와 홍준영이 나람성에 발이 묶인 동안에 황성으로 와 키얀을 처리하자고 생각했어. 그런데 한편으로 그런 생각이 들더라고. 내가 이야기의 결말을 바꾸려 결심한 것을 이 세계가 알고 움직일 거라는 생각이. 빌어먹게도 황성에 도착해 하센에게 잡혀 온 너를 본 순간 내 예감이 맞았다는 걸 깨달았지."

"바뀐 게 있었던 거야?"

"내가 아는 책의 내용에서는 황성에서 탈출하면서 온 황제가 부상을 입는 일은 없었어. 황제가 부상을 입지 않았다면 네가 치료를 위해 나람성 밖으로 나올 일도 없었겠지."

"그 말은 책이 일부러 전개를 바꿔 폐하를 다치게 하고 나를 나람성 밖으로 나오게 만들었다는 거야?"

"어쩌면. 내 생각에는 너와 온 황제 모두 추격대에게 붙잡혀 황성까지 오게 만들려는 계획이었던 것 같아. 그렇게 되면 원래의 내용대로 이성을 잃은 홍준영이 황성으로 달려올 거고 책이 원하는 결말대로 키얀을 만나 패배하게 될 테니까. 하지만 책이 설계한 전개는 빗나갔어."

"나 때문이구나."

윤조는 책이 원하는 결말과는 상관없이 자신의 의지대로 움직이는 행동이 책의 전개에 변화를 주고 있다는 것을 깨달았다. 온 황제를 치료하고, 모두를 도망치게 하고, 윤조 홀로 추격대의 손에 잡히게 될 거라고는 책조차도 예상하지 못했던 거다. 그건 그 순간 윤조 스스로의 의지로 판단해 결정한 일이니까.

"맞아. 너는 유일한 변수니까. 책의 결말을 읽지 않고 이 세계에 들어온 주인공이잖아. 네 행동은 예측할 수도, 간섭할 수 없는 거야. 책을 읽었던 나는 기억이 있기 때문에 어떻게라도 책의 영향을 받게 되어 있어. 특정 사건을 피하기 위해 무슨 일을 하든지 기억을 떠올리지 않을 수가 없는 거지. 하지만 넌 달라. 아무리 내게서 이야기를 들었다고 해도 그건 전해 들은 이야기일 뿐. 직접 읽어 네 것으로 만든 이야기는 아니니 순간순간의 네 선택에 영향을 줄 수 없는 거야."

"애초에 간섭을 준 기억이 없으니 이 세계가 윤조의 행동을 예측할 가짓수를 계산할 수도, 통제할 수 없다는 거로군."

최 승상의 말에 파이옌이 긍정하며 말을 이었다.

"그래서 유일하게 윤조 너만이 이야기의 흐름을 바꿀 수 있어. 너는 통제되지 않는 존재니까. 네 선택이나 행동으로 이야기의 진행이 새롭게 바뀌게 되는 거야. 그게 꼭 나쁘다고 볼 수는 없지만 문제는 예측 가능한 미래가 바뀐 거니 앞으로의 이야기가 어떻게 전개될지는 알 수가 없게 되었다는 거지. 게다가 책은 끝까지 개입을 멈추지 않을 거야."

말 그대로 운명과의 싸움이었다. 결말을 바꿀 수 있는 가능성이 생겼다는 것에 마냥 기뻐할 수도 없었다. 그 결말이 예정된 결말보다 좋으리라는 보장도 없기 때문이다. 예정된 이야기가 어그러졌으니 더 많은 사람이 다칠 수도 있다. 전개에 없던 온 황제의 부상처럼. 윤조가 최 승상을 바라봤다.

"대장군님께 알려야겠어요. 지금 이 내용도 제후들에 관련된 내용도 전부."

"당장은 조심하라고 경고할 수밖에 없겠군. 알겠네."

"내일 밤쯤이면 호송대가 협곡에 도착할 거다. 새벽 안에 결판이 나겠지. 일이 틀어지면 황성으로 전갈이 올지 모르니 이틀간은 만나지 않는 게 좋겠어. 기별이 있다면 내가 따로 윤조에게 전하겠다."

"알겠네."

자리가 파했다. 지붕을 통해 다시 방 안으로 돌아온 윤조가 조용히 창문을 닫았다. 문가로 다가가 확인하자 문 사이에 끼워 두었던 작은 종이가 그대로 있었다. 누군가 침입한 흔적은 보이지 않았다. 침상에 누운 그녀가 머릿속으로 날짜를 계산했다.

'키얀이 불러들인 제후들이 황성에 도착하려면 빨라도 5일 정도가 걸린다. 호송대를 습격해 무녀들을 구출하고 작전처럼 나람성에 주둔한 서국 진영을 무너뜨리는 데 성공한다면 군대가 황성에 도착하는 때는 제후들이 도착하는 날과 엇비슷하다.'

나람성에서 방어전을 해 본 결과 성문이 열리지 않는 이상 성을 함락하는 건 거의 불가능했다. 계속된 전투로 병사들도 지쳐 있을 테니 기회는 단 한 번뿐. 서국 정예병들에게 사용했던 불도병의 기술을 사용할 수 있는 것도 아니니 반드시 성문을 뚫어야만 했다. 방법은 한 가지.

'안에서 열어야 해. 안에서…….'

판단을 마친 윤조가 밀려드는 수마를 이기지 못하고 까무룩 잠들었다.

"흐음……."

신목의 책을 펼친 채 방향을 가늠하던 묘길이 고개를 모로 기울였다. 윤조의 이름이 적힌 종이가 그녀의 신력에 반응하며 하얀빛을 내뿜었다. 나침반처럼 이리저리 책을 움직이던 묘길은 신력의 방향이 비서고를 향하고 있음을 알아챘다.

"비서고에 무엇을 감춰 두었기에 이 밤에 날아간 걸까? 귀여운 방울새는. 설마 책을 읽으러 갔을 리는 없고."

재미있다는 듯이 미소 지은 그녀가 곁에 있던 호위 무녀를 돌아봤다.

"뒤를 캐 볼까요?"

"그냥 두어라."

묘길이 책을 덮으며 미소 지었다.

"그 아이가 어떤 이야기를 그려 낼지 궁금하구나."

다음 날 윤조가 눈을 떴을 때는 정오가 훌쩍 지나 있었다.

"윤조 무녀님, 잠시 들어가도 되겠습니까?"

방문 밖에서 들려오는 낯선 목소리에 윤조가 번쩍 눈을 떴다. 환하게 창문으로 새어 들어오는 햇빛에 화들짝 놀란 그녀가 침상에서 일어났다. 그간 피로가 쌓였는지 자신도 모르게 깜빡 잠이 든 모양이었다. 급하게 눈곱을 떼고 입가에 흐른 침을 닦은 그녀가 밖을 향해 외쳤다.

"드, 들어오세요!"

음식을 가져온 호위 무녀가 탁자 위에 쟁반을 내려놨다. 그녀는 옷매무새를 다듬는 윤조의 모습에 당연하다는 듯이 읊조렸다.

"많이 피곤하셨던 모양입니다."

"네? 아, 네. 그랬나 봐요."

"아침에 다른 무녀가 다녀갔다는데 기침 전인 것 같아 그냥 돌아왔다고 하더군요."

전혀 몰랐다. 밖에서 사람이 부르는 줄도 모르고 잠에 빠져 있었을 줄이야. 윤조가 어색하게 볼을 긁적였다.

"푹신한 침상에서 자는 게 오랜만이라 그랬나 봐요. 황궁 침상은 뭐가 달라도 다른가 봐요. 하하. 그쵸?"

"뭐, 황궁이니까요. 식사 두고 가겠습니다. 식사 후에 무녀장님을 뵈어야 하니 준비해 주세요."

"따로 준비할 게 있을까요?"

어리둥절한 윤조의 물음에 무표정한 호위 무녀가 가만히 그녀를 바라보며 지적했다.

"세숫물을 준비해 드리겠습니다. 머리 정리도 필요할 것 같군요. 새 옷도요."

고개를 돌려 거울을 확인한 윤조는 사자처럼 산발이 된 머리카락을 발견하고 황급히 손으로 빗어 내렸다.

"그럼 조금 뒤 다시 오겠습니다."

호위 무녀가 밖으로 나가자마자 윤조는 한숨을 내쉬었다. 아무리 피곤해도 그렇지 적진 안에서 정신없이 잠들어 버리다니.

"밥 먹고 힘내자. 밥 먹고."

준비된 음식을 우물거리던 그녀는 문득 비서고에 있을 의령을 떠올렸다.

"배고플 텐데……."

이따가 뭐라도 가져다 줘야겠다.

식사를 마칠 때쯤 세숫물과 새 옷을 준비한 호위 무녀가 돌아왔다. 머리를 빗을 수 있는 커다란 참빗도 함께였다. 성인 남자 손바닥 두 개는 합친 것 같은 빗의 크기에 윤조는 어색하게 그것을 받아 들었다. 세상에 이렇게 커다란 참빗이 있었다니. 간단하게 준비를 마친 그녀는 묘길의 방을 찾았다.

"왔군요."

"저를 찾으셨다고 들었습니다."

"가을볕이 좋아 같이 산책이나 갈까 하고요. 간밤에 평안했나요? 듣자 하니 아침도 거르고 곤히 잔 것 같은데."

"네. 좀 피곤했나 봐요."

"다른 일을 하다 밤을 샌 건 아니고요?"

속으로 흠칫 놀란 윤조였으나 겉으로는 태연한 척했다. 지나가는 식으로 물었던 묘길이 이내 웃으며 윤조의 팔에 팔짱을 꼈다.

"제가 어제 너무 늦게까지 붙잡았던 모양이네요. 피곤한 줄 알았다면 일찍 보내 드리는 건데."

"괜찮습니다."

"팔짱 껴도 괜찮죠? 옛날 생각나고 좋네요. 여고생 때는 친구들과 곧잘 이렇게 돌아다녔었는데."

밖으로 나온 두 사람은 황궁 안을 거닐었다. 윤조는 뒤따르는 호위 무녀들을 힐끗 돌아봤다. 그녀가 불편해하고 있다는 것을 알아챈 묘길이 호위 무녀들을 물러가게 했다.

"이제 좀 편하죠? 저도 예전에는 시중을 받거나 호위받는 게 무척 어색했답니다."

"저쪽 세상에서는 드문 일이니까요."

"맞아요. 처음에는 어찌나 불편하던지. 안 맞는 옷을 억지로 입은 것 같았어요."

단풍이 떨어져 내렸다. 바람결에 바닥에 쓸려 가는 단풍잎을 바라보며 묘길이 과거를 회상했다.

"궁이라는 곳도 가끔 학교에서 견학을 가는 정도가 다였던 공간인데 이상하죠? 지금은 9백 년이나 머문 집이 되어 버렸다는 게……."

그녀가 말끝을 흐리며 윤조를 바라봤다.

"그곳도 많이 바뀌었나요? 광화문이나 고궁이 있던 자리도."

"그곳은 거의 그대로예요. 전에 숭례문에 화재가 나서 그곳만 새로 지었어요."

"어머, 숭례문에 화재가 났었어요?"

"네. 제 기억으로 2008년도 초였는데 거의 소실되는 바람에 새로 재건했어요. 뉴스로 생방송됐는데 어렸을 때인데도 충격이 컸어요. 가족들이랑 근처로 나들이를 다녀온 지 얼마 안 되었을 때였거든요."

"그랬겠어요. 2008년에는 그런 일이 있었군요……."

하지만 묘길은 숭례문이 화재로 소실되어 재건되었다는 사실보다 그 사건이 일어난 연도에 충격을 받은 듯했다. 윤조의 시선에 묘길이 어색하게 미소 지으며 말을 이었다.

"2008년이라니 너무 생소한 숫자라 이상하네요. 제가 이 세계에 왔던 때는 1974년 겨울이었어요. 고등학교를 졸업하자마자 취업했을 때였는데 위로 고시생인 첫째 오빠랑 아래로 동생들도 있었거든요. 공부를 더 하고 싶었지만 오빠 뒷바라지하기에도 벅찬 부모님을 더 고생시켜 드리고 싶지 않아서 할 수 없이 대학을 포기했어요. 어린 동생들도 돌봐야 했고, 사실 그때는 제 삶이라는 게 없었던 거 같아요. 지쳐 있었어요. 그냥 다. 모든 게 다 염증이 날 만큼."

"이곳의 저와 비슷했네요?"

"맞아요. 윤조 무녀도 가족 구성이 비슷하죠? 그럼 이해할지도 모르겠다. 그 자리가 얼마나 힘든 자리인지."

윤조가 공감하며 고개를 끄덕였다.

"힘들죠. 먹고살기는 힘든데 형제는 많고. 돈은 벌어도 벌어도 모이지 않고. 혼자만 아등바등 뛰어다니는 것 같고. 힘들고 지쳐도 그만둘 수도 없고……."

"네, 정말로요. 힘들고 정말 죽을 것 같은데 주저앉아 있을 시간도 없다는 게 너무 비참했어요. 하하, 누구랑 이런 이야기 하는 거 처음인데 이해해 주는 사람이 옆에 있으니까 너무 좋다."

그렇게 말하며 웃는 묘길의 표정에서는 감춰져 있던 진심이 묻어났다. 윤조는 그녀를 적으로 대해야 한다고 생각하면서도 그녀가 느꼈을 괴로움에 공감하는 마음만큼은 멈출 수 없었다. 마치 오랜만에 유년 시절의 친구를 만난 것처럼 묘길은 재잘거리며 자신의 이야기를 늘어놓았다.

"저는 책을 무척 좋아했어요. 유일한 탈출구였거든요. 현실을 잊고 다른 세상을 경험할 수 있게 허락받은 유일한 시간이 독서였죠. 출판사에 취업했던 것도 그런 이유였고요."

"책도 만들고 그러셨어요?"

"아뇨. 그냥 허드렛일을 도맡아 했어요. 내지 정리나 잔심부름 같은. 지금은 어떨지 몰라도 제가 살던 시절에는 여성이 출판사에서 일하는 경우가 무척 드물었거든요. 정부에서 언론 통제나 출판물 검열도 심했고요."

"그랬구나. 역사책에서 본 것 같아요. 군사 정권이라 통제가 심했다고."

"하하, 역사책이요? 와, 내가 살던 때가 이제 역사책에 실리는구나. 하긴 시간이 너무 많이 지났죠."

"무녀장님은 어떻게 이 세계에 오게 되었나요?"

"한 권의 책 때문이었죠. 윤조 무녀와 비슷하게."

파이옌이 말한 낡은 고서적을 가리키는 모양이었다. 묘길이 당시를 떠올리며 이야기했다.

"출판사에서 정부 정책에 반대하는 글을 몰래 배포했는데 걸리고 만 거예요. 경찰들이 들이닥치고 거의 아수라장이었죠. 부장님이 저를 창고에 숨기고 잡혀가셨는데 며칠이 지나도 돌아오지 않으셨어요. 그러다 부고가 날아왔죠. 부장님 외에 다른 분들도 잡혀가셨는데 돌아오신 분은 한 분도 없었어요. 그때 왜 그런 생각을 했는지 몰라도 뭔가 마음속 깊은 곳에서 의무감이 들었어요. 그분들이 하셨던 일을, 세상을 옳은 길로 바꾸려던 글을 내가 다시 써서 사람들에게 알려야겠다는."

"힘든 결정을 하셨군요."

"뭐, 그렇죠. 지금 생각하면 내가 왜 그랬나 싶기도 하고, 한편으로는 자랑스럽기도 하고. 마음이 복잡해요. 그래도 그때는 내가 할 수 있는 일을 하고 싶었어요. 책을 좋아했고, 글을 사랑했으니까. 그대로 억울하게 출판사 문을 닫을 수는 없다고 여겼죠. 사실 가족들을 생각하면 그만두는 게 옳았어요. 괜한 오기도 있었던 거 같아요. 가족들에게도 남들에게도 아무것도 아니었던 내가 무언가 중요한 일을 할 수 있게 되었다는 그런 거. 그래서 그렇게 했고, 그렇게 해야 했고, 결국 잡히게 됐죠."

"무슨 일이 있었나요……?"

"밤늦은 시각이었는데 몰래 출판물을 뽑고 있었어요. 학생 시위 관련이었는데 걸리면 위험하니까. 그런데 감시가 붙었는지 그만 걸리게 됐고 잡혀가지 않기 위해 반항하다가 심하게 맞았어요. 머리를 잘못 맞았는지 세상이 빙빙 도는데, 쓰러지면서도 간절한 거예요. 곧 죽게 될 걸 알면서도 살고 싶어서. 책상 위에 있던 책이 바닥에 다 떨어져 엉망이 되었는데, 유독 그 책이 눈에 들어왔어요. 손때 묻은 책 한 권이. 할 수만 있다면 이런 세계가 아니라 그

책 속 세상처럼 내가 원하는, 나를 필요로 하는 다른 세상에서 살아가고 싶다고 기도했죠. 그런데 정신을 잃었다가 눈을 뜨니 정말로 다른 세상에 와 있었어요. 소원이 이루어진 거죠."

당시를 회상하는 묘길의 눈동자가 반짝였다.

"꿈만 같았어요. 너무나 행복했으니까. 꿈이라면 절대 깨어나고 싶지 않다고 매일 밤 잠들고 아침에 눈을 뜨면서 한결같이 기도했어요."

그토록 행복했다는 순간이 무엇 때문에 그녀의 인생에서 가장 증오스러운 일로 변해 버리게 된 것일까. 윤조가 조심스럽게 입술을 달싹였다.

"그런데 왜 지금은 그토록 싫어하시나요?"

묘길의 걸음이 우뚝 멈췄다. 입을 다물고 아무것도 없는 허공을 바라보던 그녀는 잠시 시간이 흐른 뒤에야 입을 열었다.

"싫어하지 않아요. 오히려 너무 사랑해서 문제죠……."

그렇게 말하며 미소 띤 묘길의 표정은 아련하고 먹먹해서, 윤조는 그녀가 금방 울음을 터뜨려도 이상하지 않을 것 같다고 생각했다.

"윤조 무녀도 그런 마음 알까요? 너무 사랑하니까, 너무 사랑해서 예쁜 모습 그대로 지켜 주고만 싶은 그런 마음이요."

"어떤 마음인지 알 것 같아요."

"할 수 있다면 나도 그렇게 하고 싶었어요. 노력하지 않은 것도 아니에요. 이 땅 위에 살아가는 누구보다도 더 나는 이 세상을 위해 노력했어요. 내겐 꿈 같은 곳이었으니까. 깨어나고 싶지 않은 간절한 곳이었으니까. 누구보다도 이곳을 사랑해요, 난."

"그런데 왜……."

"하지만 그렇기에 더더욱 이곳을 이대로 놔둘 수가 없어요. 더는 지켜 볼 수가 없어요. 내가 사랑하는 이곳을 바라볼 때마다 떠오르는 악몽 같은 그 시절의 고통을 더는 감내할 수가 없어요."

"그 시절이란 건 9백 년 전을 말하는 건가요? 무녀장님과 한 쌍이었던 다른 주인공이 살아 있던?"

윤조의 물음에 묘길의 얼굴이 굳어졌다. 조금씩 사라지는 그녀의 표정은 어느새 감정을 지우고 감춘 무표정으로 돌아와 있었다.

"뭔가 조금 알아낸 모양이네요."

"저는 알고 싶어요. 그토록 이 땅을 사랑했다던 무녀장님이 왜 이런 일을 벌이게 된 건지."

묘길이 지금까지 이야기했던 진심은 결코 거짓이 아니었다. 거짓이 아니란 걸 알기에 윤조는 꼭 알아야 했다. 잠시라도, 조금이라도 그녀를 이해했기에 알아야 했다. 무엇이 그녀를 이토록 변하게 한 것인지.

"저는 이곳을 지키고 싶어요. 사랑하니까요. 무엇보다 소중한 곳이니까요. 이 마음이 무녀장님이 느꼈던 것과 같다면 무녀장님이 왜 이렇게밖에 할 수 없었는지, 왜 이 땅을 파괴하는 쪽을 택한 것인지 저는 알아야겠어요."

"당신은 들을 자격이 있어요."

묘길이 읊조렸다.

"하지만 그걸 듣는 건 지금이 아니랍니다. 그러니 지금은 조금만 더 나와 어울려 줘요."

한편, 저 멀리에서 묘길과 윤조의 모습을 지켜보던 키얀이 혜린을 향해 물었다.

"간밤에 저 둘이 무슨 대화를 나눴는지 들었느냐?"
"무녀장이 출입을 금하는 바람에 듣지 못했습니다."
"왜 하필 저 아이를 내달라 한 것인지 모르겠군. 윤조가 특출 난 신력을 지녔다는 것 외에 특별한 점이 있나?"
"제가 아는 바로는 없습니다. 출생 신분도 척박한 국경의 변방 출신으로 딱히 폐하께서 궁금해하실 만한 사항은 없습니다."
"그런데 참 이상한 일이지? 특출 난 것도 없는 그런 아이를 묘길이 원했다는 게."
키얀의 말처럼 묘길이 윤조를 원해 거래를 요청한 사실은 의외였다. 혜린 역시 그 이유를 알지 못했으나 수상히 여겼다. 왜 무녀장은 윤조를 원한 것일까? 필요하지 않는 자라면 굳이 키얀에게 거래를 요청하지도 않았을 것이다. 하지만 대체 무엇 때문에?
"홍준영의 반려이니 인질로 삼는다고 여기면 나쁘진 않지만 뭔가 다른 목적이 있는 것 같단 말이지……."
키얀이 그렇게 말하며 혜린을 바라봤다.
"알아보라. 무슨 속셈인지."
"예, 폐하."
같은 시각, 나람성으로 대승상이 보낸 전서구가 날아들었다. 서신의 내용을 확인한 준영의 표정이 심상치 않게 굳어졌다. 호송대를 치기 위해 떠난 길림을 제외하고 온 황제와 홍 장군, 준영과 도백이 회의실에 모였다.
"좋지 않은 소식입니다."
준영이 온 황제에게 서신을 건넸다.
"대부분의 제후들이 서국의 편으로 돌아선 것 같습니다."

서신의 내용을 확인한 온 황제가 신음했다.

“황위를 미끼로 제후들을 끌어들일 줄이야…….”

“이대로라면 원군은 고사하고 키얀을 만나기 위해 황성에 간 제후들과 그의 후계자, 지방을 지키는 장수들이 모두 죽음을 면치 못할 겁니다. 시간이 촉박하니 어떻게든 이번 작전을 성공해 황성으로 진군하겠습니다.”

“저들의 진영에 침투해 기습한다고 해도 전면전으로 들어가면 병력의 손실은 막심할 거다. 황성에 주둔한 1만의 서국군을 상대로 공성전을 벌이기에는 그 수가 부족하지 않겠나?”

온 황제의 염려에 준영이 답했다.

“서국의 황제가 위험을 무릅쓰고 무녀들을 급히 호송하는 이유는 현재 본국에 그들의 황후를 치료할 자가 없어서입니다. 호송대가 매복에 당한 사실을 알면 무녀들을 되찾기 위해서라도 나람성을 공격하려 할 겁니다. 그러니 병력 손실을 감수하더라도 가료의 진영을 치고 군사를 보내 나람성으로 진격해 올 저들의 군대를 먼저 공격해야 합니다.”

무녀들을 되찾기 위해 키얀이 군대를 보낸다면 황성을 방어하는 병사들의 수는 현격히 줄어들게 된다. 준영은 키얀이 나투국 황성의 방어를 약화하여 자신을 나람성으로 유인했던 것을 그대로 돌려줄 작정이었다.

“쉽지 않은 전투가 될 거다.”

“반드시 성공하겠습니다.”

“그런데 이야기의 전개가 달라졌으니 조심하라는 이 내용은 무엇인가?”

같은 시각, 호송대가 지나갈 협곡 위.

매복한 길림과 그가 이끄는 부대가 바짝 몸을 낮추고 전방을 주시했다. 자정에 가까운 밤. 어둠 속에서 협곡 안으로 다가오는 호송대의 모습이 보였다.

"하센 님, 협곡입니다. 진영까지 얼마 남지 않았습니다."

"계속 전진한다."

"예."

호송대를 이끄는 여희단의 뒤로 병사들이 따랐다. 호송대의 중심에 무녀들이 갇힌 10여 개의 수레가 있음을 발견한 길림이 병사들을 향해 대기 신호를 보냈다. 호송대가 협곡의 중심으로 깊숙이 들어오길 기다리던 길림이 초를 셌다.

매복이 있을 거라고는 생각지 못한 호송대의 행렬이 마침내 협곡 깊숙한 곳까지 들어왔을 때였다. 길림의 공격 신호가 떨어졌다.

"밀어라!"

협곡의 입구와 안쪽에 대기하고 있던 병사들이 호송대의 앞뒤로 바위를 굴려 떨어뜨렸다. 우르릉, 하는 천둥 같은 소리와 함께 협곡의 지면이 흔들렸다. 순식간에 떨어져 내린 거대한 바위가 호송대의 앞과 뒤를 가로막았다. 자잘하게 흩날리는 낙석과 모래바람에 수레 안에 있던 무녀들이 비명을 질렀다.

"화살을 쏴라!!!"

협곡의 양옆에서 대기하고 있던 궁수 부대가 우왕좌왕하는 서국의 병사들을 향해 화살을 날렸다.

"매복이다! 적이 매복했다!!! 수레를 지켜라!!!"

곡도를 뽑아 든 하센이 급히 소리쳤으나 이미 상황은 돌이킬 수 없는 지경으로 치달았다. 머리 위로 날아든 화살에 주변의 병사들이 하나둘 목숨을 달리했다.

"하센 님, 피하십시오!"

"수레를 지켜라! 본국으로 무녀들을 데려가야 한다!!!"

길림이 병사들을 향해 소리쳤다.

"전원 돌격하라!! 한 놈도 살려 두지 마라!!!"

협곡의 경사면을 타고 내려온 길림과 병사들이 달아나는 호송대를 처리했다. 곧장 무녀들이 갇혀 있는 수레로 다가간 길림을 나래가 발견하고 소리쳤다.

"길림 부관! 부관! 여깁니다!!!"

"영애! 여기 계셨군요. 괜찮으십니까?"

"저는 괜찮습니다. 구하러 오실 줄 알았습니다."

"밖은 위험하니 정리될 때까지 안에 계십시오. 금방 꺼내 드리겠습니다."

나래가 황급히 고개를 끄덕였다. 길림은 자신에게 날아드는 검을 막아 내며 나래의 곁을 지켰다.

"전열을 지켜라!!! 수레를 사수하라!!!"

날아드는 활과 검을 막아 내며 하센이 소리쳤으나 흩어진 병사들을 다시 모으는 것은 불가능했다. 곳곳에 비명이 난무했다. 바닥에 쓰러지는 여희단원을 바라보며 하센이 비명을 질렀다. 살아남은 단원이 그녀를 붙잡았다.

"대장! 어서 몸을 피하셔야 합니다!"

"모두를 두고 갈 수는 없다!!!"

"가야 합니다! 어서요!!! 더는 버틸 수가 없……."

그녀를 피신시키려던 단원의 목에 화살이 관통했다.

"라엔-!!!"

"끅, 끄으윽, 끅."

하센이 황급히 쓰러지는 단원을 끌어안았다. 핏물을 토하면서도 도망가라 몸짓으로 이야기하는 단원의 모습에 그녀의 눈동자가 크게 흔들렸다. 점점 둔해지던 단원의 움직임이 어느새 완전히 멎었다.

"라엔……? 안 된다! 어서 눈을 뜨거라! 어서!!!"

숨을 거둔 단원을 안고 부르짖던 그녀가 거친 외침과 함께 자리를 박차고 일어났다.

"제기라알……!!!"

하센은 곡도를 휘두르며 밀려드는 나투국의 병사를 베어 넘겼다. 무희의 춤사위 같은 그녀의 검술은 피어나는 꽃처럼 아름다우면서도 유연했다. 손속 없이 잔혹하면서도 애처로웠다. 날아드는 창칼이 몸을 스치며 상흔을 냈지만 그녀는 멈추지 않았다.

붉은 핏물을 뒤집어쓰며 활로를 뚫은 그녀의 정면으로 멀리 수레 앞을 지키고 선 길림의 모습이 보였다. 주인 잃은 말 위에 오른 그녀가 주저 없이 검을 버리고 활을 꺼내 화살 세 대를 걸었다. 점점 빠르게 달리기 시작하는 말에 그녀의 짧은 머리카락이 바람처럼 휘날렸다. 그럼에도 흐트러지지 않은 자세로 활을 당긴 그녀의 시선은 오직 길림을 향해 있었다.

길림을 향해 곧장 달려오는 하센을 발견한 나래가 조심하라고 소리쳤다. 길림 역시 하센을 발견했으나 자리를 피할 수 없었다. 그가 몸을 피하면 그의 뒤에 있는 나래와 무녀들이 위험했다.

"죽어라-!!!"

하센의 손이 팽팽하게 당겨진 활시위를 놓았다. 빠르게 쏘아진 세 발의 화살이 길림을 향해 곧장 날아갔다. 짧은 사이 날아드는 화살을 눈으로 확인한 길림이 검으로 화살을 쳐 낼까 생각했으나 세 발의 화살을 모두 막아 내기란 역부족이었다.

"길림 부관!!!"

나래의 외침이 그의 귓가를 울렸다. 미련 없이 검을 버린 그가 등을 돌려 수레를 감싸 안았다. 날아든 세 발의 화살이 그의 등을 파고들었다. 빠르게 그들을 지나친 하센이 말을 달려 협곡을 벗어났다.

"길림 부관……?"

양팔을 벌린 채 자신의 앞을 막아선 길림의 모습에 나래의 입술이 덜덜 떨려 왔다.

"부, 부관. 부관, 대답하십시오. 부관……!"

수레 바닥을 기다시피 길림을 향해 다가간 나래가 아래로 미끄러져 내리는 그의 몸을 껴안았다. 그의 등 뒤로 둘러진 그녀의 손끝에 길림의 몸을 파고든 화살대가 만져졌다. 축축하게 묻어나는 피에 나래가 황급히 신력을 끌어올려 길림의 몸 안으로 흘려 보냈다.

"길림 부관! 내 목소리 들립니까? 죽으면 안 됩니다!!! 죽으면 용서하지 않을 겁니다!!!"

한계치까지 신력을 끌어올린 그녀가 수레 안의 무녀들을 향해 소리쳤다.

"다들 치료술을! 어서……!!!"

겁에 질려 수레 구석에서 떨고 있던 무녀들이 번쩍 정신을 차렸다. 나래의 곁으로 다가온 무녀들이 그녀를 도와 길림의 몸 안에 신력을 불어넣기 시작했다.

"맥박이 약해집니다. 상처가 너무 심각해요!"

"다들 집중해요. 지혈을 먼저 하는 겁니다. 이런 때를 위해 지금껏 수학하지 않았습니까! 살릴 수 있습니다. 우리가 살릴 수 있어요!"

나래의 지시에 무녀들이 눈을 감고 집중했다. 나래 역시 두 눈을 감았다. 무수한 소음 속에서도 주변이 고요했다. 그녀의 귀에 들리는 건 오직 약하게 뛰고 있는 길림의 심장소리였다.

"죽지 마세요. 죽으면 평생 미워할 겁니다."

그녀의 협박이 통한 걸까? 약해져 가던 길림의 심장 소리가 점점 세차게 돌아오기 시작했다. 귓가에서 느껴지는 선명한 그의 숨소리에 번쩍 눈을 뜬 나래가 고개를 돌려 그의 얼굴을 바라봤다. 정신이 들었는지 길림이 가느다랗게 뜬 눈으로 그녀를 바라보고 있었다.

"부관? 정신이 듭니까? 내가 누군지 알아보겠어요?"

"영애……."

"그래요, 저예요. 괜찮을 거예요. 죽게 놔두지 않을 겁니다. 정신 단단히 붙잡아요."

미간을 좁힌 채 빠르게 쏘아붙이는 나래를 향해 길림이 속삭였다.

"무사해서 다행입니다……."

그 음성에 나래의 두 눈에 왈칵 차오른 눈물이 볼을 따라 흘러내렸다.

"바보같이 그걸 왜 맞아요!!! 무슨 배짱으로……!!!"

고막을 찡하게 울리는 날카로운 고함에 슬쩍 인상을 쓰던 그가 이내 얼굴을 펴고 미소 지었다.

"보고 싶었습니다……."

"……."

"역시 운명 아닐까요? 우리."

"하."

나래가 참았던 숨을 토했다. 그녀는 어처구니없다는 듯이 웃으며 울었다.

"이 상황에서 그런 말이 나와요?"

"마지막일지도 모르니까요."

"마지막은 누가 마지막이에요! 나는 살아서 끝까지 내 곁을 지켜줄 사람하고 함께 살아갈 겁니다. 알겠어요?"

고개를 끄덕이는 길림에게 이마를 맞댄 나래가 조용히 속삭였다.

"살아요. 살아서 끝까지 내 곁을 지켜요."

잠시 뒤 협곡 안에 생존한 호송대는 없었다. 단 한 명, 협곡을 빠져나온 하센만이 부상 입은 몸을 이끌고 황성으로 향했다.

"다친 병사들을 치료합니다. 모두 흩어져 서두르세요!"

나래의 지시를 따라 수레에서 풀려난 무녀들이 부상병들을 치료하기 시작했다. 50여 명이 넘는 무녀들이 빠르게 조를 나눠 병사들의 상처를 살폈다. 그 덕에 5백 명의 병사들 중 전사자는 단 네 명뿐이었다.

"치료받은 병사들은 속히 다음 작전에 돌입한다. 호송대의 갑옷을 벗겨 변복하라!"

힘겹게 자리에서 일어난 길림이 병사들을 향해 지시했다. 그 모습에 다른 병사의 치료를 마치고 달려온 나래가 그의 등을 아프게 때렸다.

"악!!!"

정수리까지 치고 올라오는 통증에 길림이 비명을 질렀다. 인상을 쓴 나래가 길림을 이끌어 다시 수레 위에 엎드리게 했다.

"이 몸으로 뭘 하겠다고 나섭니까, 나서길!!!"

"아픕니다, 영애. 엄살이 아니라 정말 아파요……."

"당연히 아프겠죠! 등에 화살이 무려 세 대나 박혔는데-!!!"

쩌렁쩌렁한 그녀의 음성에 주눅 든 길림이 울상을 지었다.

"화나셨습니까?"

"그래요. 화났습니다."

"왜 화가 나셨습니까?"

"그걸 지금 말이라고!"

길림의 상처를 살피던 나래가 매섭게 그를 노려봤다. 엎드린 상태로 나래의 뾰족한 시선을 마주하게 된 그가 헛기침을 하며 시선을 돌렸다.

숨을 몰아쉬며 감정을 누그러뜨린 나래가 화살이 박힌 그의 등을 살폈다. 급하게 화살이 박힌 상태로 지혈했으나 화살을 제거하고 다시 치료하기 위해서는 환부를 갈라야만 했다.

"병사들에게 변복하라 명령한 것을 보니 다음 작전이 있는 모양이죠?"

"예. 나람성에 주둔한 서국의 진영에 잠입해야 합니다."

"교란 작전을 펼 생각이군요."

나래는 길림이 적진에서 전투를 일으켜 틈을 만들고, 그사이 나람성의 모든 병력이 총공격할 예정이라는 것을 어렵지 않게 이해했다. 그렇다면 더더욱 치료가 시급했다. 나래가 손으로 길림의 옆구리와 허벅지 부분을 더듬었다.

"여, 영애? 지금 뭘 하시는 겁니까?!"

깜짝 놀란 길림이 몸을 들썩였으나 나래가 더 빨랐다. 그의 허벅지 부근에서 단도를 찾아낸 그녀가 검을 꺼내 길림의 상처 부위를 감싼 옷을 찢었다.

"말려도 어차피 가실 것 아닙니까."

등이 휑해진 느낌에 그녀가 상처를 살피기 위해 단도로 옷을 찢었다는 것을 안 길림이 어흠, 헛기침을 했다. 빨개지는 그의 귀를 바라보던 나래가 헛웃음을 치며 그를 나무랐다.

"왜요? 제가 엄한 마음으로 몸을 더듬었을 거라 여겼습니까?"

"아닙니다! 그냥 조금 놀랐을 뿐입니다!"

"입만 살아서는. 이거 물고 있어요."

나래가 단도의 검집을 길림의 얼굴 앞으로 내밀었다.

"화살을 뽑으려면 환부를 갈라야 합니다. 마취제로 쓸 약초도 없으니 꽤 아플 겁니다."

"괜찮으시겠습니까?"

"지금 누가 누굴 걱정합니까? 어서 물고 있기나 해요."

길림이 알겠다며 단도의 검집을 입에 물었다. 심호흡을 한 나래가 단도를 들고 환부를 갈랐다. 순간 길림의 몸이 움찔 떨렸다. 나래는 고통을 참는 그의 얼굴을 바라보다 다시 집중했다.

신속하게 환부를 절제한 그녀가 솟아나는 피를 옷소매로 닦아 내며 화살을 제거했다. 하나, 둘, 셋. 총 세 대의 화살을 모두 제거한 그녀가 신력을 운용해 상처를 치료했다. 내상을 입었는지 검은 피가 솟아났으나 곧 상처는 아물었다. 적어도 겉보기에는 완전히 나은 것처럼 보였다.

“부관, 치료 끝났습니다. 괜찮습니까?”

길림은 입에 물고 있던 검집을 뱉었다. 어찌나 세게 물었던지 턱이 얼얼했다. 땀이 흥건한 그의 얼굴에 나래가 걱정스럽게 그를 살폈다.

“참기 힘들었을 텐데 소리라도 지르지 그랬습니까.”

“그러다 놀란 영애가 제 등을 찌르기라도 하면 어떡합니까?”

“뭐라고요?”

“하하, 농입니다. 감사합니다, 영애. 덕분에 살았습니다.”

길림이 천천히 몸을 일으켜 나래를 마주했다. 그의 눈동자가 피투성이가 된 나래의 손과 긴장으로 땀이 맺힌 그녀의 얼굴을 찬찬히 담았다. 빤히 마주해 오는 그의 시선에 나래가 고개를 돌리며 급히 말했다.

“겉은 멀쩡해 보여도 내상이 심합니다. 당분간은 좀 더 치료를 받아야 하니 이번 작전을 마치는 대로 바로 휴식하도록 하세요.”

발갛게 달아오른 그녀의 뺨에 길림이 읊조렸다.

“죄송합니다.”

“예?”

“실례하겠습니다.”

뒤에서 나래를 끌어안은 길림이 그녀를 감싼 두 팔에 힘을 주었다. 단단히 몸을 감싸는 그의 손길에 놀란 나래가 고개를 돌려 그를 향했다. 무슨 짓이냐고 소리치려던 그녀는 자신의 어깨에 얼굴을 묻은 채 깊은 숨을 몰아쉬는 그의 모습에 입을 다물었다. 그가 떨고 있었다. 겁먹은 아이처럼. 주저하던 나래가 팔을 뻗어 그를 마주 앉았다.

"천하의 신궁이라 불리는 부관께서도 두려울 때가 있나 봅니다."

"저도 사람입니다. 영애 앞에서 죽을지도 모른다고 생각하니 아찔하더군요."

"제가 그리 좋으십니까?"

"많이 티 냈는데 잘 모르셨나 봅니다."

"모나고 성격도 안 좋은 여인이 뭐가 좋다고 목숨까지 거는지 모르겠습니다."

"얼굴이 예쁘잖습니까."

"뭐라고요?"

품에서 그를 확 떼어 낸 나래가 그를 노려봤다. 그녀의 반응에 길림의 입에서 툭 웃음이 터졌다.

"하하, 저는 영애 화내는 모습에 반했는데 모르셨습니까? 화난 얼굴이 예쁜 사람은 처음 봤습니다."

"시, 실없는 소리 말고 어서 일어나세요!"

그의 품에서 벗어난 나래가 괜히 주름진 치마를 툭툭 건드리며 딴청을 피웠다. 수줍어하는 그녀의 모습에 기분 좋은 미소를 짓던 길림이 아차 하고 그녀의 어깨를 가볍게 두드렸다.

"또 왜 그러십니까?"

"영애, 죄송하지만 옷을 벗으셔야 합니다."

"예?! 그 무슨 망측한……!"

"죄송합니다. 무녀님들 모두 옷을 벗고 갈아입으셔야 합니다. 궁수 부대의 병사들이 무녀님들로 위장할 겁니다."

길림은 따귀로 날아드는 나래의 손을 잡아 내리며 궁수 부대에 소속된 여자 단원들을 가리켰다. 단원들도 긴장한 표정으로 고개 숙였다.

"죄송합니다. 시간이 없으니 속히 변복하여 주십시오."

"이익! 이 수모는 반드시 갚아 줄 겁니다!"

"각오하고 있습니다."

길림이 대역죄를 지은 사람처럼 쩔쩔맸다. 그도 그럴 것이 무녀는 명실상부 황가의 인정을 받은 황실의 궁인이었다. 또한 무녀에 소속된 여인들 중에서는 지체 높은 집안의 영애들이 대다수였다. 그들에게 야외에서, 그것도 사람들이 지켜보는 가운데 옷을 벗으라 청하는 것은 황실을 모욕하는 것과 같았다.

원래라면 태형 백 대로도 모자랄 모욕죄였다. 하지만 나라의 존망이 달린 상황에서 들어온 요청을 거절할 수도 없는 노릇이었다. 수치심을 삭히던 나래가 그 자리에 있던 병사들과 무녀들이 다 들을 정도로 크게 소리쳤다.

"병사들은 뒤돌아 눈을 감아라! 허튼수작을 부리는 자가 있다면 참형을 면치 못할 것이다!!! 무녀들은 속히 궁수 부대 단원들과 옷을 바꿔 입어라!"

나래의 불호령이 떨어지기 무섭게 병사들이 뒤돌아서 눈을 감았다. 무녀들과 궁수 부대의 단원들이 속히 옷을 바꿔 입기 시작했다. 나래도 그들을 따라 옷고름을 풀고 저고리를 벗는데 그녀에게서 슬쩍 비껴 옆으로 돌아선 길림이 크흠, 하고 헛기침을 해 댔다.

"눈 돌아가는 소리 들립니다. 정말 찔리고 싶으십니까?"

나래가 아직 돌려주지 않은 단도를 들어 길림을 찌를 듯 위협했다.

"아, 아니 그게 아닙니다. 그게 아니라……."

길림이 게걸음으로 움직여 자신의 몸으로 나래의 앞을 가렸다.

"혹시 모르니 제 뒤에서 갈아입으십시오."

"흥."

콧방귀로 대답을 대신한 나래가 저고리를 벗고 치마를 풀어냈다. 등 뒤로 바스락거리며 옷자락이 떨어지는 소리가 들려, 길림은 두 손을 들어 자신의 귀를 틀어막았다.

"다들 귀도 막는다. 실시!!!"

길림의 외침에 병사들이 손을 들어 귀를 막았다. 빠르게 변복을 마친 궁수 부대 단원들이 수레에 탑승했다. 호송대로 완벽하게 위장한 길림과 병사들이 채비를 마치고 말에 올랐다. 큰 움직임에 화살을 맞은 자리에 격통이 느껴졌다. 고통을 참는 그의 모습에 나래가 걱정스럽게 그를 바라봤다.

"꼭 살아서 돌아오십시오."

큰 전투가 될 것이다. 사상자도 부상자도 이제까지와는 비교도 할 수 없을 만큼 많을 것이다. 그것을 알기에 길림을 사지로 보내는 나래의 마음이 편치 않았다. 그녀의 마음을 헤아린 길림이 웃으며 고개를 끄덕였다.

"무녀님들을 성까지 안전하게 모셔라. 나머지는 나를 따른다!!!"

"예!!!"

호송대로 변장한 3백 명의 군사가 서국의 진영을 향해 전진했다. 나머지 병사들의 호위를 받으며 말에 오른 나래는 몇 번이고 멀어져 가는 길림의 모습을 돌아봤다.

그로부터 몇 식경 뒤 나래와 무녀들이 무사히 나람성에 도착했다. 그들이 무사히 도착하기만을 기다리고 있던 사람들이 기쁘게 그들을 맞았다.
"다들 무사히 와 줘서 고맙다."
"황공하옵니다, 폐하."
온 황제와 황후가 무사히 살아 있는 모습에 무녀들이 안도했다. 이제야 비로소 안전해졌다는 생각에 눈물을 보이는 무녀들도 있었다. 서로를 얼싸안고 기뻐하는 그들 가운데, 유일하게 나래만이 굳은 얼굴로 준영을 찾았다.
"대장군은 어디에 계신가?"
"성의 정문에 계십니다."
병사의 안내를 받은 나래는 총력전의 준비를 마친 채 성의 정문에 대기하고 있던 준영을 찾아갔다.
"대장군을 뵙습니다."
말 위에 올라 있던 준영이 나래를 발견하고 반색했다.
"도착했구나. 무사해서 다행이다."
"길림 부관과 병사들이 적진으로 향했습니다. 아직 신호는 없습니까?"
"아직이다."
"길림 부관의 부상이 심합니다. 응급처치는 했지만 격렬한 전투를 하기는 버거울 겁니다."
나래의 말에 준영의 미간이 좁혀졌다.
"얼마나 다친 것이냐?"
"저와 무녀들을 지키려다 등에 화살을 세 발이나 맞았습니다. 내상이 심해 당분간 치료가 필요합니다."

"길림 외에 다른 병사들의 상태는?"

"사망자는 총 넷입니다. 부상자는 무녀들이 치료했습니다. 그리고 호송대를 이끌던 여희단의 단장이 탈주했습니다."

여희단의 단장이 탈주했다면 호송대가 기습받은 사실을 알리기 위해 곧장 황성으로 향했을 것이다. 도착하는 데 이틀은 걸릴 테니 시간은 충분했다.

"알겠다. 알려 주어 고맙다."

아군의 피해는 미미하나 길림의 부상이 걸렸다. 준영과 나래의 시선이 성벽 위 신호를 기다리고 있는 병사들을 향했다.

"꼭 돌아오겠다고 했습니다."

나래가 말했다.

"그러니 부디 대장군님도 무사히 돌아와 주십시오."

"그러마. 길림과 꼭 함께 돌아오겠다."

그 순간 멀리 서국 진영의 하늘 위로 효시가 쏘아졌다. 요란한 소리를 내며 일대에 울리는 효시의 소리가 들림과 동시에 닫혀 있던 성문이 열렸다.

"전군 진격하라!!!"

선봉에 선 준영과 기마 부대를 필두로 나투국의 병사들이 성 밖으로 물밀 듯이 쏟아져 나갔다.

한편, 호송대로 위장한 길림과 병사들은 나래와 무녀들이 나람성에 도착한 것과 비슷하게 서국의 적진에 도착했다. 미리 호송대가 올 것을 보고받은 서국의 병사들은 그들이 방어선을 지나 진영의 중심부에 도착할 때까지 조금도 의심하지 않는 눈치였다. 길림이 고개를 돌려 서국의 진영을 살폈다.

"가료 부관님! 호송대가 도착했습니다!"

병사의 보고에 중앙의 막사 안에서 나오는 가료와 그의 뒤를 따르는 지휘관들의 모습이 보였다. 길림과 그의 뒤에 도열한 병사들이 태세를 갖추고 바짝 긴장했다.

"무녀들은 무사한가?"

어느새 호송대의 앞에 도달한 가료가 길림을 향해 물었다. 말에서 내린 길림이 고개 숙여 예를 갖췄다.

"전원 무사합니다."

고개 숙여 보고하는 길림의 모습을 힐끗 바라보던 가료가 호송대를 살폈다. 선봉에 있어야 할 하센과 여희단의 모습이 보이지 않았다.

"하센과 여희단은 어디에 있느냐?"

"뒤쪽에서 무녀들을 확인하고 계십니다."

날선 가료의 물음에도 길림은 의연하게 답했다. 그의 대답에 가료가 길림을 지나쳐 무녀들이 있는 수레를 향할 때였다. 고개를 들어 그의 시선이 다른 곳에 있음을 안 길림이 빠르게 검을 뽑았다. 순간 등에서 끔찍한 격통이 느껴졌다. 고통을 인내한 그가 발도와 동시에 검을 휘둘러 가료의 오른쪽 허리를 베었다.

'이런! 얕았다……!'

깨달음과 동시에 길림이 외쳤다.

"공격하라!!!"

호송대로 위장한 길림의 부대가 일시에 활을 쏘고 검을 휘둘렀다. 주변에 있던 서국의 병사들이 순식간에 바닥으로 쓰러졌다. 가료를 따르던 지휘관들도 마찬가지였다. 그들은 비처럼 날아드는 화살을 피하지 못하고 자리에서 비명횡사했다.

미리 길림의 지시를 받았던 병사들은 빠르게 자리를 벗어나 지휘관 내에 있는 통신용 깃발을 불태우고 근처에 연락병으로 보이는 병사들을 모두 베었다. 수레 안에서 무녀인 척 변복했던 궁수 부대의 여걸들이 치마 안에 숨겨 두었던 쇠뇌를 꺼내 수레 주변을 지키고 있던 서국의 병사들을 향해 발사했다. 막사에 불을 지르자 불어오는 바람에 불길이 빠르게 타올랐다.

"습격이다!!! 적이 침입했다-!!!"

가료가 병사들을 향해 소리쳤다. 피가 흐르는 허리를 부여잡고 곡도를 뽑았다. 병사들의 뒤로 몸을 피하려는 가료를 향해 빠르게 길림이 다시 검을 휘둘렀으나 닿지 못했다. 검을 버린 길림이 빠르게 활을 쥐고 화살을 걸어 쏘았다. 조준할 틈도 없이 날아간 것처럼 보였던 화살은 병사들 사이를 지나 가료의 왼팔에 명중했다.

"아악!"

가료의 비명이 터짐과 동시에 전투의 시작을 알리는 효시가 하늘을 향해 쏘아졌다. 기다렸다는 듯이 나람성의 성문이 활짝 열리며 나투국의 군대가 쏟아져 나왔다.

빠르게 땅을 박차고 진격해 오는 준영의 기마 부대에 서국의 궁수 부대가 급히 움직였으나 그보다 그들의 뒤를 노린 길림과 여걸들의 대응이 빨랐다. 뒤에서 연발로 쏘아지는 쇠뇌와, 정면을 뚫고 들어오는 기마 부대에 제대로 방어조차 하지 못하고 서국의 방어선이 무너졌다. 각 부대의 지휘관들을 잃은 병사들이 우왕좌왕하며 창칼을 들었으나 어느새 방어선을 넘어 진영을 덮친 준영의 기마 부대가 무참히 그들을 도륙했다.

"공격하라!!! 한 놈도 살려 두지 마라!!!"

기마대의 뒤를 이어 적진에 도착한 도백과 보병 부대가 기마 부대가 휩쓸고 간 자리를 따라 흩어진 서국의 병사들을 향해 검을 휘둘렀다.

"궁수 부대!!! 양 날개로 갈라져라!!!"

기마대와 함께 적을 몰아 측면으로 돌아 나온 준영이 보병 부대를 뒤따른 궁수 부대를 향해 소리쳤다. 정면을 향해 달려오던 궁수 부대가 두 개의 분대로 나뉘었다. 마치 매가 날개를 펼친 것처럼 좌우로 도열한 그들이 측면으로 달아나는 서국 병사들의 앞을 가로막고 활시위를 당겼다.

"쏴라-!!!"

진영의 오른편과 왼편으로 동시에 화살 비가 쏟아졌다. 무너지는 서국의 진영을 바라보던 준영이 급히 길림을 찾아 말을 몰았다. 서국 진영의 가장 중심부에서 치열한 전투를 이어가던 길림과 병사들은 적들에게 둘러싸였다. 어느새 포위를 좁혀 온 서국의 병사들이 길림과 병사들의 주변을 원으로 감쌌다.

"부관님! 화살이 떨어졌습니다!"

"침착해라! 모두 검을 들어라!!!"

등을 맞댄 길림과 병사들이 검을 들고 대치했으나 활로가 보이지 않았다. 점점 더 가까이 다가오는 창에 더는 뒤로 물러날 곳도 없었다. 길림의 이마 위로 식은땀이 흘렀다. 계속된 격한 움직임에 격통이 느껴지던 환부는 이미 감각조차 느낄 수 없을 지경이었다. 더불어 지면을 버티고 선 다리의 감각도 서서히 마비되는 느낌이었다.

정상이 아닌 티가 나는 그의 모습에 마주한 서국의 창병이 그를 향해 장창을 내질렀다. 거리 안으로 들어오는 창의 모습에 옆으로 몸을 비켜 창을 피한 그가 왼팔과 옆구리 사이로 창대를 잡아당겼다. 곧장 팔을 뻗은 길림이 검으로 창병의 목을 꿰뚫었다. 엄청난 반응속도였다. 일격에 목숨을 잃은 창병의 모습에 서국 병사들이 질린 눈으로 그를 바라봤다.

"덤벼라. 오늘은 절대 죽지 않는다."

몸은 무거웠으나 정신은 그 어느 때보다 또렷했다. 적들의 모든 움직임을 하나도 놓치지 않겠다는 듯이 그의 눈이 매섭게 빛났다.

"다들 비켜라! 저놈은 내가 상대한다."

몰려 있던 병사들 사이로 모습을 드러낸 건 가료였다. 길림에게 부상당한 허리에서는 여전히 피가 흐르고 있었다. 왼팔에 박힌 화살을 짧게 잘라 낸 그가 곡도를 들어 길림을 가리켰다.

"신궁 길림. 지난 전쟁에서 황제 폐하의 옥체에 흠을 낸 장본인이 바로 네놈이렷다!"

"흠 정도가 아니었던 것으로 기억한다만?"

"닥쳐라!!!"

일반적인 서국의 곡도보다 크기가 크고 무게감이 더 나가는 가료의 곡도가 곧장 길림의 눈앞으로 쇄도했다.

캉-!!!

길림이 검을 들어 막았으나 팔을 타고 전해지는 충격이 아찔했다. 그는 양손으로 곡도를 밀어내며 거리를 벌렸다. 하지만 순간을 놓치지 않고 가료가 다시 공격해 왔다. 횡으로 지나는 가료의 검을 간신히 피한 길림이 다시금 거리를 벌렸다.

"언제까지 피하기만 할 셈이냐!!!

가료는 계속해서 공격을 시도했다. 길림은 쇄도하는 그의 검을 흘려보내거나 피하기만 하며 기회를 노렸다. 그의 시선이 점점 더 출혈이 심해지는 가료의 허리를 향했다. 큰 동작의 공격이 계속될수록 출혈은 점점 심해지고 있었다.

"명색이 괴혈단의 부관이라는 자의 실력이 이것밖에 안 되나?"

"뭐라-?!!"

길림의 도발에 잔뜩 흥분한 가료의 검이 쉴 틈 없이 날아들었다. 목으로, 어깨로, 복부와 다리로 차례로 검이 날아들었다. 제아무리 길림이라도 모든 공격을 다 막아 내기에는 역부족이었다.

"윽……!"

가료의 검을 흘리다 연속된 공격에 허벅지를 베이고 만 길림이 비틀거렸다.

"부관님-!!!"

이 모습을 지켜보던 길림의 병사들이 가료를 공격하려 했으나 길림이 소리쳤다.

"나서지 마라!"

통증을 무시하고 자리에 버티고 선 길림의 시선이 가료를 향했다. 가료가 거친 숨을 몰아쉬었다. 그가 시선을 내려 상처 입은 자신의 허리를 바라봤다. 어느새 붉게 물든 갑옷 아래로 핏방울이 떨어지고 있었다. 시간을 끌면 위험했다. 점점 창백해지는 가료의 안색에, 마찬가지로 거친 숨을 고르던 길림이 이죽거렸다.

"숨소리가 거칠군. 벌써 지쳤나 보지?"

"피차일반인 것 같다만?"

가료가 곡도를 들어 깊게 베인 길림의 허벅지를 가리켰다. 억지로 버티고 선 힘에 길림의 다리가 경련했다.

'다음 공격은 피할 수 없다.'

그렇게 판단한 길림의 얼굴이 한층 굳어졌다. 그 모습을 지켜보던 가료가 다시 곡도를 들었다.

"더는 쥐새끼처럼 도망 다닐 수 없을 거다."

마지막 힘을 쥐어짜 길림을 향해 빠르게 돌진한 가료가 곡도를 높이 치켜들었다.

"죽어라아아아-!!!"

엄청난 기세로 돌진해 오는 가료를 마주한 길림이 들고 있던 검을 버렸다. 그리고 빠르게 화살을 뽑아 활대에 걸었다.

순식간에 쏘아진 화살이 정확히 가료의 머리를 꿰뚫었다. 달려오던 모습 그대로 가료의 몸이 무너지며 바닥을 굴렀다. 무너지는 가료의 신영身影을 바라보던 길림이 활을 어깨에 걸었다. 그리고 죽은 가료를 향해 말했다.

"나는 궁수다. 활에 당했다고 너무 억울해하지 말도록."

죽은 가료를 향해 짧게 명복을 빈 그가 중심을 잃고 비틀거렸다. 빠르게 그를 부축한 병사들이 주위를 경계했다. 가료가 죽었다고 하나 그들은 여전히 포위당한 상태였다. 나람성 진영을 이끌던 최고 지휘관의 죽음에 서국 병사들이 동요했다. 동요는 곧 분노로 바뀌었다.

"가료 부관님이 당했다-!!!"

"놈들을 죽여라!"

"한 놈도 살려 두지 마라!!!"

길림과 병사들을 포위한 병사들이 무서운 기세로 그들을 향해 달려왔다. 하지만 그 분노는 닿지 못했다. 사나운 말발굽 소리가 그들의 뒤를 덮쳤다. 사방에서 적군을 향해 돌진한 준영의 기마대가 포위망을 순식간에 무너뜨렸다.

"도망쳐! 모두 도망……!"

하던 말을 채 맺지 못한 채 공중으로 날아오른 서국 병사의 머리가 포물선을 그렸다. 한순간 허공을 날던 머리는 이내 서국의 창병들과 길림의 사이로 떨어졌다. 드높은 창공의 빛과 같은 은빛 갑주를 두른 준영이 말 위에 자리했다. 그의 대검이 땅 위를 밝히는 아침의 여명에 시리게 빛났다.

"무기를 버려라. 투항하지 않는 자는 살려 두지 않겠다."

그 뒤로 준영을 뒤따르는 기마대가 일대의 적들을 모조리 쓸어버리고 있었다. 첨예한 준영의 눈빛을 마주한 서국의 창병 하나가 비명을 삼키며 들고 있던 창을 떨어뜨렸다. 그것을 시작으로 주변에 있던 창병들이 하나둘 바닥에 무기를 내려놓았다.

"이들을 포박하라."

"예, 대장군!"

길림과 함께 있던 병사들이 빠르게 움직여 무장해제한 서국의 병사들을 포박했다. 엉망인 길림의 모습을 바라보던 준영이 말에서 내렸다. 그는 화살에 이마를 관통당한 채 죽어 있는 가료를 확인하고 다시 길림을 바라봤다.

"괜찮나?"

"조금만 늦었어도 안 괜찮을 뻔했습니다."

"성으로 돌아가 치료받아라. 나래에게 들었다."

"괜찮습니다. 싸울 수 있습니다."

"오기 부리지 마라, 부관. 명령이다."

단호한 준영의 명령에 길림이 하는 수 없이 긍정했다.

"알겠습니다."

준영은 병사들을 시켜 길림을 부축하게 했다.

"고생했다, 길림. 그대가 아니었다면 성공하지 못했을 거다."

"저 같은 부관 또 없을 겁니다."

농담 섞인 그의 말에 준영이 옅게 미소 지었다.

"평생 각오하도록."

병사들과 함께 말에 올라 나람성으로 향하는 길림의 모습을 바라보던 준영이 다시 말에 올랐다. 그는 도백과 보병들이 백병전을 벌이는 곳으로 기마대를 이끌었다.

마침내 길고 길었던 나람성의 전투가 끝난 것은 그날 정오가 되기 전이었다.

"부상자는 이쪽으로 오세요!"

무녀들이 나람성으로 복귀한 병사들의 부상을 치료했다. 민병대가 부상자를 옮기고 음식을 준비했다.

"대장군님, 투항한 병사들은 포박해 한곳에 모아 뒀습니다."

도백의 보고에 준영이 고개를 끄덕였다.

"그들의 처분은 추후에 결정할 것이니 그 전까지는 옥에 갇힌 죄인들과 똑같이 대우토록 하라. 오늘 밤 황성으로 출발할 것이다. 그 전까지 병사들을 쉬게 하고 병장기를 정비하라."

"예. 그리고 말씀하셨던 대로 행림산성과 진한산성으로 척후병들을 보내 남아 있는 서국의 병력을 확인토록 했습니다."

"알겠다. 그대도 무녀에게 상처를 치료받도록."

도백은 부상을 당한 사실을 숨겼으나 예리한 준영의 시선을 피할 수는 없었다. 부어오른 팔목을 등 뒤로 감춘 도백이 고개를 숙였다.

"그리하겠습니다. 염려, 감사합니다."

고개를 든 도백의 눈동자가 어쩐지 부담스럽게 빛났다. 준영은 자신을 향한 그의 존경 어린 눈빛에 슬쩍 시선을 돌리며 병사들을 살폈다. 백병전을 치렀기에 사상자가 많은 것은 어쩔 수 없었으나 예상했던 것보다는 피해가 적었다. 작전에 임한 장수들과 병사들의 합이 잘 맞아떨어졌기에 가능했던 일이었다.

"나는 폐하를 뵈러 가겠다."

"예."

"도백."

"예, 대장군."

"수고했다."

아주 잠깐 준영의 시선이 도백을 향했다. 진심 어린 그의 눈빛에 잠시 할 말을 잃었던 도백이 뒤늦게 소리쳤다.

"감사합니다!!!"

도백을 뒤로한 준영이 건물 안으로 향했다. 자리에 남아 준영의 뒷모습을 바라보던 도백이 자신도 모르게 두 주먹을 꽉 움켜쥐었다. 가슴속 깊은 곳에서부터 벅차오르는 마음을 말로는 다 표현할 길이 없었다.

이번 전투의 목표는 서국의 진영을 단 며칠만이라도 전투 불능 상태로 만들려는 것이었으나 그보다 훨씬 더 큰 성과를 냈다. 준영의 작전과 그를 믿고 따르는 장수들이 만들어 낸 기적이었다. 실로 압도적인 대승이었다. 도백은 그 속에 자신이 속해 있다는 사실이 자랑스러웠다.

그의 눈앞으로 처음 서국의 대군을 맞아 윤조가 이끄는 민병대와 함께 버거운 방어전을 버텨 냈던 날들이 지나쳤다. 이길 수 없을 거라 생각한 전투였다. 성을 지키는 장수가 생각해선 안 될 마음을 품었었다. 황성이 함락되었다는 소식에 내색하지 않았지만 자신을 포함한 성안의 모든 사람들이 절망에 빠졌었다. 하지만 지금 저 성벽 너머를 보라. 우리는 끝내 승리했다.

벅차오르는 감정을 참지 못한 도백의 눈가에 눈물이 고였다. 부상을 입었음에도 병사들의 얼굴에 절망이 아닌 기쁨이 보였다. 들려오는 그들의 웃음소리가 도무지 믿기지 않았다. 도백은 언젠가 자신도 부관인 길림처럼 준영의 옆에 나란히 서고 싶다고 생각했다.

"준영아!"

승전 소식에 건물 안에 있던 온 황제가 기쁘게 준영의 이름을 불렀다. 온 황제의 옆에 있던 홍 장군이 체통을 지키시라 넌지시 속삭였으나 온 황제는 개의치 않았다.

"고생했다. 정말로 고맙네, 대장군."

"황은이 망극하옵니다, 폐하. 승전보를 전할 수 있게 되어 소신도 기쁩니다."

"정말 고생했습니다, 대장군. 무사히 돌아와 기쁩니다. 내내 가슴 졸였답니다."

"망극하옵니다, 황후마마."

고개를 든 준영이 앞에 선 홍 장군을 바라봤다. 홍 장군은 칭찬 대신 무덤덤하게 말했다.

"장수가 할 일을 하고 돌아온 것이니 긴말은 않겠다."

"기대도 안 했습니다."

어려서부터 칭찬에는 박한 아버지였다. 애초에 기대도 하지 않았다 잘라 버리는 준영의 대답에 홍 장군이 크흠, 어색하게 헛기침을 했다. 솔직하지 못한 홍 장군의 모습에 온 황제가 여전한 친구라며 혀를 찼다.

"어릴 때 버릇 누구 못 준다더니. 하나뿐인 아들일세. 좀 더 표현해도 괜찮네, 홍 장군."

"폐하, 아뢰옵기 황송하오나 장수가 나라를 지키는 일을 당연한 일입니다."

"짐이 그걸 모른다고 생각하나?"

"크흠. 송구합니다, 폐하."

두 사람의 대화에 황후가 작게 웃음을 터뜨렸다. 그녀 또한 두 사람의 오랜 친구였기에 가끔 보이는 친근한 모습들을 싫어하지 않았다.

"폐하, 홍 장군. 대장군이 난처해하니 이만 자리에 앉으시지요."

상황을 정리한 그녀가 웃으며 준영을 바라봤다. 준영이 황후를 향해 말없이 묵례했다. 감사의 뜻이었다.

"서국 진영에 있던 지휘관은 모두 사망했습니다. 도백을 시켜 투항한 병사들을 한곳에 가두었으니 처분이 결정되면 처리하겠습니다. 확인한 바, 황성에 전서구를 보내거나 전령을 보내진 못한 것 같습니다."

준영의 보고에 온 황제가 고개를 끄덕였다.

"다행이군. 황성으로 진군하는 동안 시간을 벌 수 있겠어."

"예. 황성에 주둔한 서국의 군대를 밖으로 끌어내야 하니 가료인 척 서신을 꾸며 키안에게 보내도록 하겠습니다."

"생각처럼 저들이 움직여 주면 좋을 텐데 말이야."

"그럴 겁니다. 호송대에서 여희단의 단장 하나가 탈주해 황성으로 향했다는 보고를 받았습니다. 협곡에서 황성까지는 이틀이 걸리니, 이쪽에서 먼저 서신을 꾸며 호송대가 도착하지 않았다고 보낸다면 저들은 호송대만 습격을 받았을 뿐 주둔한 가료의 군대는 건재하다고 믿을 겁니다."

홍 장군도 긍정했다.

"무녀들과 더불어 주요한 인물들이 모두 이곳 나람성에 모여 있다고 여길 테니 필시 가료와 함께 협공을 하려 들 겁니다."

"좋다. 출발은 언제인가?"

"오늘 밤입니다. 반나절 동안은 병사들을 쉬게 하고 병장기를 살피라 일렀습니다. 무녀들이 치료에 힘쓰고 있으니 부상병들의 회복도 빠를 겁니다."

"길림 부관이 다쳤다고 들었다. 작전을 수행하는 데 문제없는 것이냐?"

홍 장군의 물음에 준영이 염려 섞인 투로 답했다.

"나래의 말로는 내상이 심해 당장 전투에 참여하기는 어렵다고 했습니다."

"어찌할 생각이냐?"

"경과를 듣고 결정하겠습니다. 길림이 빠지게 된다면 저와 아버님만 황성으로 향하게 될 겁니다."

"알겠다."

보고를 마친 준영은 도백에게 명해 포로로 잡은 서국의 병사를 시켜 서신을 꾸미게 했다. 그리고 황성으로 향하기 직전 서신을 키얀에게 보내라고 지시했다.

저녁이 되어 해가 지자 도백은 작성한 서신을 서국의 전서구에 매달아 키얀이 있는 황성을 향해 날려 보냈다. 성 밖으로 황성을 향해 진군하는 준영과 홍 장군, 그들의 뒤를 따르는 나투국 병사들의 모습이 보였다.

키얀이 그 서신을 확인한 것은 다음 날 오전이었다.

"폐하! 큰일 났습니다!"

"무슨 일인가?"

가료에게서 올 서신을 기다리던 키얀은 헐레벌떡 달려오는 병사의 모습에 미간을 좁혔다.

"나람성 진영에서 서신이 왔사온데……."

"내놔라."

병사가 내민 서신을 낚아챈 키얀이 내용을 확인했다. 서신에 적힌 것은 예정된 시각을 넘겼음에도 호송대가 진영에 도착하지 않았다는 내용이었다. 서신을 든 키얀의 팔이 부들부들 떨렸다.

"호송대가 도착하지 않았다니……!!!"

바닥으로 서신을 집어 던진 그가 화를 참지 못하고 소리쳤다.

"당장 가료에게 서신을 보내 호송대를 찾아내라 명하라! 당장-!!!"

"황명을 받듭니다!!!"

쏜살같이 달려 나가는 병사의 모습에 이마를 짚던 그가 눈을 가늘게 떴다. 사소한 문제가 생겨 호송대의 행렬이 늦어진 거라면 다행이지만 그게 아니라면…….

키얀의 눈이 가늘어졌다. 다른 이도 아닌 하센의 여희단이 이끄는 호송대다. 변고가 생긴 게 아니고서야 약속된 시일이 지났음에도 진영에 도착하지 못했을 리 없었다. 키얀은 호송대가 지나야 할 협곡이 매복에 취약했음을 떠올렸다.

'내부에서 정보가 샜다.'

순간적으로 그의 머릿속에 떠오른 인물은 하나였다. 그가 복도를 지키고 있던 병사들을 향해 외쳤다.

"지금 당장 무녀장의 처소로 가 무녀 윤조를 잡아 와라!"

복도 저편에서 이 모습을 지켜보고 있던 파이옌이 멀어지는 병사들을 바라보다 고개를 돌려 옆을 향했다.

"시작됐네. 어쩔 거야?"

"일단 숨어야지. 지금 잡히면 날 죽이려 들 텐데."

파이옌과 함께 있던 윤조의 표정이 심각했다. 빤히 그녀를 내려다보던 파이옌이 윤조의 머리 위에 손을 올려 가볍게 두드렸다.

"안 죽어, 안 죽어."

"그걸 어떻게 확신해?"

"내가 옆에 있는데 무슨 걱정이야?"

"……."

"왜?"

"아니, 그냥 조금 재수 없었어."

오만한 태도였으나 파이옌이기에 가능한 말이었다. 떨떠름하게 답하면서도 부정하지 않는 윤조의 반응에 그가 키득거렸다. 그와 함께 대령전의 복도를 몰래 빠져나온 윤조가 비밀 통로를 통해 비서고로 향했다.

미리 비서고에 와 있던 최 승상이 두 사람을 맞았다. 그 곁에는 엄한 최 승상의 분위기에 굳어 버린 의령도 함께였다. 바짝 얼어 있던 의령이 윤조를 보자마자 반갑게 웃었다. 구원자를 만나기라도 한 것 같은 그녀의 반응에 윤조가 최 승상을 바라봤다.

"무슨 일 있었나요?"

"있었어! 있었어!"

의아한 윤조의 물음에 의령이 빠르게 고개를 끄덕이며 긍정했다. 그러다 딱 마주친 최 승상의 눈빛에 어쩔 줄 몰라 하며 고개를 숙였다.

"몰래 밖에 나갔다 왔기에 잔소리 좀 했다."

"잔소리 정도가 아니었……."

"대화에 끼어드는 건 좋은 태도가 아니다."

"죄송합니다. 시정하겠습니다."

최 승상의 지적에 곧장 잘못을 시인한 의령이 윤조의 눈치를 봤다. 난처함과 창피함이 떠오른 그녀의 모습을 바라보던 윤조가 짐짓 걱정스러운 목소리를 냈다.

"밖에 나갔다 오다니 어떻게 된 거야? 비밀 통로를 통하지 않았어?"

"그게, 어쩌다 보니……."

"김의령."

"야, 아무리 그래도 내가 너보다 윗사람이다? 같은 무녀라지만 이름을 막 부르고 그러면!"

"크흠."

최 승상의 헛기침에 의령이 화들짝 놀라 손으로 입을 가렸다. 울먹거리던 그녀가 말을 이었다.

"미안해……. 계속 혼자 있기도 외롭고, 무섭고, 눈치 보면서 음식 훔쳐 먹기도 지치고. 윤조 네가 제국을 지키려고 한다니까 나도 뭔가 도움이 되는 건 없을까 해서……."

점점 기어들어 가는 의령의 목소리에 윤조가 놀란 눈을 했다.

"염탐을 하려고 했단 말이야?"

"미안해. 그래도 들키진 않았어! 여, 여기! 이런 것도 찾았어."

의령이 품 안에 숨겨 놓았던 책 한 권을 꺼내 윤조에게 내밀었다.

"이게 뭐야?"

"어떤 병사가 사민전에 두고 가기에 집어 왔어."

"사민전 안까지 들어갔던 거야?"

"들어갈 생각까지는 없었는데 병사들을 피하다 보니 어쩌다가 그만. 아무도 없었어! 서국 황제도 대령전으로 향하는 걸 봤거든."

"너 진짜……!"

"미안해. 그래도 그거 한번 봐 줘. 중요한 장부 같아. 살짝 읽어 봤는데 나투국 지방 제후들의 이름이랑 가족 관계, 지방 장수들 이름까지 기록되어 있었어."

의령의 말에 윤조와 최 승상, 파이옌의 시선이 책으로 향했다. 빠르게 책을 펼친 윤조가 내용을 확인했다. 의령의 말대로 그 안에는 키얀이 묘길을 통해 포섭한 나투국 지방 제후들의 이름과 각 지방을 맡아 수호하는 장수들의 목록이 적혀 있었다.

그것뿐만이 아니었다. 묘길이 제후들과 주고받은 서신의 내용이 빠짐없이 기록되어 있음은 물론, 서국의 군대가 시가전과 후에 있을 전투를 대비해 황성 곳곳에 숨겨 놓은 무기 창고의 위치가 낱낱이 드러나 있었다.

"노다지다."

자신도 모르게 중얼거린 윤조가 의령을 돌아봤다. 장부의 내용을 확인한 최 승상과 파이옌의 시선도 의령을 향했다. 세 사람의 시선을 한 몸에 받게 된 의령이 주춤거리며 뒷걸음질 쳤다.

"왜, 왜? 중요한 거 아니야……?"

"김의령."

"응?"

"사랑한다."

다소 격하게 의령을 끌어안은 윤조가 의령을 품에 안고 방방 뛰었다. 갑작스러운 윤조의 고백에 당황한 의령이 '으으응?!' 하며 괴상한 소리를 냈지만 윤조의 애정 표현은 그칠 줄 몰랐다.

"아이고, 예쁜 것!"

동생들에게 하던 것처럼 의령의 엉덩이를 손으로 팡팡 두들기던 윤조가 아차 하며 그녀를 놓아줬다. 얼굴이 새빨개진 상태로 엉덩이를 가린 의령이 입을 뻐끔거렸다.

"너, 너, 너! 바, 방금, 무, 무, 무슨 짓을……!"

"잘했다고. 너 진짜 큰일 했다. 네가 최고다. 김의령 짱!"

"짱?"

"최고 중의 최고라고. 완전 최고!"

거한 칭찬에 혼란스러운 의령의 눈동자가 이리저리 방황했다.

"큰일을 했군."

칭찬에 인색하기로 유명한 최 승상마저 의령을 칭찬했다. 온 황제 다음으로 나라의 최고 수장인 그에게 인정받았다는 기쁨에 의령의 표정이 언제 시무룩했냐는 듯 환하게 펴졌다.

"저도 도움이 된 거죠?"

"그래, 이 장부 하나에 걸린 목숨만 해도 셀 수 없으니. 그렇다고 위험한 짓을 또 하라는 건 아니다."

"예, 대승상님!"

최 승상이 의령을 바라보던 시선을 윤조에게 돌렸다.

"이거라면 우리도 대장군을 도와 저들에게 대항할 수 있겠네."

"예. 무기를 빼돌리는 게 어렵다면 무기고를 파괴하는 것만으로도 저들의 전력을 줄일 수 있을 겁니다."

"이거 나도 모르던 정보인데."

무기고의 위치를 확인한 파이옌이 두 사람을 향해 말했다.

"가서 확인해 보지. 경비가 몇 명인지 어느 무기고가 가장 취약한지. 이왕이면 파괴하는 것보다 사용할 수 있는 게 좋잖아?"

"키얀이 네게도 비밀로 한 거면 네가 나타났을 때 병사들이 경계하지 않을까?"

"알아챘다 해도 괜찮을 거다. 그때 난 황성 안에 없을 테니까. 작전대로 키얀이 무녀들을 찾기 위해 나람성으로 군대를 보낸다면 선봉에 서는 건 나다. 내가 떠나기 전에 무기고 한 곳을 터는 건 어때? 전투에 대비하려면 무기는 반드시 필요하니까."

최 승상이 긍정했다.

"그 말대로다. 전력이 있을 때 뒤를 치는 게 낫겠군. 시가전이 길어지고 있으니 무기고 한 곳이 발각되어 털린다고 해도 이상하게 생각하진 않을 거다."

"좋아. 그럼 바로 알아보도록 하지. 시간이 없으니 오늘 밤 바로 움직여야 할 거다."

"알겠어. 대승상님, 유모와 가솔들에게 무기를 옮길 수레를 준비해 달라고 전해 주세요."

"그러지."

작전 회의를 하는 세 사람을 지켜보던 의령이 조심스럽게 끼어들었다.

"저는 도와드릴 일이 없을까요?"

"너는……."

"숨어. 누가 온다."

윤조가 답하려던 때였다. 파이옌의 말에 자리에서 일어난 그들이 급히 움직였다. 비밀 통로를 열 시간이 없었다. 윤조와 최 승상의 귀에도 가까워지는 발소리가 또렷이 들려왔기 때문이다.

다급히 책장 뒤에 몸을 숨긴 그들이 숨을 죽였다. 다음 순간 비서고의 문이 열리고 안으로 나타난 이는 묘길이었다.

"어디에 숨어 계신가요?"

나긋한 그녀의 음성에 윤조의 어깨가 움찔 떨렸다.

'이미 이곳에 숨어 있다는 걸 알고 있다. 아, 설마 신력을 추적해서……!'

키얀을 피해 위기를 모면했다는 생각에 간과하고 있었다. 무녀장이 신목의 책으로 무녀들의 신력을 추적할 수 있다는 사실을. 왜 자유롭게 풀어놓나 싶었는데 굳이 사람을 붙일 필요가 없었던 것이다.

묘길이 자신을 추적했음을 깨달은 윤조가 고개를 돌려 파이옌과 최 승상을 바라봤다. 비서고 안쪽으로 걸어오는 묘길의 발소리가 점차 가까워지고 있었다. 이대로 모두가 들키면 끝장이다. 주저하던 윤조가 책장 뒤에서 나가 묘길을 마주했다.

"저를 찾아오신 겁니까?"
"어머, 윤조 무녀. 한참 찾았잖아요."
거짓말. 윤조는 신목의 책을 들고 있는 묘길의 모습에 미간을 좁혔다.
"그동안 어디를 그리 드나드나 했더니 비서고였군요. 이곳에서 대체 무얼 하고 있었을까?"
심지어 이미 비서고에 드나든다는 사실을 알고 있다. 윤조의 등 뒤로 식은땀이 흘렀다.
"언제부터 알고 계셨습니까?"
"처음부터요."
"감시를 붙인 건가요?"
"오, 아니에요. 재미있는 구경은 직접 하고 싶어서 참았다가 와 봤지요. 그런데 여기에서 뭘 하고 있었나요?"
진심인 모양이었다. 적어도 최 승상과 파이옌에 관해서는 모르는 눈치다. 안도한 윤조가 대충 말을 지어 냈다.
"오랜 기록이 담긴 곳이니 무녀장님의 비밀을 알아낼 단서가 있을까 해서 와 봤습니다."
"그래서 알아낸 건 있나요?"
"아직 없네요. 아쉽게도."
"그렇다기에는 책을 펼친 흔적도 없네요. 책장 뒤에 숨을 동안 읽던 책을 정리했을 리도 없고."
날카로운 묘길의 시선이 의자가 흩어진 탁자로 향했다.
"누가 또 있나 봐요?"
윤조가 아차 하며 입 안의 살을 깨물었다. 묘길이 빙그레 웃으며 말을 이었다.

"키얀의 병사들이 찾아와 윤조 무녀를 내놓으라더군요. 듣자 하니 호송대에 문제가 생긴 모양인데, 혹시 아는 거 있나요?"

"글쎄요. 잘 모르겠습니다."

"잡아뗀다고 능사는 아닐 텐데……."

묘길이 한 걸음 가까이 윤조를 향해 다가섰다.

"응방의 매는 다 잡아 죽였는데 어떻게 정보를 빼돌렸죠?"

"무슨 말씀을 하시는지 정말 모릅니다. 제가 정보를 빼돌리다니요?"

"글쎄요. 비서고 안에서 작당한 누군가의 도움을 받아 그럴 수 있었는지도 모르죠."

음산한 묘길의 기세에 절로 몸에 힘이 들어갔다. 머릿속이 새하얗게 변하는 가운데, 윤조의 뒤에서 의령의 목소리가 들렸다.

"무녀장님……!"

깜짝 놀란 윤조와 묘길이 동시에 의령을 바라봤다. 책장 뒤에서 걸어 나온 의령이 두려움에 떨며 윤조의 옆에 섰다.

"자, 잘못했습니다! 목숨만 살려 주세요! 윤조 무녀는 잘못이 없습니다……!"

"의령 무녀? 그대가 어떻게……?"

의령을 알아본 묘길이 놀라 입을 벌렸다. 생각지도 못했던 사람의 등장에 묘길의 표정이 혼란으로 물들었다.

"너무 무서워서, 무녀들이 잡혀가는데 너무 무서워서 달아났습니다. 병사들의 눈을 피해서 계속 숨어 다니다가 윤조 무녀를 만났어요. 잘못했습니다, 무녀장님! 제발 용서해 주세요! 윤조 무녀는 저를 이곳에 숨겨 준 죄밖에 없습니다……!"

"어떻게 지금까지 들키지 않았죠?"

"신목의 종이가 모자라 신력을 등록하지 못했습니다. 덕분에 지금까지 숨어 있을 수 있었어요."

"그런……."

의령의 말을 듣고 있던 묘길이 윤조를 바라봤다.

"그럼 윤조 무녀가 비서고에 드나들었던 이유가……."

"다 저를 살피기 위함이었습니다! 윤조 무녀가 음식과 필요한 것들을 몰래 가져다주었어요. 그녀가 없었다면 저는 무사하지 못했을 겁니다! 윤조 무녀! 다 이야기해도 괜찮아요. 저 때문에 은인을 곤란하게 할 수는 없습니다!"

"의령 무녀……."

고개 숙인 의령이 윤조의 손을 단단히 붙잡았다. 윤조는 의령이 곤란한 상황을 모면하기 위해 자신을 희생했음을 깨달았다. 잠시 그녀를 바라보던 윤조가 천천히 입을 열었다.

"죄송합니다, 무녀장님. 의령 무녀의 말이 맞습니다. 제가 이곳에 그녀를 숨겼습니다."

곧 이은 윤조의 긍정에 묘길은 복잡한 시선으로 앞에 선 두 사람을 바라봤다. 그녀가 원했던 그림은 아니었지만 그 못지않게 당혹스러운 상황임에는 틀림없었다.

"왜 하필 비서고였죠?"

"며칠 병사들을 피해 숨어 다니면서 보니 비서고의 경비가 가장 허술했습니다. 고서만 가득한 곳이니 누가 찾아올 것 같지도 않아서요."

"그랬군요. 그래서 지금까지 의령 무녀를 이곳에 숨기고 돌봤던 거군요."

상황을 파악한 묘길이 손을 들어 턱을 쓰다듬었다. 비서고에 관한 윤조의 비밀을 알아냈음에도 불구하고 무언가 석연치 않은 느낌이 들었으나, 눈앞에 있는 의령을 보니 그간 자신의 의심이 과했다 싶었다.

키얀은 내부에서 정보가 샜다고 의심했다. 하지만 현실적으로 전서구로 쓸 매조차 없는 황궁 안에서 윤조가 밖으로 정보를 빼돌릴 방법은 없었다. 혼자 남은 그녀가 할 수 있는 일은 지금 눈에 보이는 것처럼 몰래 숨어 있던 동료 무녀를 경비가 허술한 비서고에 숨기는 정도일 것이다.

호송대가 지나는 협곡은 애초에 감시나 매복에 노출될 가능성이 높았던 지역이었다. 키얀도 그 사실을 알고 있었다. 생각을 마친 묘길은 윤조가 황궁 안에서 정보를 빼돌렸다기보다는 운 나쁘게 호송대의 행렬이 준영의 시야에 걸려들었을 확률이 높다고 판단했다.

"내가 너무 무심했군요. 의령 무녀가 사라졌다는 사실도 알아채지 못하다니. 무녀장의 이름이 부끄럽습니다."

"요, 용서해 주시는 건가요……?"

묘길이 측은한 눈빛으로 떨고 있는 의령의 어깨를 토닥였다.

"무서워하지 마세요. 그대들을 해치는 일은 없을 겁니다."

"감사합니다! 정말 감사합니다, 무녀장님……!"

"이만 돌아가는 게 좋겠군요. 두 분 다 저를 따르십시오."

묘길의 뒤를 따라 윤조와 의령이 비서고를 나섰다. 그들의 발소리가 멀어지고 완전히 인기척이 사라진 다음에야 숨어 있던 파이엔과 최 승상이 숨을 내쉬었다.

"들키는 줄 알았네."
"장부는?"
최 승상의 물음에 파이옌이 품 안에 숨겼던 장부를 꺼내 그에게 건넸다.
"빠르게 숨겼지."
"윤조와 의령 두 사람이 잡혔으니 일이 복잡하게 됐군."
"묘길이 장담했으니 둘 다 다칠 일은 없을 거다. 오히려 키안과 묘길의 골이 깊어질 테니 견제하는 꼴이 볼만하겠군. 윤조의 의심은 풀렸으니 오히려 유리해진 것 아닌가?"
"……."
"뭘 그리 봐?"
"볼수록 소문과 다르다 싶군."
"참 나, 머리는 못 쓰고 몸만 쓰는 줄 알았나? 미쳤다는 별명이 붙으니 죄다 내가 바보 천치인 줄 아네."
어처구니가 없어 웃던 파이옌이 말을 이었다.
"무기고 터는 건 그대로 실행할 건가?"
"그래야지. 손 놓고 있을 수는 없으니."
"저녁에 자명전에서 보자고. 그동안 알아보고 올 테니까."
"알겠네."
돌아가기 전 최 승상이 장부를 비서고의 책들 틈에 끼워 넣었다. 지켜보던 파이옌이 작게 휘파람을 불었다.
"등잔 밑이 어둡다는 건가?"
"잘 알고 있군."
"대승상답네."

"때론 가장 위험한 곳이 가장 안전한 곳이니."

어차피 전투가 일어나면 최종 집결지는 황궁이 될 것이다. 마주 본 두 사람이 의미심장하게 미소 지었다.

"지금 뭘 하시는 겁니까……?"

같은 시각, 나람성.

길림의 치료 경과를 보기 위해 그의 방을 찾은 나래는 침상에서 일어나 갑옷을 입고 있는 그의 모습을 발견했다. 급히 방 안으로 들어온 그녀가 길림의 팔을 잡았다.

"부관, 제가 묻잖습니까. 쉬지 않고 뭘 하는 겁니까?"

"영애, 죄송합니다. 하지만 계속 누워 있을 수는 없습니다."

"군대를 따라가서 뭘 어쩌려고요? 그 몸으로 계속 전투를 했다간 몸이 망가질 겁니다!"

"단 하나의 전력도 아까운 때입니다. 황성 탈환을 위해서는 궁수 부대를 지휘할 장수가 반드시 필요합니다."

"대장군님께서 허락하신 일입니다. 부관은 치료를 받아야 합니다."

길림이 나래의 어깨를 붙잡았다.

"가야만 합니다."

"길림 부관……."

"대장군님께서는 염려를 무릅쓰고 저를 남게 하셨습니다. 지금 대장군님과 홍 장군님의 어깨가 얼마나 무거울지 영애는 상상도 못 하실 겁니다. 가서 두 분을 도와 함께 싸워야 합니다."

"제 마음은 얼마나 무거울지 상상이 가십니까? 부관의 상태를 빤히 아는 제가 이렇게 부관을 보내고 나면 제 마음이 얼마나 무거울지 상상은 가십니까?"

"영애."

나래가 울컥 치미는 감정을 애써 내리누르며 숨을 몰아쉬었다.

"저도 압니다. 지금의 상황이 얼마나 중요하고 위험한지. 황성 탈환을 앞두고 길림 부관의 부재가 대장군님께 어떤 부담을 줄지 저도 압니다. 하지만 제 일은 환자를 치료하는 것입니다. 어떤 일이 벌어질지 뻔히 아는데 이대로 보낼 수는 없습니다!"

"죄송합니다, 영애. 반드시 가야 합니다."

길림이 고집을 꺾지 않고 나래의 곁을 지나쳤으나 그 걸음은 얼마 가지 못했다.

"부관……!!!"

푹 꺾인 무릎에 길림의 몸이 옆으로 쓰러졌다. 놀란 나래가 급히 달려가 쓰러진 길림을 끌어안았다. 뜨거운 열기. 스치기만 해도 느껴지는 열기에 깜짝 놀란 나래가 길림을 바라봤다. 그의 얼굴과 온몸이 땀범벅이었다.

"부관! 정신 차리십시오, 부관!"

나래가 길림의 몸을 흔들었으나 이미 의식이 없었다. 길림의 입술이 보라색으로 변하고 있었다. 황급히 그의 몸을 옥죄고 있던 갑주를 벗겨 낸 나래가 몸 곳곳에 난 그의 상처를 확인했다. 그러던 중 가료에게 당했던 허벅지의 상처를 확인한 그녀의 표정이 심상치 않게 굳어졌다. 깊게 베인 허벅지의 상처 주위가 검게 변하고 있었다.

'독이다.'

가료의 검에 독이 발라져 있던 게 분명했다. 길림이 독에 당했을 거라고는 생각지도 못했던 나래가 다급하게 밖을 향해 소리쳤다.

"밖에 누구 없느냐!!! 무녀들을 데려와라!!! 어서!!!"

"잡히고 말았어. 이제 어떡하지?"

의령이 불안을 감추지 못하고 방 안을 왔다 갔다 했다. 창문을 열고 밖에서 들려오는 시끄러운 소리에 귀를 기울이던 윤조는 키얀의 병사들과 묘길의 호위 무녀들 사이에 갈등이 점점 더 심해지고 있다는 것을 알아챘다. 키얀이 포기하지 않고 자신을 잡으려 드는 모양이었다. 창문을 닫은 윤조가 의령을 바라봤다.

"아까 고마워."

윤조의 말에 자리에 멈춰 선 의령이 머쓱하게 시선을 피했다.

"윤조 네가 먼저 날 도와줬잖아."

"그래도. 네가 아니었다면 나는 물론이고 모두 다쳤을 거야. 정말 고마워."

"뭐, 조금 무섭긴 했는데 그렇게밖에 할 수 있는 게 없더라고. 도움이 되었다니 기쁘네."

누군가를 흠잡아 깎아내리는 일은 자주했어도 누군가를 도와준 일은 별로 없었기에 의령은 이런 일로 감사 인사를 받는 상황이 익숙하지 않았다. 꽤 나쁘지 않은 기분이었다. 쑥스러운 마음에 괜히 목을 가다듬던 의령이 윤조의 곁으로 와 침상에 앉았다.

"흠흠, 그 까칠한 나래랑도 잘 어울리더니 너 꽤 좋은 애 같아."

"나 싫어하지 않았어?"

"너를 싫어했다기보다는 그냥 나래가 웬 평민한테 잘해 주고 편드는 게 배알이 꼬였던 거지."

솔직한 의령의 고백에 윤조가 의외라는 눈으로 그녀를 바라봤다. 가만 보니 대승상님께 인정받고 기뻐했던 것도 그렇고, 나래에 대해 이야기하는 것을 들어 보니 나래를 싫어했던 게 아니라 오히려…….

"너 나래 좋아하는구나?"

"조, 좋아하긴 누가 그런 까칠한 애를!"

"에이, 솔직히 나래가 좀 멋있긴 하잖아. 좋아해도 이상할 거 없지."

"그래? 너도 그렇게 생각해?"

"응, 나래 멋있잖아. 언니 같고, 어른 같고. 거기에 예쁘지, 똑똑하지, 집안도 최고지. 대승상님 같은 대단한 아버지도 계시지."

"맞아. 솔직히 좀 멋있는데 가끔은 짜증 나기도 해. 무슨 애가 못난 구석이 없잖아. 신경질 나게."

"인정. 처음에는 나도 뭐 이런 애가 다 있지 싶었어. 가진 거 하나 없는 나에 비하면 완전히 다른 세상에 사는 아가씨잖아."

"그래도 너희 둘 친하잖아. 나는 그게 너무 이상했어. 이런 말 기분 나쁠지도 모르지만 솔직히 나래는 최씨 가문이라는 명성에 걸맞게 귀족들을 대표해야 한다고 생각하거든. 그런데 갑자기 어디서 왔는지도 모를 평민 편을 들잖아. 나도 막 무시하고."

투덜거리는 의령의 모습에 윤조가 작게 웃으며 고개를 끄덕였다.

"괜찮아. 그래서 질투 났구나?"

"뭐, 비슷한 거지. 윤조 네가 대장군님 단장판 얻었다고 했을 때도 나래가 도와줬구나 싶었어. 그래서 더 화가 났고. 귀족들을 위한 특례라는 걸 나래가 모를 리 없잖아. 그런데 그 기회를 귀족이라는 특권을 이용해서 네게 준 거고. 그래서 못되게 굴었어. 미안해……."

무녀라는 이름으로 묶여 있지만 귀족파와 평민파는 사상이나 영향력 자체가 완전히 달랐다. 윤조는 그동안 알지 못했던 속사정 속에 의령도 나름대로 억울한 부분이 있었다는 것을 이해했다.

"고마워. 이렇게 이야기하고 사과해 줘서. 너 이제 보니 엄청 용기 있구나? 조금 전 일도 그렇고, 장부도 그렇고."

윤조의 칭찬에 의령의 귓가가 빨갛게 물들었다.

"정말? 내가 용기 있어?"

의령은 어려서부터 가문의 막내딸로 집안의 귀여움을 독차지했지만, 반대로 똑똑한 언니와 오빠에게 밀려 능력을 인정받은 적은 없었다. 그녀의 부모님은 늘 그녀에게 말했다. 아무것도 하지 않아도 괜찮다. 똑똑하지 않아도 괜찮다. 얻고 싶은 게 있다면 다 구해 주마.

그러한 부모님의 무조건적인 사랑이 싫은 건 아니었으나 의령은 늘 성취감에 목말라 있었다. 그래서인지 고귀하고 어여쁜 귀족 아가씨에 그치지 않고 여러 방면으로 두각을 드러내는 나래의 모습에 동경을 품었다. 순수하게 기뻐하는 의령의 모습에 윤조가 크게 고개를 끄덕였다.

"당연하지. 상대가 무려 무녀장님이었는데."

"헤헤."

의령이 수줍게 웃으며 두 다리를 동동거렸다. 막내딸이라더니 동생같이 귀여운 의령의 모습에 윤조가 흐뭇한 표정을 지었다.

"우리 기운 내자. 잡혀 오긴 했지만 분명 빠져나갈 기회가 있을 거야. 병사들과 호위 무녀들의 갈등이 심한 걸 보니 지금은 이곳이 가장 안전할 것 같아."

"알겠어. 기운 낼게. 그런데 호송대 이야기는 대체 뭘까? 정말 윤조 네가 한 일이야?"

목소리를 낮춰 속삭이는 의령의 물음에 윤조가 고개를 끄덕였다.

"걱정 마. 무녀들은 모두 구출됐어. 지금쯤 대장군님이 황성을 향해 오고 계실 거야."

"정말이야?"

"늦어도 3일 뒤에는 황성에 도착할 거야. 그 전에 우리는 이곳을 빠져나가야만 해."

준영이 황성을 공격한다면 키얀은 자신을 인질로 삼을 게 분명했다. 짐이 되는 일만은 없어야 했다.

"알겠어. 나도 주의 깊게 살펴볼게. 이곳 어딘가에도 분명 비밀 통로로 통하는 입구가 있을 거야."

별안간 닫혀 있던 문이 열린 건 그때였다. 깜짝 놀란 두 사람의 시선이 한곳을 향했다. 방 안으로 들어온 건 혜린이었다. 침상에서 일어난 윤조가 혜린을 바라봤다.

"혜린 무녀, 지키겠다고 했던 건 다 잊었나 봅니다? 이렇게 불쑥 찾아오지 말라고 했을 텐데요."

"걱정 마라. 묘길도 호위 무녀들도 키얀을 만나러 갔으니까. 병사들과 충돌이 있던 모양이니 돌아오려면 꽤 걸릴 거다."

그 말은 지금 무녀장의 처소를 살필 절호의 기회라는 뜻이었다. 윤조를 바라보던 혜린은 그녀의 뒤에 있던 의령을 발견하고 흠칫 놀랐다.

"의령 무녀. 그대가 어떻게 윤조와 함께 있는 거지……?"

"그날 이후 처음 뵙습니다. 그간 평안하셨습니까? 혜린 무녀님."

가시가 느껴지는 물음이었다. 또박또박 혜린의 이름을 발음한 의령이 날카로운 시선으로 그녀를 노려봤다. 혜린은 의령의 물음에 바로 답하지 못하고 시선을 회피했다.

"이러고 있을 때가 아니다. 호송대가 당한 건 윤조 네 짓이냐?"

"당하다니요? 무슨 말을 하는 건지 모르겠네?"

"키얀이 묘길과 네 관계를 의심하고 있다. 얼마 전에 네가 묘길과 산책을 하는 모습을 보더니 무녀장이 굳이 너를 원한 이유를 알아오라고 시켰다. 말을 전했으니 나는 약속을 지켰다. 그러니 너도 말해라. 상황이 어떻게 돌아가고 있는 건지!"

절박한 혜린의 모습을 바라보던 윤조가 복도를 살피고 방문을 닫았다.

"목소리는 좀 낮추죠."

"말해라. 어떻게 된 건지."

"호송대에 잡혀간 무녀들은 무사히 구출됐을 거예요."

"나람성으로 연락을 했나? 어떻게? 응방의 매는 모두 죽었을 텐데?"

"제가 그 정도 수완도 없이 제 발로 묘길에게 잡혔겠어요?"

"호송대의 정보를 얻기 위해 일부러 잡혔던 거였군."

파이옌을 통해 가료의 군대가 대패했다는 사실을 전달받은 윤조는 오늘 키얀에게 도착한 가료의 서신이 준영이 보낸 가짜임을 눈치채고 있었다. 하지만 이 사실은 키얀이 나람성을 칠 군대를 편성해 보내기 전까지 반드시 비밀로 지켜야 했다.

'설령 혜린이 아군으로 돌아섰다고 해도 작전이 새어 나가면 돌이킬 수 없게 된다.'

준영이 군대와 함께 황성으로 오고 있을 거라는 말은 감춘 채 윤조는 말을 돌렸다.

"묘길이 오기 전에 탈출할 길을 찾아야 해요. 시간이 없으니 나중에 이야기하죠."

"황실의 비밀 통로라도 찾을 셈인가?"

의령과 함께 혜린을 지나치려던 윤조가 놀란 얼굴로 그녀를 돌아봤다.

"그걸 어떻게 알고 있죠?"

"모를 리가. 비서고에서 비밀 통로를 발견해 황궁 밖으로 빠져나갔던 나다."

"황궁 밖이라면……?"

"홍씨 가문 저택에 있는 우물과 연결되어 있더군."

윤조는 역적으로 수배되었던 혜린이 어화당의 우물을 통해 황궁을 탈출해 서국으로 향할 수 있었다는 사실을 깨달았다. 혜린이 계속해서 말을 이었다.

"비서고 외에 다른 곳으로 통하는 통로는 확인하지 못했지만 당연히 이곳에도 연결된 공간이 있지 않겠나?"

혜린은 탈출을 대비해 묘길의 처소 안에 있을 비밀 통로의 위치를 찾고 있었다는 사실도 덧붙였다. 그녀의 말에 윤조가 고민했다. 의령과 둘이 찾는 것보다는 셋이 빠를 것이다. 스스로 비서고의 비밀 통로를 찾아내 탈출까지 했던 혜린이라면 좀 더 빨리 위치를 파악할지도 몰랐다.

“저와 의령도 비밀 통로에 대해 알고 있어요. 9백 년 전 초대 황제 시절에 만들어진 것 같은데 원래는 묘길만이 알고 있었다고 하더군요.”

“9백 년 전이라. 묘길만이 그곳을 알고 있었다는 건 직접 들은 사실인가?”

“그래요.”

잠시 골몰하던 혜린이 입을 열었다.

“그 공간을 묘길밖에 몰랐다는 건 오직 묘길만 출입할 수 있는 장소에 그 공간으로 이어지는 통로가 있다는 뜻이 된다. 나도 제대로 조사하지 못한 곳이 한 군데 있지.”

‘묘길의 방.’

혜린과 윤조가 시선을 교환했다.

“바로 가 보죠.”

“무녀장의 방 앞에는 언제나 두 명의 호위 무녀가 감시하고 있다. 아마 지금도 있을 거다.”

“따돌릴 방법이 없을까요?”

“기절시키거나 죽이지 않는 한은.”

하지만 그렇게 되면 묘길이 돌아왔을 때 들통나고 만다. 당장의 탈출은 무리였다.

“기회를 봐서 묘길의 방에 있는 비밀 통로의 입구를 찾아내거나 해야겠어요.”

“묘길과 함께 들어간다 해도 묘길이 자리를 비울 일은 없을 테니 상황을 만들어야 할 거다.”

“도와줄 겁니까?”

잠시 고민하던 혜린이 긍정했다.

"내게도 필요하니 돕도록 하지."

같은 시각, 대령전.

키얀과 묘길의 첨예한 대립이 이어졌다.

"감히 내가 보낸 병사들을 막아선 것도 모자라 사상사까지 내다니. 죽고 싶은 겐가?"

"송구합니다, 폐하. 하지만 폐하의 병사들이 먼저 제 아이들을 해쳤습니다. 무녀만큼은 절대 해치지 않겠다고 한 맹약을 잊으셨습니까?"

"닥쳐라! 무녀로 인해 군사 정보가 샜다. 호송대가 습격을 당한 게 아니고서야 시일이 지났음에도 진영에 도착하지 못했을 리 없다! 무녀들을 잘 감시하겠다는 그대의 말을 믿고 한 약속이다. 더는 지킬 이유가 없다."

"그 말씀은 저를 적으로 돌리시겠다는 말씀이십니까?"

노한 묘길의 음성에 그녀의 뒤에 도열한 호위 무녀들이 일제히 발검 자세를 취했다. 그들의 기세에 대령전 안에 대기해 있던 키얀의 병사들도 무기에 손을 가져갔다.

"싸워 보자는 건가?"

조소하는 키얀을 보며 묘길이 웃었다.

"폐하도, 폐하의 병사들도 검에 찔리면 죽지만 저와 제 아이들은 아니랍니다."

"더는 참아 줄 수가 없구나."

키얀이 기어이 검을 빼 들어 묘길을 겨냥했다. 동시에 검을 뽑은 호위 무녀들이 빠르게 키얀의 주변을 감싸 그를 겨냥했다. 그들의 주위를 활과 창검을 든 키얀의 병사들이 겹겹이 감싼 채 대치했다.
"저와 싸워 이로울 게 없다는 거 잘 아시잖습니까?"
"윤조를 내놔라. 직접 심문해야겠다."
"그러실 필요 없습니다. 애초에 윤조 무녀의 짓이 아니니까요."
"그걸 어떻게 확신하지?"
"폐하께서는 어떻게 확신하십니까? 나투국의 누구도 황성 밖으로 연락을 취할 수 없게 응방의 매를 모조리 잡아 죽인 건 폐하십니다. 황궁 안에서, 그것도 제 감시를 받는 상태에서 윤조가 무슨 방법으로 기밀을 빼내 밖으로 보낼 수 있었겠습니까?"
"다른 밀정이 있는지도 모르지. 윤조를 도와 군사 정보를 빼돌린 자가!"
"그렇다면 그자는 폐하의 사람이겠군요."
"뭐라?"
묘길이 무표정하게 말을 이었다.
"생각해 보십시오. 응방의 매는 다 죽었습니다. 황궁 안의 궁인도 폐하께서 입성하기 전에 제가 모조리 다 죽였지요. 무녀들도 마찬가지입니다. 지금 저를 보필하는 호위 무녀들 외에 성 안에 남아 있는 무녀가 있습니까? 호송대 편으로 폐하께서 다 내보내시지 않았습니까? 그 말은 이곳 황성에는 윤조를 도와 나람성에 연락을 취할 만한 나투국인이 하나도 남아 있지 않다는 뜻입니다. 만약 폐하의 주장이 사실이라면 윤조를 도와 밖으로 연락을 취할 수 있는 자는 서국인 뿐이겠지요. 바로 폐하의 전서구를 사용해서 말입니다."
"뚫린 입이라고 마음대로 지껄이는구나."
열받는 말이었으나 묘길의 추론은 논리적이었다. 앞뒤 상황을 따져 보아도 윤조가 밖으로 연락을 취하기 위해서는 나투국에서 전서구로 쓰는 매가 필요했다. 아군이 하나도 남지 않은 황궁 안에서, 그것도 묘길의 감시를 받으며 홀로 군사 기밀을 빼내 밖으로 빼돌렸다는 건 말이 안 되는 일이었다.

키얀이 감정을 다스리며 묘길을 겨누고 있던 검을 거뒀다. 그 모습을 지켜보던 묘길이 손을 들어 호위 무녀들에게 신호를 보냈다. 검을 거둔 호위 무녀들이 자리로 돌아가 그녀의 뒤에 도열했다.

"잘 생각하셨습니다. 저희끼리 이러고 있을 시간에 군사를 움직여 나람성을 치는 편이 빠를 겁니다."

"그렇지 않아도 가료에게 준비하라 지시했다. 황제도 무녀들도 모두 나람성에 있으니 단숨에 무너뜨리는 수밖에."

"그렇군요."

"그런데 왜 그렇게 윤조를 감싸는 거지? 특별한 필요라도 있나?"

키얀의 물음에 묘길이 옅게 미소 지었다.

"여태 그게 궁금하셨습니까?"

"홍준영을 잡을 인질로 필요한 게 아니라면 딱히 쓸모없는 자가 아닌가."

"폐하가 보시기에는 그럴지도 모르겠군요. 그저 고향이 같아 더 애정이 가는 것뿐입니다."

"고향이 같다?"

"예. 알아보니 윤조 무녀가 저와 동향이더군요. 고향을 떠나온 지 너무 오래라 그곳의 이야기를 듣고 싶었답니다."

"겨우 그런 이유였나?"

"긴긴 시간을 이 황궁 안에서만 지냈습니다. 저라고 밖이 그립지 않겠습니까?"
의심의 눈초리로 묘길을 바라보던 키얀이 표정을 풀었다. 묘길의 대답에서 진심이 느껴졌기 때문이었다.
"그것뿐인가?"
"한 가지 더 이유가 있다면……."
말끝을 흐리던 묘길이 천천히 읊조렸다.
"전쟁이 끝나면 그 아이만큼은 무사히 고향으로 돌려보내고 싶어서요."
"득 될 것도 없는 일을 하려 드는군."
그때였다. 닫혀 있던 대령전의 문이 열리며 밖에 있던 병사가 달려왔다.
"폐하! 여희단 단장이 귀환했습니다!!!"
"하센이? 어서 들라 하라!"
곧 병사들의 부축을 받으며 대령전 안으로 들어온 하센의 상태는 좋지 않아 보였다.
"여희단의 하센, 폐하를 뵙습니다."
"하센! 어떻게 된 일이냐? 호송대가 도착하지 않았다는 연락을 받았다."
"협곡에서 매복에 당했습니다. 저를 제외한 호송대 전체가 전멸했습니다. 송구합니다, 폐하……."
하센이 바닥에 엎드려 흐느꼈다. 예상한 대로였다. 변고가 생겨 호송대가 제때 도착하지 못했던 것이다. 키얀이 주먹으로 황좌를 내리치며 병사들을 향해 외쳤다.
"파이옌을 불러와라! 당장 군대를 이끌고 나람성을 칠 것이다!"

그러고는 묘길을 돌아봤다.

"혜린을 데려와라."

"알겠습니다."

대답을 마친 묘길이 호위 무녀들에게 하센의 치료를 명하고 자리에서 일어났다.

"치료를 마치는 대로 복귀하라. 나는 먼저 처소로 돌아가 혜린 무녀를 만나겠다."

"예, 무녀장님."

"나는 못 믿겠어."

"혜린 무녀?"

의령이 고개를 끄덕였다. 혜린이 방 밖으로 나가고 나서도 한참 동안 의령은 불만스럽게 문을 노려봤다.

"모두를 버리고 서국의 편으로 돌아선 사람이야. 서국의 황제와 함께 황성을 피로 물들인 장본인이라고. 윤조 너는 정말 혜린 무녀를 믿어?"

윤조는 죄책감을 느끼던 혜린의 모습을 잠시 떠올렸으나 그뿐이었다. 그동안의 모습을 봐도, 황후마마께서 하셨던 말씀을 떠올려봐도 치밀하고 인과관계가 분명한 그녀의 성격상 일시적인 감상에 젖어 복수를 포기할 사람은 아니었다. 윤조는 고개를 저었다.

"아니."

"그럼 왜 그 사람의 도움을 받는 거야?"

"이익을 챙길 줄 아는 사람이니까, 혜린 무녀는."

윤조의 대답에 의령이 잘 모르겠다는 눈으로 그녀를 바라봤다.

"본인에게 이익이 되지 않는 일은 하지 않는 사람이야. 그런 자가 먼저 접근해 왔어. 그 말은 현재의 상황에 위기를 느끼고 있단 거지. 자신에게 필요한 정보든 무엇이든 내게서 빼낼 게 있어서 접근한 거야. 자신이 모르는, 예정에 없던 일이 일어나니 불안해진 거지."

"하긴, 혜린 무녀는 지금 상황이 어떻게 돌아가는지 모를 테니까. 대장군님이 오고 있다는 것도 일부러 숨긴 거지?"

"맞아. 혜린 무녀가 알았다가 밖으로 새어 나가면 안 되니까. 어쨌든 지금은 우리가 우위에 있어. 혜린 무녀를 이용할 수 있다면 지금이 기회야. 서국의 황제와 무녀장 사이를 자연스럽게 오갈 수 있는 사람은 그녀뿐이니까."

"무슨 말인지 알았어. 하지만 조심해야 할 거야. 인정하기 싫지만 나 혜린 무녀님을 존경했어. 모든 방면으로 틈이 없는 사람이야. 이미 우리 생각을 알고 있을지도 몰라."

"그럴지도 모르지. 하지만 그걸 감안하더라도 우리는 탈출로를 알아내야만 해. 여기 붙잡혀 있다간 대장군님이 오셨을 때 인질로 쓰일 거야."

'인질'이라는 단어에 겁먹은 의령이 크게 고개를 끄덕였다.

"나도 최대한 도울게."

"무녀장은 식사 후에 나랑 산책을 하려고 할 거야. 최대한 시간을 끌 테니까 가능하다면 무녀장의 방을 살펴봐 줘."

"알겠어."

돌아온 무녀장은 혜린을 찾았다. 서국 황제의 부름이라고 했다.

"무슨 일 있나요? 서국 병사들과도 안 좋은 일이 있었던 것 같은데……."

병사들과 호위 무녀들 간의 마찰이 있었던 조금 전의 상황을 이야기하는 윤조의 말에 묘길이 걱정 말라며 그녀를 다독였다.

"잠시 오해가 있어 병사들과 마찰이 있었어요. 잘 해결되었으니 걱정하지 않아도 된답니다."

"오해라면 어떤……?"

"궁금한 게 많군요."

"저를 잡아가려고 했는데 상황 정도는 알아야죠. 계속 불안하게 있기도 지치고요."

"저런, 그 생각을 미처 못 했네요. 조금 전에 여희단의 하센이 돌아왔답니다. 부상을 입은 채 돌아왔는데 호송대가 매복에 당했다고 하더군요. 그 전에 서국 황제가 진영에서 연락을 받았는데 호송대가 도착하지 않았다고 한 모양이에요. 그 때문에 윤조 무녀를 의심했고요."

"저를 의심했다고요?"

"내부에서 정보가 새어 나갔다면 윤조 무녀밖에 없다고 의심하더군요. 하지만 윤조 무녀의 재능이 아무리 뛰어나다 한들 전서구도 없이 밖으로 정보를 빼돌릴 수 있을 리가 없잖아요?"

묘길의 말을 듣자 하니 내부에서 정보를 빼냈다는 의심은 풀린 모양이었다. 윤조가 의연하게 고개를 끄덕였다.

"오해가 풀려서 다행이에요. 이번에는 무슨 일일까 계속 마음 졸였어요."

"그랬다니 미안해요."

"그런데 혜린 무녀는 갑자기 왜 불려 간 거죠? 혜린 무녀도 저처럼 오해를 받고 있는 건 아니겠죠?"

"그런 건 아니니 걱정하지 않아도 된답니다. 혜린 무녀는 할 일이 있어서 간 것뿐이에요."

내용을 숨기는 묘길의 대답에 윤조는 무녀들을 잃은 키얀이 군대를 꾸려 나람성을 공격할 준비를 하고 있다고 짐작했다. 그런 게 아니고서야 불도병의 기술을 사용할 수 있는 혜린을 갑자기 불러들일 이유가 없기 때문이다.

"나쁜 일은 아니라니 다행이에요. 혜린 무녀에게도 무슨 일이 생긴 줄 알았어요."

"그래요. 식사가 조금 늦어졌네요. 서둘러 준비하라 했으니 방에서 조금만 기다려 주세요."

"알겠습니다."

묘길이 돌아가고, 윤조는 머릿속으로 생각을 정리했다. 혜린까지 불러들인 걸 보면 아무래도 키얀이 곧 출정 명령을 내릴 것 같았다. 혹은 이미 명령을 내린 직후이거나.

'예상보다 진행이 조금 빠르다. 파이옌과 대승상님은 괜찮겠지?'

자신이 묘길에게 잡혔다고 해서 두 사람이 계획을 멈추진 않을 거다.

'별일 없어야 할 텐데…….'

직접 도와줄 수 없어 마음이 걸렸다. 창밖은 어느새 어두워져 있었다. 불안한 듯 두 손을 맞잡는 윤조의 모습에 의령이 그녀의 곁을 지켰다.

한편, 시가전을 핑계로 황궁을 나섰던 파이엔은 경비가 취약한 무기고를 골라냈다. 황성에서도 구석진 곳에 위치한 창고라 목표로 삼기에도 적당했다. 저녁이 되어 약속대로 자명전에서 최 승상을 만난 그가 무기고에 관한 내용을 전달했다. 문제는 그다음이었다.

"밖이 소란한 것 같은데?"

"뭐지? 나가서 확인하고 올게."

"알겠네."

몰래 자명전 밖으로 나간 파이엔은 마침 근처를 지나가는 병사를 붙잡았다.

"무슨 일이냐?"

"좌장군을 뵙습니다! 장군, 지금 폐하께서 찾으십니다."

"나를? 갑자기 왜?"

"호송대와 떠났던 하센 님이 돌아오셨습니다. 호송대가 매복에 당했다고 합니다. 폐하께서 군대를 소집하셨습니다. 곧 나람성을 향해 출정할 겁니다."

"알겠다. 폐하께 가 보지."

"예."

돌아가는 병사를 보며 파이엔이 미간을 좁혔다. 자명전에 돌아온 그가 최 승상에게 말했다.

"키얀이 출정 명령을 내렸어. 나람성을 공격할 생각이다."

"예상은 했지만 시간이 당겨졌군. 빨라도 오늘 밤이라고 생각했는데 말이야."

"아쉽지만 무기고를 터는 일은 도울 수 없을 것 같은데. 키얀이 찾는다고 하니 가 봐야 해."

"할 수 없지. 그 일은 내가 알아서 하겠네."

"홍준영과 합류해 돌아올게. 그때까지 무사해야 해, 대승상."

"자네도 무사히 돌아오게."

자명전을 나선 파이옌은 곧장 대령전에 있을 키얀에게로 향했다.

"출정 명령 내렸다며?"

"그래. 네가 군대를 이끌어라."

"하센은? 돌아왔다고 들었는데."

"무녀들이 치료 중이다. 보고를 마치고 혼절했다."

부상이 심각한 모양이었다. 눈살을 찌푸린 파이옌이 고개를 끄덕였다.

"알겠다. 출정 준비하지."

"8천의 병사를 주겠다. 가료에게 서신을 보냈으니 너는 도착하는 즉시 나람성의 후면을 공격하라. 혜린, 파이옌을 따라가라. 출발하기 전 병사들에게 불도병의 기술을 써라."

원래라면 전투 직전에 기술을 사용하는 편이 좋겠지만 무녀들을 잃은 이상 지금 키얀의 곁에서 그의 명령에 따라 움직일 무녀는 오직 혜린뿐이었다.

조금 전 묘길과의 대치 상황만 보아도 지금 황궁에 남아 있는 무녀들은 묘길을 최우선으로 한다는 사실이 명확해졌다. 그러니 혜린마저 전장에 보냈다가 잘못되기라도 한다면 아군을 도울 무녀가 하나도 없는 셈이었다.

불도병의 기술이 유지되는 시간은 최대 4일이다. 병력 전체가 말을 타고 간다면 나람성을 공격할 때까지 효과를 보기에는 충분했다. 성의 후면에서도 공격이 있을 거라고는 대비하지 못했을 테니 성문과 성벽만 넘으면 나머지는 쉬웠다.

"예, 폐하."

어전을 나서는 파이엔의 뒤를 따라 혜린이 함께했다. 뒤따르는 혜린의 발소리에 파이엔의 미간이 좁혀졌다. 키얀이 3천의 정예병으로 황성을 침공한 후 살아남은 병사의 수는 절반이 채 되지 않았다. 치명상을 입었음에도 불도병의 기술로 숨이 붙어 있던 병사들 중 대다수가 과다 출혈로 사망했기 때문이다.

무녀들의 치료를 받았지만 그중 살아남은 병사의 수는 천여 명 정도였다. 파이엔과 합류한 1만의 병사 중 8천 명이 황성을 빠져나간다면 키얀에게 남는 병사의 수는 대략 3천. 준영이 이끄는 병사의 수가 몇인지 모르겠지만 황성을 탈환하는 데는 해 볼 만한 싸움이 될 것이다.

하지만 8천의 병력에 혜린이 불도병 기술을 사용하면 준영의 군대가 기습 작전을 펼친다고 해도 고전을 면치 못한다. 윤조에게 들어 혜린이 일시적으로나마 같은 편이 되었다고 들었으나 파이엔은 혜린을 믿지 않았다.

대령전을 벗어난 그는 인적 드문 복도에 멈춰 섰다. 갑자기 멈춰 선 그의 행동에 등 뒤의 발소리도 따라 멈췄다. 다음 순간 휘둘러진 파이엔의 곡도가 혜린의 목에 아슬아슬하게 닿으며 멈췄다.

혜린은 그가 검을 뽑는 모습조차 눈으로 좇지 못했다. 살랑, 하고 불어 든 바람을 따라 잘려 나간 그녀의 머리카락이 한 올 한 올 복도의 바닥으로 떨어져 내렸다. 목에 닿는 예리한 검날에 혜린이 흠칫 몸을 떨었다.

"이, 이게 무슨 짓입니까?"

"입 다물어. 죽기 전에."

전신이 따가울 정도로 선명히 느껴지는 살기에 그녀가 입을 다물었다. 목에서 따끔한 통증이 느껴졌다. 가느다란 핏줄기가 그녀의 목을 따라 흘러내렸다. 진심이다.

파이옌은 창백한 낯으로 자신을 바라보는 그녀를 마주하며 속삭였다.

"일시적인 아군? 윤조는 어떻게 생각할지 몰라도 나는 너 안 믿어."

"무슨……!"

"입 닥치라고."

"……."

"병사들에게 불도병의 기술을 사용했다간 편하게 죽진 못할 거다. 알겠나?"

혜린은 파이옌이 윤조의 편으로 돌아섰다는 것을 깨달았다. 황성 밖으로 군사기밀을 빼돌린 것도 파이옌이었나! 입술을 깨물던 그녀는 순순히 고개를 끄덕였다. 어차피 불도병의 기술을 사용했는지 안했는지는 자신밖에 모른다. 하지만 그런 혜린의 생각을 읽기라도 한 듯 파이옌이 미소 지었다.

"너 지금 내가 그 기술 사용한지 안 한지 모를 거라고 생각했지?"

"……."

혜린을 향하는 파이옌의 미소가 짙어졌다.

"병사들을 무작위로 찔러 보면 알겠지. 네가 그 기술을 썼는지 안 썼는지."

그의 선언에 혜린의 눈동자가 크게 흔들렸다. 이 미친 자가 지금 뭐라고 하는 건가……! 자신의 병사들을 검으로 찌르겠다는 말인가? 내 말이 사실인지 거짓인지 확인하기 위해서?

동요하는 기색이 역력한 혜린의 눈빛에 파이엔이 '그럼 그렇지.' 라며 어깨를 으쓱했다.

"어디 해 봐. 내 방식대로 확인하고 기술을 사용한 게 맞는다면 넌 죽는다."

"그런 짓을 했다간 폐하께서……!"

"키얀이 네 뒷배라고 착각하지 마. 내가 너를 죽여도 아무 일도 안 일어나. 왜냐? 놈에게는 너보다 내가 더 중요하거든."

분했으나 사실이었다. 파이엔이 병사 한두 명을 죽인다고 해도 그를 벌할 사람은 없었다. 그가 자신을 죽인다고 해도 상황은 같을 거다. 몇 마디 험한 말이 오가겠지만 키얀이 파이엔을 벌할 리 없었다. 파이엔이 말을 이었다.

"키얀에게 내가 배신했다고 말하려고 할 때는 이미 늦어. 내 말을 무시하고 기술을 쓰면 넌 죽을 거고, 내 말대로 기술을 사용하지 않았다고 해도 키얀이 널 죽일 거야. 아쉽게도 빠져나갈 구멍이 없네?"

"큭."

"그렇게 노려볼 것 없어. 살 기회를 주는 거잖아? 내가 군대를 이끌고 황성을 떠나거든 너는 윤조를 도와 최대한 빨리 황궁에서 탈출해 살길을 찾아야 할 거야. 어때? 여기에서 나한테 죽을래? 아니면 살길을 찾을래?"

파이엔을 노려보던 혜린이 까드득 이를 갈았다. 이내 그녀의 입이 열렸다.

"살려 주십시오."

"현명해. 목숨은 소중하니까."

혜린에게서 검을 거둔 파이옌이 여유로운 얼굴로 명령했다.

"자, 이제 앞장 서."

한편, 윤조의 예상대로 저녁 식사 직후 묘길이 그녀를 불렀다. 산책하기 위함이었다. 의령과 눈짓을 주고받은 그녀가 방을 나섰다.

이전처럼 호위 무녀들을 물러가게 하고 윤조와 산책을 즐기던 묘길은 멀리 황궁 밖으로 빠져나가는 서국의 군대를 가리켰다.

"출정하나 보군요. 선봉은 파이옌이라고 들었습니다."

예상대로 키얀이 출정 명령을 내린 게 맞았다. 혜린을 불렀다면 불도병의 기술을 사용하기 위함일 것이다.

'혜린이 약속을 어기고 불도병의 기술을 사용했을지도 모른다. 파이옌이 어떻게 대처했을지 모르겠지만…….'

불안하게 떨리는 윤조의 시선이 군행렬을 뒤좇았다.

"저들 모두 나람성으로 향하는 겁니까?"

"예. 무녀들을 빼앗겼으니 되찾을 생각이겠죠. 온 황제도 황후도 주요한 자들이 전부 나람성에 있으니 한시라도 빨리 그곳을 함락해야 할 거고요."

"어찌 그리 쉽게 말하십니까? 전투가 일어나면 무녀들이 죽을 수도 있습니다!"

나람성에서의 전투를 직접 피부로 느꼈던 윤조는 말로만 지껄이는 전투와 실전이 판이하게 다르다는 사실을 알고 있었다. 전투라는 건 단순히 적의 군대와 아군의 군대가 싸워 이기는 것만으로 끝나지 않는다. 전투는 나람성의 모든 것을 황폐하게 만들 것이다. 공성전을 벌이면 민간인 사상자는 반드시 생긴다. 무녀들이라고 안전하리란 보장은 어디에도 없었다.

"알고 있습니다. 그래서 사지에서 벗어나게 하고자 서국으로 보냈던 것인데 일이 이렇게 될 줄은 미처 몰랐네요……."

계획대로 되지 않아 안타깝다는 듯이 이야기하는 묘길의 태도에 윤조의 화가 폭발했다.

"무녀들을 서국으로 보냈던 일이 사지에서 벗어나게 하고자 함이었다고요? 짐승처럼 수레에 가둔 채 적국의 볼모로 잡혀가게 한 일을 그렇게 포장할 수도 있는 겁니까!"

"그대는 참 착해요. 남에게 공감하고 괴로움에 슬퍼할 줄도 알죠. 불의를 보면 화를 내고 위험한 줄 알면서도 막으려 하고요."

"제 성품이나 추구하는 정의 따위를 논하자고 한 말인 것 같습니까?"

자신을 향해 거침없이 화를 내는 윤조의 모습을 가만히 바라보던 묘길이 말했다.

"과거에도 당신 같은 사람이 곁에 있었다면 좋았을 텐데요."

"무슨 뜻입니까?"

"말 그대로의 뜻이요. 이런 상황에서도 당신이 걱정하는 사람들이 부러운 건 버리지 못하는 건 내 미련인 걸까요? 나는 무녀들을 서국으로 보내는 일이 옳다고 믿었어요, 그래서 그렇게 했고요. 그 일에 후회는 없습니다. 걱정되는 건 그들이 구출됨으로 인해 다시 위험에 노출되었다는 사실이죠."

"그 믿음의 바탕은 대체 어디로부터 나온 겁니까? 제가 모르는 사실이 뭐죠? 무녀장님은 대체 무엇을 숨기고 계신 겁니까?"

"대개 사람들이 비밀을 숨기는 이유는 그 비밀이 드러났을 경우 가장 상처 입게 되는 사람이 바로 비밀을 지녔던 본인이기 때문이랍니다.”

“상처는 제아무리 곪아터졌어도 치료하지 않으면 회복될 수 없다고 배웠습니다. 바로 무녀장님께서 무녀들에게 준 가르침이죠.”

“맞아요. 내가 그런 가르침을 주었었죠. 하지만 이런 말도 하지 않았나요? 평생 회복되지 않는 상처는 죽을 때까지 익숙해지는 수밖에 없다고. 그런 사람 앞에서는 신력도 무용지물이 되어 버린다고. 결코 자만하지 말라고.”

마치 경고와 같은 말이었다. 한번 그 비밀을 듣게 되면 돌이킬 수 없으니 조심하라는. 분을 삭이며 묘길과 시선을 마주하던 윤조가 조용히 물었다.

“전에 그러셨죠. 제게 들을 자격이 있다고. 그건 무슨 뜻입니까?”

“동향이잖아요, 우리.”

그렇게 말하며 묘길은 웃었다.

잠시 뒤, 산책 같지 않은 산책을 마치고 방으로 돌아가자 의령이 기다렸다는 듯이 윤조를 맞았다.

“별일 없었어?”

“파이옌이 병사들을 이끌고 나람성으로 출정했어. 예상대로야. 너는? 무녀장님 방으로 들어갈 방법은 있을 것 같아?”

“응, 방법을 찾은 것 같아.”

“어떻게?”

윤조의 물음에 의령이 목소리를 낮췄다.

“잡일할 궁인들도 없고 무녀들도 다 떠나서 그런지 일손이 많이 부족한 것 같더라고 그래서 내가 무녀장님 방을 청소하기로 했어.”

“순순히 그러라고 해?”

"방 안에서 가만히 할 일도 없고 잡일이라도 돕고 싶다고 했더니 권하더라고. 어차피 방 앞은 호위 무녀들이 지키고 있으니 허튼 짓은 하지 말라더라. 알겠다고 했지. 내일부터 식사 후에 들르기로 했어."

"좋아. 청소하는 척 방 안을 살피면 되겠다. 비서고나 자명전 같은 경우는 바닥이나 벽에 비밀 통로가 있었으니 아마 무녀장의 방도 비슷할 거야."

"알겠어. 유심히 살펴볼게."

한편, 윤조와 산책을 마치고 방으로 돌아온 묘길은 잠시 생각에 잠겼다. 호송대가 매복에 당했다는 이야기를 꺼내며 그 일을 두고 서국 황제가 윤조를 의심했다고 했을 때 윤조의 반응이 내심 걸렸기 때문이다. 본인의 목숨이 오가는 오해를 받았는데 억울해하는 것보다 키얀에게 혜린이 왜 불려 갔는지를 걱정한다?

윤조의 말처럼 상황이 불안하게 돌아가니 다른 문제는 없는지 확인하기 위해서였을 수도 있다. 하지만 묘길이 알기로 윤조와 혜린은 섞일 수 없는 물과 기름이었다. 혜린이 윤조를 적대하듯 윤조가 그것을 모를 리 없었다. 이런 상황에서 윤조가 혜린을 걱정한다면 그 이유는 하나였다.

'정보를 얻기 위해서.'

만약에 정말로 키얀의 주장처럼 윤조가 내부의 정보를 밖으로 빼돌린 거라면 필요한 조건은 하나였다. 황궁 밖에서 혹은 황궁 안에서 윤조와 접선이 가능해야 하며 황성 밖으로 정보를 전할 수 있는 조력자가 있어야만 한다.

'내가 윤조라면 어떻게 했을까?'

골몰하던 묘길은 자신이 아는 황궁의 비밀 통로를 떠올렸다. 자신과 병사들의 눈을 피해 황궁의 안팎을 오갈 수 있는 유일한 길은 그것뿐이었다. 하지만 자신이 감시하는 동안 윤조는 비서고 외에 다른 곳은 드나들지 않았다.

'만약 황궁 밖의 누군가가 비밀 통로를 통해 비서고에서 윤조와 만남을 가졌던 것이라면?'

윤조는 영민한 아이였다. 신목의 책으로 신력을 추적당할 거란 사실을 알고 있으니 조력자들과 함께 지내는 것보다는 일부러 황궁 안에 갇히는 쪽을 선택했는지도 몰랐다. 황궁 안에서도 밖과 접선이 가능한 비밀 통로의 존재를 알고 있다면 가능한 일이었다. 그리고 윤조 외에 비밀 통로에 대해 알고 있으며 조력자의 역할을 할 수 있는 자는 단 하나였다.

'대승상.'

손가락으로 탁자를 두드리던 묘길이 밖에 있던 호위 무녀들을 불렀다.

"비밀 통로 안에서 대승상의 시체는 찾지 못했다고 했지?"

"예. 숨겨진 모든 함정을 전부 확인해 보지는 못했지만 흔적이 남아 있는 곳은 없었습니다."

묘길의 눈이 가늘어졌다. 길림은 황제와 도망쳤으니 남은 건 대승상뿐이다. 만약 대승상이 비밀 통로 안에 숨겨진 함정에 걸려 죽은 게 아니라 운 좋게 그곳을 탈출했다면? 그래서 황궁 밖에서 윤조를 도와 움직이고 있다면 그가 숨어 있을 만한 장소는 하나였다.

"은밀히 확인할 게 있다. 호위 무녀들은 내가 지시하는 곳으로 가 숨어 있는 자가 없는지 살펴라. 만약 그곳에 숨어 있는 자가 있다면 모조리 잡아와야 할 것이다."

"예, 무녀장님."

같은 시각, 황궁 밖.

파이옌이 알려 준 무기고를 습격하기 위해 작전을 짠 최 승상과 홍씨 가문의 식솔들이 어둠을 틈타 움직였다. 무기고를 지키는 병사의 수는 여섯이었다. 파이옌이 있었다면 병사 여섯 명쯤이야 빠르게 해치울 수 있었겠지만 그가 없는 지금은 아니었다.

저들은 갑옷과 창검으로 무장했지만 이쪽은 아니다. 그렇다고 무기고의 습격을 포기할 수도 없었다. 준영이 도착해 전투가 일어난다면 황성 안에서도 병사들을 처리하고 성문을 여는 데 도움을 줄 병력이 필요했기 때문이다. 그러기 위해서는 무기가 필요했다.

최 승상의 지시에 따라 윤조의 어머니와 동생들을 제외한 홍씨 가문의 식솔들이 나섰다. 몇몇은 망을 보며 부엉이 소리를 내 순찰도는 병사들의 위치를 알렸다. 그 소리를 듣고 농기구로 무장한 사람들이 짚더미가 쌓인 수레를 운반하며 무기고를 향해 접근했다.

'정지.'

최 승상이 손짓하자 사람들이 멈춰 서 숨을 죽였다. 가까운 곳, 허름한 창고 앞에 보초를 서는 병사들이 있었다. 두런두런 대화를 나누던 여섯 명의 병사들 중 두 명이 순찰을 돌기 위해 자리에서 벗어나는 모습이 보였다.

최 승상은 병사들이 가는 골목 방향으로 힘 좋은 일꾼들을 보내 처리하게 했다. 등 뒤에서 급습을 당한 병사 두 명이 괭이며 몽둥이에 맞고 절명했다. 심상치 않은 소리가 들려오자 다른 병사 두 명이 소리가 들려온 방향으로 향했다.

창고를 포위한 최 승상이 사람들에게 지시를 내려 밖으로 향하는 병사들을 재빨리 처리하게 했다. 유일하게 검을 지니고 있던 유모가 병사 하나를 맡아 해치우고 달려 나온 사람들이 나머지 병사를 해치웠다. 그리고 창고 뒤에서 접근한 다른 사람들이 창고 앞에 남아 있던 두 명의 병사를 뒤에서 덮쳤다.

"죽은 병사들은 창고 안으로 옮기고 무기는 수레에 옮겨라. 서둘러야 한다."

최 승상의 지시에 유모와 식솔들이 바삐 움직였다. 죽은 병사들을 옮기고, 수레에 쌓인 짚더미 안에 훔친 무기를 숨긴 사람들은 홍씨 가문 저택으로 돌아가기 위해 서둘러 수레를 끌었다.

그들이 부엉이 소리를 따라 병사들이 없는 길을 돌아 저택 근처에 도착했을 때였다. 무장한 호위 무녀들이 저택 안에서 나오는 모습이 보였다. 놀란 그들이 골목 안으로 급히 몸을 숨겼다.

"이런, 발각된 건가……!"

"대승상님, 저기!"

목소리를 낮춘 사람들이 호위 무녀들을 가리켰다. 저택 안에서 나오는 호위 무녀들과 함께 그들에게 사로잡힌 윤조의 어머니와 동생들의 모습이 보였다.

"사돈 마님과 도련님들을 구해야 합니다!"

검을 들고 달려가려는 유모를 최 승상과 식솔들이 붙잡아 말렸다.

"지금 갔다간 전부 잡히고 말 걸세!"

"하지만……!"

"우리가 무기고까지 습격한 사실을 알면 저들의 목숨이 더 위태로워지네. 황궁에 있는 윤조마저 죽을 수도 있어!"

다행히 전서구는 나람성으로 날려 보낸 뒤였다. 준영에게서 받은 서신은 읽은 즉시 모조리 불태워 버렸으니 주요한 증거는 하나도 남아 있지 않았다. 의령이 구해 온 장부도 비서고에 있으니 묘길이 윤조에게 책임을 물을 수 있는 건 없을 터였다.

하지만 최 승상이 모르는 사실이 하나 있었다. 그것은 바로 어화당의 서책 사이에 혜린이 나투국을 탈출하며 몰래 남겨 놓은 서신이 있다는 사실이었다.

"무녀장님, 지시하셨던 대로 홍씨 가문의 저택에 숨어 있던 자들을 사로잡았습니다. 황궁은 위험할 것 같아 황궁 밖 벽록서 지하에 감금해 뒀습니다."

"잘했어요. 은밀히 처리했겠지요?"

"예. 마주친 자는 없었습니다."

"어떤 자들이 숨어 있던가요?"

"부인과 아이들 네 명뿐이었습니다. 아이들의 말을 들어 보니 윤조 무녀의 어머니와 동생들인 것 같았습니다. 전투가 일어나고 도망칠 곳이 없어 숨어 있었다고 하더군요."

호위 무녀의 보고에 묘길이 턱을 매만졌다. 홍씨 가문에 윤조의 가족들이 숨어 있었다는 건 특별히 신경 쓸 만한 문제가 아니었기 때문이다.

"윤조 무녀의 가족들 외에 다른 사람은 없었고요?"

"예, 다른 사람은 없었습니다. 그런데……."

"뭐죠?"

"혹 문제가 될 만한 서신이나 기록물이 있는지 살피려 저택 안을 수색하던 중 어화당의 책 속에서 이런 것을 발견했습니다."

묘길은 호의 무녀가 건넨 서신을 펼쳤다.
"이건, 정말 예상밖이군요."
묘길이 흥미롭다는 시선으로 서신의 내용을 살폈다.

비서고의 비밀 통로 어화당 우물과 연결. 홍씨 가문의 안주인은 비서고에서 무엇을 보았나?

짧은 내용의 아래로는 혜린의 이름이 선명하게 적혀 있었다. 싸늘한 시선으로 서신의 글귀를 곱씹는 묘길의 입가에 미소가 짙어졌다.
"다른 사람도 아닌 윤조 무녀의 조력자가 무려 혜린 무녀였을 줄이야."
게다가 혜린은 비밀 통로의 위치를 알아낸 것뿐만 아니라 그곳과 연결되어 있던 어화당의 우물을 보고 대장군의 모친이 겪은 죽음의 비밀에 바짝 접근한 모양이었다. 묘길은 자신을 향한 혜린의 분노와 복수심을 알고 있었으나 묵과했다. 그런 것쯤이야 언제가 되었든 얼마든지 받아 줄 의향이 있었다. 하지만 이건 조금 다른 종류의 문제였다.
"자격도 없는 사람이 내 비밀을 캐고 다니는 건 꽤 불쾌한데 말입니다."

"대승상님, 호위 무녀들의 뒤를 밟았던 사람들이 돌아왔습니다."
홍씨 가문 저택이 발각된 이상 그곳으로 다시 돌아갈 수는 없었

다. 급히 다른 거점을 찾던 최 승상의 눈에 띈 것은 폐가로 변해 버린 문씨 가문의 저택이었다. 저택이 절반 가까이 전소되었으나 잠깐 동안 무기를 숨기고 사람들이 지낼 공간은 충분했다. 폐허가 되어 사람이 찾지 않는 곳이니 병사들과 무녀들의 이목을 피하기에도 안성맞춤이었다.

"어떻게 됐나?"

"호위 무녀들이 벽록서에 들어갔다 나왔습니다. 나올 때는 사돈 마님과 도련님들은 보이지 않았습니다. 일부 무녀들이 남은 걸 보니 그곳에 감금한 것 같습니다."

황궁으로 잡아가지 않은 것을 보니 서국의 황제 몰래 묘길이 꾸민 짓인 모양이었다.

"윤조가 비밀 통로를 이용해 드나든 사실이 발각된 모양이다."

"이제 어떡하면 좋죠? 마님께 사실을 전할 방법도 없습니다."

"사부인과 아이들이 인질로 잡힌 게 큰 문제이긴 하지만 가족의 집에 가족이 숨어 있던 것뿐이니 윤조에게 해가 가진 않을 거다. 대장군과 주고받았던 문서도 모조리 불태워 없앴으니 책잡힐 일은 없겠지."

"대장군님께서 도착하기 전에 구해야만 합니다."

유모의 말에 최 승상이 심각한 낯으로 고개를 끄덕였다.

"방법을 생각해 보세."

"척후병을 보내 서국의 군대가 오는지 살피게 하라."

"예, 대장군."

준영의 명령에 척후병들이 말을 몰아 산을 타고 군 행렬을 앞질러 나아갔다. 깊은 밤 나람성을 떠난 후로 세 번째 맞는 아침이 지나고 있었다.

협곡에서 탈출했다는 여희단의 단장이 황성에 도착해 호송대의 소식을 전했다면 지금쯤 키얀이 군대를 출정시켰을 만한 시기였다. 분노한 키얀이 자신이 가료의 이름으로 꾸민 서신을 확인한 즉시 군대를 소집했다면 예정보다 빨리 그들을 마주할 가능성도 있었다.

밤을 틈타 병사들을 잠시 쉬게 했던 준영은 이른 아침부터 다시 행군을 시작했다. 밤낮없이 빠르게 진군할 수도 있었으나 매복이 적당한 지역에 서국의 군대를 끌어들이기 위함이었다. 그렇게 어느덧 정오를 넘겼다. 한낮임에도 울창한 나무들 때문인지 어둑한 그늘이 졌다.

주변의 지형을 살피던 준영이 군대를 멈췄다. 우측으로 보이는 언덕진 산자락은 나무가 울창하고 기암괴석이 어우러져 매복을 하기에 적합했다.

"아버님, 이곳이 좋겠습니다."

준영의 말에 주변을 살피던 홍 장군이 고개를 끄덕였다.

"이곳에 매복해 적을 기다린다! 모두 움직여라!!!"

지시에 따라 병사들이 빠르게 언덕을 타고 우거진 수풀 뒤와 나무, 바위 뒤에 자리를 잡았다.

"서국의 군대가 사정거리에 들어오면 궁수 부대가 적의 허리를 끊는다. 그 뒤 언덕을 돌아간 기마대가 행렬의 후면을 공격할 것이다. 기마대가 공격함과 동시에 보병들은 행렬의 정면에서 흩어진 적들을 일제히 섬멸하라."

"예, 알겠습니다."

"아버님은 이곳에서 궁수 부대와 보병의 지휘를 맡아 주십시오. 계속 강조하지만 파이옌은 죽이면 안 됩니다."

"알겠다."

홍 장군이 떨떠름하게 대답했다. 병사들을 시켜 각각의 부대에 명령을 전한 준영과 홍 장군도 그들을 따라 언덕 위에 매복했다.

'나람성의 앞뒤를 동시에 공격해 끝장낼 생각으로 군대를 보냈다면 적어도 7천 이상의 병력을 파이옌에게 주었을 것이다.'

그동안 최 승상이 보낸 서신을 통해 황성에서 빠져나올 만한 병력을 대략적으로나마 가늠할 수 있던 준영이었다. 수도 방비를 위해서라도 3천 정도의 병력은 남겨 두어야 하니 키얀이 보낼 병력은 7천에서 8천 정도였다. 준영이 나람성 방비를 위해 두고 온 병력은 1만. 그를 따라 진군한 병력은 3만이었다.

비슷한 시각, 파이옌이 이끄는 서국의 8천 병력이 나람성을 향해 일제히 말을 달리고 있었다. 그들 중 기마대 소속 병사는 2천이었다. 키얀은 군대를 한시라도 더 빨리 나람성에 도착하게 하기 위해 보병들을 말에 태워 기동력을 올렸다. 그 때문인지 전날 저녁에 황성을 나서서 채 하루가 되지 않은 시간임에도 그들은 꽤 많은 거리를 이동해 있었다.

문제는 보병이었던 자를 말에 태운다고 기존의 기마병과 똑같은 수준의 전력을 내는 건 아니라는 것이었다. 그들이 탄 말은 군마여야 했으나 군마가 아닌 말도 대다수였다. 함락한 나투국의 황성 주민들에게 강제로 빼앗은 것이었다.

'슬슬 홍준영이 있는 곳에 도착할 것 같은데.'

파이옌은 오늘 밤을 넘기기 전에 준영의 군대와 만날 것 같은 예감이 들었다.

"적이 옵니다!"

행군을 앞질러 전방을 살피러 갔던 척후병들이 되돌아와 상황을 알렸다. 준영과 홍 장군이 매복한 병사들에게 준비 신호를 보냈다.

어느덧 오후가 지나 해가 질 무렵이었다. 울창한 산세에 해는 빠르게 저물기 시작했다. 붉은 노을빛이 산꼭대기를 시작해 산허리를 타고 점점 번져 갔다. 서국의 군대가 준영의 군대가 잠복한 지점에 들어선 건 바로 그때였다. 미리 준영을 만나게 될 것이라 예상하고 있던 파이옌은 군대가 매복하기에 딱 좋은 지점에 도착해 일부러 달리던 말의 속도를 조금 늦췄다. 주변을 살피자 우측 풀숲에서 노을에 반사되어 반짝이는 날붙이가 보였다.

그리고 마침내 서국의 군대가 매복 지역으로 깊숙이 들어섰다. 대기해 있던 궁수 부대가 일제히 화살을 날렸다. 예고 없이 시작된 공격에 화살에 맞은 서국의 병사들이 말 위에서 떨어져 내렸다. 화살을 맞고 흥분한 말들이 날뛰기 시작했다.

"기습이다!!! 적의 기습이다!!!"

병사들이 소리쳤으나 피할 틈도 없이 수차례 화살 비가 더 퍼부었다.

"기마대! 진격하라-!!!"

궁수 부대가 행렬의 허리를 끊자, 언덕을 돌아 적의 후면을 급습한 준영의 기마대에 서국의 군사들이 무차별적으로 쓸려 나갔다.

"전군 적을 포위하라!!! 적을 섬멸하라!!!"

"와아아아아-!!!"

홍 장군의 명령에 매복 중이던 보병들이 일제히 언덕을 타고 내려왔다. 중앙으로는 화살 비가, 뒤로는 준영의 기마대가, 앞으로는 보병 부대가 완벽하게 서국군의 퇴로를 차단했다. 날뛰는 수천의 말들 사이에 갇힌 서국의 기마 부대는 제대로 힘조차 발휘하지 못하고 죽어 가고 있었다.

한편, 맨 처음 궁수 부대의 공격이 시작되었을 때 말머리를 틀어 사정거리를 벗어난 파이옌은 준영의 병사들이 있는 언덕 방향을 향해 달렸다.

"이랴!"

풀숲에 엎드려 매복해 있던 보병들을 뛰어넘어 진영에 합류한 파이옌이 말에서 내려 상황을 관망했다.

"생각보다 금방 끝나겠군……."

무덤덤한 말투와 달리 그의 미간은 좁혀진 채였다. 원래의 세계로 돌아갈 목적을 이루기 위해서였다고는 하나 한때는 인생을 걸었고, 함께 목숨을 나누며 전장을 누빈 전우들이었다. 그런 병사들이 누군가의 손에 다치고 죽어 가는 모습을 지켜보는 일은 제아무리 그라고 해도 달갑지 않았다.

"이게 누구야? 괴혈단의 좌장군 파이옌 아닌가."

홍 장군이 파이옌을 발견하고 다가왔다. 윤조의 납치 사건 이후로 처음 보는 얼굴이었다. 그때의 앙금이 풀리지 않았는지 금방이라도 썰어 버릴 듯한 기세로 자신을 노려보며 검을 치켜드는 홍 장군의 모습에 파이옌이 슬금슬금 뒷걸음질 쳤다.

"저 이제 아군입니다……?"

"알고 있다. 윤조를 몇 번이나 구해 줬다지?"

"홍준영이 거짓말은 안 했나 봐요? 제대로 알려 준걸 보면."

"네놈을 죽이지 말라고 수차례 강조하더군."

홍 장군의 얼굴이 무시무시하게 구겨졌다. 순간 '훙' 하는 바람 소리와 함께 눈앞으로 다가온 검에 파이옌이 황급히 허리를 뒤로 꺾어 피했다.

"으악! 죽이지 말라고 했다면서요!!!"

파이옌은 순식간에 자신의 얼굴 앞으로 지나간 홍 장군의 대검에 벌렁거리는 심장을 쓸어내렸다. 홍준영 자식 괴력이 어디서 온 건가 했더니 아버지한테 물려받았나 보다. 나이도 있는 양반이 저 크고 무지막지한 대검을 장난감같이 휘두르다니.

자신의 검을 피한 파이옌의 모습에 홍 장군이 바드득 이를 갈았다.

"혼례식 때 네놈이 했던 짓만 생각하면 사지를 찢어 죽여도 분이 풀리지 않겠지만……! 너를 믿어 달라는 내 며늘아기의 청을 봐서 참겠다."

분이 풀리지 않은 홍 장군이 들고 있던 검을 바닥에 꽂으며 콧김을 뿜었다. 그 단순한 동작에도 단단한 바닥이 '쿵!' 하며 울렸다. 그 소리에 파이옌은 자신의 두 귀를 의심해야만 했다.

'대체 저 집안은 검 무게가 얼마나 나가는 거야……?'

마치 거대한 범을 마주한 것 같은 서슬 퍼런 그의 안광에 파이옌이 마른침을 삼켰다. 전해지는 살기에 오금이 저릴 지경이었다. 저 나이에 저런 기세로 저 정도 무게의 검을 휘두를 수 있을 정도면 소싯적에는 얼마나 괴물이었다는 걸까? 파이옌은 진심으로 젊은 시절의 홍 장군과 적으로 만나지 않은 것을 하늘에 감사했다.

그 뒤로 이어진 전투는 오래 걸리지 않았다. 막바지에 다다라서는 부상을 입은 소수의 인원은 산속으로 도망치거나 항복했으며, 서국의 8천 병력은 거의 전멸이라고 해도 좋을 정도로 완전히 패했다.

검에 묻은 피를 털어 내고 돌아온 준영은 홍 장군과 함께 있는 파이옌을 발견하고 미간을 좁혔다. 살기를 내뿜는 준영의 모습에 파이옌은 부자가 화내는 얼굴이 똑 닮았다며 준영과 홍 장군을 두고 입방정을 떨었다가 정말로 두 사람과 크게 싸울 뻔한 위기를 넘겨야만 했다.

"아니, 아버지랑 아들이 닮았다고 말했기로서니 사람을 죽이려 들어? 둘 다 제정신이야?!"

바로 직전에 두 사람이 동시에 발도한 검을 곡도 두 개로 간신이 막아 냈던 파이옌이 버럭 소리치며 삿대질을 해 댔다. 엄청난 충격을 받아 낸 그의 양팔과 어깨가 부서질 듯이 아팠다.

"진짜 죽일 생각이었으면 그렇게 떠들 수도 없다."

무덤덤한 준영의 말에 파이옌이 입을 벌렸다.

"봐준 게 그거였다고……?"

"흥, 그래도 네놈 명성이 헛소문은 아닌 모양이다? 최대치는 아니었지만 나랑 준영이 검을 막아 낸 걸 보면."

홍 장군의 빈정거림에 파이옌이 입술을 삐죽였다.

"제가 귀한 며느님 납치했던 몹쓸 놈인 건 알겠는데 아군으로 싸우기로 해 놓고 첫날부터 죽일 일 있습니까?"

"윤조만 아니었으면 죽였다."

"아가만 아니었으면 죽였다."

한 치의 오차도 없이 동시에 대답한 홍씨 부자의 모습에 파이옌이 떨떠름하게 양손을 들어 올렸다.

"항복합니다, 항복. 절대 안 덤빌 테니 그 쇳덩이 좀 그만 휘두르죠? 대체 그게 검입니까, 몽둥입니까?"

"홍씨 가문 사람만이 들 수 있다는 거검巨劍이지. 들어 볼 테냐?"

홍 장군이 들고 있던 검을 선뜻 파이옌의 앞으로 내밀었다. 흔치 않은 기회였기에 호기심이 동한 파이옌이 검의 손잡이를 잡았다.

"잘 잡아라."

웃음기 섞인 홍 장군이 말이 떨어짐과 동시에 파이옌의 손안에 엄청난 무게가 실렸다. 육체 강화 어드밴티지로 강화된 파이옌의 근력으로도 버티지 못할 정도의 끔찍한 무게였다.

위험을 느낀 파이옌이 잡고 있던 검의 손잡이를 놓았다. 다음 순간 '쾅!' 하고, 작은 폭탄이라도 터진 것 같은 소리와 함께 홍 장군의 검이 바닥에 추락했다. 검의 모양대로 움푹 파인 땅바닥을 바라보던 파이옌이 보고도 믿기지 않는다는 표정으로 홍 장군을 바라봤다.

"이게 지금 무슨……?"

"헹, 명색이 장군이라는 놈이 검 하나를 제대로 못 드는 거냐?"

파이옌을 비웃는 홍 장군과 넋이 나간 파이옌을 바라보던 준영이 한숨을 쉬며 끼어들었다.

"그건 나도 버겁다."

"버겁다고? 그래도 들긴 든다는 거잖아?"

"가까스로 들어 봤자 못 드는 거랑 똑같다. 어차피 휘두를 수 없다면 사용할 수 없으니. 병사들을 살피고 오겠다. 잠시 기다리도록. 그리고 아버지.”

“왜, 이 녀석아.”

“검이 웁니다. 그렇게 놀리는 것 좀 그만하세요.”

“헹, 내 마음이다!”

준영의 반응을 보아 하니 이런 식으로 놀렸던 사람이 한둘이 아닌 모양이었다. 파이옌은 손안에서 느껴졌던 엄청난 무게감이 아직까지 남아 있는 것 같아 주먹을 쥐었다 펴길 반복했다.

홍 장군이 바닥에 떨어진 검을 주워 들었다. 그의 손으로는 너무나 가뿐하게 들리는 검의 모습에 파이옌이 눈을 비볐다. 아니, 이게 무슨 이누*샤에 나오는 철쇄아도 아니고…….

“사람 맞으시죠?”

“예끼, 이놈아! 그럼 내가 사람이지, 괴물이냐?”

“아니, 그게 말도 안 되는 걸 그렇게 가볍게 들어 버리시니까…….”

어울리지 않는 이상한 존대까지 해 가며 말이 헛나올 정도로 파이옌은 충격을 받았다.

“하하, 소싯적에 그걸로 대륙을 제패하고 그랬다 거나?”

“어떻게 알았냐? 서국인들은 쉬쉬하는 이야긴데.”

“…….”

어처구니가 없어 웃자고 한 말이었는데 그 대답이 예능이 아니라 다큐다. 진지한 홍 장군의 모습에 파이옌은 대화 주제를 돌리기로 했다. 그러다 눈에 띈 게 있었다.

“저건 대체 뭡니까?”

무녀들을 가두는 데 썼던 커다란 수레 안을 가리키며 묻는 그의 말에 홍 장군이 씩 웃었다.

"윤조가 보고 싶은지 하도 난리를 친다기에 하는 수 없이 데려왔지."

비슷한 시각, 서국의 황성 아트완.

황자 스안은 의원들의 치료에도 좀처럼 의식을 회복하지 못하는 황후의 곁을 지키고 있었다.

"어마마마, 아바마마께서 곧 무녀들을 데려올 것입니다. 부디 기운을 차리셔요."

들려오는 대답 없이 적막한 방 안에서 어린 황자는 미동 없는 황후의 곁에 누워 몸을 말았다. 황자의 작은 손이 황후의 손을 꼭 감싸 쥐었다.

"아바마마께서 꼭 돌아오실 거예요. 꼭, 꼭 돌아오실 거예요……."

울음소리를 내지 않기 위에 입술을 깨문 스안이 이불에 얼굴을 파묻은 채 흐느낌을 삼켰다. 그때였다. 순간 손안에서 미약한 움직임이 느껴졌다. 놀란 스안이 벌떡 일어나 황후를 바라봤다.

"어마마마? 어마마마! 정신이 드십니까! 소자 스안입니다……!"

"황자……?"

가느다란 음성이 황후의 입을 타고 흘렀다. 움찔거리며 손가락을 움직이던 황후가 천천히 눈을 떠 스안을 바라봤다.

"황자. 나의 스안. 내 귀여운 아들……."

"어마마마-!"

황후의 품에 와락 안긴 스안이 울음을 터뜨렸다. 황후는 자신의 어린 아들을 품에 안고 눈물을 참았다.

"이 어미는 다 듣고 있었단다. 연회장에서 쓰러졌을 때 성난 폐하의 음성도, 폐하를 말리던 윤조 무녀의 음성도, 나를 부르는 스안 네 음성도, 전부 다. 일어나 폐하를 말리고 싶었다. 하지만 몸이 움직이지 않더구나. 미안하다, 아가. 어미가 나약해 너를 울게 하는구나. 미안하다. 정말 미안해……."

황후의 말에 고개를 든 스안이 눈물을 훔쳤다. 황후를 바라보는 스안의 눈동자가 작게 떨려 왔다.

"그럼 지금껏 의식이 깨어 있었다는 말씀이십니까……?"

"그래. 전과는 분명 달랐다. 그때는 스스로 신력을 회복하지 못했지만 윤조 무녀의 치료를 받고 난 뒤로는 뭔가 변한 것 같구나."

황후는 자신의 안에서 스스로 회복해 차오르는 신력을 분명히 느낄 수 있었다. 작은 불씨가 몸 구석구석으로 번지며 활활 타오르는 것 같은 이 느낌은 분명 윤조가 맨 처음 자신을 치료했을 때 몸 안으로 흘러들던 신력의 기운이었다.

"치료가 안 된 게 아니다. 윤조 무녀의 신력을 이 어미의 몸이 받아들이기까지 시간이 걸렸던 게야. 지금이라도 폐하를 말려야 한다. 윤조 무녀라면, 그녀라면 어미를 치료해 줄 거다. 지금이라도 어서 전쟁을 막아야, 윽……!"

자리에서 일어나려던 황후는 다시금 자신의 몸이 말을 듣지 않는다는 것을 깨달았다. 이대로는 또다시 깊은 잠에 빠지게 된다. 마음이 급해진 그녀는 스안을 붙잡았다.

"스안! 잘 들어라! 이 어미가 다시 잠들어도 놀라지 말거라. 어미는 절대 죽지 않는다. 알겠느냐!"

"어, 어마마마. 왜 그러십니까? 또 몸이 안 좋으신 겁니까? 그런 겁니까?"

"황자는 이 어미의 말을 명심하라! 황자는 지금 당장 폐하께 가 어미의 일을 고하고 이 전쟁을 멈춰라. 반드시 그렇게 해야 한다. 반드시……! 알겠느냐!!!"

지금까지 한 번도 듣지 못한 황후의 단호한 음성이었다. 강인한 어머니의 눈동자를 마주한 스안이 빠르게 고개를 끄덕였다.

"그리하겠습니다. 소자 어마마마의 뜻을 받들어 반드시 이 전쟁을 멈추겠습니다!"

스안에게 대답을 받은 직후 황후는 다시 눈을 감았다. 자신의 품 안에 쓰러지듯 기대어 잠든 황후를 바라보던 스안은 그녀를 편히 눕게 한 후 방을 나섰다. 나람성에 주둔해 있던 가료의 군대가 이미 3일 전에 패전했다는 소식이 아트완에 전해진 것도 그와 비슷한 때였다.

"가료 부관이 죽었다고?"

"예, 황자 전하. 3일 전의 일이라고 하옵니다! 이미 나투국의 대장군 홍준영의 군대가 폐하께서 계시는 나투국 황성으로 향했다고 합니다!"

"그런……! 왜 그동안 소식을 몰랐던 건가!!!"

"피해가 너무도 막심하여 나람성에서 도망친 병사들이 산을 타고 진한산성에 도착한 다음에야 사태를 파악할 수 있었다고 합니다."

"병사들은 뭐 하고 있나! 어서 폐하께 서신을 보내라!"

"예! 전하!"

"어떻게 이런 일이……."

참담한 승상의 보고에 스안의 낯빛이 변했다. 이미 3일 전에 나투국의 군대가 황성으로 출발했다면 지금쯤 거의 도달했을 시기였다. 얼마 전 무녀들을 호송하던 병력도 매복에 당하고 하센을 제외한 여희단의 주요 전사들도 모두 전사했다고 했다. 그런데 이제는 가료 부관마저 잃었다. 본국에도 닿지 않았던 연락이다. 모든 게 다 저들의 작전이라면 아버님이 있을 나투국 황성에 연락이 닿았을 리 없었다. 키얀이 위험하다는 사실을 깨달은 스안이 급히 승상을 바라봤다.

"나투국의 온 황제가 나람성에 있다고 했나?"

"예, 전하."

"지금 당장 나람성으로 가 온 황제를 만날 것이다! 서둘러 채비하라!"

"하오나 전하! 가료 부관의 군대는 패전했습니다! 나람성으로 가시는 건 위험합니다!"

"전투를 벌이겠다는 게 아니다. 협상을 하기 위함이다."

"협상이라니요? 이제 와 전쟁을 멈추기라도 하시겠단 말씀이십니까? 황자 전하께서 저들에게 굽히시면 서국 황실의 이름에 먹칠을 하게 될 겁니다!"

"폐하께서 위험하다는 것을 알고도 그런 소리가 나오는가!"

"애초에 이번 전쟁을 시작한 건 모두 폐하의 독단이었습니다!!!"

승상의 눈빛에 어린 적대감을 읽은 스안은 그가 이미 다른 마음을 품었다는 것을 깨달았다. 이대로 황성을 비운다면 어머니의 목숨이 위태롭다. 주변에서 승상을 옹호하며 외치는 몇몇 대신들을 바라보던 스안의 눈빛이 차갑게 굳어졌다. 이자들은 이미 아버지를 버렸구나.

판단을 내린 그는 곁에 있던 호위 무사의 허리에서 검을 뽑아 순식간에 승상의 목을 베었다. 핏물을 뿜으며 뒤로 넘어간 승상의 모습에 비명 소리가 들려왔다. 스안은 비명을 지르는 대신들 중 승상의 말에 동조했던 대신들을 손가락으로 하나하나 가리켰다.

"저자, 저자, 그리고 저자. 승상에게 동조한 역도의 무리를 모두 죽여라."

스안의 떨어지기 무섭게 그의 뒤에 도열해 있던 호위 무사들이 승상에게 동조했던 대신들의 목을 베었다.

"이들은 감히 황제 폐하를 모욕하고 황자인 내 앞을 가로막는 무례함을 보였으며 제국을 위해 죽어 간 장수들과 병사들의 고귀한 목숨을 황실의 위신을 세우기 위한 용도로 폄하했다. 이에 지엄한 황실의 법도와 군법에 따라 참형에 처한다."

말을 마친 그가 남은 대신들을 향해 말했다.

"나는 이 전쟁을 멈추고 폐하를 안전하게 모실 것이다. 나와 뜻을 함께할 자들만 이 앞으로 나와라."

바닥을 뒹구는 승상과 대신들의 시체에 감히 누구도 그 앞으로 나설 생각을 하지 못할 때였다.

"어사대부 다라한. 황자마마의 뜻을 함께하겠나이다."

어사대부는 승상과 동급인 최고위 관직으로, 황제의 측근들을 감시하고 그들의 잘못을 탄핵하는 일을 도맡는 자였다. 다라한은 숙였던 고개를 들고 스안에게 말했다.

"전하, 허락하신다면 소신이 알고 있는 모사꾼들을 이 자리에서 더 짚어 내도 괜찮을는지요?"

"허락한다. 호위 무사들은 어사대부가 짚어 내는 자들을 모두 참형하라.”

“예, 전하.”

어사대부의 손짓에 다시 한번 피바람이 일었다. 그러는 동안 스안의 앞으로 꽤 많은 대신들이 줄을 섰다.

“대홍려 체밀. 황자마마의 뜻에 따르겠나이다.”

마지막으로 현재 가장 필요했던 제국의 외교 업무를 맡은 대홍려 체밀이 스안을 향해 고개를 숙였다.

“대홍려 체밀. 나와 함께 나람성으로 가겠나?”

“예, 전하. 즉시 따르겠나이다!”

“말을 준비하라!!! 지금 당장 나람성으로 떠날 것이다! 어사대부는 내가 자리를 비운 동안 황후마마와 황궁을 수호하라.”

“어사대부 다라한. 성심을 다해 황자 전하의 명을 받들겠나이다!”

“제길! 제길! 제길……!!!”

파이옌이 출정한 직후 혜린은 초조함에 휩싸인 채 밤을 새웠다. 파이옌이 윤조와 손을 잡은 걸 보면 지난 호송대의 일처럼 무언가 좋지 못한, 키얀의 심기를 거스를 만한 소식이 돌아올 것 같았기 때문이다.

더군다나 자신은 파이옌의 협박 때문에 병사에게 불도병의 기술을 사용하지 않았다. 혹 서국의 군대가 나투국의 군대에 당했다는 소식이 황궁에 전해지기라도 했다가는 자신의 목숨은 거기서 끝이었다. 벌겋게 충혈된 눈으로 그녀는 손가락을 깨물었다.

"이렇게 끝낼 수는 없다. 제대로 복수도 하지 못했는데 이렇게 죽을 수는 없어……!"

문득 그녀는 곁에 있던 탁자 위를 바라봤다. 정확히는 탁자 위에 어지러이 늘어놓은 두루마리와 비서고의 서책들, 그리고 그것을 토대로 그녀가 작성한 필사본 따위를 눈으로 훑었다. 대부분의 것은 나투국을 탈출할 당시 챙겼던 것으로 문씨 가문에서 대대로 보관해 오던 황실 문서였다. 혜린에게 있어 그것은 가문이 자신에게 남긴 최후의 보루였다. 화려했던 가문의 몰락 뒤에 남은 것은 이처럼 오래된 서책뿐이었다.

혜린은 나투국에서 간신히 도망쳐 국경을 넘었던 그때를 떠올렸다. 반드시 살아서 복구하고자 했다. 남은 것은 아무것도 없었다. 사랑도, 연민도, 무엇도. 그저 가슴 깊은 곳에서부터 끓어오르는, 묘길과 제국을 향한 증오와 복수심밖에는. 그렇기에 자신이 찾아낸 것인지도 몰랐다. 이토록 뿌리 깊은 원한을.

혜린은 손을 들어 자신이 정리한 필사본을 살폈다. 그것을 정리하기 위해 뒤졌던 탁자 위의 무수한 문서의 작성 년도는 전부 초대황제 시대를 가리키고 있었다. 문서를 바라보는 혜린의 눈살이 왈칵 찌푸려졌다. 그것은 세상에 공개되어서는 안 되는 문서였다. 절대로. 무녀인 자신을 위해서라도 절대로 공개되어서는 안 되는.

그때 복도에서 점점 그녀의 방을 향해 가까워지는 발소리가 들렸다. 필사본을 품 안에 숨긴 혜린은 그것을 제외한 모든 문서를 침상의 이불 속으로 밀어 넣었다. 잠시 뒤 '똑똑' 하고 작게 문을 두드리는 소리가 났다.

"밖에 누군가?"

"혜린 무녀님, 저 의령입니다."

혜린이 문을 열자 빨래 바구니를 든 의령이 그녀의 방 안으로 들어왔다.

"맡기실 빨래 없으신가요?"

의령은 그렇게 물으며 복도를 살피곤 문을 닫았다.

"점심 식사 후 윤조 방으로 오세요."

전할 말을 마친 의령이 빨래 바구니를 들고 그녀의 방을 나섰다.

그녀의 말대로 혜린은 점심 식사 후 몰래 윤조의 방을 찾았다.

"식사 후에는 묘길과 산책하는 거 아니었나?"

"이번은 아니에요. 곤란한 문제가 생겼어요."

윤조의 말에 혜린이 의아한 눈으로 그녀를 바라봤다.

"곤란한 문제라니?"

"제후들이 방문했어요. 지금쯤 대령전에서 키얀과 묘길을 만나고 있을 거예요."

제후들이라면 전에 키얀과 묘길이 황위를 미끼로 포섭했다는 나투국의 지방 제후들을 말함이 분명했다. 윤조가 다급히 말을 이었다.

"무녀장이 불러서 나갔다가 봤어요. 그 일로 산책을 하기도 전에 돌아온 거고요."

"몇이나 왔지?"

"셋이요. 키얀의 요구대로 후계자와 장수들까지 거느리고 왔어요."

"제기랄……! 병력까지 딸려 왔겠군."

"그렇겠죠."

혜린이 욕지기를 내뱉었다. 황위를 노리고 온 자들이니 자신 외에 황위를 노리는 다른 제후들과의 싸움을 대비해서라도 병력을 이끌고 왔을 것이 분명했다. 키얀은 도착한 제후들에게, 병력을 추가로 보내 나람성을 치게 했으니 이제 남은 것은 승전보뿐이라고 이야기하며 그들을 한편으로 끌어들일 것이다. 문제는 돌아올 서신이 승전보가 아닌 패전보敗戰報가 될 수도 있다는 것이었다.

혜린이 거칠게 윤조의 멱살을 잡아 올렸다. 깜짝 놀란 의령이 그녀를 말렸으나 격분한 혜린은 물러나지 않았다.

"파이옌을 아군으로 끌어들이고 내게 말을 안 해? 이제 어떡할 거야! 그놈 협박에 키얀이 불도병 기술을 쓰라고 한 것도 어겼어! 보나 마나 네가 넘긴 정보와 파이옌의 도움으로 나투국 군대가 승리하겠지. 머지않아 황성으로 날아올 패전 소식을 받고 나는 키얀의 손에 죽을 테고……!"

"윽, 이거 놔요!"

"똑똑히 들어. 나 혼자는 안 죽어. 나 혼자는 절대 안 죽을 거라고!"

"이거 놓으라고요!!!"

신력을 개방한 윤조의 힘에 강하게 밀려난 혜린이 바닥에 넘어졌다. 헝클어진 머리카락을 쓸어 넘긴 그녀가 윤조를 쏘아봤다.

"내가 죽으면 너도 죽는 거야. 협조해 줬더니 감히 나를 이용하려 들어?"

"제 호의를 배신으로 갚은 당신이 할 소리는 아닌 것 같은데요."

의령이 앞으로 나서며 혜린과 마주했다.

"당신을 도우려는 내게 했던 말 기억해요? 억울한 누명을 쓴 거라고 했죠. 당신은 절대 역적이 아니라고 했습니다. 나를 이용해서 나투국을 탈출해 놓고 적국의 편에 붙어요? 당신 때문에 수많은 피가 흘렀어! 내 호의를 이용한 당신이 이 나라를 이 지경으로 만들었다고. 그래 놓고 믿음을 바라? 당신이 믿음이나 신의 같은 고귀한 뜻을 감히 운운할 자격이나 있다고 생각해요?"

"의령 무녀. 그대를 속인 건 미안하게 생각한다. 하지만 어쩔 수 없는 일이었다. 나를 먼저 배신하고 버린 건 이 나라가 아닌가? 나라꼴이 이 지경이 된 건 제국에 숨어 있는 변절자 하나도 제대로 찾아내지 못한 머저리들 때문이다! 내가 아니라……!"

"하."

의령이 기가 막힌다는 듯이 짧게 숨을 내쉬었다.

"피해자인 척하지 마세요."

"뭐?"

"당신 때문에 내 아버지와 오라버니가 죽었어."

충격적인 의령의 말에 혜린은 물론이고 윤조도 놀란 눈으로 그녀를 바라봤다. 가만히 생각해 보면 이상한 일이긴 했다.

서국의 침공이 있던 때 대부분의 귀족들은 몰래 황성 밖으로 피신했다. 하지만 의령은 황궁 안에 갇힌 채 윤조의 눈에 띌 때까지 숨어 지내야만 했다. 그래서 윤조는 그녀가 다른 무녀들처럼 운 나쁘게 황궁을 벗어날 기회를 놓치고 갇히게 된 것이라 여겼다.

이상한 점은 더 있었다. 의령은 지금까지 단 한 번도 가족들의 생사에 대한 이야기를 꺼내거나 집으로 돌아가고 싶다는 이야기를 하지 않았다. 의아했으나, 예전부터 자존심이 강하고 가문에 대해 자부심이 넘치는 의령이었기에 그만큼 전쟁으로 피해를 입은 가문과 가족에 대한 이야기를 일부러 꺼리는 것이라고 생각했다.

윤조는 당연히 의령의 부모와 식솔들이 살아 있을 거라고 생각했다. 홍씨 가문 저택의 비밀 공간에 숨어 살아남은 그녀의 가족과 식솔들처럼, 어딘가 안전한 곳에 숨어 있거나 황성을 떠나 피난을 갔을 것이라고 여겼다.

그런데 그게 아니었다. 어쩌면 지금까지 의령이 무모한 행동을 하면서까지 자신과 대승상을 도와 무언가를 해내고 싶다고 나섰던 이유는 전부 그 때문인지도 몰랐다.

의령이 힘주어 말을 이었다.

“내가 황궁 안에 갇혔다는 사실을 알고 아버지와 오라버니께서는 나를 구하기 위해 달려오셨어. 당신 때문이야. 당신 때문에 아버지와 오라버니는 비참하게 돌아가셨어. 그런데 감히, 감히 내 앞에서 그따위 입 발린 사과와 궤변을 지껄여……?”

“의령 무녀 나는!”

혜린이 무어라 변명하려 했지만 의령은 듣지 않았다.

“그 입 닥쳐!!! 매순간 당신을 존경했던 과거의 내 자신을 증오해. 매일 밤 잠들면 죽어 간 아버지와 오라비가 꿈에 나와. 당신이 서국 황제의 전차에 함께 올라 입성하던 순간 죽어 가던 사람들의 비명 소리와 울부짖음이 귓가에서 떠나질 않아. 그런데 더 끔찍한 건 뭔지 알아? 그때 당신이 웃고 있었다는 거야. 내 아버지와 내 오라버니가 죽어 가던 그때! 당신은 웃고 있었다고!!!”

눈가에 차오른 눈물을 옷소매로 거칠게 닦아 낸 의령이 혜린을 노려봤다.

“당신을 죽이고 싶었어. 다시 당신을 만나면 그때는 내 손으로 목 졸라 죽여 버리려고 생각했어. 혼자서는 안 죽어? 그 더러운 세치 혀로 또 누굴 끌어들이려고? 역겨운 소리 집어 치워. 내 손을 더럽히기도 아까워. 죽으려거든 당신 혼자 죽어. 우린 살 거니까!

살아서 당신이 망친 이 나라를 구할 테니까! 당신은 혼자서 처절하고 괴롭게 떠돌다가 쓸쓸하게 죽어 버려."

터져 나온 슬픔과 분노를 참지 못하고 흐느끼는 의령을 윤조가 말없이 끌어안았다.

"나는…… 나는……!"

그녀의 품에 안긴 의령이 더는 말을 잇지 못하고 윤조의 어깨에 얼굴을 묻었다. 윤조는 그런 의령의 등을 다독이며 혜린을 바라봤다.

"이 이상 소란을 일으키는 건 용서하지 않겠습니다. 조금이라도 양심이라는 게 남아 있다면 진심을 다해 우릴 도와요."

원래대로라면 청소를 돕기로 한 의령이 묘길의 방에 잠입해 차근차근 비밀 통로를 찾았겠지만 일이 크게 틀어졌다. 목숨을 부지하게 위해서라도 한시라도 빨리 이 황궁을 탈출해야만 했다.

윤조의 말에 한동안 침묵하며 그녀와 의령을 바라보던 혜린이 비틀거리며 자리에서 일어났다.

"뭘 어떻게 할 생각이지?"

"지금 당장 황궁을 빠져나갈 거예요. 묘길과 호위 무녀들이 자리를 비웠으니 지금 묘길의 방에 있는 비밀 통로를 찾아야 해요."

"묘길의 방 앞은 언제나 두 명의 호위 무녀가 지키고 있다."

"살고 싶다면 지금 황궁을 나서야 할 거예요. 곧 있으면 나람성으로 보냈던 8천의 군대가 패했다는 소식이 날아올 테니까."

다른 방법이 없었다. 혜린이 고개를 끄덕였다.

세 사람은 곧장 묘길의 방이 있는 곳으로 향했다. 혜린의 말처럼 묘길의 방 앞을 지키고 있는 두 명의 호위 무녀가 보였다.

"한 명은 내가 유인할게."

의령이 나섰다.

"괜찮겠어?"

"괜찮아. 내가 하게 해 줘."

윤조의 걱정에 의령은 괜찮다며 고개를 끄덕였다.

"알겠어. 네가 호위 무녀를 유인하면 내가 신력으로 기절시킬게."

"나머지 한 명은 내가 맡겠다."

윤조의 말을 혜린이 받았다. 작전대로 미끼가 된 의령이 호위 무녀들의 앞에 어슬렁거리며 눈에 띄었다. 그러다 놀란 것처럼 달아나기 시작했다. 수상한 그녀의 행동에 문을 지키고 있던 호위 무녀 하나가 의령의 뒤를 쫓았다.

모퉁이를 돌아 호위 무녀를 유인한 의령이 옆으로 비켜서자 숨어 있던 윤조가 호위 무녀를 붙잡아 기절시켰다. 순식간에 몸 안으로 흘러든 강한 신력에 호위 무녀는 반항하지 못하고 그대로 바닥에 쓰러졌다.

심상치 않은 소리에 문 앞을 지키고 있던 다른 호위 무녀가 달려왔다. 복도에 장식된 청동으로 만들어진 장식품을 든 혜린이 쓰러진 호위 무녀를 살피는 다른 호위 무녀의 뒤통수를 내리쳤다.

둔탁한 요란한 소리와 함께 기절한 호위 무녀를 확인한 혜린이 장식품을 원래의 자리에 내려놓았다. 기절한 호위 무녀들을 바라보던 윤조는 신력을 이용해 그들을 공중에 띄운 채 묘길의 방 안으로 들어갔다.

"그 운용, 내 것을 보고 따라한 것인가?"

"서국에서 당신의 치료술을 보고 터득했죠."

"그렇게 짧은 순간에……?"

순간 혜린의 눈빛이 달라졌으나 잠시였다. 그녀는 입을 꾹 다물고 고개를 돌렸다. 고요한 묘길의 방 안은 기묘한 향냄새가 났다. 생각보다 넓은 방을 바라보던 윤조가 두 사람에게 말했다.

"흩어져서 찾아보죠."

"그러지."

"알겠어."

방 안에 흩어진 세 사람이 침상 아래부터 시작해 찬장이며 탁자 아래, 장식장이나 병풍이 자리한 방의 구석구석을 샅샅이 뒤지기 시작했다.

혜린이 윤조의 방을 찾았을 즈음, 대령전에서는 만찬이 열리고 있었다. 키얀과 묘길의 맞은편엔 나투국 12제후 중 세 사람인 사량태수 공초와 을미자사 왕막, 서황태수 진대원이 자리했다. 이들은 12제후 중에서도 영향력이 강한 편에 속하는 인물들로, 오래전부터 묘길과 접선하며 황위를 노리고 있던 야심가들이었다.

술잔을 나누다, 그들 중 사량태수 공초가 먼저 운을 뗐다.

"이리 환대해 주시니 감사합니다, 폐하. 무녀장님께 서신을 받고 기쁜 마음으로 달려왔습니다. 약소하지만 성의를 보이고자 선물을 준비했으니 부디 받아 주시기 바랍니다."

"선물이라?"

"예. 가져오라!"

공초의 부름에 커다란 상자를 들고 나타난 그의 사람들이 키얀의 앞에 상자를 내려놓고 밖으로 나갔다. 공초가 상자를 열며 말했다.

"사량에서만 자라는 진귀한 약초이옵니다. 대대로 나투국 무녀만이 관리하고 키운다는 약초로, 이것을 말려 곱게 갈아 뭉치면 나투국 황실에서만 사용하는 선단이 되지요. 그 효능은 익히 알고 계시리라 생각합니다."

"선단이라. 확실히 도움을 받은 일이 있었지. 이게 그 환을 만드는 재료였군?"

"그렇습니다, 폐하. 황후마마의 건강이 좋지 못하다고 들었습니다. 부디 요긴하게 사용해 주신다면 소신 영광이옵니다."

일순 키얀의 미간이 꿈틀했다. 갑자기 차가워진 그의 시선에 공초는 영문을 몰라 당황했다. 그의 옆에 앉아 있던 왕막과 진대원은 그의 실수를 알아채고 작게 혀를 찼다. 키얀이 들고 있던 술잔을 탁자 위에 내려놓으며 읊조렸다. 핏빛을 머금은 그의 붉은 눈동자가 공초를 향했다.

"황후를 염려한다는 자가 약초를 키우는 무녀들 대신에 약초만을 들고 왔구나."

"그, 그것은! 사량의 무녀들은 대대로 약초지 밖으로는 출입하지 못하여……. 송구합니다! 소신의 생각이 짧았습니다, 폐하!"

"잘못을 인정하는가?"

"예, 폐하. 원하는 것이 있다면 모두 드리겠나이다!"

공초는 끝났다. 왕막과 진대원은 그렇게 생각했다. 서국은 굴복을 최대의 수치로 삼는 전사의 나라다. 강자 위에 강자를 고집하는 서국의 황제는 쉽게 머리를 조아리고 환심을 사려는 자를 사람으로 취급하지 않을 것이다. 공초는 이미 모든 것을 잃은 것과 다름없었다. 아니나 다를까, 조용히 미소 짓던 키얀이 공초를 향해 물었다.

“밖에 그대와 함께 온 군사들이 있던데. 몇이나 되지?”
“2천 정도 되옵니다.”
“2천이라? 짐은 제후의 후계자와 지방에서 제일가는 장수만을 데려오라 했을 텐데 왜 2천의 병사를 끌고 온 것인가? 무녀장, 짐이 말한 요구 조건이 다르게 전달된 것인가?”
“아닙니다. 폐하께서 말씀하신 내용과 조금도 다르지 않게 전달했습니다.”
“그런데 자네는 왜 2천의 병력을 데려온 건가?”
병력을 대동한 것은 나머지 두 명의 제후들도 마찬가지였다. 키얀의 질문을 받은 공초는 곁에 있는 두 제후를 바라봤으나 그들은 공초의 시선을 피했다. 당황한 공초가 두 제후를 가리키며 답했다.
“소신은 그저 이들도 병력을 대동한다는 소식을 듣고…….”
“그 말인 즉, 그대는 짐의 뜻보다 이 두 사람의 행동이 더 중요하단 말인가?”
“아닙니다, 폐하! 소신의 뜻은 결코 그런 것이……!”
“말과 행동이 참으로 다른 자가 아닌가. 짐이 이런 자를 어찌 믿고 황위를 논할 수 있단 말인가?”
“옳은 말씀이십니다, 폐하.”
키얀의 말에 왕막과 진대원이 동조했다. 그제야 함정에 빠졌다는 사실을 알아챈 공조가 길길이 날뛰며 왕막과 진대원을 향해 삿대질했으나, 이미 상황은 돌이킬 수 없었다. 키얀이 공초의 뒤에 서 있던 그의 후계자를 향해 물었다.
“사량태수의 후계자여. 그대는 이 일에 대해 어떻게 생각하느냐?”
공초의 후계자로 자리에 참석한 이는 얼마 전 후계자 서임을 받은 공초의 첫째 아들 삼안이었다. 그는 자신의 아버지가 함정에 빠졌다는 사실을 깨닫고 눈짓으로 왕막과 진대원에게 도움을 청했으나 그들은 고개를 돌려 버렸다. 이대로는 가망이 없다. 잘못하면 아버지는 물론이고 자신마저 죽게 될 것이다. 그 사실을 깨달은 삼안이 떨리는 음성으로 키얀에게 답했다.

"사, 사량의 후계자 삼안, 폐하께 답하옵니다. 감히 폐하의 뜻을 거스른 죄는 엄, 엄벌로 다스려야 마땅하다고 생각하옵니다……!"

"정말 그리 생각하느냐? 그자가 네 아비라 할지라도 말인가?"

살기 어린 키얀의 붉은 눈을 마주한 삼안은 검으로 손을 가져가는 그의 모습에 눈을 질끈 감고 소리쳤다.

"제게 어버이 위에 어버이인 황제 폐하의 뜻에 따라야 한다고 가르치신 분은 제 아버지십니다! 그 가르침이 거짓이었다면 그마저도 마땅히 벌을 받아야 한다고 생각합니다!"

"너, 너! 어찌 이 아비를 두고……!!!"

공초가 경악하여 자리에서 벌떡 일어났지만 그보다 키얀의 검이 빨랐다. 아들에게 화를 내는 자세 그대로 멈춰 선 공초의 목이 쩍 갈라지며 이내 피 분수를 내뿜었다. 바닥에 굴러떨어진 그의 머리가 삼안의 발치에 멈춰 섰다. 아버지의 죽음을 눈앞에서 목격한 삼안의 몸이 사시나무처럼 떨렸다.

"아, 아버, 아버ㅈ……."

충격에 더듬거리며 앓는 소리를 내는 그의 머리 위로 검은 그림자가 졌다. 들고 있던 곡도에 묻은 피를 털어 낸 키얀이 삼안을 내려다보며 말했다.

"죽은 네 아비가 내게 모든 것을 주겠다고 약속했다. 들었느냐?"

"예, 예! 부, 분명 들었사옵니다!"

"그럼 그의 목숨도 당연히 내 것이지 않느냐?"

"예!!! 그렇습니다! 폐하의 말씀이 옳습니다……!"

살기 위해 답하는 삼안을 내려다보던 키얀이 그의 어깨에 피 묻은 손을 올렸다. 삼안은 금방이라도 기절할 듯했다.

"네 아비가 보여 주지 못한 신의를 내게 보여 주겠느냐?"

"마, 말씀만 하십시오!"

"지금부터 너는 사량태수의 후계자가 아닌 나의 신하다. 충성을 맹세한다면 밖으로 나가 도열한 장수와 병사들에게 전해라. 사량태수인 공초와 후계자 삼안은 앞으로 서국을 위해 싸울 것이라고."

삼안이 고개 숙였다.

"폐하의 명을 받듭니다!"

"아, 그리고 저것의 문제는……."

키얀이 죽은 공초를 가리키며 하는 말에 삼안이 빠르게 답했다.

"아버님은 폐하와 함께 오래도록 만찬을 즐긴 뒤 여독을 풀기 위해 오래도록 휴식하실 겁니다. 저는 그런 아버님의 빈자리를 대신해 폐하께 충성할 뿐입니다."

현명한 대답이었다. 공초의 죽음을 알리지 않겠다 답하는 삼안의 어깨를 가볍게 두드린 키얀은 그를 자신의 병사들과 함께 대령전 밖으로 내보냈다. 피로 물든 바닥을 걸어 다시 만찬석에 앉은 키얀이 남은 두 명의 제후를 향해 미소 지었다.

"다시 만찬을 즐기도록 하지. 내가 불편을 준 건 아닌지 모르겠군."

"아니옵니다, 폐하. 음식이 참으로 향긋하군요. 바쁘신 와중에도 이리 대접해 주시니 몸 둘 바를 모르겠습니다."

"병사들의 솜씨라 투박하지. 황궁 안에 있던 궁인들은 무녀들을 제외하고 모조리 죽였으니까."

"모두 말입니까……?"

"그래. 아, 물론 짐이 입성하기 전에 무녀장이 처리한 일이지만."

경악 어린 두 제후의 시선에 미소를 머금은 묘길이 살며시 고개를 끄덕였다. 그녀와 키얀을 바라보는 두 제후의 목울대가 크게 들썩였다. 마른침을 삼키는 그들의 모습에 키얀이 심드렁한 얼굴로 음식을 씹었다. 진대원이 나선 건 그때였다.

"결단력이 대단하시군요."

금세 표정을 바꿔 웃고 있는 진대원의 모습에 키얀이 재미있다는 듯이 그를 바라봤다.

"짐이 두렵지 않은가?"

"함께 천하를 논해야 할 분을 두려워해서야 어찌 황위를 이을 수 있겠습니까?"

"함께라?"

"예, 폐하. 소신은 폐하께서 베푸신 은혜를 절대 잊지 않을 것이옵니다."

"이 왕막도 같은 마음이옵니다, 폐하. 폐하의 은덕은 후대에 길이길이 역사로 남을 것이옵니다."

"두 사람도 내 뜻을 어기고 병력을 대동했다지?"

공초 때와 같은 키얀의 물음에 왕막과 진대원의 얼굴에 긴장의 빛이 돌았다. 잠시간의 침묵을 깨고 진대원이 먼저 나섰다.

"송구합니다, 폐하. 제 후계자와 따르는 장수들 중 제일가는 자를 보고 싶어 하시는 것 같아 무례인 줄 알면서도 그리했나이다."

"무슨 뜻인가?"

"소인과 함께 온 장수는 분명 제게 속한 장수들 중 제일이나, 그가 이끄는 천 명의 전차 부대와 2천 명의 창병들이 없다면 제대로 된 모습을 보여 드릴 수 없을 거라 판단했습니다. 나투국을 통틀어 서황의 전차 부대는 제일가는 공격력과 기동력을 자랑하지요. 전차에 관심이 많으시다고 들었습니다. 직접 군대를 움직여 보시고 폐하께서 흡족하시다면 제 장수와 군대를 모두 폐하께 바치겠나이다."

평지전에서만큼은 단 한 번도 적에게 패배한 적이 없다는 서황의 전차 부대는 서국에서도 그 소문이 자자했다. 직접 본 적은 없지만 7년 전쟁에서 괴혈단을 고전하게 했던 것 중 서황의 전차 부대가 있었다는 보고를 받은 적도 있었다. 키얀이 모는 전차 역시 그런 서황의 전차를 본떠 만들게 한 것이었다.

서국과 나투국은 지형 자체가 완전히 달랐다. 오래전부터 느껴 왔지만 서국의 병사들은 나투국의 병사들에 비해 평지전에 약했다. 마지막 전투에서 키얀이 준영의 기마 부대에 패전하고 길림의 화살에 부상을 입었던 이유도 그 때문이었다.

그때 하센이 대령전 안으로 들어왔다. 나람성에 대한 소식이 전해지면 곧장 보고하라던 황명 때문이었다. 만찬에 방해가 되지 않게 조용히 보고하라 지시받았던 하센이 키얀에게 다가가 그의 귀에 속삭였다.

"알겠다. 물러가라."

보고를 마친 하센이 조용히 자리에서 물러갔다. 파이엔과 함께 보냈던 8천의 병력이 대패했다는 소식도 모자라, 파이엔이 나투국 편으로 돌아섰으며 이미 3일 전 가료가 전사하고 나람성 진영이 파괴되었다는 소식이었다.

그는 분노했으나 제후들을 마주한 그의 표정에는 변화가 없었다. 눈앞의 제후들은 서국이 완벽히 승기를 거머쥐었다고 여겨 손을 잡은 것이다. 만약 사실이 알려진다면 제후들은 금방이라도 등을 돌리고 대동한 병력으로 자신의 목을 노릴 게 분명했다.

물러나는 하센을 바라보던 진대원이 키안을 향해 물었다.

"무슨 일이라도 있으십니까?"

"홍준영이 발악을 하려는 모양이다. 황성 탈환을 위해 군대를 이끌고 오고 있다는군."

"대장군이 말입니까?"

"그래. 나람성에 온 황제를 두고 이리 올 모양이다."

"병력은 얼마나 됩니까?"

"3만이라는군. 나람성에 남은 병력은 1만이다."

"황성 탈환이 중요하다지만 참으로 무모하군요. 나람성과 대치 중인 폐하의 군대를 무시한 채 군사를 움직이다니요."

진대원의 말에 왕모도 긍정했다.

"저들이 급박하긴 한가 봅니다. 오히려 저희에게는 잘된 일 아닙니까? 이곳에서 저들의 공격을 방어할 동안 나람성이 함락되길 기다리기만 하면 될 테니까요. 공초의 2천 병사와 서황의 전차 부대와 창병부대, 그리고 제가 데려온 천 명의 궁수 부대와 천 명의 보병 부대가 있다면 방어전을 하는 데는 문제없을 것입니다."

"그대들이 도착하기 전 나람성을 치기 위해 8천의 병력을 추가로 보냈다. 홍준영의 군대와 마주치지 않으려면 우회해서 가야 하니 이곳에서 시간을 벌어야겠군."

"지당하신 분부시옵니다. 나람성에 도착하기까지 시일은 걸리겠지만 대장군도 자리를 비웠으니 앞뒤로 공격해 들어가면 당해 내지 못할 겁니다."

"예, 폐하. 방어전은 걱정하지 마십시오. 바로 준비하겠습니다."

그들은 키안이 거짓말을 하고 있다는 것도 모른 채 모든 병력을 내놓았다.

'제후들의 병력과 황성에 남은 서국의 병력을 합치면 그 수는 1만이 넘는다.'

계산을 마친 키안이 고개를 끄덕였다.

"수고해 준다니 고맙군. 그리하라."

"예! 저희의 성의가 말뿐이 아니라는 것을 증명하겠습니다."

왕막과 진대원이 대령전을 나섰다.

"저도 이만 일어나 보겠습니다."

자리에서 일어나려는 묘길을 멈춘 건 키안의 검이었다. 제후들과의 만찬을 위해 호위 무녀들과 키안의 병사들은 대령전 밖을 지키고 있는 상태였다. 갑작스러운 키안의 행동에 묘길의 미간이 좁혀졌다.

"이게 무슨 짓입니까?"

"나람성으로 보낸 병력이 전멸했다. 파이엔이 우리를 배신하고 나투국 편에 붙었다는군."

"파이엔 장군이 말입니까?"

그럴 리가 없다며 묘길이 반문했다.

"그자는 폐하의 뜻을 따라야 할 중요한 명분이 있습니다. 이렇게 돌아설 자가 아닙니다. 보고에 착오가 있는 건 아닙니까?"

파이옌이 윤조와 마찬가지로 다른 세상에서 온 이야기의 주인공이며, 원래의 세상으로 돌아가기 위해 오래전부터 키얀의 심복으로 철저히 일해 왔다는 것을 알고 있는 그녀였다. 나투국을 정복하고 대장군 홍준영을 죽이기 위해 혈안이 되어 있던 자가 갑자기 그 편으로 돌아서다니? 이해할 수 없는 상황에 묘길의 얼굴이 혼란으로 굳어졌다.

"그 중요한 명분보다 더 중요한 무언가가 생긴 모양이지."

묘한 뜻이 담긴 키얀의 말에 묘길은 설마 하며 윤조를 떠올렸다. 파이옌과 윤조는 한 쌍의 주인공이다. 만약 뜻을 함께하기로 한 두 사람이 서국과 맞서 싸우기로 했다면? 대체 언제부터? 언제부터 두 사람이 손을 잡았던 거지?

'파이옌이 원래의 세상으로 돌아가는 것을 포기하고 윤조의 편에 섰단 말인가?'

과거 파이옌이 이겨 내야 했던 삶에 지극히 공감하는 그녀로서는 도저히 이해할 수 없는 일이었다.

"윤조를 잡아 와라. 내 명령을 거역하고 불도병의 기술을 사용하지 않는 혜린 역시 죽음을 면치 못할 것이다."

"하지만 약조를……!"

"이번만큼은 그 어떤 말로도 나를 설득할 수 없을 것이다. 나를 돕겠다던 그대가 들먹이는 그 약속 때문에 위기에 처했다. 황성에 먼저 도착한 게 제후들이 아니라 홍준영의 군대였다면 고전을 면치 못했겠지! 더는 말로 하지 않겠다. 내 뜻에 따르지 않겠다면 여기서 그대의 목을 치겠다."

키얀의 곡도가 묘길의 목에 바짝 붙었다. 그는 밖을 향해 소리쳤다.

"병사들은 지금 당장 무녀장의 처소로 가 무녀 윤조와 혜린을 잡아들여라!!!"

키얀의 명령이 떨어지기 무섭게 대기해 있던 병사들이 묘길의 처소를 향해 달려갔다. 복도에 대기하던 호위 무녀들이 뒤늦게 대령전 안으로 달려왔으나 묘길은 이미 키얀의 손에 사로잡힌 상태였다.

"쉽게 죽지 못하는 몸이라 해도 머리가 분리되면 과연 살아남을 수 있겠느냐? 실험해 보겠다면 거역해도 좋다."

제후들을 아군으로 만들었으니 더는 묘길의 도움은 필요 없었다. 그런 키얀의 생각을 읽은 묘길이 입술을 깨물었다.

'여기에서 신력으로 이자를 죽인다면 나투국이 다시 황성을 탈환하게 될지도 모른다.'

그랬다간 지금까지의 모든 일들이 수포로 돌아가고 말 것이다. 목숨을 내주는 것 따위는 조금도 아깝지 않았다. 조금의 미련도 없었다. 하지만 자신이 계획한 모든 일이 수포로 돌아가게 되는 것만큼은 절대로 일어나선 안 됐다.

"대답하라. 짐의 뜻을 따를 것이냐? 이 자리에서 목이 잘려 죽을 것이냐?"

키얀이 묘길을 향해 바짝 다가섰다. 그녀의 하얀 머리칼을 움켜쥐고 억지로 고개를 들어 자신을 바라보게 했다.

'나투국의 멸망을 위해서 키얀은 살아야 한다.'

판단을 마친 묘길이 검을 든 키얀의 손을 잡았다. 동시에 그녀의 손안에서 폭발한 신력이 키얀의 몸 안으로 흘러들었다. 순식간에 키얀의 신영이 무너지며 그가 들고 있던 검이 묘길의 목을 얕게 베었다. 그녀는 호위 무녀들을 향해 소리쳤다.

“너희는 당장 처소로 가 병사들을 막아라! 그들이 무녀들을 해치지 못하게 하라! 어서!!!”

호위 무녀들이 빠르게 대령전 밖으로 달려 나갔다. 묘길은 피가 흐르는 목의 상처를 신력으로 치료했다. 그 길로 묘길은 황궁 안에서 모습을 감췄다.

쓰러져 있던 키안을 발견한 것은 하센이었다. 그녀는 갑작스럽게 대령전을 벗어나 한곳으로 향하는 병사들과 호위 무녀들의 모습을 수상히 여겨 달려왔다가 의식을 잃은 키안을 발견했다.

“폐하!!! 폐하!!! 정신을 차리십시오! 폐하!”

주위를 둘러봐도 함께 있어야 할 묘길의 모습이 보이지 않았다. 병사들의 뒤를 쫓던 호위 무녀들을 떠올린 그녀가 비명처럼 소리쳤다.

“밖에 누구 없느냐-!!! 폐하께서 쓰러지셨다!!!”

그녀의 목소리를 듣고 대령전 밖에 있던 병사들이 몰려왔다. 하센이 그들을 향해 소리쳤다.

“무녀장이 폐하를 시해하려 했다!!! 황궁 안의 모든 무녀들을 잡아들여라!!! 무녀장을 추격하라-!!!”

“대체 어디에 있는 거야!”

윤조가 두 손으로 머리를 감싸 쥐었다. 어디에도 비밀 통로로 이어질 만한 출입구는 보이지 않았다. 비서고에서 어떤 장치를 손으로 건드려 문을 열었던 혜린은 그 경험을 바탕으로 장치가 있을 만한 벽과 바닥을 짚어 확인했으나 소용없었다. 점차 흐르는 시간에 의령이 초조하게 소리쳤다.

"아무리 찾아봐도 없어. 어떡하지?"

초조한 건 윤조도 마찬가지였다. 조급하게 방 안을 돌아보던 그녀의 시선이 문득 커다란 묘길의 옷장을 향했다. 문득, 원래의 세상에서 커다란 옷장이 비밀의 세계로 향하는 문이 되었던 판타지 영화의 장면이 떠올랐다. 그녀가 설마 하는 마음으로 옷장을 열었다. 그리고 옷장의 안을 살피던 그녀가 가장 안쪽에 있는 벽에 문처럼 균열이 가 있는 것을 발견하고 소리쳤다.

"여기 있어! 옷장 안쪽에!!!"

"비켜 봐라!"

옷장 안을 확인한 혜린이 급히 벽면을 더듬었다. 문을 열 장치를 찾기 위함이었다. 그 순간 닫혀 있던 묘길의 방문이 열리며 키얀의 병사들이 들이닥쳤다.

"내가 막을 테니 어서 문을 열어-!"

다급하게 소리친 윤조가 곁에 있던 커다란 장식장을 신력으로 들어 올려 병사들을 향해 내던졌다. 검을 들고 달려드는 병사를 향해 꽃병을 집어 던진 그녀는 침상을 들어 올려 방 안으로 들어오려는 병사들을 막았다.

"수가 너무 많아! 오래 못 버티겠어!"

신력을 사용한다고 하나 무기를 들고 달려드는 수십 명의 병사를 혼자서 상대하는 건 무리였다. 방 안으로 들어오려는 병사들을 간신히 막아선 윤조가 힘겨루기를 이어 갈 때였다. 별안간 밖에서 검이 부딪치며 싸우는 소리가 들리더니 병사들의 비명 소리가 들렸다.

"뭐가 어떻게 돌아가는 거야?"

방 앞을 막고 있는 침상 너머로 무기를 맞대고 싸우고 있는 키얀의 병사들과 호위 무녀들의 모습이 보였다. 복도는 아수라장이었다. 키얀과 묘길 사이에 분열이라도 일어난 것일까? 제후들이 키얀을 돕기 위해 왔으니 더는 자신의 뜻에 반대하는 묘길이 필요하지 않다고 여긴 키얀이 그녀를 쳐 낸 것일지도 몰랐다. 만약 그렇다면 상황은 더욱 최악으로 달리고 있는 셈이었다.

"아직 멀었어?!"

"조금만 더 버텨라!!!"

장치를 찾아 움직이던 혜린의 손이 한순간 벽 안쪽으로 밀려들어갔다. 동시에 닫혀 있던 문이 안쪽으로 회전하며 열렸다.

"됐다!"

"윤조야! 서둘러!!!"

혜린과 의령이 비밀 통로 안으로 들어갔다. 방 안에 놓인 가구들을 죄다 문 쪽으로 집어 던진 윤조가 급히 그 뒤를 따랐다. 열린 통로의 문을 닫으려 했으나 다른 장치를 눌러야 하는 건지 좀처럼 닫히지 않았다. 세 사람은 서둘러 비밀 통로 안으로 달아났다.

횃불을 들고 나선형으로 된 계단을 밟았다. 지하로 내려가자 길림과 최 승상을 가뒀던 감옥이 보였다. 작은 감옥의 문은 박살 나 있었다. 최 승상에게 미리 들어 감옥 바닥에 비밀 통로로 통하는 문이 있다는 사실을 알고 있던 윤조가 황급히 장치를 찾아 문을 열었다. 좁은 통로를 지나 더 깊은 지하로 내려간 그들은 마침내 거대한 지하 통로에 도착했다.

"이쪽으로!"

비밀 통로의 벽과 바닥을 장식한 돌의 색깔을 보고 방향을 가늠한 윤조가 앞장섰다. 익숙한 장소처럼 안내하는 윤조의 모습에 혜린이 쏘아붙였다.

"아까 감옥 바닥의 문을 연 것도 그렇고, 대체 어떻게 이곳을 알고 있는 거냐?"

"대승상님께 들었어요."

"대승상이? 그가 살아 있다고?"

"황궁에서 나가면 곧 만나게 되겠죠. 당신을 반기진 않겠지만."

파이옌에 이어 대승상까지. 그동안 윤조가 숨겨 왔던 비밀을 알게 된 혜린의 미간이 좁아졌다. 묘길에게 죽은 줄만 알았던 대승상이 살아 있었다니.

"윤조야, 어디로 갈 거야? 나는 괜찮지만 저들에게 신목의 책이 있는 한 계속 추격당할 거야. 이대로 대승상님께 가는 건 너무 위험하지 않을까?"

윤조도 그 사실을 모르는 건 아니었다. 그동안 신목의 책을 찾아 없애려고도 해 봤으나 산책을 핑계로 하루의 절반가량을 자신과 보내려 드는 묘길 때문에 좀처럼 기회가 없었다. 이대로 우물 밖으로 나간다면 홍씨 가문 저택에 숨어 있는 가족들과 사람들이 다친다. 그리고 혜린이나 자신이라면 모를까, 의령은 물속을 지나지 못한다고 했다.

'전처럼 황성 안에 숨어 있다가 신목의 책을 빼앗아 없애야 하나?'

윤조가 고민할 때였다. 혜린이 소매 안에 숨겨 놨던 책을 꺼냈다.

"이럴 줄 알고 미리 챙겼다."

"어떻게 훔친 거예요?"

"가짜와 바꿔치기했다. 금방 들키겠지만. 이제 신력으로 우리를 추적할 수는 없을 거다."

지나온 통로 저편에서 소란한 소리가 들렸다. 세 사람은 다시 달리기 시작했다.

"나는 황궁 안에 숨어 있을게. 전에도 해 봤으니 쉽게 걸리지 않을 거야."

의령의 말에 윤조가 안 된다며 그녀를 말렸다.

"이미 들킨 이상 너무 위험해! 나와 함께 가자. 물속을 지나는 건 어떻게든 될 거야! 아니면 다른 통로를 찾아보자. 분명 우물 외에 황궁 밖으로 통하는 통로가 더 있을 거야. 혜린 무녀도 있으니 셋이서 찾아보면……."

윤조가 뒤돌아 혜린을 바라봤다. 하지만 그곳에 있어야 할 혜린은 어디에도 보이지 않았다. 의령 역시 조금 전까지만 해도 자신의 뒤에 있던 그녀의 모습이 보이지 않자 당황했다. 자리에 멈춰 선 그들이 혜린을 찾았다. 하지만 어디에도 혜린의 모습은 보이지 않았다. 마치 순식간에 사라져 버린 것처럼. 윤조와 의령은 직감적으로 그녀가 자신들이 모르는 다른 통로를 통해 달아났다는 것을 깨달았다.

"이 안에 숨겨진 다른 통로를 알고 있었던 거야. 조금 전까지 있었으니까 분명 이 근처일 거야."

"어서 찾아보자!"

두 사람은 급히 근처의 벽이나 바닥을 더듬었다. 멀리서 들려오던 병사들의 소리가 점점 가까워지고 있었다.

"시간이 없어. 도망쳐야 해!"

빠르게 바닥을 박차는 발소리가 동굴 안에서 울리는 것처럼 메아리쳤다. 두 사람은 미로 같은 길을 내달렸다. 먼저 지친 건 의령이었다. 사는 동안 달음박질이라곤 해 본 적 없는 그녀는 얼마 못 가 턱까지 차오른 숨을 몰아쉬었다. 한 손으로 벽을 짚고 선 그녀가 윤조를 바라봤다.

"더는 못 가겠어. 윤조 너라도 가."

"무슨 소리야! 같이 나가야지!"

"어차피 물속을 지나는 것도 무리야. 내가 병사들을 따돌릴게. 그 틈에 어서 황궁 밖으로 나가."

윤조가 의령의 손을 잡고 이끌었다.

"혼자는 안 갈 거야."

"숨바꼭질은 자신 있어. 어릴 때부터 그것만큼은 오라버니나 언니도 나를 이기지 못했어."

의령이 윤조의 손을 놓았다. 추격해 오는 병사들의 소리가 점점 가까워지고 있었다.

"어서 가. 이번에는 내가 너를 구할 차례야."

"그런 소리 하지 마! 널 두고 혼자서는 안 갈 거야."

의령이 단호한 얼굴로 윤조의 어깨를 붙잡았다.

"너는 가야 해. 가서 이 상황을 대승상님과 대장군님께 알려야 해. 나는 이 제국을 구하겠다고 한 네 말을 믿고 여기까지 왔어. 내 결심을 쓰레기로 만들지 마."

"김의령……!"

"나는 힘이 없어. 아버지랑 오라버니의 복수를 하고 싶어도 힘이 없어서 못해. 하지만 넌 아니잖아. 너는 그럴 힘이 있어. 약속해.

반드시 이 나라를 구하겠다고."

"의령아, 제발……."

"약속해!"

무섭게 소리치는 의령의 외침에 울먹이던 윤조가 고개를 끄덕였다. 의령이 그런 윤조를 놓아주며 희미한 미소를 지었다. 그녀의 뒤로 몰려오는 병사들의 모습이 보였다.

"약속 꼭 지켜."

윤조를 병사들이 볼 수 없는 길목의 모퉁이로 힘껏 밀어낸 그녀는 일부러 병사들의 눈에 띄는 길을 골라 달아났다.

"잡아라!!! 절대 놓치지 마라!!!"

의령이 달아난 방향으로 달려가는 병사들의 발소리를 들으며 윤조는 벽을 짚고 일어났다. 의령은 그녀에게 힘이 있다고 했지만 아니었다. 윤조는 한 번도 그렇게 생각한 적이 없었다. 곁에 있는 단 한명의 목숨도 제대로 지키지 못하는 자신이 무슨 힘이 있단 말인가!

박유에게서 자신을 지켜 낸 소의의 모습과 조금 전 의령이 모습이 겹쳐졌다. 자신은 늘 지켜지는 존재였다. 사랑하는 사람들은 늘 위대한 힘으로 자신을 지켰다. 그녀라면 결코 하지 못할 일을 해냈다. 자신은 그저 제 한 목숨 지키는 것도 급급한데 그들은 자신을 지켰다. 그들의 목숨을 걸고 지켜 냈다. 원래의 세상에서는 한 번도 받아 본 적 없는 기적 같은 사랑이었다.

신채영인 그녀는 한순간이라도 다른 사람들에게 그런 사랑을 받아 보는 것이 소원이었다. 소중하게 지켜지며 사랑받고 있다는 기분을 느끼고 싶었다. 죽은 아버지의 빚 독촉을 해 대는 빚쟁이들의 욕설이 아니라, 아픈 어머니를 위해 학업과 인생 전부를 내던진 그런 동정 어린 삶이 아니라, 마음을 나눌 수 있는 사람들 틈에서 서로 사랑하며 살아가고 싶었다.

하지만 주변에 있던 사람들은 늘 자신을 떠났다. 원래 세상의 아버지도, 어머니도. 이곳의 아버지도, 오라버니도, 소의 언니도 그랬다. 그녀는 가족들을 떠나보낼 때마다 자신이 저주받은 존재는 아닐지 의심하며 스스로를 탓했다. 아닐 거야, 라고 애써 부정하면서도 사실 그럴지도 몰라, 라고 생각했다. 그런 마음으로 위안 삼았던 걸지도 몰랐다. 비겁하게 현실에서 도망치면서. '나로서는 어쩔 수 없는 일이었어.'라고.

문득, 어쩔 수 없었다며 변명하던 혜린의 모습이 떠올랐다. 지금 자신과 그녀의 모습은 조금도 다를 것이 없었다. 결심을 굳힌 윤조가 빠르게 통로를 달려갔다.

"헉, 헉……."

숨이 가쁜 폐가 너무 아팠다. 더는 달릴 수가 없었다. 의령은 어느새 자신의 뒤로 바짝 추격해 오는 병사들의 모습에 도망치기를 포기했다.

"저기다!!! 무녀를 잡아라!!!"

몰려오는 수십의 병사들을 바라보며 의령은 두 눈을 감았다. 무서운 건 한순간이라고, 그럴 때는 잠시 눈을 감았다 뜨면 된다고 겁 많은 자신을 다독이던 오라버니의 모습이 떠올랐다.

그 순간 '쾅-!' 하는 소리와 함께 등을 기댄 통로의 벽으로, 주저앉은 통로의 바닥으로 큰 진동이 느껴졌다.

"무, 무슨 일이냐!"

의령에게 다가오던 병사들이 고개를 돌려 뒤를 바라봤다. 순식간에 통로의 사방으로 날아간 병사들이 벽과 천장에 부딪쳐 바닥으로 추락하는 모습이 보였다. 놀란 의령이 자리에서 일어났다. 바라본 곳, 창검을 들고 공격하는 병사들을 내던지며 소리치는 윤조의 모습이 보였다.

"내 친구한테 손대지 마-!!!!!"

윤조는 양옆으로 달려드는 병사를 허공에 띄워 중앙에 몰려 있는 병사들을 향해 내던졌다. 병사들은 그녀를 포위하기 위해 계속해서 간격을 좁혀 왔지만 그럴 때마다 윤조는 뒤로 물러나 등을 지켰다. 늑대들과 싸웠을 때도 했던 일이다. 침착하자. 물론 늑대들과는 비교도 되지 않을 정도로 적의 수는 많았으나 그녀는 침착하게 대응했다.

무기를 들고 싸워 본 적은 없지만 싸움을 지켜본 적은 많았다. 그는 다수의 적을 상대하던 준영과 파이엔의 모습을 떠올렸다. 함께 나람성을 방어했던 전우들을 떠올렸다. 이 세계에서 살아남기 위해서는 어쩔 수 없이 누군가를 죽여야 했다는 파이엔의 말이 이토록 공감되는 순간도 없을 것이다.

기이한 윤조의 힘에 맥없이 당하던 병사들이 정신을 차리고 일시에 창을 날렸다. 윤조는 나람성에서 성문을 향해 돌진해 오던 충차를 막아 냈던 것처럼 손끝에서 뽑아낸 은사를 구름처럼 뭉쳐 날아드는 창을 막았다. 보이지 않는 벽에 가로막혀 바닥에 떨어진 창들이 다시 공중으로 날아올랐다.

그녀는 이를 악물며 결심했다. 소중한 누군가를 지키기 위해서는 회피하기만 해서는 안 된다는 것을. 목숨을 걸고 자신을 지키고자 했던 사람들은 그런 괴로움을 받아들였음을. 자신도 누군가를 지켜 내기 위해서는 그런 괴로움을 받아들여야만 한다는 것을.

공중에서 병사들을 향해 겨눠진 날카로운 창이 엄청난 속도로 날아갔다. 병사들의 몸을 꿰뚫고, 그들의 목숨을 빼앗았다. 바닥에 쓰러진 병사들의 시체에서 그들이 갖고 있던 창검이 공중으로 떠올랐다. 윤조는 자신을 향해 곡도를 휘두르는 검사의 목을 검으로 베어 내고 의령을 인질로 사로잡으려는 병사의 가슴을 창으로 꿰뚫었다.

머리 위로 떨어지는 검을 피하려다 팔이 베이고, 미처 막아 내지 못한 창을 피하기 위해 바닥을 구르면서도 그녀는 끝까지 공격을 멈추지 않았다. 그러다 마침내 통로 안에 있던 50여 명에 가까운 병사들이 완전히 쓰러진 다음에야 비로소 그녀의 손이 멈췄다.

"헉, 허억, 허억……!"

흘러내리는 땀방울과 함께 거친 숨을 몰아쉰 그녀가 바닥에 주저앉았다. 이 말도 안 되는 광경을 넋을 놓은 채 지켜보고 있던 의령이 그녀를 향해 달려갔다.

"윤조야-!!!"

"괜찮, 헉, 허억, 괜, 찮아……?"

상처투성이가 되어서 괴롭게 숨을 몰아쉬면서도 괜찮냐 물어오는 윤조의 말에 의령의 눈가가 빨갛게 달아올랐다.

"도망치라니까 왜 안 가고 왔어, 이 바보야……!!!"

비틀거리는 윤조의 몸을 와락 끌어안은 의령이 엉엉 울음을 터뜨렸다. 팔을 들어 그녀를 마주 안은 윤조 역시 울컥 치미는 눈물을 참지 못하고 그녀와 함께 흐느꼈다.

"무서웠어. 너무너무 무서웠어……."

"당연하지, 바보야! 네가 얼마나 무모했는지 알기나 해!"

"흐어어엉! 무서웠어. 의령아, 나 너무 무서웠어! 이렇게 무서운데, 이렇게 무서운 건데. 흐으, 우리 언니는 얼마나 무서웠을까. 소의 언니는 얼마나 무서웠을까. 우리 언니는 그때 얼마나! 흐어어엉!"

그렇게 얼마 동안 서국 병사들의 시체가 즐비한 통로 가운데서 윤조와 의령은 서로를 부둥켜안은 채 서럽게 통곡했다. 잠시 뒤, 두 사람은 어화당의 우물과 이어진 통로에 다다랐다.

"세상에, 새 신부 몸이 이게 뭐야! 다신 이런 짓 하지 마. 알겠어?"

윤조의 상처를 살피던 의령은 속상한 마음에 화를 내며 그녀를 나무랐다.

"더는 도망치기 싫었단 말이야……."

"도망치기 싫다고 죽으러 뛰어드는 사람이 어디 있어! 얘가 진짜 위험한 소리 하고 있어!"

"더는 누군가를 잃기 싫어."

윤조의 말에 입을 꾹 다문 채 그녀를 바라보던 의령이 손바닥으로 아프게 그녀의 등을 때렸다.

"아! 아파!"

"아프라고 때렸지! 이게 다 뭐야, 상처가. 어휴, 진짜!"

화를 내면서도 의령은 꼼꼼하게 윤조의 상처를 치료했다. 얼마나 울었는지 퉁퉁 부어 붕어같이 변해 버린 눈으로 서로를 바라보던 두 사람이 작게 웃음을 터뜨렸다.

"헤헤, 그래도 같이 있으니까 좋잖아."

"그건 그렇지만. 그래도 윤조 너! 이건 아니야."

"너무 화내지 마아."

윤조가 시무룩하게 의령의 팔을 손가락으로 쿡쿡 찔렀다.

"어휴, 나래가 감싸고돌았던 이유를 왠지 알 것 같다."

"왜? 뭔데?"

"한시도 눈을 뗄 수 없으니까!"

"힝."

"귀여운 척하지 마."

"귀여웠구나?"

"아니거든?"

"귀여웠으니까 귀여운 척하지 말라는 거지."

"너 대장군님 앞에서도 이래?"

"응."

당연하다는 윤조의 긍정에 의령이 입을 다물었다. 의령은 자신보다 조금 작은 윤조의 머리를 토닥이며 한숨을 내쉬었다. 이질적이라고 생각했던 그녀의 금빛 머리카락이 다시 보니 꽤 예쁘다고 생각하면서. 어디서나 빛을 잃지 않는 그 색이 마치 굳은 윤조의 의지 같아서. 너무 단단히 마음먹어 상처 입었을지도 모를 그 마음을 토닥였다.

"그래서 이제 어쩌려고? 나는 수영이고 잠수고 못한다니까?"

"고민해 봤는데 내가 너를 신력으로 묶어서 끌고 가는 건 어떨까? 대승상님이 지나다니시면서 밧줄도 연결해 놔서 그거 잡고 앞으로 나아가면 될 것 같은데."

"끌고 간다고? 그 방법밖에는 없는 거야?"

"응. 내가 아는 다른 출구는 없어. 숨 참기 힘들 거 같으면 내가 신력으로 잠깐만 기절시켜 줄게."

섬뜩한 윤조의 제안에 의령이 고개를 저었다.

"최대한 숨 참아 볼게."

단호한 그녀의 거절에 윤조가 볼을 긁적였다.

"기절했다가 일어나면 밖인 게 더 낫지 않나?"

중얼거리는 그녀의 말에 의령이 윤조의 등을 힘껏 떠밀며 재촉했다.

"어서 가. 가자. 가 보자고 까짓 거!"

그러나 차갑고 깊은 물속에 들어간 순간 의령은 자신이 윤조의 제안을 거절했던 것을 두고두고 후회해야만 했다.

"콜록, 콜록, 콜록!"

"괜찮아?"

"코에 물 들어갔어. 으……."

물속을 지나 우물로 빠져나온 윤조는 의령을 우물 벽에 붙어 있게 하고 두레박에서 이어진 밧줄을 잡았다. 그녀가 밧줄을 세게 당기자 기계장치가 움직이며 둘둘 말린 밧줄이 저절로 위를 향해 끌어당겨졌다. 윤조와 의령이 두레박에 매달려 우물 밖으로 빠져나왔다.

"여긴 어디야?"

"대장군님 댁."

"아, 그렇구나."

고개를 끄덕이며 젖은 옷과 머리카락을 꾹꾹 짜내던 의령은 화들짝 놀라 윤조를 바라봤다.

"여기가 대장군님 댁이라고? 홍씨 가문 저택?!"

비밀 통로가 황궁 밖으로 통해 있다는 소리만 들었지 그곳이 홍씨 가문 저택의 우물과 연결되어 있으리라고는 상상도 하지 못했던 의령이었다.

윤조는 경악하는 의령을 데리고 어화당으로 향했다. 하지만 어디에도 가족들과 식솔들의 모습은 보이지 않았다.

"다들 안 보여."

"뭐?"

"사람들이 사라졌어."

태풍이라도 지나간 것처럼 어질러진 어화당 내부에 윤조가 의령을 붙잡고 서둘러 그곳을 빠져나왔다. 젖은 옷을 갈아입자마자 갑자기 저택 밖을 향해 뛰기 시작하는 윤조의 모습에 의령이 물었다.

"어디로 가려는 거야? 갑자기 왜 뛰어?"

"이미 들켰어. 다들 몸을 피한 것 같아."

서둘러 저택을 빠져나온 그들은 순찰을 도는 병사들을 피해 한적한 시장 골목 안에 몸을 숨겼다.

"큰일이야. 밖에 계속 있을 수도 없는데."

"다들 어디에 있는 걸까? 설마 잡혀간 건 아니겠지?"

의령의 걱정에 윤조의 낯빛이 어두워졌다. 가능성이 없진 않았기 때문이다.

'하지만 어떻게 그곳에 사람들이 있다는 걸 안 거지?'

자신이 정보를 빼돌린 사실을 키얀이 의심하긴 했으나 황궁 밖을 오간다는 사실을 들킨 적은 없었다. 만약 모르는 사이에 꼬리가 잡힌 거라면 키얀보다는…….

'묘길.'

윤조가 퍼뜩 고개를 들어 의령을 바라봤다.

"무녀장이야. 황궁 밖으로 이어지는 통로를 알고 있는 건 무녀장밖에 없어. 내가 누군가와 내통하고 있다는 걸 알고 뒤를 캔 걸 거야."

"어쩌지? 전부 황궁으로 잡혀간 걸까?"

"모르겠어. 정확히 언제 들킨 건지도 알 수 없고."

그때 가까운 길목으로 지나는 서국 병사들의 모습이 보였다. 두 사람은 골목 깊숙이 숨어 몸을 웅크리고 숨을 죽였다. 병사들이 완전히 지나가자 자리에서 일어난 윤조가 골목 밖을 확인했다.

"우선은 오늘 밤 묵을 곳부터 찾자."

"마땅한 곳이 없으면 우리 집으로 가자. 천장에 숨겨진 다락방이 있어. 거기라면 병사들이 들이닥쳐도 숨어 있기 좋을 거야."

"그러자."

두 사람은 의령의 집인 김씨 가문 저택으로 향했다. 어느새 밤이 되어 어두워진 거리에 그들은 몸을 숨긴 채 이동할 수 있었다.

검은 어둠만이 내려앉은 황성의 모습은 너무나 낯설었다. 언제나 밤늦게까지 왁자지껄한 사람들의 소리가 들려오던, 밝은 등불이 환히 켜져 거리를 비추던 시장의 빛은 싸늘히 꺼져 버린 채였다. 부서지고 깨진 상점의 가판대와, 언제 버려졌는지 모를 썩은 과일에서는 부패한 냄새가 났다.

서국 병사들의 횡포에 저항하다 죽어 간 어느 사내의 시체가 길바닥에 버려진 채 말라 가고, 천진한 아이들의 웃음소리가 들려오던 학당과 악공소에서는 글 읽은 소리와 노랫소리가 뚝 끊겨 버렸다. 참담한 광경을 지나치며 윤조와 의령은 아무런 말도 할 수 없었다.

그때 큰길가를 지나는 병사들의 행렬이 보였다. 꽤 긴 행렬이었다. 상점 가판대 뒤에 숨어 그들의 모습을 지켜보던 두 사람은 병사들이 입고 있는 갑옷이 서국의 검은 갑옷이 아닌 나투국의 은빛 갑옷이라는 것을 깨달았다.

“제후들의 병력인가 봐. 어디로 가는 거지?”

의령의 속삭임에 행렬을 지켜보고 있던 윤조가 조용히 입술을 뗐다.

“따라가 보자.”

“뭘 어쩌려고?”

“살펴보려고. 방향을 보니 성문 쪽으로 가는 것 같아. 대장군님이 도착하기 전에 방어전을 준비하고 있는 거라면 미리 살펴야 해. 멀리서 지켜보기만 할 거야.”

“알겠어. 천천히 움직이자.”

두 사람은 병사들과 멀찍이 떨어져 행렬의 뒤를 밟았다. 건물이나 돌담 뒤에 몸을 숨겨 가며 성문이 보이는 곳까지 이동한 그들은 성문 바로 앞에 도열한 제후들의 군대와 성벽 위를 오르내리는 서국의 병사들을 살필 수 있었다. 그때 성문이 열리며 성의 안팎으로 전차들이 오가는 모습이 보였다. 그 광경을 지켜보던 의령이 미간을 좁혔다.

“저건 서황의 전차 부대잖아.”

“알고 있어?”

“서황의 전차 부대는 지금껏 전투에서 단 한 번도 패한 적이 없는 걸로 유명해. 황성에 대장군님의 기마 부대가 있다면 서황에는 태수 진대원의 전차 부대가 있다는 말이 있을 정도니까. 좋지 않은데. 서황태수 진대원은 나투국 12제후들 중에서도 영향력이 엄청난 자야. 저자를 따르는 제후들만 해도 다섯은 될걸?”

"내가 봤던 제후는 셋이었어. 한 명이 진대원이라면 나머지 두 사람은 누구일지 알겠어?"

윤조의 물음에 병사들을 유심히 살피던 의령이 답했다.

"일단 전차 부대와 창병들은 진대원의 병사들이 분명하고. 저기 있는 궁수 부대는 아마 을미자사 왕막의 병사들일 거야. 갑옷 등 부분에 새겨진 문양이 왕막의 가문을 뜻하는 연꽃이라 기억해. 전에 염료 공급 문제로 아버지와 함께 만난 적도 있으니 틀림없어."

"왕막은 어떤 자야? 진대원과 한패일까?"

"대외적으로는 친분이 있다고 알려져 있어. 하지만 보통 주도하는 쪽은 진대원이야. 왕막은 밀려난 이인자 같은 느낌이랄까?"

"그렇다면 이참에 황위에 올라 진대원을 꺾어 버릴 생각일지도 모르겠네."

"아마 그럴 거야. 같은 편인 척 행동하다가 중요한 때가 오면 진대원을 처리하려 들지도 몰라. 아버지와 이야기할 때 진대원의 험담을 꽤 많이 했거든. 농담이라면서도 꽤 즐기는 것 같았어."

의령의 말에 윤조가 고개를 끄덕였다. 원래라면 저들은 방어전을 벌일 테니 공격에 유용한 전차 부대나 창병들보다는 왕막의 궁수 부대를 조심하는 게 먼저였다. 나람성에서 경험해 본 바, 방어전에서 궁수 부대의 활약은 매우 중요했기 때문이다. 하지만 상황이 상황인 만큼 조금 더 깊게 생각할 필요가 있었다.

키얀은 지금 수세에 몰렸다. 나람성 진영을 지키던 가료의 대군은 패전했고, 얼마 전에 파이엔과 함께 나람성으로 보낸 8천의 병력도 패전했을 것이다. 그 소식을 듣고 묘길과 갈라져 무녀들을 잡아들이려고 했던 것이라면, 지금 키얀과 함께 손잡은 제후들은 그의 거짓말에 속아 넘어갔을 가능성이 높았다.

서국이 승기를 잡았다며 황위라는 미끼를 던져 끌어들인 제후들에게 이제 와 패전을 거듭했다는 소식을 전했을 리는 없기 때문이다. 8천의 병사도 잃고 서국 군대의 병력이 현저히 줄어든 이때, 황성을 방문한 제후들이 병력을 일으켜 키얀을 치기라도 한다면 제후들을 이용하려던 키얀이 되레 당하는 꼴이 될 테니까.

'이런 상황에서 내가 키얀이라면…….'

윤조는 앞으로 키얀이 어떤 식으로 병력을 움직일지 고민했다. 어차피 지원을 받을 군사는 없다. 그는 황성에 홀로 고립되어 있으며 최대한 제후들의 병력을 이용해 효과적으로 나투국의 군대를 물리쳐야 했다.

'그렇다면 평범한 방어전이 되지는 않을 거야. 키얀이라면 방어전을 오래 끌기보다는 나투국의 첫 공격을 막아 낸 뒤 대치 상태에 들어갔을 때 허를 찔러 공격을 감행할 거다.'

그에게는 막강한 공격력을 자랑하는 서황의 전차 부대와 창병부대가 있다. 대장군님은 제후들이 얼마만큼의 병력을 갖고 있는지 모를 테니 키얀이 공격을 미룰 이유가 없다. 생각을 마친 윤조가 의령을 바라봤다.

"서황의 전차 부대를 막아야만 해."

"하지만 상대는 수백 명이 넘는 군대야. 우리가 무슨 수로 그들을 막을 수 있겠어?"

"전차 부대 전체와 맞설 필요는 없어. 선봉에서 부대를 이끄는 전차 몇 개만 망가뜨리면 돼."

"선봉에 선 전차들을?"

“전차 부대의 장점은 기동력이야. 기마 부대처럼 엄청난 속도로 적진을 파고들지. 하지만 역으로 한번 속력을 내기 시작하면 쉽게 멈출 수 없어. 그런 속도로 달리고 있는 전차들 중에 선봉을 이끄는 전차들이 갑자기 중심을 잃고 부서진다면 어떻게 될까?”

윤조의 말을 이해한 의령이 목소리를 낮추며 경악했다.

“뒤따르는 전차들이 모두 충돌하겠지. 쉽게 멈출 수도 없으니 연쇄적으로 일어나는 충돌을 막을 수도 없을 거야……!”

윤조가 고개를 끄덕였다.

“그렇게 되면 저들의 반격은 실패할 거고 아군에게 반격 기회가 주어질 거야. 그때를 노려 어떻게든 성문을 열어야 해.”

“이해했어. 하지만 저렇게 많은 병사들을 뚫고 성문을 열기란 지금으로서는 거의 불가능해.”

“어떻게든 방법을 찾아야지. 실패하면 전투는 길어지고 더 큰 희생이 따를 거야. 그것만은 막아야 해.”

“고민해 보자. 이럴 때 대승상님이 계시면 좋을 텐데.”

“그런데 저기, 저 애는 누굴까? 장수들이 따르는 걸 보면 제후들과 관련이 있는 것 같은데.”

“어디?”

고개를 들어 윤조가 가리킨 곳을 바라보던 의령은 공초의 아들 삼안을 발견하고 눈을 동그랗게 떴다.

“재가 여기에 왜……?”

“아는 사이야?”

“사량태수 공초의 첫째 아들 삼안이야. 황제 폐하 탄신연 때 황궁에서 봤었어. 얼마 전에 후계자 서임을 받았다고 들었는데 왜 이곳에 있는 거지?"

의령의 말에 윤조의 얼굴이 굳어졌다. 그녀는 키얀이 황위를 미끼로 제후들과 그들의 후계자와 그들을 따르는 장수까지 모두 황성으로 불러들여 죽일 계획이라는 것을 직접 들어 알고 있었기 때문이다.

"공초는 어떤 자야?"

"야심은 많은데 뒷배가 없어서 황성에서 쫓겨나다시피 지방으로 갔어. 조부가 과거에 큰 공을 세워서 태수 자리는 건졌다고 하더라. 아부는 좀 심하지만 수완은 좋아서 제후들 중에서도 인정받는 편이야. 황실에서만 사용하는 선단 알지? 그거 주재료가 사량 지방 약초지에서만 자라는 약초거든. 오직 무녀들만이 관리할 수 있는 약초지라 사량 지방은 다른 지방에 비해 파견된 무녀들의 수가 많아."

"납치 가능할 것 같은데."

"납치라니?!"

펄쩍 뛰는 의령의 입을 가리며 윤조가 목소리를 낮췄다.

"어차피 저기 있다간 재는 죽어. 키얀은 제후들과 후계자들 그리고 지방을 지키는 장수들까지 모조리 죽일 거라고 했어. 뭣도 모르고 황위를 탐내는 아버지 따라왔다가 개죽음당할 거라고. 삼안도 다른 후계자들도 제후들과 같이 서국에 충성하기로 한 건지, 억지로 끌려온 건지 알아야 해. 삼안을 아군으로 만들면 충분히 성문을 열 수 있어. 그가 너를 적대할까?"

의령이 한참 동안 고민하다 고개를 저었다.

"나름대로는 친한 사이라고 생각해. 우리를 해치려 들지는 않을 거야."

“재랑 무슨 일 있었어?”

“아, 아니. 없어, 그런 거. 아무튼 괜찮을 거야. 그래서 납치는 언제 할 건데?”

“지금. 마침 혼자 된 거 같기도 하고.”

윤조가 손가락으로 삼안을 가리켰다. 장수들과 이야기하다가 무슨 일인지 혼자 떨어져 나와 이동하는 그의 모습이 보였다. 윤조와 의령이 골목을 돌아 급히 그의 뒤를 쫓았다. 그리고 그런 그들의 뒤를 쫓는 그림자가 있었다.

“어디로 갔지?”

“윤조야, 저기.”

두리번거리며 주위를 확인하던 윤조는 의령이 가리킨 곳, 빈집이 되어 버린 어느 저택 대문 앞에 주저앉아 두 손에 얼굴을 묻고 있는 삼안을 발견했다.

“우는 건가……?”

무슨 일인지 모르겠지만 그의 상태가 좋지 않아 보였다. 조금 더 가까이 다가가자 흐느끼는 소리가 들릴 정도였다. 납치를 위해 신력을 사용하려는 윤조를 가로막으며 의령이 고개를 저었다.

“내가 가서 얘기해 볼게.”

“위험해.”

“괜찮을 거야, 그는.”

확신하는 의령의 말에 고민하던 윤조가 고개를 끄덕였다. 의령은 그녀에게 잠시 숨어 있으라고 한 뒤 조용히 삼안을 향해 다가갔다. 갑자기 들려오는 발소리에 퍼뜩 고개를 들었던 삼안은 멍한 표정으로 자리에서 일어났다.

"김의령? 너 김의령 맞아……?"

의령이 고개를 끄덕이며 입가에 검지를 가져갔다.

"쉿, 다른 데서 얘기 좀 할 수 있을까?"

급히 눈물을 닦아 낸 삼안이 주변을 살피다 순순히 그녀를 따랐다. 그는 의령과 함께 있는 윤조의 모습에 조금 놀란 듯했으나 괜찮을 거라는 의령의 말처럼 소리를 지르거나 적개심을 보이진 않았다. 그들은 시장의 한 버려진 창고에 들어가 문을 닫았다.

"어떻게 된 거야? 삼안 네가 왜 여기 있어?"

"김의령 너야말로 어떻게 된 거야. 내 서신에는 답장도 안 하고. 나는 네가 죽은 줄 알고 얼마나……!"

서신이라는 말에 의령의 얼굴이 홧홧 달아올랐다. 윤조의 눈치를 보던 그녀가 급히 두 손을 들어 삼안의 입을 막으려 했다.

"너, 너! 조용히 해!"

"지금까지 어디 있었던 거야? 황성 안의 무녀들은 다 잡혔다고 들었어. 괜찮아? 다친 데는 없어?"

"나 무녀다. 상처쯤은 치료한다고."

"아, 맞다. 그랬지, 참……."

삼안이 머쓱하게 목뒤를 긁었다. 팔짱을 낀 채 이 모습을 가만히 지켜보던 윤조의 눈이 가늘어졌다.

"두 분 설마 연애하십니까?"

"아니야!"

"맞습니다."

의령이 부정했으나 삼안은 긍정했다. 엇갈린 두 사람의 대답에 윤조의 표정이 이상하게 변하자 의령이 그녀의 양 볼을 잡아당기며 어쩔 줄 몰라 했다.

"윤조 너, 이상한 표정 하지 마. 표정 풀어. 으아, 진짜! 미치겠네……!"

"어쩐지 뭔가 있는 거 같더라니 남친이었군."

"남친?"

"남자 친구. 즉, 애인이라는 뜻이지."

"그렇게 봐 주신다니 감사합니다."

"뭘 감사해, 뭘! 아니라니까!"

둘 사이에 낀 의령은 달아오른 얼굴에 손부채질을 하며 마음을 진정했다.

"윤조 너, 그거 아니야. 남친 아니야. 삼안 너도 똑똑히 들어. 나 아직 대답 안 했어. 아무튼, 지금 이게 중요한 게 아니잖아. 삼안 네가 왜 황성에 있는 거야?"

의령의 물음에 멈칫하던 삼안이 차마 그녀의 눈을 마주하지 못하고 고개 숙였다.

"아버지가 서국 황제의 편에 섰어. 후계자와 장수들을 데려오라는 요구에 함께 오게 됐고."

"너희 아버지는 지금 어디 계서? 황궁에 계신 거야?"

"아버지는……."

삼안의 얼굴이 괴로움으로 일그러졌다. 심상치 않은 그의 반응에 의령이 설마 하며 그의 팔을 잡았다. 구명줄이라도 되는 것처럼 그녀의 손을 붙잡은 삼안의 손이 눈에 띌 정도로 심하게 떨리고 있었다.

"아버지가 돌아가셨어. 나 때문에. 내가 그랬어. 죽는 게 무서워서, 서국 황제가 너무 무서워서 내가 아버지를 죽게 했어. 내가 그랬어. 내가 아버지를……."

굳이 듣지 않아도 어떤 일이 일어났을지는 뻔했다. 삼안의 아버지인 사량태수 공초는 다른 제후들에게 두려움을 심어 주기 위한 수단으로 키얀의 손에 본보기로 죽은 것이리라. 의령은 자신의 손을 꽉 잡은 채 흐느끼는 삼안의 등을 조심스럽게 쓸어 주었다.

"서국의 황제는 처음부터 제후들과 제후들의 사람을 모두 다 죽일 계획이었어. 네가 나섰다면 너도 그 자리에서 죽었을 거야."

"하지만 아버지였어. 다른 사람도 아니고 내 아버지였다고……! 나는 이제 어쩌면 좋지?"

"태수님이 돌아가신 일, 장수들도 알고 있어?"

"아니, 살아 계시는 줄 알아. 쉬고 계시다고 거짓말했어."

"뭐? 아니, 대체 왜 그런 거짓말을 한 거야?"

"키얀이라면 태수님을 죽인 직후 어떻게 처신할지 물었겠지. 안 그렇습니까?"

윤조의 말에 삼안이 고개를 끄덕였다.

"맞아요. 아버님을 죽인 직후 저를 시험하듯이 물었습니다. 장수들에게 거짓말을 하고 서국을 위해 싸우겠다고 말할 수밖에 없는 상황이었어요. 그러지 않았다면 정말 개죽음을 당했을 테니까. 하지만 지금 같아선 그때 죽어 버리는 게 차라리 나았을지도 모르겠다는 생각이 듭니다……."

아버지의 죽음으로 괴로워하는 삼안을 바라보던 윤조가 입을 열었다.

"한 가지 물어도 되겠습니까?"

"예, 말씀하십시오."

"공자께서는 지금 서국의 편인가요?"

많은 뜻을 포괄하고 있는 그녀의 물음에 삼안이 주춤했으나 이내 강하게 부정했다.

"아닙니다. 살기 위해 거짓 충성을 맹세했으나 제 아버지를 무참히 죽인 서국의 황제를 따르고 싶은 마음은 추호도 없습니다. 물론 아버지께서 먼저 잘못한 일이라는 거 압니다. 감히 황위를 욕심내어 서국의 편에 서려 한 것은 대역죄입니다. 하지만 저는 그 때문에 온 것이 아닙니다! 저는 의령의 생사를 알기 위해 황성에 왔습니다. 살아 있다면 어떻게든 구할 수 있을 것 같아서요."

"대역죄를 지었다는 사실은 인정하시는군요."

"예, 인정합니다. 하지만 의령을 구하기 위해 황성에 온 것은 진심입니다. 저는 서국의 편에 설 생각이 없습니다."

"하지만 전투가 벌어진다면 키얀의 명령대로 나투국의 병사들과 싸워야겠지요."

"죄송합니다. 고개를 들 낯이 없습니다."

윤조의 말에 삼안이 고개를 푹 숙이며 한탄했다. 잠시 침묵으로 그를 바라보던 윤조가 천천히 운을 뗐다.

"저희는 공자의 힘이 필요합니다."

삼안이 고개를 들어 그녀를 바라봤다.

"무슨 뜻입니까?"

"황성 탈환을 위해 대장군님의 군대가 오고 있다는 것은 미리 들어 알고 계시겠죠. 하지만 제후들의 병력이 서국을 돕는 이상 방어는 쉽게 뚫리지 않을 겁니다. 키얀이 서황의 전차 부대와 창병 부대를 얻은 이상 오히려 아군이 역공으로 큰 피해를 입을지도 모르죠. 서국의 방어선을 무너뜨리기 위해서는 안에서 성문을 열어야 합니다. 공자께서 도와주신다면 황성 탈환을 하는 데 큰 힘이 될 겁니다."

윤조의 말에 삼안의 표정이 진지하게 굳어졌다.

"진심으로 하는 말입니까? 서국 황제에게는 나람성에 주둔한 대군이 있습니다. 거기다 대장군의 병력이 황성을 향해 오고 있다는 사실을 알고 8천의 병력을 더 보내 공격할 거라고 했습니다. 대장군께서 황성 탈환에 성공한다 해도 나람성에 계신 폐하께 변고가 생긴다면 이 제국은 끝입니다."

"그 말은 모두 거짓입니다."

"거짓이라니요?"

"서국의 황제가 제후들의 병력을 얻어 내기 위해 거짓을 꾸며 낸 겁니다. 나람성에 주둔했던 서국의 대군은 이미 3일 전에 대패해 완전히 와해됐으며 얼마 전 서국의 황제가 나람성의 후방을 공격하기 위해 보냈던 8천 명의 서국 병사들 역시 이미 나투국의 군대에 패했습니다. 지금 대장군께서는 거듭 승전을 이루고 황성으로 오고 계십니다. 즉, 현재 나람성에 계신 폐하와 황후마마께서는 매우 안전하시며 서국의 호송대를 기습해 구해 낸 무녀들 역시 모두 무사한 상태입니다. 대장군께서는 아마 내일 오전쯤이면 황성에 도착하겠지요."

"그게 사실입니까? 어떻게 그런 내용을 알고 있는 겁니까? 김의령, 이게 다 무슨 말이야?"

삼안이 혼란스러운 눈으로 윤조와 의령을 바라봤다. 의령이 삼안을 향해 고개를 끄덕였다.

"삼안, 윤조 무녀가 한 말은 모두 사실이야. 나와 윤조 무녀는 조금 전 황성에서 간신히 도망쳤어. 윤조 무녀는 일부러 저들에게 사로잡혀 그동안 서국의 군사 정보를 빼내 대장군님께 전했어. 나도 그 일을 도왔고."

"그럴 수가. 그렇다면 정말로……?"

"예. 공자께서 협력해 준다면 이 전쟁, 이길 수 있습니다."

확신 어린 윤조의 즉답에 삼안이 멍하니 입을 벌렸다. 자신이 들은 사실을 머릿속으로 다시 한번 되짚던 그가 윤조를 향해 물었다.

"그대는 대체 누구십니까……?"

"저는 나투국의 대장군 응휘 홍준영의 아내이자, 홍씨 가문의 가주이신 홍영철 장군의 며느리이며, 가주의 자격을 위임받은 가주 대리인 무녀 윤조라고 합니다."

그녀의 말에 놀란 삼안이 급히 한쪽 무릎을 굽혀 예를 갖췄다.

"존귀하신 분을 몰라 뵙고 무례를 저질렀습니다. 죄송합니다, 부인!"

"일어나세요, 공자. 윤조 무녀라고 불러 주세요. 부인이란 말은 아직 적응이 안 되는군요."

"알겠습니다, 윤조 무녀님."

"저와 의령은 제국을 구하는 일을 멈추지 않을 것입니다. 저희에게 힘을 빌려주시겠습니까?"

"예, 반드시 그리하겠습니다. 제국을 위해 떳떳하게 싸울 수 있는 기회를 주셔서 정말 감사합니다."

삼안이 윤조를 향해 깊이 고개 숙여 감사의 뜻을 전했다. 그의 확답을 받고 나서야 안도의 한숨을 내쉰 그녀가 몸에서 힘을 풀었다. 나름대로 세 보이려고 허리며 목에 꼿꼿하게 힘을 주고 있었는데 우스워 보이지 않았는지는 모르겠다.

"시간이 얼마 없으니 당장 움직이죠. 우선은 전차 부대를 먼저 손봐야 합니다. 생각한 계획이 있으니 나가면서 이야기하죠."

세 사람이 창고를 나서던 때였다. 별안간 어둠 속에서 움직인 그림자가 세 사람을 향해 다가왔다.

"누구냐……!"

삼안이 검을 뽑아 들고 의령과 윤조의 앞에 섰다. 여차하면 신력을 사용하기 위해 준비하고 있던 윤조는 달빛 아래 어스름하게 드러난 상대방의 모습에 놀라 입을 벌렸다.

"마님, 접니다."

"유모?"

"예, 마님. 무사하셨군요!"

"윤조 무녀님, 아는 사이십니까?"

"공자, 검을 거두세요. 홍씨 가문의 유모십니다."

윤조의 말에 삼안이 검을 거두며 자세를 바로 했다. 유모의 뒤로 대승상과 홍씨 가문 식솔들의 모습도 몇몇 보였다.

"창고 안에 들어가 나오지 않기에 걱정했다."

"대승상님! 잡혀가신 줄 알고 걱정했어요. 무사해서 다행입니다. 저희가 이곳에 있는 건 어떻게 아셨어요?"

"네가 언제 황궁에서 나올지 몰라 식솔들에게 저택을 감시하라고 했다. 어딜 그리 쏘다니는지 따라다니느라 애 좀 먹었지."

"하하, 죄송해요. 알아볼 게 있어서 그만."

머쓱하게 웃는 윤조를 바라보던 최 승상이 무겁게 입을 열었다.

"그대에게 알려 줄 것이 있다. 파이엔이 황성을 떠나던 날 밤 저택이 습격당했다. 나와 다른 사람들은 무기고를 기습하기 위해 밖에 있어 무사했지만 저택 안에 있던 그대의 어머니와 동생들이 무녀들에게 잡혀가고 말았다."

"잡혀가다니요……? 어머니와 동생들이요? 어디로 가는지는 보았습니까?"

"벽록서다. 호위 무녀들이 지키고 있지만 소수이니 충분히 이길 수 있을 거다. 오늘 밤 구해 낼 생각이다. 가족들을 지켜 준다고 해 놓고 정말 미안하구나……."

가족들이 잡혀갔다는 말에 두려움이 엄습했다. 불안하게 흔들리는 윤조의 눈동자가 갈피를 잃었다. 저절로 덜덜덜 떨려 오는 몸에 그녀는 어금니를 깨물고 발바닥에 힘을 주어 버텼다. 핑 도는 머리에 금방이라도 정신을 놓을 것 같았기 때문이다.

"아무 일도 없는 거죠? 어머니랑 동생들이 무사한 건 확실한 거죠?"

"확실하다. 서국의 병사들이 드나들지 않는 걸 보면 묘길이 독단으로 저지른 일 같더구나."

불안과 동시에 끓어오르는 화에 윤조가 주먹을 꽉 움켜쥐었다. 떠오르는 어머니와 동생들의 얼굴에 절로 숨이 가빠졌다. 윤조는 스스로를 다독였다.

침착해야 한다. 자제력을 잃는 순간 지게 된다. 어머니와 동생들은 무사할 거다. 키얀이라면 모를까, 묘길은 가족들을 해치지 않았을 것이다. 오늘 밤 이 전쟁의 승패가 갈릴지도 모른다. 마음을 다잡은 그녀가 고개를 끄덕였다.

"서둘러 움직이죠. 제후들의 일도 그렇고 오늘 밤 해야 할 일이 많아요."

"알겠다. 우선 자리를 옮기지. 그런데 저자는 사량태수의 후계자가 아닌가?"

최 승상의 시선이 삼안을 향했다. 삼안이 그를 향해 예를 갖췄다.

"사량태수의 후계자 삼안, 대승상께 인사 올립니다."

"보아하니 윤조가 이미 아군으로 포섭한 모양이지?"

"윤조 무녀님이 아니었다면 대역죄인의 아들로 적국을 위해 싸워야만 했을 겁니다. 큰 은혜를 입었습니다. 함께하게 해 주십시오."

"재판은 피할 수 없을 거다."

"각오하고 있습니다."

"좋다. 가지."

윤조는 이동하는 동안 최 승상에게 키얀이 앞으로 사용할 전술에 대한 자신의 의견과 전차 부대를 무너뜨리기 위한 작전에 대해 설명했다. 최 승상의 생각도 윤조와 같았기에 그들은 곧바로 인원을 나누어 작전에 돌입했다.

"전에 드렸던 건 잘 가지고 계시죠?"

유모의 말에 윤조가 고개를 끄덕였다. 복잡한 심정으로 그녀를 바라보던 유모는 죄송하다는 말과 함께 윤조를 와락 끌어안았다. 윤조 역시 그녀를 꽉 끌어안았다.

"다녀올게요."

"마님, 부디 무사히 돌아오셔야 합니다."

지켜보던 최 승상 역시 그녀를 배웅했다.

"무운을 비네."

"대승상님도, 다른 분들도 몸조심하세요."

윤조는 건장한 식솔 여섯 명과 함께 가족들이 잡혀 있는 벽록서로 향했다.

"가족들이 어디에 갇혀 있는지 정확한 위치는 파악됐나요?"

"벽록서 별관 지하입니다."

벽록서 별관 지하라면 예전에 윤조가 무녀 시험을 치른 직후 단장판을 훔쳤다고 오해받아 무녀들의 손에 끌려갔던 집행소를 말함이었다. 윤조는 그때의 기억을 살려 내부 구조를 가늠했다.

"지키고 있는 호위 무녀들의 수는 몇이나 되죠?"

"네 명 정도였습니다. 수가 많지 않았습니다."

"네 명이라도 쉽지는 않을 겁니다."

호위 무녀들의 무력은 일반 병사들의 무력과는 차이가 컸다. 그들이 구사하는 검술만 해도 만만히 볼 게 아니었으니 말이다. 걱정스러운 윤조의 말에 식솔들이 말했다.

"걱정 마십시오, 마님. 무기도 생겼으니 이제 제대로 싸울 수 있습니다."

"맞습니다. 저희는 농기구보다는 검에 익숙하니까요."

식솔들의 말에 윤조의 눈이 동그랗게 변했다.

"설마 모두들……?"

"예, 마님. 아낙들을 제외하고는 다들 예전에는 검 좀 썼던 병사들입니다. 갈 곳이 없어 홍 장군님께서 거둬 주셨죠. 걱정 마십시오. 사돈 마님과 도련님들은 반드시 구해 내겠습니다."

그러는 동안 최 승상과 의령, 삼안, 나머지 식솔들은 전차 부대를 맡았다. 그들은 문씨 가문 저장 창고에 있던 술독을 모두 꺼내 수레에 실었다. 고기를 구해야 한다는 최 승상의 말에 삼안은 아버지인 공초가 키얀에게 바칠 진상품으로 준비했던 양념에 절인 고기 천 근을 내놓았다.

또 그는 가신인 장수들을 불러 아버지가 돌아가신 이야기와 지금의 상황에 대해 소상히 설명했다. 장수들은 사량태수 공초가 서국의 황제에게 무참하게 살해당한 사실을 알고 격분하여 삼안과 뜻을 함께하겠다고 약속했다.

잠시 뒤, 술독과 고기를 잔뜩 실은 수레가 나타난 곳은 제후들의 병사들이 모여 있는 황성 정문이었다.

"어디에서 맛있는 냄새 나지 않아?"

"그러게? 이거 고기 굽는 냄새 같은데?"

방어전을 위해 준비하고 있던 병사들이 너 나 할 것 없이 술렁였다.

"이러다 맛좋은 고기와 술이 다 식겠다! 어서 옮기거라, 어서-!"

삼안이 일부러 큰 소리를 내며 술과 고기를 나르는 윤조의 식솔들을 재촉했다.

제후들의 장수와 병사들은 황성에 오는 며칠 동안 제대로 식사를 하지 못했다. 그들은 황성에 도착하면 맛좋은 식사를 하게 될 거라 기대했지만, 제후들과 서국의 황제가 만찬을 즐기는 동안 그들이 먹게 된 건 된장을 풀은 육수에 말린 배춧잎을 넣은 국과 보리밥이 전부였다. 깊은 밤, 가뜩이나 시장기가 도는 때를 맞춰 등장한 따뜻한 술과 고기는 그들의 눈과 코를 사로잡기에 충분했다.

"웬 고기랑 술이랍니까?"

왕막의 궁수 부대를 지휘하는 장수 감사헌이 진동하는 고기 냄새를 견디지 못하고 삼안의 부대를 기웃거렸다. 그에 삼안의 장수들이 함께 들겠냐며 술상을 권하자 감사헌은 마지못하는 척 그들과 함께 자리를 깔고 앉았다.

"하하, 선뜻 권해 주셔서 감사합니다. 고기 냄새를 맡는 게 얼마만인지 감개무량하외다. 사량태수님께서는 정말 인심이 후하신가 봅니다?"

"아무렴요. 저희 태수님께서는 평소에도 가신들을 잘 보살펴 주시기로 유명하지요. 저는 사량의 장수 반진이라 합니다."

"오! 이름은 익히 들어 알고 있습니다. 제 소개가 늦었습니다. 저는 을미자사 왕막님 밑에서 궁수 부대를 맡고 있는 감사헌이라 합니다."

"감사헌 장수! 저도 공의 이름은 익히 들어 알고 있습니다. 술 한 잔 받으시겠습니까?"

"하하, 좋습니다! 저도 한잔 따라 드리지요."

술이 들어가자 저절로 왁자지껄해진 분위기에 그들을 지켜보던 다른 장수들도 관심을 갖고 다가왔다.

"안녕하시오. 여기 모여서 맛난 걸 드시나 봅니다?"

"아이고, 이게 누구야! 그 유명한 서황 전차 부대의 파소월 장수가 아니십니까? 어서, 여기 앉으십시오. 여봐라! 여기 술과 고기를 더 가져오라! 귀한 분들을 대접할 것이다!"

치켜세우는 말이 썩 기분이 나쁘진 않았는지 파소월이 자리를 잡고 앉았다.

"환대에 감사하오. 사량태수님께 감사하다고 전해 주시오."

"그러리다. 자, 어서 한잔 받으시지요! 안주가 좋으니 술이 쭉쭉 넘어갑니다. 안 그렇습니까?"

"하하, 정말입니다. 며칠 만에 제대로 된 식사를 하는 것 같습니다. 하하하!"

삼안과 식솔들은 계속해서 술상을 날랐다. 사량의 병사들 또한 어느새 곳곳에 차려진 술상 앞에 모여 먹고 마시며 여독을 풀고 있었다. 그에 반해 다른 제후들의 병사들은 서로 먹고 마시는 장수들의 모습을 바라보며 입맛을 다실 뿐이었다. 그 모습을 지켜보던 삼안이 흥이 오른 장수들에게 다가가 말했다.

"괜찮다면 귀관들의 병사들에게도 술상을 대접하고 싶은데 그리 해도 되겠습니까? 넉넉지는 않지만 밤참으로 즐길 정도는 충분할 겁니다."

"아이고, 이렇게 감사할 수가. 아버님을 닮아 공자께서도 배포가 크시군요! 여봐라! 사량태수님과 삼안 공자께서 하사하시는 술상이다. 감사한 마음으로 즐기도록 하라!"

장수들의 허락에 입맛만 다시고 있던 병사들이 너도 나도 일어나 고기와 술을 받아 갔다. 서로 권하며 이어지는 술잔과 고기에 나중에는 서국의 병사들까지 분위기에 취할 지경이었다.

그렇게 두 식경쯤 지나자 취기가 오른 장수들과 병사들의 분위기가 무르익었다. 보고를 받고 황궁에서 달려온 하센은 술판을 벌인 장수들의 모습에 무슨 짓이냐며 소리쳤다.

"이게 무슨 짓입니까! 전투를 앞두고 있는 장수들이 한가롭게 술판을 벌이다니요?"

"아, 이거 여희단의 단장님 아니십니까. 밤에 보니 더 아름다우십니다?"

"뭐라? 지금 나를 모욕하는 건가!!!"

"아니, 아름다운 여인에게 아름답다 말하는 게 어찌 모욕입니까? 여희단의 여희도 아름다운 여인이란 뜻이 아닙니까?"

"이자들이 그래도!!!"

격분하여 다가서는 하센을 말린 건 서황 전차 부대의 장수 파소월이었다.

"황성에 도착하기까지 모두 며칠 동안 제대로 먹지도 마시지도 못했습니다. 전투 전에 체력을 보충하기 위함이니 너무 나무라지 마십시오. 때로는 이런 대접이 병사들의 사기를 올리는 법입니다. 조금 전 대화로 마음이 상했다면 내 대신 사과하겠소. 취기가 올라 그렇지 악의는 없었을 거요."

파소월의 말도 틀린 말은 아니었다. 정중한 파소월의 태도에 화가 누그러진 하센이 알겠다며 그의 사과를 받아들였다.

"한잔하시겠소?"

"감사하지만 거절하겠습니다. 다시 황궁에 들어가 봐야 합니다."

"황궁에 무슨 일이라도 있는 겁니까?"

"그러게 말입니다? 아까 행군 때도 자리에 안 계셨던 것 같은데."

제국의 병사들과 서국의 병사들이 성문에서 방어진을 구축하고 병장기를 손질할 때에도 하센의 모습은 보이지 않았다. 이를 이상하게 여기는 장수들의 물음에 하센이 답했다.

"그저 폐하께 따로 명받은 일이 있을 뿐입니다."

"그렇다면야 뭐……."

"이만 가 보죠. 술은 적당히 즐겨 주십시오."

더 의심을 받을까 하센은 급히 자리를 빠져나와 황궁으로 향했다.

'폐하께서 의식을 잃으셨다는 사실을 저들이 알아서는 안 된다.'

황궁으로 향하는 하센의 말이 속도를 올렸다.

"갔습니다. 슬슬 시작하죠."

갑작스러운 하센의 등장에 바짝 긴장했던 삼안은 작전대로 사람들에게 신호를 보냈다. 이에 식솔들은 분주히 병사들 사이를 오가며 술병을 나르는 척하며 서황의 병사들 뒤로 세워진 전차에 접근했다.

“여기 술 더 주시오!”

“예! 예! 갑니다, 가요!”

“어이쿠, 이분은 너무 취하셨네. 그만 드셔요들!”

“이런 때 안 마시면 언제 마시나! 내일 죽을지도 모르는데.”

“내 말이! 어서 술 더 가져와! 술!”

어느새 서황의 전차 사이에 숨어든 유모와 식솔들은 취한 병사들을 상대하며 일부러 시선을 끌고 있는 다른 식솔들의 모습을 확인하며 손을 움직였다.

진한 갈색빛으로 덮인 서황의 전차들 중 선봉에 서는 서른 대의 전차는 장식된 문양이 달랐다. 황금색의 화려한 문양으로 장식된 전차 서른 대를 발견한 유모와 식솔들이 각자 전차에 달라붙어 전차 바퀴의 안쪽, 바퀴를 단단히 고정하기 위해 끼워 놓은 놋쇠로 만든 침을 제거해 옷 속에 숨겼다. 꽤 시간이 걸리는 작업에 마음이 초조했다. 유모는 주변을 살피며 작업을 이어 가는 식솔들을 바라봤다.

“얼마나 남았나?”

“다섯 대만 더 하면 됩니다.”

그때 작업을 하던 한 식솔이 전차에서 빼낸 놋쇠 침을 그만 바닥에 떨어뜨리고 말았다. 단단한 돌바닥에 부딪쳐 ‘쟁!’ 하고 울리는 높은 쇳소리에 유모의 얼굴이 하얗게 질렸다. 눈을 질끈 감았다가 뜬 식솔들은 병사들의 왁자지껄한 소리에 묻혀 아무도 눈치챈 사람이 없다는 걸 확인하고 나서야 한숨을 내쉬었다.

"서두르게. 시간을 끌면 위험해."

"예."

바닥에 떨어진 놋쇠 침을 주워 소매 안에 감춘 유모가 식솔들을 재촉했다. 마침내 서른 대의 전차 모두 작업을 끝낸 그들은 미리 가까이 대 놓은 술독과 고기를 실은 수레를 끌며 삼안에게로 돌아왔다.

"공자님, 술이 다 떨어졌습니다."

무사히 임무를 마쳤다는 유모의 신호에 삼안이 곤란한 듯 소리쳤다.

"벌써? 남은 술이 없는지 더 찾아봐라! 있다면 남김없이 가져와야 할 것이다."

"예."

유모와 식솔들이 수레를 끌고 자리를 벗어났다. 그 모습에 장수 감사헌이 벌써 술이 떨어진 것이냐며 아쉬워했다. 자리에 남아 취한 병사들을 상대하던 다른 식솔들은 음식이 떨어졌다는 핑계로 하나둘 자리를 빠져나왔다.

"어떻게 됐나?"

기다리고 있던 최 승상이 돌아온 유모와 식솔들을 향해 물었다. 유모는 소매 안에 감춰 두었던 놋쇠 침을 꺼냈다.

"선봉에 서는 전차 서른 대 모두 제거 완료했습니다."

"고생했네. 들키진 않았겠지?"

"전혀요. 중간에 여희단 단장이라는 자가 황궁에서 나와서 소란이 있었지만 금방 돌아갔습니다."

"여희단 단장이? 그런데 지금까지 아무 일도 없었단 말인가?"

"예. 다른 장수들이 뭐라고 하니 몇 마디 주고받다가 그냥 돌아갔습니다."

소란이 일 정도였다면 황궁으로 돌아간 하센은 반드시 이 일을 키얀에게 보고했을 것이다. 하지만 시간이 꽤 지났음에도 황궁에서는 반응이 없었다. 키얀에게 한 소리 들은 제후들이 헐레벌떡 달려 나왔어도 이상하지 않을 사건이었는데 말이다. 멋대로 술판을 벌인 장수들에게 제후들이 화를 내고, 그런 제후들을 향해 장수들의 불만이 쌓여 가는 것까지 고려했던 최 승상이 보기에는 이상한 일이 아닐 수 없었다.

의령의 말로는 윤조와 함께 황궁에서 도망칠 당시 서국의 병사들과 호위 무녀들 사이에 큰 전투가 벌어졌다고 하더니 무언가 일이 생긴 모양이었다. 여희단의 단장 하센이 병사들을 지휘하는 일에서 빠져야 할 정도로 중요한 일이.

'서국 황제의 신변에 무슨 문제가 생긴 건지도 모르겠군.'

최 승상의 눈빛이 날카롭게 빛났다. 턱수염을 매만지던 그는 복귀하는 나머지 식솔들의 모습을 바라보다 벽록서가 있는 방향을 돌아봤다.

"이제 윤조와 가족들만 무사히 돌아오면 되겠구나."

한편, 식솔들과 함께 벽록서로 향했던 윤조는 별관 건물 안으로 잠입하는 데 성공했다. 보고받았던 것처럼 벽록서와 별관의 건물 외부에는 보초를 서는 병력이 보이지 않았다.

"혹시 숨어 있는 자가 있을지 모르니 주의하세요."

"예, 마님."

식솔들이 앞뒤로 윤조를 보호하며 건물 안쪽으로 향했다. 윤조도 여차하는 순간 바로 신력을 사용하기 위해 손끝에 바짝 힘을 준 상태였다. 별관 지하로 통하는 계단을 소리 없이 밟고 내려간 그들은 계단 앞에서 보초를 서고 있던 호위 무녀를 향해 달려들었다.

"침입자다!!!"

호위 무녀가 식솔들이 휘두른 검을 막아 내며 안쪽을 향해 소리쳤다. 그러자 윤조의 가족들이 갇힌 옥사의 앞을 지키고 있던 호위 무녀들이 우르르 몰려왔다.

다섯 명의 식솔과 네 명의 호위 무녀가 엉켜 순식간에 난투가 벌어졌다. 농기구보다 검을 다루는 게 익숙하다던 식솔들의 말처럼 그들은 무척 능숙하게 무녀들의 검을 막아 내며 반격하고 있었다. 그 틈에 윤조는 가족들을 구하기 위해 감옥으로 달려갔다.

"어머니! 얘들아! 어머니 눈 좀 떠 보세요!!! 얘들아!!!"

윤조의 어머니와 동생들은 모두 정신을 잃은 상태였다. 있는 힘껏 소리쳐 봐도 반응이 없었다. 가족들이 잘못되었을까 봐 겁에 질린 윤조가 황급히 감옥의 열쇠를 찾아 주위를 살폈다. 그러다 고개 돌린 곳, 싸우고 있는 무녀들 중 한 명의 허리에 걸려 있는 열쇠 꾸러미를 발견하고 소리쳤다.

"무녀의 허리에 열쇠가 있어요-!!!"

윤조의 외침에 무녀와 검을 맞대고 있던 식솔이 거칠게 검을 휘둘렀다. 빠르게 찔러 들어오는 검을 피한 무녀가 몸을 돌려 검을 쳐 냈다. 그리고 반격에 들어가는 순간, 윤조는 신력을 사용하기 위해 손을 뻗었다. 하지만 어찌 된 일인지 아무런 일도 일어나지 않았다. 당황한 윤조의 시선이 정면을 향했다.

"안 돼!!!"

그녀가 외쳤으나 호위 무녀의 검은 이미 식솔의 어깨 부분에 깊숙이 박힌 뒤였다. 무녀가 검을 회수하기 위해 팔을 움직였다. 식솔은 어깨에 박혀 있는 검날을 힘껏 붙잡으며 소리쳤다.

"열쇠를 어서!!!"

그의 외침에 다른 무녀의 검을 밀어낸 식솔이 재빨리 무녀를 베어 냈다. 무녀의 허리에서 열쇠 꾸러미를 빼낸 식솔이 그를 막으려는 다른 무녀의 검을 막으며 윤조를 향해 열쇠 꾸러미를 걷어찼다.

"마님, 서두르십시오!!!"

바닥으로 밀려온 열쇠 꾸러미를 주운 윤조가 서둘러 감옥의 열쇠를 찾기 시작했다. 열 개가 넘는 열쇠를 일일이 자물쇠에 넣어 확인하던 그녀는 마침내 덜걱, 하고 자물쇠가 풀리는 소리에 식솔들을 향해 외쳤다.

"열렸어요!!!"

감옥 안으로 들어간 윤조가 어머니와 동생들의 상태를 확인했다. 다행이 맥박은 고르게 뛰고 있었다. 약을 먹었는지 잠이 든 상태였다.

"여기도 다 처리했습니다!!!"

마지막으로 남아 있던 호위 무녀를 처리한 식솔들이 빠르게 달려와 감옥 안에 있던 윤조의 어머니를 등에 업고 동생들을 품에 안았다.

"약을 먹은 것 같아요. 어서 모시고 나가세요, 어서!"

식솔들이 빠르게 계단을 올랐다. 윤조가 그 뒤를 따랐다. 그 순간 쓰러져 있던 호위 무녀 하나가 계단을 오르려는 윤조의 발목을 덥석 붙잡았다. 놀란 윤조가 황급히 다리를 빼내기 위해 몸부림쳤다. 동시에 목뒤를 세게 내리치는 강한 충격이 느껴졌다. 고통과 동시에 그녀의 세상이 까맣게 암전했다.

"마님은 어디 계신가!"

계단을 올라 별관 밖으로 향하던 식솔들이 뒤를 확인했으나 윤조의 모습은 보이지 않았다. 놀란 그들은 황급히 왔던 길을 되돌아가 별관의 지하를 확인했다. 하지만 어디에도 윤조의 모습은 보이지 않았다. 더 기이한 점은 부상을 입고 바닥에 쓰러져 있던 무녀들 또한 모두 자취를 감췄다는 점이었다.

"너희는 어서 사돈 마님과 도련님들을 모시고 돌아가라! 나는 이곳에 남아 마님을 찾아보겠다!"

잠시 뒤, 윤조의 가족들을 구출한 식솔들이 최 승상과 사람들이 숨어 있는 문씨 가문의 저택에 도착했다. 의식을 잃은 가족들의 모습에 경악한 유모가 그들을 살폈다.

"사돈 마님! 마님! 정신 차리세요! 도련님! 아가씨……!"

세게 흔들어도 반응이 없었다. 약을 먹은 것 같다는 식솔의 보고에 유모가 아낙들을 시켜 따뜻한 물과 수건을 준비하게 했다. 돌아온 식솔들의 모습에 이상함을 느낀 최 승상이 그들을 향해 물었다.

"한 명은 어딜 갔나? 윤조는 어디에 있고?"

"마님께서 갑자기 사라지셨습니다. 분명 지하에서 계단을 오를 때만 해도 뒤에 계셨는데……."

"뭐라!"

그때 윤조를 찾겠다며 남았던 식솔 한 명이 돌아왔다. 최 승상이 다급히 그를 붙잡았다.

"윤조는? 윤조는 어찌 보이질 않는가!!!"

"죄송합니다. 마님을 찾지 못했습니다……."

"찾지 못했다니? 대체 윤조가 어디로 사라졌단 말인가!!!"

"모르겠습니다. 벽록서 별관 어디에서도 마님의 모습을 찾을 수 없었습니다. 부상을 입고 바닥에 쓰러져 있던 무녀들도 전부 사라졌습니다. 어찌 된 일인지 저도 도무지……."

혼란스러워하는 식솔의 대답에 최 승상의 낯빛이 하얗게 질렸다. 함정이었다. 윤조를 끌어내기 위한 함정.

'묘길이다. 이렇게 감쪽같이 윤조를 데려갈 수 있는 자는 묘길뿐이다.'

그는 벽록서의 지하 어딘가에 자신이 모르는 숨겨진 비밀 통로가 남아 있다는 사실을 뒤늦게 깨달았다.

"윤조가 사라졌다니 그게 무슨 말입니까!"

유모를 도와 윤조의 어머니와 동생들을 치료하던 의령이 소식을 듣고 달려 나왔다. 부상을 입고 돌아온 식솔들 사이 보이지 않는 윤조의 모습에 그녀의 낯빛이 희게 질렸다.

"설마 윤조가 잡혀간 겁니까?"

"묘길의 짓인 것 같다. 벽록서와 연결된 비밀 통로가 있던 모양이야."

"구해야 합니다! 제가 가서 찾아보겠습니다."

"어디에 있는지도 확실치 않다! 무턱대고 나섰다간 자네도 위험해!"

"하지만 시간이 없습니다! 이러다 전투가 벌어지게 되면 윤조의 목숨이 더 위태로워져요!"

그때였다. 허공을 울리는 큰 북소리가 들려왔다.

"이 소리는……!"

놀란 그들의 시선이 소리가 들려오는 방향을 향했다.

같은 시각, 황궁에서 아직 의식을 회복하지 못한 키얀의 곁을 지키던 하센도 소리를 듣고 벌떡 일어났다. 그녀는 무장을 한 채 황제의 침소를 나서며 병사들을 향해 말했다.

"너희는 절대 이곳을 떠나지 말고 폐하의 곁을 지켜라. 누구도 침소에 접근하지 못하게 해야 한다. 폐하께서 눈을 뜨시면 곧장 알려라. 알겠나?"

"명 받듭니다."

성의 정문에서 시작된 북소리는 어느새 황성 전체를 메아리치며 전투의 시작을 알렸다. 집안 깊숙이 숨어 있던 백성들은 저마다 가족을 끌어안은 채 숨을 죽였다.

작전을 마치고 급히 최 승상과 의령이 있는 문씨 가문 저택으로 향하던 삼안도 걸음을 멈춘 채 긴장한 눈빛으로 성문 쪽을 바라봤다.

"적습!!! 적습이다!!!"

북소리가 울리기 무섭게 나투국 황성 성벽으로 투석기에서 던져진 바위가 날아들었다. 쿵! 쿵! 요란한 소리를 내며 성벽을 부수는 바위에 이어 불이 붙은 포환이 날아들었다.

"계속해서 쏴라!!! 좌측 성벽을 노려라!!!"

홍 장군의 지시에 병사들이 일사불란하게 움직이며 팽팽하게 당겨진 투석기의 밧줄을 끊었다. 홍 장군은 키얀이 황성을 침공할 당시 투석기에 가장 많은 피해를 입었던 성벽 부분을 집중적으로 공격했다.

"모두 피하라!!!"

날아드는 거대한 불덩이가 마치 하늘에서 떨어지는 운석 같았다.

성벽 위에 도열해 있던 서국의 병사들과 제후들의 병사들이 추락하는 바위와 불덩이를 피해 사방으로 흩어졌다.

천지가 진동하는 요란한 파공음과 함께 성벽 곳곳에서 부서진 벽돌의 잔해가 날아다녔다. 고막을 울리는 굉음과 동시에 이미 균열이 가 있던 좌측 성벽 일부가 와르르 소리를 내며 병사들과 함께 무너져 내렸다.

"궁수 부대 앞으로!!!"

준영의 지시에 돌격한 궁수 부대가 사정거리에 자리를 잡고 불화살을 장전했다.

"쏴라-!!!"

어둠 속에서 솟아난 수천 개의 화살이 붉게 타오르며 황성의 하늘 위로 날아올랐다.

"방패를 들어라!!!"

성벽에 도착한 하센이 서국의 병사들을 향해 소리쳤다. 흩어져 있던 서국의 병사들이 급히 방패를 들었으나 붉은 포물선을 그리며 쏟아지는 무수한 화살을 모두 막기에는 역부족이었다.

"대열을 지켜라!!! 이탈하는 자는 죽음을 면치 못할 것이다!!!"

방패와 검으로 날아드는 불화살을 막아 낸 하센이 성벽 아래, 도열한 준영의 군대와 마주했다. 새벽의 끝자락, 그 마지막 어둠 속에서 타오르는 붉은 불꽃이 나투국 황성의 하늘을 밝혔다. 짙은 새벽빛이 서려 있던 하늘이 점점 밝아지며 먼동이 터오고 있었다.

"전군 진격하라!!! 황성을 탈환하라-!!!"

진격을 알리는 깃발이 올라감과 동시에 커다란 소라고둥 소리가 울렸다. 창검을 든 준영의 병사들이 함성을 내지르며 성벽을 향해 일제히 달려들었다.

정신을 잃었던 윤조는 축축한 바닥에서 눈을 떴다. 눅눅하고 서늘한 공기가 그녀의 뺨 위로 느껴졌다. 뒤통수를 세게 얻어맞았던 감각에 머리가 띵했다.

"으, 뭐가 어떻게 된……."

가물가물하던 시야가 선명해지자 그녀의 눈앞에 묘길의 모습이 보였다.

"깨어났군요."

그녀는 창살 너머에서 윤조를 물끄러미 바라보고 있었다. 갑작스러운 묘길의 등장에 퍼뜩 정신을 차린 윤조가 고개를 돌려 주위를 확인했다.

사방으로 단단한 쇠창살이 보였다. 드높은 천장. 마치 새장 같은 감옥이 자리한 공간은 윤조가 지금껏 한 번도 보지 못했던 거대한 방이었다. 방 안은 벽과 바닥, 천장 할 것 없이 고대의 것으로 보이는 벽화와 알 수 없는 글씨가 적혀 있었다. 그리고 방의 천장에는 벽과 하나가 된 거대한 나무뿌리 같은 것이 돔처럼 엉켜 있었다.

"여기가 어디죠? 나를 어디에 가둔 거예요!!!"

"비밀 통로에 숨겨진 아주 깊고 오래된 지하 감옥이랍니다."

"감옥이라고요……?"

윤조가 창살을 잡고 세게 흔들었지만 단단하게 잠긴 감옥의 문은 꿈쩍도 하지 않았다. 자물쇠를 풀기 위해 신력을 사용했지만 벽록서 별관 지하에서 그랬던 것처럼 이상하게도 신력을 사용할 수 없었다. 발현되지 않고 몸속에서 맴돌기만 하는 신력의 흐름에 윤조가 다급히 소리쳤다.

"이거 열어요! 날 풀어 줘요!!!"

묘길은 당황하는 윤조를 바라보며 조용히 읊조렸다.

"신력은 사용하지 못할 겁니다."

"그게 무슨 말이에요? 신력을 사용하지 못하다니? 설마 내 몸에 무슨 짓을……!"

"이런, 오해 마세요. 저는 그저 윤조 무녀를 안전하게 보호하기 위해 가뒀을 뿐입니다. 아무 짓도 하지 않아요."

"뒤통수 쳐서 기절시켜 놓고 아무 짓도 하지 않는다니, 앞뒤가 안 맞네요. 그래 놓고 나를 보호하기 위해 가뒀다고요?"

"때린 건 미안해요. 하지만 지금 밖은 위험하거든요."

의미심장한 묘길의 대답에 윤조가 다급히 그녀 가까이로 다가섰다.

"시간이 얼마나 지났죠? 내가 얼마나 기절해 있던 거예요? 어머니는, 내 동생들은……!"

"그들은 무사히 구출됐습니다. 수면 향에 취한 것뿐이니 효과가 떨어지면 깨어날 테고, 건강에는 아무 지장도 없으니 안심하세요."

"밖이 위험하다는 건 무슨 뜻입니까."

"마지막 전투가 시작됐거든요."

고요히 가라앉은 묘길의 보랏빛 눈동자가 윤조를 향했다.

"이제 곧 내가 원하던 순간이 와요."

“적의 수는 많지 않다!!! 성벽을 넘어라!!!”

부서진 좌측 성벽을 중심으로 사다리가 놓였다. 준영은 사다리를 오르기 시작하는 병사들을 바라보며 대기해 있던 충차를 앞으로 내세웠다.

“성문을 부숴라!!!”

명령이 떨어지기 무섭게 충차를 몬 병사들이 성문을 향해 돌진했다. 이를 지켜보던 을미자사 왕막의 장수인 감사헌이 자신의 궁수부대를 향해 소리쳤다.

“노궁병!!! 충차를 저격하라!!!”

대기 중이던 노궁병이 충차를 향해 거대한 화살을 연사했다. 날아간 화살이 바람과 같은 속도로 순식간에 충차를 덮쳤다. 연속해서 날아드는 거대한 화살에 병사들이 날아가고 충차가 부서져 뒹굴었다.

“기름 먹인 화살을 장전하라!!! 투석기를 부숴야 한다!!!”

감사헌의 명령에 노궁병들이 화살 끝 부분에 기름통을 연결한 노궁을 장전했다. 불을 붙이자 쇠로 된 기름 통 안에서 지글거리며 불꽃이 타올랐다.

“쏴라-!!!”

허공을 가르며 기름과 불꽃을 뒤집어쓴 거대한 화살이 투석기를 향해 날아갔다. ‘쾅!’ 하는 소리와 함께 불꽃이 피어오르며 투석기의 연결 부위가 부서졌다. 동시에 사다리를 오르는 준영의 병사들을 보고 있던 서황태수 진대원의 장수 파소월이 도열한 창병부대를 향해 소리쳤다.

"창을 들어라!!! 성벽을 오르는 적을 막아라!!!"

2천 명의 창병부대가 앞으로 나서며 성벽을 오르는 준영의 병사들을 공격했다.

"보병 부대! 방패를 들어라! 성벽을 오르는 적을 밀어내라!!! 궁수 부대! 화살을 장전하라!!!"

감사헌이 천 명의 보병 부대를 움직여 창병들을 도와 준영의 병사들을 성벽 밖으로 밀어냈다. 동시에 그의 밑에 있는 천 명의 궁수 부대가 화살을 장전했다.

"쏴라-!!!"

명령이 떨어짐과 동시에 쏘아진 화살 비가 준영과 준영의 군대를 향해 날아들었다.

"방패를 들어라!!!"

준영의 주위에 있던 병사들이 일제히 방패를 높이 들어 화살을 막았다. 하지만 이미 성벽을 오르고 있는 병사들에게 퍼부어지는 공격까지는 막을 도리가 없었다.

"궁수 부대! 계속해서 화살을 쏴라!!!"

성벽 위에서 잇달아 화살 비가 쏟아져 내렸다. 궁수 부대와 함께 가장 앞에 나선 감사헌이 활을 꺼내 화살을 걸었다. 신궁이라 불리는 길림과도 견줄 만큼 훌륭한 활 솜씨를 지닌 그는 특히 커다란 대궁으로 장거리에 있는 장수를 쏘아 맞히는 것으로 유명했다.

"하하하! 살아생전에 대장군을 향해 화살을 겨누게 되는 날이 올 줄이야……!"

긴장과 희열이 교차하는 낯으로 웃음을 흘리던 그는 멀리 대장기가 걸린 준영과 파이옌이 있는 곳을 노리고 화살을 날렸다.

기민한 감각으로 준영과 자신을 노리는 살기를 느낀 파이옌이 빠르게 몸을 움직였다. 곡예라도 하는 것 같은 몸짓으로 말에서 뛰어내린 그가 곡도를 들어 준영의 앞을 가로막았다. '챙!' 하는 소리와 함께 곡도에 가로막힌 화살이 다른 방향으로 튕겨 나갔다.

"하? 어떤 놈인지 활 좀 쏘는 놈이 있나 본데?"

순식간에 날아드는 화살을 쳐 내고 바닥에 착지한 그가 곡도를 거두며 자리에서 일어났다. 파이옌과 준영의 시선이 멀리 성벽 위를 향했다. 어둠이 걷히고 아침 햇살이 비추는 자리, 서국 병사들의 검은 갑옷 사이사이로 나투국의 은빛 갑옷을 입은 무수한 병사들이 자리한 모습이 보였다.

"뭐야, 저놈들 서국 병사들이 아니잖아? 나투국 갑옷을 입고 있는데?"

파이옌의 말에 성벽 위를 확인한 홍 장군의 얼굴이 일그러졌다.

"준영아! 서국 편에 붙은 제후들의 병력인 것 같다!"

제후들이 도착한다면 군대가 도착하는 시기와 비슷할 것이라고 예상했지만, 그보다 더 빨리 황성에 도착해 있던 모양이었다. 성벽 위, 가장 앞에 나서서 궁수 부대와 보병 부대를 지휘하는 장수가 을미자사 왕막의 장수 감사헌이라는 것을 알아본 준영의 미간이 좁혀졌다. 이는 홍 장군도 마찬가지였다.

"감사헌은 수성전에 가장 능한 장수 중 하나다. 이대로라면 아군의 피해만 커질 게다!"

황성은 다른 성들보다 몇 배로 거대하고 성벽 역시 높았다. 공성병기가 부족한 현재 시간을 끌게 되면 아군의 피해가 클 것이 뻔했기에 새벽을 틈탄 기습으로 최대한 속전속결로 밀어붙여야 한다는 것이 준영의 생각이었다.

하지만 남은 서국의 병력이라면 모를까, 제후들의 군대와 전투를 벌이는 것은 좋지 않았다. 황성의 방어력을 누구보다 잘 알고 있는 자들이다. 더군다나 몇이나 되는 병력이 키얀의 편으로 돌아 섰는지도 정확히 아는 바가 없었다.

'시간을 끌면 이쪽이 불리하다.'

하지만 치열한 전장은 어느새 점점 방어전을 펼치는 서국군과 제후군에게로 수세가 기울고 있었다. 준영은 하는 수 없이 퇴각 명령을 내렸다.

"퇴각하라!!! 전군 퇴각하라-!!!"

퇴각을 알리는 깃발이 올라가고 소라고둥 소리가 울려 퍼졌다.

"제길!"

파이옌이 마음에 들지 않는다는 듯이 말 머리를 돌렸다. 준영과 홍 장군도 마찬가지였다.

비슷한 시각, 황궁.

병사들이 진을 친 황제의 처소는 무서우리만치 고요했다. 그때 복도를 울리는 발소리가 들렸다. 준영의 군대가 1차 공격에 실패하고 퇴각했다는 소식에 키얀을 찾아온 제후들의 발소리였다.

그들은 나람성의 후미를 치기 위해 8천의 추가 병력을 보냈다는 키얀의 말과 달리 너무도 빠른 시간에 황성에 도착한 준영의 군대에 의문을 품었다. 회의를 요청하기 위해 키얀을 찾았던 그들은 앞을 막아서는 서국 병사들의 강경한 행동에 당혹감을 드러냈다.

"비켜서라. 폐하를 뵈러 왔다."

"출입이 불가합니다."

"어허? 감히 뉘 앞을 막아서는 건가!"

뭣 모르는 병사들이 까부는 것이라 여긴 왕막이 큰소리 쳤으나 병사들의 반응은 냉랭했다. 그들은 경고에도 물러나지 않는 왕막의 모습에 검을 꺼내 들었다.

"어전에는 아무도 출입할 수 없습니다."

"이게 무슨……!"

흥분한 왕막의 어깨를 잡은 건 진대원이었다. 그는 검을 든 병사를 향해 말했다.

"군사 회의를 위해 폐하를 알현해야 하니 고해 주게."

"지금은 출입이 불가합니다."

"폐하께 무슨 일이 있나?"

"돌아가 주십시오. 지금은 누구도 폐하를 알현할 수 없습니다."

"아니, 그래도 이자가!!!"

왕막이 앞으로 나서며 따지려 들었으나 진대원이 그를 말렸다.

"폐하의 뜻이 그러하다면 나중에 다시 오겠네. 왕막, 가세."

진대원은 왕막을 데리고 자리를 벗어났다. 복도를 돌아 병사들의 시선에서 벗어나자 진대원이 걸음을 멈추고 왕막을 돌아봤다.

"뭔가 이상하군."

"뭐가 말인가?"

"서국의 황제가 어제 오후부터 침소에서 나오지 않고 있네. 무녀장도 호위 무녀들도 보이지 않아."

진대원의 말에 왕막이 턱수염을 쓰다듬었다.

"듣고 보니 그렇군. 무녀장의 처소에서 소란이 있었다는 말을 들었는데 관련이 있을지도……."

"혹, 문제가 생긴 거라면?"

"문제라니?"

"무녀장과 서국 황제 간의 동맹이 깨졌을지도 모르지."

"내분이라도 생겼단 말인가? 잠깐, 내분이 일어났는데 서국의 황제가 침소에서 두문불출한다……?"

왕막의 말에 주변을 살핀 진대원이 목소리를 죽이며 속삭였다.

"서국 황제의 신변에 변고가 생긴 건지도 모르네. 어쩌면 큰 부상을 입었는지도……."

묘길과의 내분으로 키얀의 신변에 문제가 생긴 것이라면 지금이야말로 황성을 차지할 기회였다. 전투로 인해 사람들의 시선은 성문에 집중되어 있었다. 키얀의 침소 앞을 지키고 있는 서국 병사들의 수 또한 많지 않았다. 키얀을 인질 삼아 서국의 병권을 손에 넣는다면 서국과 나투국 두 제국을 쥐락펴락할 수 있는 셈이었다. 눈짓을 주고받은 두 제후의 입가에 간악한 미소가 걸렸다.

"멈추십시오! 더는 접근할 수 없습니다!!!"

"비켜라! 지금 당장 폐하를 뵈어야겠다!"

잠시 뒤 병사들을 이끌고 온 왕막과 진대원이 황제의 침소 앞을 포위했다. 보초를 서던 서국의 병사들이 곡도를 꺼내 그들을 겨누었다.

"물러나십시오!"

"네 이놈!!! 감히 우리가 누구인 줄 알고 큰소리치는 게냐! 폐하를 지금 당장 뵈어야겠다! 어서 길을 열어라!!!"

"어전에는 아무도 출입할 수 없습니다! 당장 물러나십시오!"

"폐하께서 안에 계신 것은 확실한가? 폐하께 무슨 변고가 생긴 것은 아닌지 이 두 눈으로 확인해야겠다!"

왕막이 허리에 차고 있던 검을 꺼내 서국의 병사들을 향해 겨누었다. 무기를 꺼내 든 그의 모습에 공격 태세를 갖춘 서국의 병사들이 앞으로 나서며 소리쳤다.

"물러나라!!! 이곳은 어전이다!!! 더 소란을 피운다면 베겠다!!!"

침소를 지키는 서국의 병사들과 제후들 사이에 팽팽한 긴장감이 흘렀다. 금방이라도 싸움이 일어날 것 같은 일촉즉발의 상황이었다.

"웬 소란인가?"

순간 키얀의 목소리가 들려왔다. 동시에 닫혀 있던 침소의 문이 벌컥 열렸다. 놀란 제후들의 시선이 방 안을 향했다. 나른한 얼굴로 침상에 걸터앉은 키얀의 앞에 부복해 있던 하센이 자리에서 일어났다. 그녀는 검을 뽑아 든 왕막의 모습과 제후들의 뒤로 보이는 병사들의 모습에 무서운 기세로 곡도를 뽑아 들었다.

"감히 어전에서 검을 겨누다니!!! 죽고 싶은 겐가-!!!"

하센이 이곳에 있으리라고는 예상하지 못했던 제후들이었다. 괴혈단의 단장 파이옌만큼이나 악명이 자자한 여희단의 단장 하센의 등장에 왕막과 진대원의 얼굴에 난색이 스쳤다. 일개 병사 10여 명을 거느려도 그녀를 이길 수 없다는 사실을 알고 있었기 때문이다.

일이 곤란해졌다. 대치한 서국의 병사들과 하센을 마주한 제후들의 등 뒤로 한 줄기 식은땀이 흘렀다. 물러나기에는 이미 늦었다고 판단한 왕막이 앞으로 나서며 소리쳤다.

"폐하! 어째서 대장군 홍준영의 병사들이 지금 이곳에 있는 것입니까? 분명 8천의 군사를 보내 나람성의 후미를 친다고 하지 않았습니까!"

"그 물음이 내 앞에서 검을 겨눈 이유와 통하는가?"

"무녀장이 보이지 않는 이유는 무엇입니까! 어제 무녀장의 처소에서 소란이 있었다고 들었는데 대체 무슨 일이 있었던 겁니까? 폐하께서도 내내 침소에서 나오지 않으시고……!"

"왕막."

키얀이 왕막의 말을 끊으며 무감한 눈으로 그를 바라봤다.

"짐이 물었다. 대답하지 않을 텐가?"

살기 어린 키얀의 시선에 왕막이 잠시 주춤했으나 더는 피할 수 없다고 생각한 그는 지지 않고 받아쳤다.

"폐하야말로 대답해 주십시오! 대체 저희에게 뭘 숨기고 있는 겁니까!!!"

"폐하! 소신이 저자의 목을 치겠나이다!"

"멈춰라, 하센."

그 모습을 지켜보던 하센이 더는 참지 못하고 앞으로 나섰으나 그녀를 막은 건 키얀이었다. 왕막을 향하던 그의 시선이 그의 곁에서 있던 진대원에게로 옮겨 갔다. 무감한 붉은 눈동자를 마주한 진대원의 어깨가 흠칫 떨렸다.

"진 태수, 그대는 이 일에 대해 어찌 생각하나?"

"아, 그, 소신은……."

"진 태수! 뭐라 말 좀 해 보시오! 이대로 가만히 있을 수는 없지 않소!!!"

왕막이 소리치며 진대원을 재촉했다. 소리 없이 곡도를 뽑아 드는 하센을 바라보며 진대원의 이마에 한 줄기 땀이 흘러내렸다.

'이대로는 반드시 죽는다.'

검을 든 채 키얀의 신호가 떨어지기만을 기다리는 하센의 예리한 시선이 그의 목 언저리를 훑었다. 마른침을 삼키던 그의 시선이 키얀을 향했다. 고요한 키얀의 눈빛에서 그가 본 것은 자신의 죽음이었다. 금방이라도 자신의 목을 치라고 외칠 것 같은 키얀의 입술을 바라보던 그의 얼굴이 파랗게 질려 갔다.

퇴로는 막혔다. 그와 왕막이 끌고 온 병사들이 오히려 퇴로를 막는 역할을 해 버렸다. 피할 수도, 물러날 수도 없었다. 죽는다. 이대로는 죽는다. 그렇게 되는 것만은 막아야 했다. 이렇게 죽을 수는 없다. 손발이 덜덜 떨려 왔다. 판단을 마친 진대원의 손이 허리에 차고 있던 검으로 향했다.

"진 태수! 뭐라 말 좀 해 보시오!!!"

왕막의 재촉과 동시에 검을 뽑은 그의 손이 앞을 향해 내질러졌다.

"허억……!"

불시에 공격을 당한 왕막의 눈이 부릅떠졌다. 그는 자신의 복부를 관통한 진대원의 검을 바라보며 떨리는 목소리로 외쳤다.

"지, 진 태수! 왜 나를……!!!"

"닥쳐라! 감히 폐하의 앞에서 검을 겨누다니!!! 죽음으로 사죄하라~!!!"

진대원이 내질렀던 검을 힘껏 뽑아냈다. 비명을 지르며 바닥에 쓰러진 왕막이 그의 옷자락을 붙잡았다. 핏줄이 붉어진 눈으로 진대원을 올려다보던 그는 이내 피를 토하며 죽었다. 왕막을 죽인 진대원이 피 묻은 검을 바닥에 버리며 키얀의 앞에 무릎 꿇었다.

"폐하! 송구합니다! 소신은 단지 폐하가 염려되어 찾았을 뿐입니다! 왕막 이자가 역심을 품었으리라고는 생각지 못했습니다. 부디 통촉하여 주시옵소서……!!!"

그런 진대원을 바라보던 키얀이 자리에서 일어났다.

"이런, 어전이 피바다가 되었구나."

"송구합니다, 폐하!!!"

섬뜩한 그의 음성에 진대원이 납작 엎드려 고개를 숙였다. 그를 따라왔던 병사들 역시 바닥에 납작 엎드린 채였다.

"짐을 의심했나?"

"아, 아닙니다! 소신은 절대 그런……!"

진대원의 이마에서 식은땀이 비 오듯 흘러내렸다. 파랗게 질린 그의 낯을 바라보던 키얀의 입매가 호선을 그렸다.

"그 의심이 옳다."

머리 위에서 떨어지는 키얀의 대답에 우뚝 멈춘 진대원의 시선이 허공을 향했다.

"하, 하오면……."

"나람성의 후미를 치기 위해 8천의 병력을 보냈던 건 사실이다. 그대들이 황성에 도착하기 전에 홍준영의 군대에 패했다는 게 문제지만."

진대원은 그제야 키얀이 제후들의 병력을 포섭하기 위해 패전을 숨기고 거짓을 꾸몄다는 사실을 깨달았다. 키얀이 몸을 낮춰 떨고 있는 그의 어깨 위로 가만히 손을 올렸다.

"무녀장의 처소에서 일어났다던 소란도 그대가 의심하는 바가 맞다. 묘길이 반기를 들어 내 친히 그녀의 목을 치려 했으나 짐을 공격하고 도주했다. 무녀장을 찾기 위해 수색대가 곳곳을 뒤지고 있지.”

“그런……! 진정 무녀장이 반기를 들었단 말입니까?”

진대원이 시선을 들어 키얀을 살폈다. 대관절 무슨 일이 있었기에 무녀장이 그런 짓을 저질렀단 말인가? 애초에 서국을 끌어들여 전쟁을 도모했던 건 무녀장이 아니던가? 그런데 왜 하필 마지막 전투를 앞둔 이 시점에서 두 사람 사이에 금이 갔단 말인가?

키얀을 향하는 진대원의 두 눈이 혼란으로 얼룩졌다. 바라본 그는 공격을 받았다는 사람치고는 너무도 멀쩡해 보였다. 자신을 살피는 진대원의 시선을 알아챈 키얀의 입매가 짙은 호선을 그렸다.

“아쉽게 되었구나. 조금만 더 빨리 움직였더라면 짐을 처리할 좋은 기회였을 텐데 말이다.”

“어, 어찌 그런 말씀을! 아닙니다. 소신은 정말로 폐하의 안위가 걱정되어 찾아왔을 뿐입니다!”

“그래. 그렇게 믿어 주마.”

키얀이 진대원의 머리를 쓰다듬으며 자리에서 일어났다. 그 모습을 지켜보던 하센이 불만스럽게 진대원을 노려봤다.

“폐하, 감히 폐하를 위협한 자입니다. 처분하는 게 좋지 않겠습니까?”

“그는 아직 쓸모가 있다.”

키얀이 허리에 검을 차며 진대원을 내려다봤다.

“아직은 쓸모가 있지. 내 말 무슨 뜻인지 알겠나?”

“화, 황공하옵니다, 폐하! 성심을 다하겠습니다! 절대 실망시켜 드리지 않을 것입니다!!!”

진대원은 자신의 목이 온전한 이유가 전차 부대 때문이라는 사실을 알았다. 그 이유가 아니었다면 자신 역시 왕막과 같은 최후를 맞았으리라. 그는 어쩌면 묘길 역시 같은 이유로 그에게 버려진 것이 아닐까 짐작했다.

더는 필요가 없어졌기 때문에.

처참한 모습으로 죽어 있는 왕막을 바라보던 진대원이 눈을 질끈 감았다. 키얀은 침소 앞에 도열한 병사 중 하나에게 왕막의 후계자를 대령전으로 데려오라 명했다. 그리고 나머지 병사들을 시켜 왕막의 시체를 옮기게 했다. 병사들의 손에 들려 나가는 왕막의 시체를 바라보던 키얀이 진대원과 하센을 향해 말했다.

"대령전으로 가지. 군사회의를 시작하겠다."

같은 시각, 황성 밖 준영의 진영.

지휘 막사 안에 모인 준영과 홍 장군, 파이옌이 회의를 거듭하고 있었다.

"현재 전력으로는 황성 함락이 어렵다. 나람성에 지원을 요청하는 게 어떻겠느냐?"

홍 장군의 의견에 준영이 무거운 표정을 지었다.

"행림산성과 진한산성에 아직 서국의 병력이 주둔하고 있습니다. 나람성의 병력을 움직였다가 공격 받게 되면 위험합니다."

"가료의 본진이 당했으니 행림산성과 진한산성에 주둔한 병사들은 쉽게 공격하지 못할 거다. 선봉에 설 변변한 지휘관도 없으니 말이다."

"나람성에서 병력을 지원받는다고 해도 3천에서 5천이 한계입니다. 그 정도의 충원으로는 황성을 함락하기 힘듭니다."

나람성의 지원만으로는 1차 공격에서 입은 피해를 충원하는 정도에 그친다. 척후병들이 정찰한 바에 따르면 현재 황성 안에 주둔한 군대의 수는 못해도 1만을 넘었다. 성벽 위를 오가는 지방 제후들의 장수들만 해도 벌써 다섯이 넘었기 때문이다. 자칫 나람성에 지원 요청을 한 사실을 알고 키얀 쪽에서 먼저 손을 쓰기라도 한다면 나람성에 있는 온 황제와 무녀들의 안전을 보장할 수 없었다.

적의 방어선을 돌파해 황성을 탈환하기 위해서는 적어도 2만에서 3만의 군대가 더 필요했다. 그 정도의 군대를 더 모을 수 있다고 해도 황성의 방어선을 뚫을 수 있을지는 알 수 없는 일이었다. 복잡한 상황에 인상을 찌푸리던 파이옌이 준영을 향해 말했다.

"나람성 외에 병력을 끌어올 곳은 더 없는 거야? 12제후라며? 키얀에게 붙은 놈들이 대략 다섯이라고 했으니까 그 외에 다른 제후들에게 지원 요청을 하는 건 어때?"

"시도는 해 보겠지만 기대는 하지 않는 게 좋을 거다. 대승상의 서신에 따르면 키얀 편으로 돌아선 제후들은 남은 제후들의 세력을 견제하고도 남을 정도로 영향력이 막강한 자들이다. 지원군은 없을 거라고 묘길이 못 박은 내용만 봐도 황성에 오기 전에 미리 손을 써 둔 게 틀림없다."

"제기랄, 그 여자 도움이 안 되네. 여기저기 너무 잘 막아 놔서 다른 방법을 찾을 틈이 없잖아!"

그의 말마따나 묘길의 작전은 치밀하고 물 샐 틈이 없었다. 예상치 못하게 파이옌이 아군으로 돌아선 변수나 적진에 잠입해 상황을 알린 최 승상과 윤조의 기지가 없었다면 나투국의 무녀들은 모두 서국의 포로가 되어 잡혀가고 나람성은 이미 키얀의 손에 함락당했을 것이다. 이대로는 장기전을 피할 수 없다. 보급물자도 없는 이때, 전투가 길어진다면 황성 탈환은 실패로 돌아갈지도 모른다.

"아버지, 전면전을 피하면서 황성으로 들어갈 방법은 없겠습니까?"

"황궁 후문으로 이어지는 황실의 탈출로가 있긴 하다. 위급 상황에 대비해 만들어 놓은 비밀 통로지."

홍 장군의 대답에 파이옌이 고개를 저었다.

"반대다. 황실 비밀 통로는 이미 묘길의 손에 들어 간 지 오래야. 지금쯤이면 키얀도 통로의 존재를 알고 있을 거다. 함정을 파 뒀을 게 분명해."

"어떻게 해도 전면전을 피할 수는 없겠군."

"대승상이랑은 연락돼?"

"나람성을 나선 직후 연락이 끊겼다. 윤조에게서도 연락이 없다."

윤조와 대승상이 어디에 있는지, 무사히 몸을 피해 숨어 있는 것인지, 혹은 키얀의 손에 잡혀 있는 것인지도 알 길이 없었다. 현재 부상자는 1천5백. 무녀들이 부상자들을 치료하고 병장기 정비를 마치는 대로 하나 남은 투석기로 다음 공격을 감행하려고 했던 준영이 마음을 바꿨다.

"다음 공격에서 투석기는 사용하지 않겠습니다."

"투석기를 사용하지 않는다니? 공성병기 없이는 공격을 해도 소용없는 일이다."

"적의 노궁병 숫자가 많습니다. 하나 남은 투석기마저 잃을 수는 없습니다. 또 공격을 계속하면 저들의 방어만 견고해질 겁니다. 황성의 방어를 무너뜨리기 위해서는 저들이 아군을 공격하도록 유도해야 합니다."

준영이 말을 이었다.

"나람성에 주둔해 있던 가료의 본진이 당한 이상 키얀도 이번 전투를 장기전으로 이어 가려 하진 않을 겁니다. 궁지에 몰렸으니 돌파구를 찾겠죠. 1차 방어에 성공했으니 저들의 사기가 올랐을 겁니다. 그걸 이용해야 합니다."

공격을 감행하는 척 군대를 진격시켰다가 적의 방어를 당해 내지 못하고 물러나는 척 군대를 퇴각시킨다. 피해를 입은 척 계속 후퇴를 하다 보면 아군의 전력을 얕잡아 본 적이 때를 노려 공격을 감행하려 들 것이다. 그때 열린 성문으로 군대가 진격한다면 방어선을 뚫을 기회가 생긴다. 이야기를 듣고 있던 홍 장군이 고개를 끄덕였다.

"이 보 전진을 위한 일 보 후퇴인 셈이군. 전면전이 불가피하다면 성문을 열 기회가 있는 쪽에 걸어 보는 게 좋겠지. 저들이 공격을 감행하는 즉시 군대를 나눠 양측에서 진격한다면 승산이 있다."

파이옌도 긍정했다.

"놈들의 보급로는 이미 차단됐으니 방어가 길어지면 당장 화살부터 바닥날 거다. 이쪽이 원군의 지원을 받지 못한다는 사실을 알고 있을 테니 그 시점에 공격을 하려 들겠지."

"하지만 그렇게 되면 전투가 장기전이 될 텐데 괜찮겠느냐?"

홍 장군의 물음에 준영이 고개를 끄덕였다.

"지금으로선 달리 방법이 없습니다. 장기전이 되더라도 아군의 피해를 줄이는 작전으로 가야 합니다."

"좋다. 네 판단에 따르마."

"아버지는 황성 근교로 척후병들을 보내 추가로 합류하려는 제후들의 병력이 있는지 살펴 주십시오."

“알겠다.”

“나는?”

홍 장군이 막사를 나서는 가운데, 남아 있던 파이옌이 손을 들어 스스로를 가리켰다. 준영이 그를 바라보다 몸을 돌렸다.

“너는 나를 따라와라.”

막사를 나선 파이옌이 준영을 따라 도착한 곳은 진영 뒤편의 공터였다. 공터에 도착한 즉시 검을 꺼내 드는 준영의 모습에 파이옌의 눈썹이 꿈틀했다.

“뭐 하자는 거야?”

준영이 검을 든 채 파이옌을 겨눴다.

“검을 꺼내라.”

“갑자기 싸우기라도 하자고?”

“대련을 신청한다.”

대련이라는 말에 표정을 푼 파이옌이 의아한 눈으로 준영을 바라봤다.

“진심이야? 나랑 대련하자고?”

“못 할 건 뭔가?”

“혹시나 해서 묻는데 대련 가장해서 내 목이라도 따려는 속셈인 건 아니겠지?”

그 말에 준영이 어처구니없다는 듯 입매를 당겼다.

“아쉽지만 아니다. 그럴 생각이었으면 지금 이 자리에 둘 중 한 명은 없었겠지.”

“아쉽기는 하다는 소리잖아. 뭐, 죽자고 덤빈다고 순순히 당해줄 나도 아니지만. 그런데 갑자기 대련은 왜?”

곡도를 꺼내 휘휘 돌리던 파이엔이 검 끝으로 준영의 오른팔을 가리켰다.

"혹시 그 팔 때문인가?"

"그래."

"나람성에 있을 때 윤조에게 치료받은 것 아니었어?"

"……했다."

"뭐?"

"거짓말을 했다."

들려오는 준영의 대답에 파이엔의 표정이 굳어졌다.

"거짓말이라니? 무슨 소리야? 괜찮아졌다고 거짓말을 했다는 거야?"

"그래. 윤조는 모른다."

착잡한 준영의 시선이 그의 오른팔로 향했다.

"아무래도 이전처럼은 돌아갈 수 없는 모양이다."

"너 당장 무녀한테 가. 데려온 무녀들 있잖아! 지금이라도 다시 치료받으면……!"

"소용없다."

준영은 다급히 자신의 팔을 잡아끄는 파이엔의 손을 잡았다. 누구보다 침착한 얼굴로 조용히 고개를 젓는 준영의 모습에, 그와 마주하던 파이엔이 한숨과 함께 그의 팔을 놓았다.

"이 개같은 이야기의 전개……!!!"

분한 마음을 참지 못한 그가 바닥에 있는 돌을 걷어차며 욕설을 내뱉었다. 그가 읽었던 책의 내용과 같은 결과였다. 윤조가, 준영을 치료하는 무녀가 등장하지 않던 원래의 이야기에서 다쳤던 준영의 팔은 끝내 회복되지 못했다. 그 이야기에서 준영은 오른팔을 잘라 내야만 했으니까.

"언제부터 확실해졌어? 언제부터 느낀 거야? 그 팔, 더는 가망 없다는 거."

"어쩌면, 이라는 생각은 늘 하고 있었다. 나람성에서 윤조에게 치료를 받은 직후 더 확실해졌을 뿐."

"신력이 듣지 않는 거야?"

"치료를 해도 일시적이다."

준영이 오른손을 쥐었다 폈다. 팔의 감각이 온전해지는 것은 치료를 받은 직후 잠깐뿐. 시간이 지나면 효과는 사라졌다. 손안에서 느껴지는 감각이 이상했다. 찌릿하게 저린 느낌이 들면서도 통증이 점차 무뎌졌다. 힘껏 움켜쥔 주먹에서 느껴지는 촉감마저도 아득히 멀었다. 마비가 오는 것처럼.

"점점 감각이 둔해지는 느낌이다. 어떨 때는 검을 움켜쥐고 있으면서도 느껴지지 않더군. 이대로는 오른손으로 얼마나 검을 더 잡을 수 있을지 알 수 없다. 남은 시간이 얼마 없는 것 같으니까."

"네 아버지도 알아?"

"모른다. 너 밖에는."

담담하게 말하면서도 준영은 애써 초조함을 감췄다. 마음이 조급했다. 최대한 속전속결로 황성을 탈환하고자 했던 이유 중 가장 큰 이유가 바로 이 때문이었다. 감사헌이 성벽에서 화살을 날렸을 때도 파이옌이 나서서 막아 주지 않았더라면…….

생각을 마친 준영이 파이옌을 바라봤다.

"이 팔로는 조만간 검을 들지 못하게 될 거다. 하지만 황성을 탈환하기 전까지는, 윤조를 구하기 전까지는 버텨야 한다."

"내가 뭘 도와주면 되지?"

"너는 쌍검사였지. 그 검술, 키얀에게서 배운 건가?"

파이옌은 양손으로 곡도를 사용했다. 준영이 알기로 서국에서 쌍검술을 사용하는 이들 중 가장 두드러진 이는 키얀이었다. 전부터 느꼈던 거지만 파이옌의 검술은 키얀의 검술과 비슷했다. 대검을 밀어낼 정도로 예리하고 날카로운 선을 그으며 쾌속으로 몰아치는 두 개의 검. 준영의 물음에 파이옌이 고개를 끄덕였다.

"맞아, 놈에게서 배웠지. 검을 쥐는 법부터 전부."

준영이 대련을 신청한 이유가 키얀과의 마지막 결전 때문이라는 것을 알아챈 파이옌이 미간을 좁혔다.

"눈이 좋아도 몸이 따라가지 못하면 막을 수 없는 검술이다. 내 검술이 키얀에게서 온 건 맞지만 완벽히 똑같지는 않아. 키얀의 검술은 검술 자체로 변칙적이다."

변칙적인 방어와 공격은 쌍검사 고유의 특징이었다. 파이옌의 능력이 제아무리 출중하다고 해도 키얀과는 경험적으로 차이가 났다.

파이옌은 검술의 변칙적인 면을 주먹이나 발을 사용하는 등의 투박한 무투로 겸하고 있었으나 키얀은 달랐다. 황위에 오르기 전 황자였던 시절부터 오른손과 왼손에 검을 지니고 있었던 자다. 물 흐르는 것같이 이어지는 변칙적인 그의 검술에 완벽히 대응하는 것은 파이옌조차도 불가능했다. 애초에 키얀의 검술에는 사각지대가 없었으니까.

키얀은 파이옌에게 짐승처럼 움직이는 법을 가르쳤다. 본능적으로 몸을 피하고 움직여 공격하는 법을 길들였다. 그럼에도 파이옌은 그와의 대련에서 단 한 번도 이긴 적이 없었다. 키얀이 부상을 당하고 약해졌던 이전이라면 모를까, 혜린의 치료로 완쾌한 지금 정면으로 맞붙었다간 승산이 없었다. 준영과 둘이라면 모를까. 그런데 그런 준영이 제대로 검을 들 수 없다면…….

"너, 어떻게 할 생각이야?"

불안한 파이옌의 눈빛에 준영은 길게 찢어 낸 옷소매로 검을 든 자신의 오른손을 검의 손잡이와 함께 둘둘 감아 단단히 묶었다. 그리고 왼손으로는 방패를 들었다.

"싸워 보는 수밖에. 와라."

"다쳐도 난 모른다."

양손에 곡도를 쥐고 자세를 잡은 파이옌을 향해 준영의 검이 날아들었다. 그것을 시작으로 검과 검이 마주치는 날카로운 쇳소리가 공터에 울려 퍼졌다. 초반부터 날카롭게 몰아치는 파이옌의 검격에 준영의 몸이 점차 뒤로 밀려났다.

"눈으로 볼 생각 하지 마!"

"알고 있다."

받아칠 수 없다면 흘린다. 준영은 양쪽에서 날아드는 검격에 대응하는 대신 검과 방패로 잇따른 공격을 흘려보냈다. 왼쪽, 다시 왼쪽, 오른쪽 위, 왼쪽 아래, 가운데, 다시 오른쪽 위, 그리고 정면. 몸을 회전하며 사방과 대각선 할 것 없이 궤도를 이으며 날아드는 검격은 한 치의 오차도 없이 준영의 급소를 노렸다. 온몸의 근육으로 대검을 든 채 버티고 있던 준영에게 파이옌이 소리쳤다.

"버티지 마! 움직여! 바위마저도 깎아 내는 검술이다. 우직하게 버티는 것만으로는 이길 수 없어!"

생각대로 움직여 주지 않는 팔에 잔뜩 긴장한 준영의 사각으로 파이옌의 검이 날아들었다. 오른팔을 움직이려 했으나 속도가 나지 않았다.

황급히 몸을 회전한 준영이 왼손에 들고 있던 방패로 파이옌의 검을 튕겨 냈다. 제대로 들어간 방어는 대검을 사용하는 준영의 엄청난 힘이 그대로 작용해 웬만한 공격보다 더 큰 충격을 주었다. 팔이 찌릿할 정도로 느껴지는 충격에 파이옌의 입가가 호선을 그렸다.

"좋은데? 방패가 방어만 하라는 법은 없지!"

허점이 드러난 파이옌을 향해 준영의 검이 내리쳐졌다. 양손의 곡도를 사선으로 교차한 파이옌이 그 검을 막았다. 확실히 이전보다 파괴력이 줄었다. 느껴지는 힘의 차이에 손쉽게 준영의 검을 밀어낸 파이옌이 거리를 벌렸다.

'상태가 생각보다 더 안 좋아. 이 정도로는 키얀의 검을 이길 수 없다.'

키얀의 검은 공격도 방어도 빈틈이 없었다. 같은 쌍검으로는 그의 방어를 뚫지 못한다. 때문에 파이옌은 준영의 대검이 그 활로를 열어 줄 것이라 기대했다. 자신의 쌍검마저 튕겨 버릴 정도로 강력한 그의 힘이라면 한순간이라도 키얀의 방어를 무력화할 수 있다고 믿었다. 하지만 이대로는 무리다. 파이옌의 눈빛이 진중하게 바뀌었다.

"홍준영! 지금 네가 낼 수 있는 최대의 힘으로 나를 내리쳐라!"

준영을 향해 소리친 파이옌이 빠르게 그의 앞으로 달려들었다. 가까워지는 그를 향해 하늘로 솟았던 준영의 검이 쇄도했다.

콰-!!!

검을 마주한 것이 아닌 폭격이라도 터진 것 같은 울림이었다. 뼈를 부술 듯이 찍어 누르는 충격에 마주한 두 사람의 검 주변으로 바람이 불었다.

홍씨 가문의 대검술은 상대방의 무기를 파괴하는 데 의의를 두었다. 강인한 힘으로 적의 검을 부순다. 검을 부수는 검술이라 하여 '파검破劍'이라 일컫는 가문의 검격은 일격에 상대방의 공격과 방어를 무력화하는 비술이었다.

"아오 씨, 장난 아니네."

눈앞에서 들려오는 파이옌의 음성에 준영의 미간이 좁혀졌다. 교차한 두 개의 곡도가 그의 검을 막고 있었다. 마주한 검을 통해 그의 두 팔에서 느껴지는 떨림이 고스란히 전해졌다.

일격 필살까지는 아니었지만 아버지의 검격을 막았을 때도 무시할 수 없는 방어력이라 여겼는데, 온 힘을 다한 자신의 검격을 맞고도 버틴 파이옌의 모습에 준영의 표정이 무섭게 굳어졌다. 이전과 달리 도드라진 파이옌의 팔 근육을 바라보던 준영이 의문했다.

"뭐지? 순간 뭔가 달랐다."

"어드밴티지의 힘이지. 윤조한테 대충 들었지?"

"주인공에게 부여되는 힘이라고 했던가."

"나 같은 경우는 목숨의 위협을 느낄 때는 더 크게 발현되지."

파이옌이 어금니를 깨물고 양팔에 힘을 주었다. 순간적으로 육체 능력이 향상되었기에 망정이지 하마터면 골로 갈 뻔했다. 괜히 있는 힘껏 내리치라고 했나.

순간 눈앞에서 별이 번쩍했다. 빗댄 말이 아니었다. 정말로 검이 마주치는 순간 그 자리에서 불꽃이 튀었으니. 무릎을 굽히고 온몸으로 충격을 흘려보내지 않았더라면 곡도가 부서졌을지도 몰랐다. 파이옌이 몸을 펴며 준영의 대검을 밀어냈다. 그때까지도 아릿한 양팔이 덜덜덜 떨려 오고 있었다.

"와, 이거 뭐냐? 무슨 검격이 이리 무식해?"

"파검술이다. 상대방의 무기를 부수는 기술이지. 제대로 들어갔다면 네 곡도는 부서졌어야 한다."

실망 어린 준영의 설명에 파이옌이 질린 눈으로 그를 노려봤다. 준영의 말처럼 그의 기술이 제대로 들어갔다면 조금 전의 일격은 불꽃이 튀는 걸로 끝나지 않고 자신의 골을 깨 버렸을 것이다. 끔찍한 상상에 마른침을 삼키던 그는 문득 바라본 자신의 곡도 하나에 금이 간 것을 확인하고 경악했다.

"으아악!!! 야! 이거 어쩔 거야……!!!"

"아, 다행이군. 완벽히 실패하진 않아서."

어쩐지 후련해 보이는 미소였다.

"지금 안도할 때가 아니잖아!"

버럭 소리친 파이옌이 있는 힘껏 덤비라며 준영을 재촉했던 과거의 자신을 원망했다.

"아나, 이거 고치지도 못하는데!"

손에 잡히는 것은 닥치는 대로 무기로 활용할 수 있게 훈련받은 파이옌이었으나 손에 익은 곡도가 편하긴 했다. 원망 어린 그의 시선에 머쓱하게 헛기침을 하던 준영이 운을 뗐다.

"괜찮다면 다른 곡도를 주겠다."

"곡도가 있다고?"

"가료가 쓰던 검이다. 혹시 몰라 서국 병사들이 쓰던 곡도도 몇 개 챙겨 왔다."

준영의 대답에 파이옌의 얼굴에서 표정이 사라졌다. 애써 피하려고 했던 사실이었다. 애써 잊고 있던 가료의 죽음에 입술을 달싹이던 그가 조용히 읊조렸다.

"가료의 마지막은 어땠냐?"

"장수답게 끝까지 싸우다가 갔다."

"가료답네. 물러날 줄도 모르고 쓸데없이 우직한 놈이었지……."

"후회되나?"

"후회 따위 모르는 개새끼면 좋겠지만 일단은 나도 사람이라서."

"……."

"처음부터 만나지 않았다면, 그런 생각은 종종하지. 원래 내가 살던 세상은 휴전 상태긴 하지만 70년 가까이 전쟁이 없는 곳이거든."

전쟁이 없는 세상. 지금껏 인생의 대부분을 전쟁터에서 보냈다고 해도 과언이 아닌 준영으로서는 좀처럼 상상이 되지 않는 곳이었다.

"그곳은 어떤 세상이지?"

"음, 쉽게 설명하기에는 좀 어렵긴 한데……."

고민하던 파이옌이 말을 이었다.

"평화로워. 정치 싸움이니 권력 다툼이니 이런 건 비슷하지만 일단 신분제도도 없고, 다른 나라로 여행도 가능하니까."

"휴전 상태인대도 말인가?"

"응, 휴전 상태여도. 네 말 들으니 이상하긴 하네. 종전이 된 건 아니니까."

"평화롭다라. 그렇군."

"왜? 궁금해? 윤조가 살던 세상이?"

"궁금하다. 하지만 내가 더 궁금한 건 그녀가 그 세상으로 돌아가는 것을 포기했기 때문이다."

준영이 방패를 내려놓으며 파이옌을 바라봤다.

"네 말처럼 평화로운 세상이라면 윤조는 왜 그토록 상처받았던 걸까?"

"……."

"평화로운 세상 속에서 그녀는 홀로 어떤 전쟁을 치러 온 걸까? 나는 그게 안타깝고 또 궁금하다."

그런 준영을 가만히 바라보던 파이옌이 입을 열었다.

"신채영. 윤조의 다른 이름은 이미 들었겠지."

"들었다."

"신채영의 삶이 어땠는지는 나도 정확히 몰라. 내가 아는 건 병실에 누워 있는 그녀를 찾는 사람이 오직 나 하나뿐이었다는 거야."

파이옌은 의식을 잃고 호흡기에 의지한 채 병실에 누워 있던 신채영의 모습을 떠올렸다.

"아마 지독히도 외로웠을 거다. 홀로 이쪽 세상에 떨어져 보니 알겠더군. 가족도, 의지할 무엇도 없이 오로지 스스로의 힘으로 세상을 헤쳐 나가야만 한다는 현실이 얼마나 막막하고 견디기 힘든지."

그는 그렇게 말하며 준영을 바라봤다.

"내가 처음 윤조를 만났을 때, 그녀가 나와 같은 이야기의 주인공이라는 사실을 알았을 때 나는 그녀가 미웠다."

"……."

"윤조가 좋으면서도 그녀가 미웠다. 사람들에게 사랑받는 삶을 살고 있는 그녀의 모습에 화가 났다. 내가 당한 고통과 비교되는 그녀의 삶이 지독히도 부러워서. 이 세계에 대한 비밀은 조금도 모른 채 행복하게 살고 있는 그녀를 보니 화가 났다."

파이옌이 어설프게 웃었다.

"이기적이게도 사람 마음이 그렇더라. 내가 괴로운 와중에 행복한 누군가를 보니 부러워, 갖고 싶다가도 망쳐 놓고 싶더라. 그럼에도 지켜 주고 싶었다."

윤조에게는 한 번도 꺼내 본 적 없는 고백이었다. 준영은 아무런 말도 하지 않은 채 묵묵히 파이옌의 말을 들었다.

"내가 망친 그녀의 삶이 그녀에게는 죽기보다 간절한 것이었다는 것을 이제 알아. 그러니 돌려주고 싶다. 행복에도 자격이 있다면 그녀는 마땅히 누릴 자격이 있으니까."

"너는 어쩔 생각인가? 책이 정한 결말에 다다르지 못하면 원래의 세상으로 돌아갈 수 없다고 들었다."

"누군가를 불행하게 만든 벌이라고 생각하려고."

파이옌이 웃었다.

"그래도 난 다 가져 봤어. 행복한 가족도, 친구들도, 갖고 싶은 것도, 하고 싶은 것도. 하지만 윤조는 아니야. 그러니 너, 절대 죽지 마. 그녀가 또 무언가를 잃게 만들지 마. 울리지 마. 걔가 울고 화내는 건 이제 지긋지긋하니까."

곡도를 검집에 돌려놓은 파이옌이 머리 위로 팔을 쭉 뻗으며 기지개를 켰다.

"난 새 검이나 고르러 갈래."

멀어지는 그의 모습을 지켜보던 준영이 파이옌을 향해 말했다.

"절대 죽지 않겠다."

준영의 대답을 들었으나 파이옌은 멈추지 않았다. 공터를 벗어난 그가 조용히 읊조렸다.

"그래. 그거면 돼."

"상황은 어떤가?"

"대치 상태입니다. 정비는 끝난 것 같은데 공격은 아직입니다."

"서국군의 피해는 어느 정도지?"

"5백 정도입니다. 감사헌 장수의 궁수 부대 탓에 아군 쪽 피해가 더 클 겁니다."

삼안의 보고에 최 승상이 수염을 쓸어내렸다. 1차 공격에 실패했으니 바로 다음 공격을 준비해 진격해 올 것이라는 서국의 예상과 달리 준영의 진영은 대치 상태를 유지했다.

"시간을 끌면 아군이 불리해지는 거 아닙니까?"

"1차 시도로 공격을 멈춘 건 다행인 일이다. 공성병기도 부족한 시점에서 계속 공격을 감행했다간 아군의 피해만 걷잡을 수 없이 커질 테지."

"감사헌의 노궁병과 궁수 부대의 방어력이 막강합니다. 파소월의 창병들도 그렇고요."

이대로 있다가는 장기전을 피할 수 없다. 그러는 동안 서국 편에 붙은 다른 제후들이 병력이라도 끌고 나타나면 큰 문제였다.

"노궁은 앞으로 몇 번이나 더 사용할 수 있을 것 같나?"

"여섯 번 정도입니다. 다행히 노궁에 쓸 화살은 수가 많지 않습니다."

"감사헌의 궁수 부대가 사용할 수 있는 화살의 양은 얼마나 되나?"

"1차전에 사용한 화살의 양을 살펴보면 앞으로 5차, 6차전까지는 더 버틸 것 같습니다."

너무 멀다. 그때가 되면 아군의 병력이 심각한 피해를 입은 뒤일 것이다.

"성문을 여는 계획은 언제쯤 실행하면 좋겠습니까?"

"당장은 무리다. 지금 계획을 실행했다간 성문을 열기도 전에 자네와 자네의 병사들만 죽게 될 거다. 상황을 조금 더 지켜보도록 하지."

"알겠습니다. 윤조 무녀님을 구하는 일은 어떻게 할 생각이십니까?"

"우선 정찰대를 보내 황궁 안의 동향을 살피게 했네."

묘길이 비밀 통로를 통해 윤조를 납치했다면 그녀가 숨어 있을 만한 곳은 황궁의 지하, 비밀 통로와 연관된 비밀 공간일 것이다.

"뭔가 알아내면 좋을 텐데요."

"그래야지. 윤조는 반드시 구해야만 한다. 그대는 서국군의 움직임을 주시하고 계속해서 보고해 주게."

"예, 대승상."

물러가는 삼안을 바라보는 최 승상의 곁으로 유모가 다가왔다.

"정찰대로 보낸 네 명 모두 우물 안으로 들어간 것을 확인했습니다."

"의령은 어쩌고 있나?"

"함께 가겠다는 것을 가까스로 말렸습니다. 지금은 방 안에 있습니다."

“알겠네. 정찰대가 돌아오는 대로 알려 주게.”

같은 시각, 나람성에서 온 전서구가 준영의 진영에 날아들었다. 서신의 내용을 확인한 병사가 부리나케 지휘 막사로 달려왔다.

“대장군님! 큰일 났습니다!”

“무슨 일인가?”

“나람성에서 서신이 왔사온데…….”

병사에게 넘겨받은 서신을 확인한 준영이 자리에서 벌떡 일어났다.

“폐하께서 이곳으로 오고 계시다니?”

비슷한 시각, 성벽 밖을 주시하던 제후들의 병사들 사이에서 큰 동요가 일었다. 멀리 주둔한 준영의 진영으로 향하는 큰 행렬이 포착되었기 때문이었다. 어림잡아도 2만은 넘어 보이는 병력을 이끈 행렬의 선두에는 결코 함께할 수 없는 두 개의 커다란 깃발이 나란히 펄럭이고 있었다.

“비상이다! 어서 장군님들께 알려라! 어서!”

병사들의 긴급한 보고를 듣고 달려온 제후군의 장수들은 행렬의 선두에 휘날리는 두 개의 깃발에 믿을 수 없다는 듯이 입을 벌렸다.

“저건 황제 폐하의 깃발이 아닌가! 그리고 그 옆에는……!”

“어떻게 이런 일이…….”

경악 어린 감사헌의 외침에 같은 곳을 바라보던 파소월의 낯빛도 창백히 굳어졌다. 나투국의 황제를 상징하는 황금색 비단에 붉은 매의 자수를 놓은 깃발 옆으로 서국의 황실을 상징하는 은색 비단에 검은 표범을 수놓은 깃발이 함께 펄럭이고 있었다.

동요가 일어난 것은 준영의 진영에 있던 병사들도 마찬가지였다. 그들은 나투국의 병사들과 함께 몰려오는 서국 병사들의 모습에 긴장 상태로 무기를 집어 들었다. 행렬의 선두에 선 온 황제의 깃발에 더욱 혼란이 가중되었다.

그런 병사들을 지켜보던 준영과 홍 장군이 무장을 해제하라 소리쳤다. 멈춘 행렬의 선두에서 말을 타고 다가오는 사람을 바라보던 준영과 홍 장군이 예를 갖추며 고개 숙였다.

"대장군 홍준영, 지고하신 황제 폐하를 뵙습니다!"

"장군 홍영철, 나투국의 하늘을 뵙습니다!"

그 외침에 그들을 지켜보던 모든 병사들이 일제히 바닥에 무릎을 꿇었다.

"황제 폐하를 뵙습니다!"

천지에 메아리치는 3만 군대의 외침은 성벽에서 이 모습을 지켜보던 제후군과 서국군 모두에게 또렷이 들릴 정도였다.

"모두 일어나라."

온 황제가 그렇게 말하며 모두에게 들릴 수 있게 소리쳤다.

"두려워 말라! 짐과 함께 온 서국의 병사들은 우리의 적이 아니다!"

온 황제의 옆으로 갑주를 두른 서국의 전투마가 섰다. 말의 주인은 스안이었다. 그는 무기를 든 채 혼란으로 바짝 긴장한 준영의 병사들을 돌아봤다. 그러고는 함께 온 서국의 병사들을 향해 소리쳤다.

"전군 무장을 해제하라!"

그 외침에 행렬에 있던 서국의 병사들이 소지하고 있던 무기를 모두 바닥에 버리고 투구를 벗었다. 도무지 믿기지 않는 광경이었다. 무장을 해제한 병사들을 바라보던 스안이 말에서 내려 준영과 홍 장군에게 다가왔다.

“나는 서국의 황자 스안이다. 나는 이 전쟁을 끝내기 위해 그대들의 황제 폐하와 함께 이곳에 왔다.”

어린 황자의 눈빛에는 단단한 각오가 어려 있었다. 스안은 준영의 앞으로 오른손을 내밀었다. 공격 의사가 없다는 표시이자 동맹을 표현하는 방식이었다.

무장을 해제한 그의 군대를 바라보던 준영이 온 황제를 바라봤다. 온 황제가 작게 고개를 끄덕였다. 준영이 자신의 앞으로 내밀어진 스안의 손을 맞잡았다.

“대장군 홍준영입니다.”

“그대의 이름은 익히 들어 알고 있다. 어떤 장수인지 궁금했는데 이리 보게 되는구나.”

미소 띤 황자의 모습이 키얀과 닮아 있었다. 윤조와 비슷한 체구의 어린 황자는 키얀의 핏줄이라는 것을 증명하기라도 하듯 묘한 패기가 서려 있었다.

“폐하, 어찌 된 일입니까? 적국의 황자와 함께 행차를 하시다니요.”

지휘 막사 안. 홍 장군이 나란히 앉은 온 황제와 스안을 바라보며 진중한 얼굴을 했다. 무서운 그의 눈빛에 스안의 어깨가 움찔했다.

“그대가 홍영철 장군이로구나? 과연 듣던 대로 악랄한 인상이다.”

순수한 스안의 감상에 진중하던 홍 장군의 표정에 균열이 갔다. 헛소리라도 들은 양 스안을 바라보는 홍 장군의 모습에 온 황제가 너털웃음을 터뜨렸다.

“하하하! 황자의 표현이 참 재밌구나. 홍 장군의 인상이 무섭긴 하지.”

“크흠, 폐하.”

머쓱해하는 홍 장군을 향해 온 황제가 진지한 얼굴로 당부했다.

"홍 장군. 황자는 우리를 돕기 위해 어렵게 이 자리에 왔네. 갑작스러운 상황에 혼란하겠지만 부디 예를 갖춰 주게."

"알겠습니다. 한데 정말 어찌 된 일입니까?"

"그대들이 나람성을 나선 직후 황자가 짐을 찾아 나람성으로 왔었네. 서국의 황제를 설득해 이 전쟁을 끝내고 싶다고 말일세."

온 황제는 나람성에서 스안을 처음 마주했던 순간을 떠올렸다. 신하들과 함께 적진을 찾은 황자가 가장 먼저 한 일은 허리에 찬 검을 바닥에 버리는 것이었다.

—도와주십시오. 이 전쟁을 멈추고 싶습니다.

올곧은 눈동자로 적국의 황제 앞에 선 어린 황자의 음성에는 무시할 수 없는 진심이 담겨 있었다.

온 황제의 시선이 스안을 향했다. 그 시선을 마주한 스안이 작게 고개를 끄덕이며 좌중을 향해 말했다.

"그렇다. 나는 아바마마를 설득해 이 전쟁을 끝내고 싶다."

"무엇 때문입니까?"

"더는 헛된 피를 흘리고 싶지 않기 때문이다."

스안은 아직 경계를 풀지 않은 준영을 바라봤다.

"서국이나 나투국이나 너무도 오랜 시간 많은 피를 흘렸다. 더는 백성들이 전쟁으로 고통받는 것을 원치 않는다. 아버님의 광기는 어머님의 병세에서 비롯되었다. 어머님이 나을 수만 있다면 아버님을 설득하고 이 전쟁을 끝낼 수 있을 거다."

"무녀들을 원하는 겁니까?"

"윤조 무녀의 도움이 필요하다."

윤조의 이름에 준영의 눈빛이 달라졌다.

"그녀여야만 하는 이유가 있습니까?"

"서국이 그녀에게 저지른 일은 정말 미안하게 생각한다. 대장군 그대에게도 미안하다. 대신 사과하겠다."

선뜻 고개를 숙이는 스안의 모습에 준영이 놀란 눈을 했다. 일국의 황자가 적국의 장수 앞에서 고개를 숙이는 일은 결코 쉬운 일이 아니었다. 더군다나 서국은 상대에게 고개를 숙이는 행위 자체를 죽음보다 더한 모욕으로 여기는 나라였다. 그런 나라의 황자가 친히 적진을 방문해 고개를 숙였다.

준영은 전쟁을 멈추기 위해 이곳에 왔다는 황자의 말이 진심이라는 것을 깨달았다. 한층 누그러진 기세로 황자를 바라보던 준영이 차분한 음성으로 물었다.

"그녀를 필요로 하는 이유가 무엇입니까?"

"윤조 무녀가 서국에 있는 동안 어머니를 치료한 사실은 알고 있을 거라고 생각한다."

"예, 그녀에게 들었습니다. 그리고 황후께서 다시 의식을 잃었다는 것도……."

"얼마 전 어머니께서 잠깐 깨어나셨다."

막사 안의 모든 이가 놀란 눈으로 스안을 바라봤다. 7년 전쟁 발발 직전 쓰러진 서국의 황후는 그 뒤로 스스로 눈을 뜬 적이 없었다. 그런 황후가 스스로 눈을 떴다. 이 사실이 뜻하는 바는 하나였다.

"그렇다면……."

말끝을 흐리는 준영을 향해 스안이 고개를 끄덕였다.

"윤조 무녀의 치료가 효과가 있었다. 어머니께서도 그리 말씀하셨다. 그녀의 치료를 받으면 분명 병이 나을 거라고. 그러니 아버지께 가 전쟁을 멈추라고 당부하셨다. 내가 이곳에 온 이유는 내 어머니이신 황후마마의 뜻이기도 하다."

"평화협정을 맺자는 황자의 제안을 짐은 받아들이기로 했다. 하지만 윤조 무녀의 일은 별개로 그대들과 윤조의 허락을 구해야 한다고 생각했다."

온 황제의 말에 스안이 긍정했다.

"잠깐이지만 아트완에서 그녀를 만난 적이 있다. 어머니를 치료해 주어 고맙다는 말도 제대로 전하지 못했다. 그녀가 아니었다면 이런 희망조차 없었을 거다. 그러니 부탁한다. 그대들이 도와준다면 내가 직접 그녀에게 허락을 구하고 어머니의 치료를 부탁하고 싶다. 반드시 아버지를 설득해 이 전쟁을 끝내겠다."

스안의 뜻은 확실히 알았다. 하지만 문제는 그가 서국의 황제가 아닌 황자라는 점이었다. 본국의 황제가 전쟁을 주도하는 가운데 자식인 황자가 황제의 뜻과 반대되는 행위를 저지른다는 것은 자칫 반역으로 몰리기에 충분했다.

"황자님의 뜻은 잘 알겠으나 염려되는 바가 큽니다. 본국에서도 이 같은 사실을 알고 있는 겁니까?"

"본국은 나와 뜻을 같이하기로 했다."

무거운 대답이었다. 잠시 탁자를 내려다보던 스안이 고개를 들어 준영을 바라봤다.

"대장군이 염려하는 바가 무엇인지 안다. 내 행동이 얼마나 큰 파장을 불러올지도, 얼마나 큰 위험을 안고 있는지도 충분히 알고 있다. 하지만 나는 이 전쟁을 멈추는 것이 가장 옳은 길이라고 판단했다. 되도록 누구도 다치지 않는 선에서 매듭을 짓고 싶다. 이런 상황에서 아버님을 설득할 수 있는 사람은 나뿐이다."

"목숨이 위태로울 수도 있습니다."

"내 아버님이다."

"일국의 황제입니다."

"누구보다 나와 어머니를 사랑하는 분이시다."

"설득이 통하지 않는다면 어떻게 하실 겁니까?"

"그대는 내가 왜 군대와 함께 이곳에 왔다고 생각하나?"

물음을 물음으로 받는 스안의 대답은 그것으로 충분했다. 준영은 어린 황자에게 서린 결의의 무게를 실감했다.

"만에 하나 내가 설득에 실패한다고 해도 나와 함께 온 대홍려 체밀이 내 뜻을 이어 병사들과 함께 움직일 것이다."

스안이 손짓하자 그의 뒤에 서 있던 대홍려 체밀이 앞으로 나와 예를 갖췄다.

"대홍려 체밀, 서국을 대표하는 대신으로서 황자 전하의 명을 따를 것을 맹세하나이다."

그때 막사의 문이 열렸다.

"체밀에게는 미리 지시해 두었다. 그러니 협상이 결렬되어 내 신변에 문제가 생길 시에는 주저 없이 공격을 감행하라."

"지금 뭐 하는 거야."

들려오는 익숙한 음성에 스안의 고개가 막사의 입구를 향했다.

"파이옌!"

반가운 스안의 부름에도 굳어진 파이옌의 표정은 좀처럼 풀릴 줄 몰랐다. 온 황제와 서국의 황자가 함께 진영을 찾았다는 소식에 지휘 막사로 달려온 그는 눈앞에 있는 스안의 모습을 믿을 수 없다는 듯이 바라봤다.

"키안을 설득하겠다고? 협상이 결렬되면 뭐가 어째? 홍준영! 이게 다 무슨 말이야!"

"황자의 뜻이다."

준영은 잔뜩 흥분한 채 스안의 곁으로 다가오는 파이옌의 앞을 막아섰다. 그런 준영을 밀어낸 파이옌이 스안을 바라봤다.

"스안 너 제정신이야? 키얀이 이 꼴을 가만히 보고 있을 것 같아? 협상 이야기를 꺼내기도 전에 네 목이 달아날 수도 있어……!"

"이미 각오했다."

"스안!!!"

"파이옌, 나는 내 아버님을 믿는다. 무서운 분이어도 가족을 해칠 분은 아니다. 그것만은 알고 있다."

"너……."

"너를 다시 만나면 묻고 싶은 게 많았다. 왜 서국을 배반했는지, 왜 아버님을 버렸는지."

"……."

"하지만 모두 쓸모없는 물음이었다. 아버님이 말씀하셨듯이 너는 처음부터 그분의 신하가 아니었으니까. 내 원망도, 서운함도 네게 정을 주었던 내 기대가 그만큼 크고 깊었기 때문이라는 걸 안다."

"네가 짊어질 필요는 없는 일이야."

"필요의 문제가 아니다. 너도 잘 알고 있잖느냐?"

스안이 미소 지었다.

"네가 나를 걱정하는 마음이 진심이라는 것을 안다. 형제라고는 없이 혼자였던 내게 너는 형제나 다름없었다. 나는 아버님이 네게 준 고통을 알면서도 비겁하게 모른 척할 수밖에 없었다. 때문에 너를 원망할 자격도 없다. 혹시라도 내게 마음의 짐이 남아 있다면 괘념치 말아라. 나는 너를 미워할 수도, 미워하지도 않는다."

스안은 파이옌의 왼손을 잡아 그 안쪽을 확인했다. 그의 손목 안쪽에 선명히 찍힌 노예의 낙인. '畜(짐승 축)'이라 적힌 그 문신을 조심스럽게 매만지던 스안의 얼굴이 죄책감과 함께 일그러졌다.

"미안했다."

"이, 멍청이가……!!!"

마치 마지막 인사 같은 그 사과에 파이옌이 거칠게 스안의 어깨를 잡았다. 준영이 그런 파이옌을 제지하려 했으나 스안이 손을 들어 준영을 멈췄다. 스안은 자신을 향한 파이옌의 울분을 덤덤히 마주했다.

"지금이라도 마음을 바꿔."

"그럴 수 없다."

"바꾸라면 바꿔!!!"

"그럴 수 없다."

"하여간 지 애비 닮아서 고집만 더럽게 세지!!!"

"하하."

"지금 웃음이 나와?!"

스안의 작은 손이 그의 어깨를 그러쥔 파이옌의 손등을 덮었다.

"아버님을 닮았다는 말이 오늘따라 아프구나."

"……."

"존경하는 아버님을 더는 존경할 수 없게 되기 전에 되돌리고 싶다. 내가 가야 한다."

너무도 낯선 모습이었다. 언제나 동생같이 어리광을 피우던 어린 황자에게서는 찾아볼 수 없었던 책임감이 눈앞의 스안에게서 엿보였다. 굽힘 없는 스안의 모습을 바라보던 파이옌이 참을 수 없다는 듯이 고개를 숙였다. 스안의 어깨를 쥔 파이옌의 양손이 바르르 떨려 왔다.

"언제 이렇게……."

"……."

"언제 이렇게 커 버렸냐, 너."

"파이옌."

"왜."

"내가 잘못된다면 뒤를 부탁한다."

"지금 그걸 말이라고 지껄이냐?"

"부탁한다."

스안이 고개 숙인 파이옌의 이마에 자신의 이마를 맞대었다. 서로의 신뢰를 확인하는 서국의 인사법이었다. 진실한 약속을 요구하는 스안의 행동에 파이옌이 어금니를 깨물었다. 억눌린 음성이 잇새로 튀어 나갔다.

"아무 말도 하지 마."

"아버님을 부탁한다."

"닥쳐! 키안이 개새끼가 되면 내가 물어 죽일 거다."

파이옌이 스안을 밀어내며 몸을 일으켰다. 뒤돌아 막사를 나서는 파이옌의 귓가로 스안의 목소리가 날아들었다.

"부탁한다, 파이옌."

사방이 피였다. 조각난 병사들의 잔해가 대령전 바닥을 뒤덮었다. 순식간에 일어난 살육의 현장. 그 한가운데에 피의 황제가 자리했다.

양손에 쥔 곡도에 흥건히 묻은 피를 털어 낸 그가 빙글 고개를 돌려 하센을 향했다. 바닥에 흐르는 피보다 더 붉은 안광. 분노한 키얀의 시선을 마주한 하센의 몸이 사시나무처럼 떨렸다. 그것은 강자를 마주한 약자의 본능이었다. 숨을 쉬는 것조차 잊은 그녀의 앞으로 키얀이 멈춰 섰다.

"답신을 준비해야겠다."

첨예한 그의 시선이 바닥에 떨어진 서신으로 향했다. 피로 얼룩진 서신의 말미에는 온 황제의 인장과 스안의 인장이 나란히 찍혀 있었다. 머리 위로 낮게 떨어지는 황명에 퍼뜩 정신을 차린 그녀가 예를 갖췄다.

"바로 준비하겠습니다……!"

병사들에게 지필묵을 내오라 명령한 그녀의 발 앞으로 잘린 병사들의 머리와 팔다리가 굴러다녔다. 하센은 두 눈을 하얗게 부릅뜬 채 비참한 몰골로 죽어 있는 장수 감사헌의 머리를 바라봤다.

조금 전 병사들과 함께 황궁으로 들이닥친 그는 서국의 황자가 반역을 일으켰다며 떠들어 댔다. 서국 황실에서 분열이 일어난 것이 아니고서야 어떻게 이런 일이 일어날 수 있냐며 따지던 그는 대령전 바닥에 놓인 제후 왕막의 시체를 발견하고 멈춰 섰다. 왕막의 후계자와 함께 그 시체를 앞에 두고 군사회의를 하고 있던 키얀은 조금 전 하센을 통해 전해진 스안의 서신을 확인한 직후였다.

감사헌의 등장에 키얀의 손에 잡혀 있던 왕막의 후계자는 구세주라도 만난 것처럼 그를 향해 살려 달라 소리쳤다. 죽은 자신의 주군과 울부짖는 그의 후계자를 발견한 감사헌이 검을 뽑아 들었다. 그를 따라왔던 부관과 스무 명에 달하는 병사들이 발검한 것도 동시였다. 곧바로 하센과 대령전을 지키던 서국의 병사들도 모두 전투태세를 갖추었다.

왕막의 후계자는 여전히 살려 달라 비명을 지르고 있었다. 감사헌이 악성을 내지르며 키얀을 향해 달려들었다. 자리에 있던 진대원이 비명을 지르며 그 앞을 비켜섰다. 검을 뻗어 오는 감사헌의 앞으로 키얀은 붙잡고 있던 왕막의 후계자를 내밀었다. 감사헌의 검이 주춤함과 동시에 뻗어 나간 키얀의 곡도가 선을 그었다. 감사헌의 목에 붉은 실선이 생김과 동시에 피가 튀었다.

뒤늦게 상황을 인지한 왕막의 후계자는 자신의 눈앞에서 목이 잘린 채 바닥에 쓰러지는 감사헌을 바라보며 비명을 질러 댔다. 하지만 그 비명은 오래가지 못했다. 자신의 가슴을 뚫고 튀어나오는 곡도의 시린 칼날을 바라보던 그의 몸뚱이는 키얀을 향해 달려들던 감사헌의 부하들을 막기 위한 방패로 사용되었다.

수십 개의 창검에 뚫린 그 시체의 뒤에서 간격을 좁힌 키얀의 검이 빠르게 휘둘러졌다. 그의 곡도가 춤을 추는 자리마다 잘려 나간 누군가의 신체 일부가 떨어져 내렸다. 그의 의도대로 급소는 모두 비껴갔다. 죽고 싶어도 죽지 못하는 자들의 비명이 대령전을 메아리쳤다. 참혹한 광경이었다. 단칼에 숨이 끊어진 감사헌의 죽음이 자비롭게 느껴질 정도였다.

키얀은 분노했다. 그는 소리 없이 검을 움직였다. 마주 오던 적들은 잘려 나가는 자신의 신체를 바라보며 비명을 지를 뿐이었다. 겁에 질려 도망치려던 병사의 등 뒤로 그의 검이 내리꽂혔다. 순식간에 적막이 내려앉았다.

지필묵을 내오는 하센과 병사들의 모습을 물끄러미 바라보던 키얀이 고개를 뒤로 젖히며 긴 숨을 토해 냈다. 어깨 위로 흘러내린 그의 적발 끝에 방울방울 맺혀 있던 핏물이 후드득 바닥으로 떨어져 내렸다.

"황자를 만나겠다고 전해라."

한편, 황성의 비밀 통로를 수색하던 키얀의 수색대와 묘길의 호위 무녀들 사이에서 한차례 전투가 벌어지고 있었다. 발단은 통로를 수색하던 서국의 병사 하나가 장치를 건드려 통로의 벽 뒤로 숨어 있던 낡은 문이 드러나면서부터였다. 갑자기 드러난 문에 병사들이 놀라는 사이, 문 뒤의 통로에서 튀어나온 묘길의 호위 무녀들이 그들을 덮쳤다.

감옥 안에 갇혀 있던 윤조는 별안간 바닥과 천장이 진동하며 장치가 작동하는 소리와 함께 밖에서 들려오는 병사들의 소리에 바짝 긴장한 눈으로 소리가 들려오는 방향을 주시했다. 챙! 챙! 병장기가 거칠게 부딪치는 소리가 났다. 심상치 않은 소리에 묘길의 곁에 남아 있던 호위 무녀들이 그녀를 향해 마지막 인사를 건넸다.

"어머니, 이 목숨 어머니를 위해 바칩니다."

"어머니를 위해 바칩니다."

'어머니'라는 그들의 부름에 묘길의 얼굴 위로 형용할 수 없는 감정이 드러났다. 그것은 분노 같기도, 애정 같기도, 죄책감 같기도, 괴로움 같기도 했다. 짧은 인사를 마친 호위 무녀들이 소리가 들려오는 방향을 향해 달려 나갔다. 묘길은 말없이 떠나는 그들의 뒷모습을 바라봤다.

묘길과 윤조가 있는 공간 밖에서는 치열한 전투가 벌어졌다. 지원을 위해 밖으로 달려 나온 호위 무녀들이 죽어 간 동료의 시신을 뒤로하고 바닥을 박찼다. 밀려드는 서국의 병사들을 베어 넘기고 또 베어 넘겼다. 창검이 팔을 베고 옆구리를 꿰뚫고 들어와도 그들은 멈추지 않았다. 최대치로 끌어올린 신력이 흐르는 피를 멎게 하고 상처를 빠르게 재생시켰다. 호위 무녀들이 소리쳤다.

"누구도 이곳을 지나갈 수 없다……!!!"

"수치를 모르는 자들을 죽여라!!!"

"어머니를 지켜라!!!"

"어머니를 지켜라……!"

서국의 수색대가 수적으로 우위를 점했으나, 죽음을 앞두고 생명력을 불태우는 꽃처럼 무녀들은 자신들의 신력을 불태워 다시금 일어섰다.

"죽어라……!!!"

팔을 잃어도 멈추지 않았다. 다리를 베여도 쓰러지지 않았다. 잿빛 무복이 피에 젖어 검게 변할 때 까지도 그들은 멈추지 않았다. 창검이 마주하는 높은 쇳소리가 악공의 연주처럼 일정한 박자를 만들어 냈다. 그들이 토하는 비명은 세상을 향한 마지막 노래였다. 붉은 피가 난무하는 지독한 악무惡舞가 펼쳐졌다.

"가는구나."

닫힌 공간 안에서 그 소리를 듣고 있던 묘길의 두 눈이 질끈 감겼다.
"모두 가는구나……."
감긴 그녀의 두 눈에서 눈물이 흘렀다. 죽음의 경계에서 필사적으로 일어나는 호위 무녀들의 비명 소리에 눈물을 흘리던 그녀가 윤조를 바라봤다. 눈물 어린 그녀의 보랏빛 눈동자에 붉은 핏발이 서려 있었다.
"어머니라는 건 무슨 의미죠……?"
들려오는 끔찍한 소리에 윤조 역시 이를 악물었다. 떨리는 그녀의 물음에 묘길이 우는 듯 웃었다.
"어머니라는 말에 달리 의미가 있겠습니까?"
애처로운 시선으로 윤조를 향한 그녀가 말을 이었다.
"그들은 모두 나의 자식입니다. 이 땅에 태어난 모든 무녀들은 가여운 나의 딸들이죠. 그대 역시도 나의 아픈 손가락입니다."
"그게 무슨……."
다가오는 묘길의 모습에 창살에서 멀어진 윤조가 감옥 안쪽으로 뒷걸음질 쳤다. 감옥의 앞에서 창살을 붙잡은 묘길이 윤조를 향해 손을 뻗었다. 그 모습은 묘하게도 마치 윤조가 아닌 그녀가 감옥에 갇혀 있는 것 같은 착각을 불러일으켰다.
"먼 세상에서 왔으나 이 땅에서 무녀로 태어난 그대는 나의 딸이자 이 긴 여행의 마침표입니다."
"……."
"내가 당신을 이곳으로 불렀습니다."
윤조의 두 눈이 크게 뜨였다. 혼란으로 얼룩진 그녀의 눈동자가 묘길을 향했다.

"당신이 나를 이곳으로 불렀다고……?"

"이 세계가 존재를 위해 다음 이야기를 위한 주인공을 필요로 하듯, 나는 이 세계의 종말을 위한 주인공을 원했습니다."

그러는 사이 밖에서 들려오던 소리는 점점 작아져, 어느 순간 아무 소리도 들려오지 않게 되었다. 묘길도 윤조도 그 적막이 의미하는 바를 모르지 않았다. 괴로움을 참는 것처럼 긴 숨을 토한 묘길이 간신히 말을 이었다.

"9백 년을 미뤄 온 결말을 드디어 맺을 수 있게 되었어요."

"당신 지금 무슨 소리를 하는 거야? 결말을 미뤄 왔다고? 나를 이 세계로 불러들인 게 당신이라는 거야……? 알아들을 수 있게 설명해!"

"1974년 겨울, 내가 이곳으로 처음 왔던 날."

"……."

"내가 쓴 책 속으로 들어왔던 날."

"뭐……?"

"첫 이야기의 주인공이 되었던 그날."

묘길의 두 눈에 눈물이 고였다.

"행복했던 그날을 나는 저주합니다."

황궁으로 오라는 키얀의 답신을 받은 스안이 지휘 막사를 나섰다.

"다녀오겠다."

"전하! 홀로 가는 것은 위험합니다!"

"폐하의 명이시다. 혼자 다녀오겠다."

"전하!"

황실의 호위 무사들이 앞으로 나섰으나 스안이 고개를 저었다.

"그대들은 이곳에 남아 기다려라. 체밀, 일이 잘못되거든 뒤를 부탁한다."

"황자 전하의 명을 받드옵니다……!"

대홍려 체밀이 차마 스안의 얼굴을 똑바로 바라보지 못하고 고개를 숙였다. 떨리는 그의 어깨를 지켜보던 스안이 말에 올랐다. 배웅을 나온 온 황제와 홍 장군, 준영을 바라보던 그의 시선이 파이옌에게 멈췄다. 잔뜩 화가 난 듯한 그의 모습을 눈에 담던 스안이 옅은 미소와 함께 말고삐를 쥐었다.

"이랴!"

백기를 매단 그의 말이 황성의 성문을 향하는 가운데, 참지 못한 파이옌이 패악질을 부렸다. 당장이라도 그 뒤를 쫓아가려는 그를 잡은 건 준영이었다. 파이옌은 자신을 붙잡은 준영의 손을 거칠게 뿌리쳤다. 준영은 말에 오르려는 그의 앞을 막았다.

"황자의 결심을 만용으로 만들지 마라."

"저 어린애 어깨에 얼마나 무거운 짐을 지웠는지 알기나 해?!"

그 외침에 간신히 인내하고 있던 준영의 얼굴이 무섭게 굳어졌다. 손을 뻗은 그가 파이옌의 멱살을 잡아 올렸다.

"틀렸다."

준영의 시선이 황자를 향해 여전히 예를 갖춘 채 바닥에 무릎을 꿇고 있는 1만 명이 넘는 병사들과 서국의 대신들을 향했다.

"그는 이미 훌륭한 왕이다."

평화를 위해 홀로 적진으로 향하는 스안을 바라보던 온 황제가 손바닥을 편 왼손에 오른쪽 주먹을 맞대며 묵례했다. 신의와 존경을 뜻하는 표현이었다. 그것을 시작으로 진영에 있던 나투국의 모든 병사들이 무릎을 꿇으며 예를 갖췄다.

준영이 파이옌의 멱살을 놓았다. 그는 스안, 그 한 사람을 위해 뜻을 모은 나투국과 서국의 병사들을 바라보며 경의를 표했다.

"똑똑히 보아라, 파이옌. 이것이 저 어린 황자가 가져온 평화의 시작이다. 나의 검으로도, 너의 검으로도, 누구의 검으로도 해내지 못했던 그것을 그는 해냈다."

그것은 실로 경건한 광경이었다. 성벽 위에 자리해 있던 서국의 병사들과 제후국의 병사들마저도 이 광경에 침묵했다. 말로 표현할 수 없어도 느낄 수 있었다. 어린 황자를 향해 일제히 무릎을 꿇는 적국의 병사들과 아군의 병사들을 지켜보는 그들을 향해, 눈에 보이지 않는 거대한 흐름이 그들의 온몸과 마음을 덮쳤음을.

긴장감이 서린 가운데 닫혀 있던 황성의 성문이 열렸다. 황성 안으로 스안의 모습이 멀어지고 성문이 완전히 닫힐 때까지 도열한 병사들은 조금도 움직이지 않았다.

황궁에 도착한 스안을 마중한 것은 하센이었다. 그녀는 어찌할 바를 모르겠다는 표정으로 스안을 향해 고개 숙였다.

"여희단의 단장 하센, 황자 전하를 뵙습니다."

"단장의 얼굴이 많이 상했구나."

스안이 다정한 미소와 함께 그녀의 어깨를 토닥였다.

"아버님의 곁을 지켜 주어 고맙다."

"전하……."

하센은 울컥 치미는 감정을 애써 삼키며 몸을 돌렸다.

"폐하께서 기다리십니다."

"가지."

그들이 향한 곳은 대령전이었다. 열린 문 안으로 짙은 피 냄새가 났다. 바라본 대령전의 안, 조각난 시체와 피가 범벅되어 있는 풍경의 가장 높은 곳에 키얀이 앉아 있었다.

"왔느냐."

"아바마마……."

마치 궁 안에 피로 된 호수가 생긴 것 같은 풍경이었다. 스안은 발바닥에 진득하게 달라붙는 핏물을 애써 무시한 채 앞만 보며 걸었다. 상석에 앉은 키얀의 앞에 도착한 스안이 예를 갖췄다.

"황자 스안, 아바마마를 뵈옵니다. 그간 무탈하셨는지요?"

"누구의 뜻이냐?"

스안의 말을 무시한 채 키얀이 말을 이었다.

"황자가 이곳에 있는 건 누구의 뜻이냐?"

"소자의 뜻입니다. 제가 나서서 아바마마를, 폐하를 뵙기를 청했습니다."

"함께 온 나투국의 황제와 그의 병사들도 황자의 뜻인가?"

"예."

"……."

"본국에서 뒤늦게 가료 부관이 이끌던 본진이 패전하고 가료 부관이 전사했다는 소식을 들었습니다. 그리고 나투국의 대장군 홍준영이 군대를 이끌고 황성을 탈환하기 위해 출발했다는 소식도 들었습니다."

"그런데 황자는 어째서 나를 찾지 않고 적국의 황제를 찾은 것이냐!!!"

"아바마마가 걱정되어 그랬습니다."

스안의 목소리가 떨려 왔다. 분노한 키얀을 바라보는 황자의 눈빛이 일렁였다.

"시간은 촉박한데 본국에서 아바마마를 돕자는 이들이 없었습니다. 아바마마를 도와야 한다는 제 말에 승상이 가장 먼저 반기를 들었습니다. 그래서 제가 그를 죽였습니다."

"……."

"그에게 동조하던 대신들 모두 제가 죽였습니다."

스안의 눈가에 눈물이 고였다.

"아바마마를 돕고 싶었지만, 전쟁이 계속되면 아바마마를 안전하게 모실 수 없었습니다."

"그래서 나람성으로 갔느냐? 거기서 나투국의 황제에게 머리를 조아리고 그의 발밑을 기었느냐-!!!"

"치욕스럽다 여기셔도 저는 제가 한 일을 후회하지 않습니다. 저는 제가 당하는 치욕보다 아바마마의 안전이 더 소중합니다!!!"

"네가 끝까지 잘못을 인정하지 않는구나! 황자는 황명을 거역했다! 너는 내 뜻을 거스르고 적국의 황제와 손을 잡고 이 나를 치러 왔다……!!! 이것이 반역이 아니면 대체 무엇이란 말인가!!!!!"

키얀이 자리를 박차고 일어났다. 계단을 밟아 아래로 내려오는 그의 전신에 분노가 가득했다. 스안이 고개를 저으며 외쳤다.

"아바마마! 부디 소자의 말을 들어 주십시오! 소자 아바마마를 위해서라면 다 버릴 수 있습니다!!! 황실의 명예보다 제게는 아바마마의 안위가 중요합니다. 제가 고개 숙여 아바마마께서 무사하실 수 있다면 그것은 치욕이 아니라 기쁨입니다! 더는 의미 없는 전쟁입니다. 아바마마께서 허락해 주신다면 소자 본국까지 아바마마를 안전하게 모시겠습니다!!!"

"닥쳐라!!!"

키얀이 스안의 멱살을 거칠게 잡아 올렸다.

"폐하-!!! 고정하시옵소서!!!"

이를 지켜보던 하센이 급히 키얀을 말렸으나 소용없었다. 순식간에 발도한 키얀의 곡도가 하센의 목 끝을 향했다.

"물러나라."

"폐하……!"

"단장은 물러나라고 했다-!!!"

금방이라도 목을 찌를 것 같은 그의 곡도에 하센이 뒤로 물러났다. 멀어지는 그녀의 모습을 확인한 키얀이 고개를 돌려 스안을 바라봤다. 억세게 옷깃을 조이는 그의 손길에 스안이 괴로운 숨을 토하며 콜록거렸다. 그런 황자를 바라보던 키얀이 스안의 멱살을 던지듯이 놓았다.

"네놈이 감히 적국의 황제와 짜고 나를 끌어내리려 함이냐? 성 밖에 병사들을 주둔시켜 놓고 짐의 안전을 운운하느냐!!!"

"아바마마! 나투국의 황제가 소자에게 약조했습니다. 이 전쟁을 멈추기만 한다면 그들은 아무런 해도 끼치지 않을 것입니다!!!"

"입 발린 거짓이다!!! 어리석게 그런 거짓말에 속아 넘어갔단 말이냐! 저들이 이 좋은 기회를 놓칠 것 같으냐? 너를 통해 나를 처단하고 남은 너마저 죽이려 들 것이다……!!!"

"거짓이 아닙니다! 아바마마! 대장군 홍준영 또한 대장군의 이름을 걸고 제게 약조했습니다! 즉시 전투를 멈추고 본국으로 돌아가면 저들은 길을 열어 줄 것입니다!!!"

"짐이 왜 그래야 하느냐-!!!!!"

서슬 퍼런 눈빛이 스안의 목을 다시금 조를 듯했다.

"저들은 이미 황성을 잃었다!!! 이번 전투만 무사히 버티면 이 전쟁은 완벽한 우리의 승리다! 승리를 눈앞에 두고 패잔병처럼 도망치라는 말이더냐? 저들이 당하는 고통은 마땅히 치러야 할 죗값이다! 저들이 황후에게 했던 짓을 모두 잊은 것이냐-!!!"

"아바마마! 전쟁을 멈추는 것은 어마마마의 뜻이기도 합니다!!!"

"네가 이제는 병으로 몸 져 누운 네 어미의 이름까지 팔아 나를 능멸하는 것이냐!!! 여봐라! 황자를 당장 포박해 옥에 가둬라-!!!"

다가오는 병사들을 바라보던 스안이 황급히 키얀의 다리에 매달렸다.

"아바마마! 소자의 말은 모두 사실입니다! 아마마마께서 깨어나셨습니다! 잠깐이지만 어마마마께서 스스로 눈을 뜨셨습니다!!!"

"뭐라……?"

"치료가! 윤조 무녀의 치료가 효과가 없던 게 아니라고 하셨습니다! 치료가 효과가 있었습니다! 단지 그 효과가 나타나기까지 시간이 걸렸을 뿐입니다!!!"

다가온 병사들이 스안의 양팔을 잡아 포박했다.

"이거 놓아라!!! 아바마마! 소자의 말은 틀림없는 사실입니다! 어마마마께서는 의식을 잃으신 게 아닙니다! 모두 듣고 계셨습니다!!! 부디 전쟁을 멈춰 달라, 아바마마를 설득해 달라 제게 당부하셨습니다-!!!"

황후가 깨어났었다는 황자의 말에 멍하니 그 모습을 지켜보던 키얀이 입술을 작게 움직였다.

"황후가 깨어났었다고……?"

"아바마마!!! 부디 전쟁을 멈춰 주십시오! 윤조 무녀에게 부탁하면 어머니를 치료해 줄 겁니다! 그녀라면 어머니를 반드시 치료해 줄 겁니다……!"

황자의 말에 키얀의 눈빛이 흔들렸으나 잠시뿐이었다. 주먹을 쥔 그의 손에 힘이 들어갔다.

"무녀의 치료가 효과가 있었다면 무녀를 잡아들이면 그만이다."

"아바마마! 더는 피를 보지 않아도 어마마마를 치료할 수 있습니다! 그것을 위한 전쟁이 아니었습니까!"

"이 전쟁은 네 어미와 역병과 기근으로 고통받는 내 백성과 조국을 위한 전쟁이다!!!"

키얀이 일갈했다.

"그들이 말하는 평화가 어떤 것인지 아느냐……!!! 개간이 어려운 혹독한 토지를 일구며 살아가는 내 백성들이 기근으로 죽어 갈 때 저들은 무엇을 했느냐!!! 도움을 청했던 우리를 어떻게 대했느냐!!! 비옥한 평야에서 나온 곡식이 창고에 쌓여 썩어 가는 데도 그들은 우리를 약소국이라 비웃으며 무시했다. 아픈 황후를 정치적인 희생양으로 삼아 서국의 황실을 발아래 두고 대륙 전쟁의 장기말로 휘둘렀다!!! 내 백성의 목숨으로 전쟁을 하고!!! 내 백성의 죽음으로 영토를 넓히고!!! 그 영토로 자신들의 배를 불렸다!!! 평생을 제국의 발아래 휘둘렸다. 그들은 내 조국과 내 백성들의 목숨을 저울질했다!!! 이 전쟁의 명분이 단지 황후를 위함이라고 여기느냐? 명분은 명분일 뿐이다!!! 그 뒤에 더 중요한 대의가 숨어 있다는 것을 황자는 정녕 알지 못하느냐-!!!!!"

"아바마마! 지금 소자가 바라는 평화는 한 가지뿐입니다! 아바마마와 함께 본국으로 돌아가 어마마마를 모시고 평생토록 함께하는 것이 소자가 바라는 전부입니다!!! 본국은 더 이상 전쟁을 지원하지 못합니다! 황실의 재정은 바닥났고 더는 병사들을 모을 여력도 없습니다! 역병으로 죽어 가는 백성들이 전쟁에 끌려온 그들의 아비와 아들만을 애타게 기다리고 있나이다! 부디 그들을 생각해서라도 다시 한번 생각해 주십시오!!!"

"나투국의 땅을 얻기만 한다면 그 모든 고통에서 벗어날 수 있다."

"전쟁은 또 다른 전쟁을 부를 뿐입니다!!!"

"닥쳐라-!!! 병사들은 어서 황자를 끌고 가라!!!"

"이거 놔라! 아바마마!!! 아바마마-!!!"

끌려가는 황자의 모습에 하센이 바닥에 엎드려 간청했다.

"폐하!!! 전하를 저리 보내실 것입니까! 부디 통촉하여 주십시오-!!!"

"……."

"폐하……!!!"

울부짖는 스안의 목소리가 아득하게 멀어질 때까지 키얀은 자리에 선 채 움직이지도, 아무런 말도 하지 않았다. 엎드려 간청하는 하센의 모습과 그 뒤로 피바다가 된 대령전의 모습을 눈에 담던 그는 성벽 밖에 있을 온 황제와 준영을 향해 빠득 이를 갈았다.

"놈들이 황자를 망쳤다."

"폐하! 통촉하여 주시옵소서!!!"

"놈들이 황자를 망쳤다……!!!"

분노한 그의 음성에 살기가 어렸다.

"감히 순진한 황자를 현혹하고 짐을 능멸한 저들을 모조리 죽여 버리고 말 것이다-!!!!! 여봐라-!!! 지금 당장 숨어 있는 나투국 백성들을 잡아들여라!!! 내 친히 그들의 목을 잘라 성 밖으로 던져 줄 것이다……!!!!!"

키얀의 명령에 간청하던 하센의 표정이 절망으로 굳어졌다.

"폐하 어찌, 어찌 그런……."

"그대도 짐이 틀렸다고 여기느냐?"

"폐하!"

"대답해 보아라! 그대도 짐이 틀렸다고 여기는가!!!"

하센의 목 앞으로 키얀의 검이 내밀어졌다. 고통으로 일그러진 주군의 모습에 하센의 얼굴도 함께 일그러졌다. 그녀는 알 수 있었다. 스안이 말하는 바를 키얀 역시 알고 있음을. 그럼에도 한 나라의 황제로서 물러날 수 없는 때가 있다는 것도. 그 어깨를 짓누르는 전쟁의 무게는 감히 상상할 수 없을 만큼 무거운 것임을.

무수한 전장을 누볐다. 무수한 동료들과 부하들을 잃었다. 그럼에도 싸울 수 있었던 이유는 그녀가 든 검이, 충성을 맹세한 주군이, 잔혹한 이 싸움이 모두 조국을 위한 것이기 때문이었다.

하센의 눈앞으로 문득 죽은 가료의 모습이 떠올랐다. 어떤 상황에서도 흔들림 없던 그 우직한 모습과 한 치의 망설임 없이 충성을 다하던 그의 얼굴이. 조국을 위해 싸우다 죽어 간 여희단원들과 병사들의 모습이. 잔혹한 명령이 뼈아플지라도 그녀는 마땅히 주군을 모셔야 하는 나라의 장수였다. 피로 물든 세상 가운데 홀로 서 있는 위태로운 자신의 황제를 향해 그녀는 고개 숙였다.

"여희단 단장 하센, 지고하신 황제 폐하의 명을 받듭니다."

주군이 향하는 곳이 비록 나락일지라도. 그녀의 볼 위로 흘러내린 한 줄기 눈물이 소리 없이 바닥으로 떨어져 내렸다.

"왜 이렇게 안 와?"

병사들과 함께 성문 밖에서 스안이 돌아오기를 기다리고 있던 파이옌과 준영은 자신들을 주시하는 무수한 시선을 느끼며 초조히 닫힌 성문이 열리기만을 기다렸다. 그때 성 안쪽에서 두려움에 찬 비명 소리가 들렸다. 한 명의 목소리가 아니었다. 곳곳에서 들려오는 비명이 성벽과 가까웠다.

"무슨 소리야, 이건……."

놀란 파이옌의 표정이 굳어졌다. 준영이 고개를 들어 성벽 위에 있는 서국과 제후들의 병사들을 향해 소리쳤다.

"안에서 무슨 일이 벌어지는 건가!!!"

그가 외쳤으나 도열한 병사들은 조금의 미동도 없었다. 비명은 어느새 아우성으로 변했다. 성벽 너머 곳곳에서 메아리치는 비명과 곡소리는 성 밖 진영에 대기하고 있던 온 황제와 홍 장군, 대홍려 체밀과 병사들의 귀에도 선명히 들릴 정도였다.

"대체 성 안에서 무슨 일이 벌어지는 건가……!"

불길한 소리에 진영의 입구까지 달려온 온 황제가 멀리 보이는 성벽 위를 살필 때였다. 성벽 안쪽에서부터 바깥을 향해 무언가가

던져졌다. 하나가 아니었다. 둥그런 윤곽을 지닌 여러 물체가 포물선을 그리며 허공을 날았다.

내리쬐는 오후의 태양 빛에 짙게 그림자가 진 물체는 몹시 검었다. 그것은 높이 뜬 허공에서 핑그르르 원을 그리며 바닥으로 낙하했다. 공격이라고 여겨 피하려던 파이옌과 준영은 성 밖으로 던져진 물체가 잘린 백성들의 머리라는 것을 깨달았다.

"살려 주세요! 제발, 아아악-!!!"

"어머니……!!! 아버지!!!"

"꺄아아악!!! 도망쳐!!! 어서!!! 누가 제발……! 꺄아악-!!!"

사방에서 비명 소리가 메아리쳤다. 최 승상과 유모가 밖을 살피자 멀리서 서국의 병사들이 집 안에 숨어 있던 백성들을 밖으로 끌어내는 모습이 보였다.

"다들 몸을 피해라! 어서!"

최 승상이 흩어져 있던 사람들을 향해 소리쳤다. 서국의 황자가 키얀을 설득하기 위해 왔다더니 실패한 모양이었다.

식솔들이 가장 먼저 윤조의 어머니와 동생들을 문씨 가문 저택의 지하에 있는 창고 깊숙이 대피시켰다. 병장기를 나르며 대피하는 사람들의 모습을 지켜보던 최 승상이 문득 이상한 점을 느끼고 유모를 붙잡았다.

"의령 무녀는 어디 있나!"

"조금 전까지 방에 있었는데 어딜 갔는지 보이지 않습니다……!"

의령이 있던 방으로 달려간 최 승상이 급히 안을 확인했으나 의령의 모습은 어디에도 보이지 않았다. 닫혀 있던 방의 창문이 활짝 열려 있었다. 의령이 창문을 통해 저택 밖으로 나갔다는 것을 뒤늦게 알아챈 최 승상의 낯에 당혹감이 어렸다.

사람들이 대피해 숨는 것을 지켜보던 최 승상은 최씨 가문의 저택에 홀로 남아 있는 자신의 아내를 떠올리고 말에 올랐다.

"대승상님! 나가면 위험합니다!!!"

"가야만 한다! 그대들은 속히 몸을 피하라! 으랴-!"

땅을 박찬 말이 빠르게 거리를 달렸다. 살려 달라 아우성치는 백성들의 목소리가 사방에서 들려왔다. 병사들이 몰려오기 전에 그는 미친 듯이 말을 몰았다.

"부인!!! 어디 있소! 부인!!!"

저택에 도착한 그가 다급히 아내를 찾았다. 최 승상의 당부대로 저택 안에서 몸을 숨기고 있던 그의 아내가 남편의 목소리를 듣고 달려 나왔다.

"여보!"

그녀는 밖에서 들려오는 백성들의 비명 소리에 겁에 질려 몸을 떨었다. 최 승상이 그녀를 부축해 나래의 방으로 향했다. 침상을 밀자 바닥에 작은 문이 있었다. 문을 열자 그 아래로 사람이 하나 숨을 법한 공간이 나왔다. 비상시 나래가 몸을 피할 수 있도록 만들어 두었던 공간이었다.

"들어가시오, 부인. 어서!"

"당신은 어떻게 하려고요!"

"시간이 없소! 어서 숨으시오……!"

공간 안으로 부인을 들어가게 한 최 승상이 문을 닫으며 말했다.

"꼼짝 말고 여기 있으시오. 어떤 소리도 내선 안 되오."

"여보! 여보……!"

최 승상이 문을 닫고 침상을 밀어 문을 가렸다. 창밖으로 내려다보이는 황성의 모습은 아수라장이었다. 급히 저택을 빠져나온 그가 다시 말에 올랐다. 사라진 의령을 찾아야 했다. 그는 의령이 수색대와 함께 윤조를 구하러 가고 싶어 했던 것을 떠올렸다.

"으랴!!!"

말 머리를 돌린 그가 홍씨 가문 저택으로 향했다. 근처까지 들이닥친 병사들이 그를 발견하고 소리쳤다.

"저놈을 잡아라-!!!"

등 뒤로 긴 창이 날아들었다. 몸을 낮춰 창을 피한 그가 병사들을 피해 달아났다. 하지만 어느새 몰려온 병사들이 길의 앞뒤를 가로막았다. 위협적으로 내질러 오는 창검에 놀란 말이 날뛰며 번쩍 앞발을 치켜들었다.

고삐를 놓친 최 승상이 말 위에서 떨어져 바닥을 굴렀다. 고통에 비명을 삼킨 그가 급히 몸을 일으키려 했다. 하지만 그보다 병사들의 검이 더 빨랐다. 그는 자신의 목 앞으로 내밀어진 곡도를 바라보며 미간을 좁혔다.

"성문으로 끌고 가라!"

병사들은 최 승상을 포박해 성문으로 끌고 갔다. 곳곳에서 병사들의 손에 붙잡힌 백성들이 그와 마찬가지로 성문을 향해 끌려가고 있었다.

한편, 위기를 느끼고 달려온 삼안과 그의 장수들 덕분에 유모와 식솔들은 병사들의 눈길을 피할 수 있었다. 저택을 수색하는 척 다른 병사들을 돌려보낸 삼안이 유모를 향해 물었다.

"대승상께서는 어디에 계십니까? 의령이는요?"

"대승상께서는 밖으로 나가셨습니다. 의령 무녀도 사라졌습니다……!"

"제가 두 분을 찾아보겠습니다! 유모님과 다른 분들은 이곳에 숨어 계십시오."

혹시 모를 일에 대비해 문씨 가문 저택 안에 병사들을 심어 놓은 삼안이 황급히 밖으로 향했다. 말에 오른 그를 향해 함께 있던 장수 반진이 한 곳을 가리키며 외쳤다.

"공자님! 저기……!"

반진이 가리키는 곳을 본 삼안의 눈이 크게 뜨였다. 서국 병사들에게 붙잡힌 최 승상이 성문 쪽으로 끌려가는 모습이 보였다.

"이를 어쩌면 좋단 말인가!"

"당장 구하기엔 적의 수가 너무 많습니다."

"제기랄. 일단 따라간다. 으랴!"

그들은 잡혀가는 최 승상을 따라 성문으로 향했다. 얼마 지나지 않아 도착한 성문 앞에는 잡혀 온 나투국의 백성들이 가득했다. 변복을 한 덕에 다행히 최 승상을 잡아 온 병사들은 그의 정체를 알아보지 못했다. 병사들은 포박한 그를 백성들 틈에 밀어 넣었다. 거친 손길에 몸이 기울며 바닥에 넘어진 그가 신음했다. 주변에 있던 백성들이 괜찮냐며 그를 일으켰다.

부축을 받으며 자리에 앉은 그가 주변을 살폈다. 겁에 질려 울부짖는 백성들 너머로 무장한 병사들의 모습이 보였다. 그들은 가장 앞쪽에 앉아 있던 백성들을 밖으로 끌어냈다. 성벽 위로 끌려 올라가는 그들이 비명을 지르며 도망치려 했으나 소용없었다.

"황명이다! 놈들의 목을 베어 성 밖으로 던져라-!!!"

충격적인 병사의 외침에 최 승상이 입을 벌렸다. 성벽 위, 무릎을 꿇고 앉아 있는 백성들의 머리 위로 날카로운 곡도가 들어 올려졌다.

"안 돼!!! 멈춰……!!!!!"

백성들의 목 위로 떨어진 곡도가 붉은 선을 그렸다. 잘려 나간 수십 개의 머리가 바닥으로 떨어져 내렸다. 곳곳에서 공포에 질린 비명이 터졌다. 분노를 이기지 못하고 뛰쳐나가려는 최 승상의 몸을 주변에 있던 백성들이 붙잡았다.

소란한 상황에 병사들이 다가오려 했다. 그때 병사들보다 더 빨리 최 승상에게 다가간 삼안이 그의 뒷덜미를 잡아 억지로 바닥에 엎드리게 했다.

"소란을 피우는 놈들을 먼저 성 벽 위로 보낼 것이다!!! 죽길 바라나-!!!"

모두가 들으라는 듯이 위협적으로 외친 삼안이 최 승상을 향해 몸을 낮췄다.

"참으셔야 합니다. 지금 나서면 죽습니다."

귓가에 들려오는 삼안의 속삭임에 붙잡힌 몸을 뒤틀며 분노하던 최 승상이 주먹으로 바닥을 내리쳤다.

"지켜볼 수밖에 없단 말인가……!"

"참으셔야 합니다."

잘린 백성들의 머리를 성 밖으로 내던지는 병사들의 모습에 삼안이 어금니를 깨물었다. 최 승상의 팔을 움켜쥔 그의 손이 바르르 떨려 왔다.

성벽 위에서 날아온 백성들의 머리가 바닥을 뒹굴었다. 이 참담한 광경을 목격한 준영의 얼굴이 무섭게 일그러졌다. 스안의 설득이 실패했음을 깨달은 파이옌의 표정도 마찬가지였다.

말을 달려 진영으로 돌아온 그들이 대기하고 있던 병사들 앞에 멈춰 섰다. 참상을 목격한 모두가 분노로 몸을 떨고 있었다. 격분한 준영의 외침이 병사들을 향했다.

"교섭은 실패했다!!! 전군 전투에 돌입한다-!!!"

더는 시간을 끌 여유도 없었다. 백성들의 죽음에 분노한 나투국의 군대가 하늘을 향해 창검을 들어 올리며 악성을 내질렀다.

"황성을 탈환하자!!!"

"황성을 탈환하자!!!"

준영이 검을 들어 전투의 시작을 알렸다.

"전군 성 앞에 집결하라!!! 혼신을 다해 적을 쳐부수자-!!!!!"

"당신이 이 책을 썼다고……?"

묘길을 바라보는 윤조의 목소리가 잘게 떨려 왔다.

"당신이, 당신이 이 세계를 만들었어……?"

혼란으로 얼룩진 윤조를 바라보며 묘길이 긍정했다.

"처음 이 세계에 왔을 때, 내가 쓴 나의 첫 이야기는 소망을 담고 있었습니다. 억압이 없는 세상, 독재자가 아닌 현명하고 자애로운 지도자가 있는 세상, 가난이 없는 세상, 자유롭게 꿈꿀 수 있는 세상, 그 꿈을 이룰 수 있는 세상, 아픔을 치유하며 서로가 행복을 위해 나아가는 세상. 나는 그런 나의 소망들을 이야기로 썼습니다. 언젠가는 그런 세상이 오기를 바라며, 그런 세상에 머물고 살아갈 수 있기를 바라며. 책 속으로 들어왔던 날, 나는 빛과 함께 하늘에서 떨어졌습니다."

묘길의 이야기를 들으며 윤조는 자연스럽게 기록된 나투국의 건국 신화를 떠올렸다.

여신은 빛과 함께 나타났다.

"바라본 풍경 속, 땅은 갈라지고 강은 메말라 있었죠. 꿈이라고 여겼습니다. 죽음의 순간 꿈조차 황폐하구나, 탄식했죠. 그게 내가 볼 마지막 풍경이라면 좀 더 아름답길 바랐습니다. 끝없이 펼쳐진 평야, 푸르른 논밭의 곡식이 황금빛으로 익어 가고, 그 평야를 돌아 맑은 강이 흐르고, 물고기가 헤엄치고, 새들이 하늘을 날고, 사람들의 정이 오가며 아이들이 뛰노는 정다운 풍경이길 바랐습니다. 그러자 발 아래로 자라난 풀이 순식간에 너른 평야를 채우고, 맑은 강물이 차오르고, 새들이 하늘을 날았습니다. 그중에서도 붉은 깃털을 가진 커다란 매 한 마리가 가장 먼저 제 머리 위를 맴돌았죠."

여신이 손을 뻗자 가뭄으로 메마른 땅에서 풀이 자라고 강물이 샘솟았다. 새들이 여신의 강림을 축복하는 가운데 풍요와 제왕의 신수神獸인 붉은 매가 여신의 머리 위를 날았다.

"열린 성문 밖으로 사람들이 달려 나왔습니다. 신의 축복이라며 환호하던 그들은 나를 성 안으로 이끌었고, 나는 처음으로 황궁에 발을 디뎠죠."

여신은 사람들의 환호 속에 황궁에 발을 디뎠다. 여신의 행차에 모든 이가 엎드려 절했다. 그들은 여신에게 간곡히 부탁했다.

"그들은 내게 병든 황제를 치료해 달라 부탁했습니다. 나는 열병을 앓는 황제의 이마에 손을 올리고 나서야 그 모든 것이 꿈이 아니라는 것을 알 수 있었죠. 손안에서 생생하게 느껴지는 달뜬 체온이, 누군가의 숨결이, 그 생생한 모든 것이 꿈이 아닌 현실이라는 것을."

심각한 열병으로 죽어 가던 황제는 여신의 축복으로 건강을 회복했다. 황제의 병환에 시름하던 백성들은 여신과 황제의 이름을 외치며 환호했다. 생명의 힘을 가진 여신은 병든 많은 이들의 목숨을 구했다. 사람들은 여신의 은혜와 아름다움을 찬양하는 노래를 지어 불렀는데 그 아름다움을 훔치고 싶을 정도라 하여 '나투곡娜偷曲'이라 했다. 이 노래 제목을 마음에 들어 한 황제가 나라의 이름을 '나투국娜偷國'이라 선포했다. 바야흐로 화평과 광명의 시대였다.

먼 과거를 떠올리는 묘길의 시선이 허공을 더듬었다.

"꿈 같은 시간이었습니다. 세상에 그런 아름다운 풍경이 있으리라고는 상상조차 할 수 없을 만큼 아름답고 정다운 풍경이었죠. 나는 그 모든 것을 사랑했습니다. 어느 누가 사랑하지 않을 수 있을까요? 그토록 사랑스러운 세상을."

그녀의 입가에 잔잔한 미소가 어렸다. 감출 수 없을 만큼 깊은 애정이 묻어나는 그녀의 눈빛과 목소리가 낯설었다. 얼음처럼 차갑다 느꼈던 그녀의 보랏빛 눈동자가 첫사랑을 이야기하는 소녀처럼 수줍게 빛났다.

"그렇게 사랑했으면서 대체 왜 이런 짓을 벌인 겁니까……?"

윤조의 물음에 눈을 감았다 뜬 묘길의 얼굴에서는 조금 전까지 머물렀던 미소가 완전히 지워져 있었다.

"노아의 방주 이야기 알아요?"

"성경에 나오는 그거요?"

"맞아요. 그 이야기요. 내가 살던 한국은 독재 정권에 맞서서 민주화 운동이 일어나고 있었죠. 그 시절, 어려움 속에 믿음이 필요한 많은 사람들이 교회를 찾았어요. 저도 그중 하나였고요. 그런데 성경 중 유독 이해할 수 없는 이야기가 있었어요. 노아의 방주 이야기였죠. 왜 신은 그토록 사랑했던 세상을 물속에 잠기게 했을까? 사랑하는 그 모든 것을 어떻게 다 파괴할 수 있었을까? 진정 사랑했다면 그럴 수 있을까? 수없이 의문했지만 이해가 가질 않았어요. 정말 사랑한다면 아무리 미워도 그럴 수는 없을 거라고 여겼죠. 그 마음을 알기 전까지는."

소름 돋는 음성이었다. 모골이 송연했다. 쭈뼛 선 머리털에 윤조가 마른침을 삼켰다. 침잠한 분노가 일렁이는 그 시리고 시린 음성이 고요한 공간을 울렸다.

"시작은 사랑이었어요."

다시 떠올려도 믿기지 않는다는 듯이 그녀는 작게 소리 내어 웃었다.

"내가 소망하고 내가 만들어 낸 아름다운 세상에서 사랑에 빠졌죠. 나투국의 초대 황제는 자신의 목숨을 구해 준 나를 은인으로 여겼고, 머잖아 나를 사랑했고, 나 역시 그를 사랑하게 됐어요."

그녀는 계속 말을 이었다.

"그런데 어느 날부터인가 원래의 세상에 있을 가족들이 생각났어요. 내가 행복하면 행복할수록 그 괴로운 세상에 두고 온 가족들의 얼굴이 눈에 밟혔죠. 처음에는 가족만을 위해 헌신했던 나의 삶을 보상받는 것 같아 좋았지만 시간이 지날수록 걱정과 그리움은 점점 더 커졌어요. 원래의 세상에 있던 나는 어떻게 된 걸까? 죽은 걸까? 나 때문에 가족들이 피해를 입진 않았을까? 부모님은? 오빠는? 동생들은? 사라진 나를 애타게 찾고 있진 않을까? 출판사는 어떻게 됐을까? 잡혀갔던 동료들은 무사히 돌아왔을까? 내가 꿈꾸고 결심했던 모든 것을 버리고 이렇게 살아도 되는 걸까? 꿈 같은 세상에 도피한 채, 모든 것에서 달아난 채 이렇게 살아가도 되는 걸까?"

"원래의 세상으로 돌아가려고 했군요."

"네, 그랬어요. 내가 만들어 낸 세상이니 마음만 먹으면 돌아갈 수 있을 거라 여겼죠. 그런데 문제가 생겼어요. 이 세계가 창조주인 나의 부재를 원치 않았거든요. 처음으로 세계가 나를 '강제'했어요. 이 세계를 떠나려는 나를 강제로 붙잡았죠."

"어떻게 그게 가능하죠? 당신이 만든 세상이잖아요?"

"부모가 자식의 삶을 온전히 통제할 수 없듯이, 내게서 태어났지만 스스로 자라나기 시작한 이 세계는 내 통제를 넘어서 더욱 크고 강하게 자라났어요. 내가 이 세계를 만들었지만 나는 신이 아니죠. 이 세계는 불완전한 인간의 손에서 만들어진 셈이에요. 그래서 애정을 갈구하는 불완전한 의식을 가졌는지도 모르죠. 세계는 내가 이곳에 머물기를 바랐고, 자신을 사랑해 주길 바랐어요. 그것을 위해 태어났으니까요. 이곳을 떠나려는 내 시도를 '버림받았다'고 느꼈는지도 몰라요."

세계의 강제를 당해 본 적 있던 윤조는 묘길이 겪었을 일을 이해할 수 있었다. 꼭두각시 인형이 된 것처럼 몸을 움직일 수 없었다. 숨통을 조이는 그 압박에 죽을지도 모른다고 생각했다.

다른 세상에서 온 주인공들로 하여금 자신이 원하는 이야기의 결말로 이끌어 간다는 책의 행위는 '자의적'이며 '강제적'이고 '폭력적'이었다. 단순히 규칙이 아닌 의지적인 행위라 여겼던 그 모든 것은 착각이 아니었다.

"나는 나를 강제하는 세계를 향해 이곳은 내가 쓴 이야기일 뿐이라고 부정했어요. 이곳은 책 속 세상이고, 내가 돌아갈 진짜 세상은 책 밖에 있다고요. 순간 세상이 크게 흔들렸어요. 마치 내가 한 말에 화를 내는 것처럼. 그리고 내 말에 반항이라도 하듯 '이야기'로서의 세상을 그려 가기 시작했죠. 책은 내가 모르는 새로운 규칙을 만들어 냈어요. 처음으로 '주인공'이라는 개념을 사용했죠. 모든 이야기에는 주인공이 있다는 것을 역으로 제게 규정 지웠어요."

묘길의 말에 윤조는 뒤통수를 크게 얻어맞은 사람처럼 입을 벌렸다.

"자신에게서 도망치지 못하게 하려는 속셈이었군요. 주인공이 없는 이야기는 없으니까. 역으로 '주인공'으로 규정당하면 이야기 속에서 빠져나갈 수 없을 거라 여긴 거예요……!"

"맞아요. 이 세계는 순식간에 내가 소망한 이상향의 세계가 아닌 나를 가두는 감옥으로 변해 버렸죠. 설명할 수 없는 공포가 나를 덮쳤어요. 무언가 단단히 잘못되었다고 생각했죠. 바로잡아야 했어요. 그래서 나는 '결말'의 개념을 사용했죠. 책이 나를 이야기의 주인공으로 만들어 가두려 한다면 나는 이야기의 결말을 정해 그 끝을 보려 했어요. 모든 이야기에는 결말이 있으니까. 그 결말에 다다르면 이 세계를 벗어날 수 있도록. 세계는 불같이 화를 냈지만 내가 가져온 개념을 무시할 수는 없었어요. 스스로를 이야기로 규정한 만큼 '결말'에 이르러 이야기가 끝이 난다는 인과는 타당하니까요."

"그런데 왜 돌아가지 못했죠?"

"이야기의 결말에 도달하려면 그 이야기에 해당하는 타당한 전개가 필요했어요. 내가 그것을 찾고 있을 때 세계도 미친 듯이 나를 붙잡을 방법을 찾았죠. 그렇게 '결말에 이르러 주인공은 죽어야만 한다'는 규칙과 '남녀 두 명의 주인공이 한 쌍을 이루어야 한다'는 규칙이 지정됐어요."

"죽음은 인간이 느끼는 가장 큰 공포니까 세계가 그런 규칙을 정한 것도 이해가 가요. 쉽게 시도하지 못하게 하려던 거겠죠. 하지만 남녀 주인공이 한 쌍이 된다는 규칙은 무엇 때문이죠? 그래야만 했던 이유가 있나요?"

"세계는 자신처럼 나를 이곳에 붙잡아 두고 싶어 하는 초대 황제의 마음을 읽었어요. 그래서 그를 이용해 나를 붙잡아 두려고 했죠. 그런 조건을 걸면 나는 스스로 죽을 수 없을 것이고 나를 원하는 황제 역시 나를 죽일 리 없다고 판단한 거예요. 하지만 진심으로 나를 위했던 초대 황제는 내가 원래의 세상으로 돌아갈 수 있도록 도우려 했어요. 책은 나를 원하는 황제의 탐심을 알고 그런 조건을 걸었지만, 또한 나를 도우려는 이중적인 인간의 마음을 온전히 이해하지 못했죠. 그래서 '남녀 두 명의 주인공이 한 쌍을 이루어야 한다'는 규칙을 지정했으면서도 황제를 주인공으로 세우는 것을 망설였어요. 책이 주인공으로 인정한 황제가 나를 죽이면 나는 원래의 세상으로 돌아갈 자격을 얻게 되어 버리고 마니까요. 그래서 나는 그 틈을 타 세계가 정한 규칙에 위배되지 않게 내 결말을 정했죠."

묘길의 눈빛이 슬프게 일렁였다.

"이후의 모든 이야기의 결말을 책이 정한 것과는 달리 나는 창조주의 자격으로 내 이야기의 결말을 정할 수 있었어요."

"어떤 결말이었죠……?"

"사랑하는 사람의 손에 죽는 것."

묘길이 힘주어 답했다.

"내가 정한 결말은 '사랑하는 사람의 손에 죽는 것'이에요."

그녀의 대답에 윤조는 자신도 모르게 주먹을 말아 쥐었다.

"잔인한 결말이지만 그렇게 하지 않으면 세계의 손에서 벗어날 수 없다고 여겼어요. 나를 신으로 떠받드는 백성들은 내 죽음을 원치 않았고, 유일하게 나의 연인이었던 초대 황제만이 세계와 나 사이의 갈등을 이해하고 있었으니까요. 그 결말을 정했던 날, 나와 내 연인은 서로를 끌어안고 서럽게 울었죠. 그에게 그런 일을 시킬 수밖에 없는 현실이 너무 잔혹해서. 사랑했던 세계에서, 공포가 되어 버린 세계에서 달아나려 발버둥 칠 수밖에 없는 현실이 안타까워서. 땅이 메마르고 흐르던 강이 멈출 정도로 울고 또 울었어요. 그 눈물이 떨어진 자리에 커다란 나무가 자라났죠. 내 슬픔을 먹고 자라난 나무는 이 세계의 하늘을 마주하기 싫다는 듯 황궁의 지하를 향해 자라났어요."

묘길이 고개를 들어 공간의 높은 천장에 돔처럼 얽혀 있는 거대한 나무뿌리를 가리켰다.

"바로 저 나무요."

그녀가 고개를 돌려 윤조를 바라봤다.

"당신이 지금 신력을 사용할 수 없는 이유는 저 나무 때문이에요. 무녀라면 누구든 저 나무가 뿌리를 뻗은 곳에서는 신력을 사용할 수 없어요. 벽록서 별관 지하 감옥도, 이 공간도 마찬가지죠."

"어떻게 그럴 수 있죠? 나무가 신력을 제어할 수 있다는 말은 처음 들어요."

"저 나무가 바로 신목神木이니까요."

윤조의 눈이 커졌다.

"신목이라면, 신목의 책을 만드는 그 나무요?"

책장마다 무녀의 신력을 흡수하고 저장해 무녀들을 추적할 때 사용하는 그 책을 만드는 나무가 바로 신목이었다. 그녀의 반응에 묘길이 고개를 끄덕였다.

"맞아요. 저 나무의 뿌리를 잘라 종이를 만들고 그 종이로 신목의 책을 만들죠. 저 나무는 이 세계를 떠나려던 내가 마지막으로 이 세계를 위해 남겨 둔 슬픔과 애정의 표시였어요. 나는 여신으로

서 갖고 있던 거의 모든 힘을 저 나무에 불어넣었죠. 내가 떠나고 난 후에도 이 세계가 평화롭고 풍요롭게 유지되길 바라는 마음을 담아서. 신목은 내 힘을 흡수해서 더욱 거대하게 자라났고, 이 땅을 풍요롭게 유지하는 신력의 근원지가 되었죠."

여신의 힘을 흡수할 정도로 강한 나무였다. 그런 흡수력이라면 나무뿌리 근처에 있는 무녀들이 일시적으로 신력을 사용하지 못하게 되는 것도 이해가 갔다. 윤조가 묘길을 향해 물었다.

"신목에게 여신의 힘을 넘기면서까지 떠날 준비를 했던 당신은 어쩌다 이곳에 남게 된 거죠?"

"나를 붙잡으려는 세계의 마지막 발악이었죠."

잠시 침묵하던 묘길은 그날의 일을 떠올리는 것이 괴로운지 무척이나 고통스러운 표정을 지었다.

"그날은 이 세계를 떠나기로 결심했던 날이었어요. 준비를 마친 나는 처소에서 초대 황제가 오기만을 기다렸죠. 그런데 한참이 지나 나를 찾아온 그는 모든 것이 변해 있었어요."

"모든 것이 변해 있었다……?"

"말투도, 성격도, 나를 바라보는 눈빛도, 걸음걸이도, 마치 그 안에 들어 있던 영혼이 완전히 다른 누군가로 바뀌어 버린 것처럼."

뒤늦게 그 뜻을 이해한 윤조의 얼굴이 돌처럼 굳어졌다.

"설마."

그렇게 읊조리는 윤조의 목소리가 잘게 떨려 왔다.

"설마, 어떻게 그런……!"

"세계는 원래의 황제를 죽이고 그 대신 나를 이 세상에 붙잡아 둘 남자 주인공을 황제의 몸을 빌려 데려왔죠."

"그럼 당신이 죽였다면 그 남자 주인공이……."

경악하는 그녀를 마주한 묘길이 우는 듯 웃었다.

"네. 바로 그예요."

광기와 한이 어린 묘길의 웃음소리가 공간을 울렸다.

"나를 찾아온 그는 더 이상 내가 알던 그가 아니었어요. 나를 위하고 사랑해 주던 다정한 연인은 사라지고 낯선 인간이 그의 몸을 차지하고 있었죠. 황제라는 지위를 이용해 세상의 꼭대기에 서서 탐욕을 채우고 파괴를 즐기려는 괴물이 거기 있었어요."

손을 든 묘길이 옷고름을 풀고 저고리를 벗었다. 그녀의 행동을 지켜보던 윤조는 저고리 아래로 드러난 무수한 학대의 흔적을 마주하고 손으로 입을 가렸다. 풍성하고 긴 비단 옷 아래로 드러난 묘길의 하얀 피부에는 불에 그슬린 화상과 찢기고 터진 오랜 흉터가 가득했다. 그녀는 치마에 가려진 묘길의 다른 신체도 그와 다르지 않을 거라 짐작했다.

절로 신음이 튀어나왔다. 간신히 입을 가려 신음을 삼킨 윤조의 두 눈이 더는 커질 수 없을 정도로 커졌다. 참담한 심정을 감추지 못하고 자신을 바라보는 그녀를 향해 묘길이 웃었다.

"일부러 치료하지 않았어요. 기억하려고. 절대 잊지 않으려고. 머리에, 가슴에, 온몸에 새겨 절대로! 절대로 잊지 않으려고……! 내 연인의 몸으로 나를 범하고, 내 연인의 얼굴을 하고 나를 학대하고, 또 학대했던 그를!!! 그 긴 세월 동안 단 하루도! 난 그 고통을 잊어 본 적이 없어요. 단 하루도! 편히 잠들지 못했어요. 단 하루도……!!! 이 땅에서 살아온 단 하루도!!! 이 세계에서 머물렀던 천 년 가까운 시간 동안 단 하루도……!!!!!"

찢어지는 외침이 피를 토할 듯했다. 비틀거리던 묘길이 거친 숨을 몰아쉬며 감옥의 창살을 붙잡았다.

"내가 여신의 힘 중에 유일하게 치유력을 남겨 두었던 이유는 세계가 정한 '결말에 이르러 주인공은 죽어야만 한다'는 규칙 때문이었습니다. 일이 잘못될 수도 있으니 만약을 대비해 나를 치료할 힘이 필요했죠. 그런데 그 힘 때문에 나는 죽고 싶어도 마음대로 죽을 수도 없었습니다. 사랑하는 사람에게 죽어야 한다는 내가 정한 결말 때문에 나는 스스로 죽을 수도 없었습니다. 하하, 상상이 갑니까? 나를 살리려는 이 빌어먹을 힘 때문에! 죽을 만큼 괴로운 고통을 겪으면서도 다시 살아나고, 또 살아나고, 또 살아나고……! 하하하하! 흐하하하!!!"

묘길은 온몸을 들썩이며 광소했다.

"놈은 내가 가진 힘을 이용해 보다 강력한 힘과 권위를 탐하려 했고, 수년에 걸쳐 강제로 나를 임신시켜 낳게 한 내 아이가, 내 딸들이 내가 지닌 치유력을 그대로 물려받는다는 사실을 알아냈죠."

"그만……."

구역질이 날 정도로 끔찍한 역사에 윤조가 도리질을 치며 자리에 주저앉았다. 그럼에도 묘길의 이야기는 멈추지 않았다.

"태어난 내 딸들은 모두 나와 마찬가지로 비참한 생을 연명해야 했습니다. 또 다른 무녀를 낳기 위해! 무녀들을 황실의 힘으로 삼아 권력을 휘두르려는 인간들의 탐욕 때문에!!! 짐승처럼 지하 감옥에 갇혀 시간이 낮인지 밤인지, 하루가 지났는지 한 달이 지났는지, 계절이 바뀌고 또 바뀔 동안 계속해서! 낯선 사내들을 받아들이고 원치 않는 아이를 낳으면서도 계속해서……!!!"

"제발 그만!"

"똑똑히 들어-!!! 그래서 내가 놈을 죽였다! 방대한 신력이 치사량이 될 수 있다는 것을 깨달은 직후 놈의 심장을 멎게 했다!!! 하하하! 생명을 살리는 힘을 처음으로 생명을 죽이는 데 사용했지!"

묘길이 소리쳤다. 쉬고 갈라진 탁한 음성이 몸서리치는 윤조의 고막을 때렸다.

"똑똑히 듣고 나를 봐!!! 이런 내가 아직도 틀렸는지!!! 이런 역겨운 세상을 끝내려는 내가 아직도 부당하게 보이는지……!!! 피에서 피로 수백 년 동안 이어진 이 빌어먹을 힘이 여신의 축복이라며 말 같지도 않은 소리를 지껄이는 황실과 이 나라를! 내가 어떻게 용서할 수 있었겠나! 내가 어떻게!!! 어떻게 이 분노를 거둘 수 있겠나!!!!!"

분노와 광기로 점철된 그녀가 악성을 내지르며 밖을 가리켰다.

"저들은 자격이 없다! 밖에 있는 저들은 이런 내 분노를 들을 자격조차 없는 자들이다!!! 하지만 내 딸들은! 가여운 그 아이들은! 이 세상에 태어난 것만으로도 죄인의 낙인을 지울 수 없는 무녀들은 대체 무슨 죄란 말인가……!!! 이 나라에 갇혀 자유롭게 밖을 오가지도 못하고! 평생을 황실에 헌신하면서! 축복을 받았다는 허울 좋은 명목 아래 권력과 전쟁에 휘둘리는 내 아이들은!!! 무녀라는 자리가 무엇을 뜻하는지 알지도 모른 채 계속해서 이용당할 내 아이들을 그저 두고 봤어야 했나-!!!!!"

그녀의 두 눈에서 피눈물이 흘렀다.

"시작이 나였으니 끝도 내가 맺으려 했을 뿐이다. 이 땅이 지옥이라는 것조차 모르는 내 아이들을 위해서! 파렴치한 역사를 지워버린 이 나라를 무너뜨리고 한 맺힌 이 지옥을 끝내기 위해서!"

그런 묘길을 바라보는 윤조의 두 눈에서도 차오른 눈물이 흐르고 있었다. 한 여인의 인생이 더 잔인할 수 없을 정도로 처절하게 망쳐진 그 역사에, 그 잔혹한 결과에 시야가 뿌옇게 변했다. 쿵쾅거리는 심장이 곧 멈추어도 이상하지 않을 것 같았다. 선연한 묘길의 고통이 전신을 찔러 왔다. 스스로가 우는 줄도 모르는 채 윤조는 눈물을 쏟았다.

그 순간 그녀는 묘길이 자신에게 왜 그토록 집착했는지 알 것 같았다. 그녀에게 그녀와 같은 책 밖의 세상에서 온 사람이자, 무녀이자, 그녀의 피를 이은 딸이기도 한 자신의 존재가 어떻게 느껴졌을지. 괴로움과 분노로 터질 것 같던 그녀의 심장에 어떤 비수가 되어 날아들었을지. 아마도 묘길은 자신의 존재를 알아챈 순간 이 전쟁을 더욱더 확고히 결심했을 것이다.

그녀는 자신의 고통을 들추는 역사의 결과물이 자신과 같은 주인공이라는, 이 세계의 최악의 희생양이 되어 나타났다는 것을 깨닫는 동시에 드디어 그녀를 온전히 이해해 줄 존재가 나타났다고 여겼던 것이다. 마침내 때가 왔다고. 이 세계를 파괴하고 자신을 해방시켜 줄 그때가 비로소 온 것이라고.

그런 윤조의 마음을 읽기라도 한 듯이 묘길의 입가에 미소가 번졌다. 잔잔하고 다정한, 그러나 애달픈 미소였다.

“당신만이 나를 이해할 수 있어요. 오직 당신만이 내 괴로움을 들어 줄 자격이 있어요. 오직 당신만이 나를 이해할 수 있어요.”

품 안에서 단검을 꺼낸 묘길이 윤조를 향해 손을 뻗었다.

“나를 죽여요. 제발 나를 죽여 주세요. 나를 죽이고 내가 미뤄 왔던 결말을 맺고 나 대신 소원을 빌어요. 소원을 빌 수 있는 건 현재의 이야기에 해당하는 주인공뿐. 원한다면 그대는 언제든지 원래의 세상으로 돌아갈 수 있습니다."

묘길은 처음부터 이럴 작정이었던 것이다. 그녀는 처음부터 '사랑하는 사람'에게 자신의 죽음을 부탁하기 위해 윤조를 곁에 두었던 것이었다. 그녀가 가진 한의 상징이자 사랑하는, 간절한 모든 것의 집합체인 윤조를 통해 파괴되는 이 나라와 함께 죽음을 맞이하기 위해서.

"미안해요. 제발 나를 죽여 주세요."

내밀어진 단검이 시리게 빛났다. 잔인하고도 간절한 묘길의 소망이 비수가 되어 윤조의 심장에 날아들었다.

"바위를 날려라!!!"

투석기에서 날아간 바위가 이미 반쯤 부서져 있던 황성의 좌측 성벽을 노리고 날아갔다. '쾅!' 하는 소리와 함께 성벽이 진동했다. 성 안쪽에 잡혀 있던 백성들이 놀라 비명을 질렀다.

"궁수 부대!!! 보병 부대!!! 앞으로!!! 날개를 펼쳐라-!!!"

나투국의 군대가 진을 치고 황성을 포위한 가운데, 앞으로 나선 궁수 부대와 보병 부대가 일사불란하게 움직였다. 황성의 좌측과 우측에 날개를 펼친 모양으로 도열한 그들을 바라보던 준영이 왼손을 들어 올렸다. 수천 개의 화살을 장전한 그들이 성벽 위에 있는 적의 심장을 노렸다.

"쏴라-!!!"

올라갔던 준영의 손이 아래로 떨어짐과 동시에 화살이 빠르게 쏘아졌다.

"방패를 올려라!!! 화살을 막아라!!!"

파소월과 그의 장수들이 창병과 보병을 지휘했으나 지금껏 제후군의 궁수 부대를 이끌며 방어전에 큰 힘이 되었던 건 감사헌과 그의 궁수 부대였다. 파소월이 보이지 않는 감사헌의 모습에 소리쳤다.

"감사헌 장수는 대체 어딜 간 것이냐!!!"

"병사들과 함께 황궁에 간 뒤로 돌아오지 않았다고 합니다!"

감사헌이 키얀의 손에 죽었다는 사실을 모르는 그들이 힘겹게 공격을 방어할 때였다.

"황궁 쪽에서 전차가 오고 있습니다!!!"

병사의 외침에 뒤돌아 성 안쪽을 확인한 파소월은 성벽을 향해 점점 가까워지는 전차를 발견하고 눈을 가늘게 떴다.

"저건 서국 황제의 전차가 아닌가……!"

그는 가까워지는 전차가 키얀의 것이라는 것을 알아챘다. 성벽 앞에서 멈춘 전차에서 키얀과 하센, 태수 진대원이 내렸다. 키얀의 등장에 백성들과 함께 잡혀 있던 최 승상과 삼안이 멀리서 눈짓을 주고받으며 상황을 주시했다.

"지금부터 감사헌의 부대는 파소월 장수가 지휘한다."

키얀의 명령에 제후군 사이에서 술렁임이 일었다. 타당한 이유도 없이 갑작스럽게 지휘관이 교체된 감사헌의 궁수 부대에서 반발이 거셌다. 이해되지 않는 상황에 파소월 역시 의문했다.

"황궁으로 갔던 감사헌 장수는 어디에 있습니까?"

"그는 죽었다."

파소월의 가주인 진대원이 앞으로 나섰다.

"제후 왕막이 감사헌을 시켜 나를 죽이려 했다. 폐하께서 도와주시지 않았다면 나는 죽었을 것이다."

거짓을 지어 내며 진대원은 자신의 바로 곁에 서 있는 키얀의 눈치를 봤다. 진대원의 거짓말을 믿은 파소월이 왕막과 감사헌의 비열함에 분개했다.

"그럴 수가! 그가 가주님을 해치려 했단 말씀입니까!!!"

"그렇다. 나를 견제하던 왕막이 비열하게 내 뒤를 치려 했다. 그러니 그대는 폐하의 말대로 감사헌의 부대를 지휘하라!"

"알겠습니다."

파소월이 감사헌의 궁수 부대와 보병 부대를 향해 소리쳤다.

"지금부터 너희의 새로운 지휘관은 바로 나 파소월이다! 내 명령을 따르지 않는 자는 이 자리에서 군법으로 다스리겠다!"

감사헌의 부관이 이는 말도 안 되는 처사라며 앞으로 나섰으나 파소월의 손에 명을 달리했다. 부관의 죽음에 적잖은 충격을 받은 병사들이 상황을 파악하고 파소월을 향해 고개를 숙였다. 거부한다면 죽음뿐이었다. 파소월이 소리쳤다.

"궁수 부대!!! 화살을 준비하라!!!"

한편, 전과 달리 우왕좌왕하는 제후군의 움직임이 이상하다는 것을 깨달은 파이엔이 성벽을 살피다 준영을 향해 말했다.

"궁수 부대 지휘하던 놈이 안 보이는데?"

"감사헌 말인가?"

"어. 그때 너한테 화살 날렸던 놈."

"그래서 응대가 없던 거였나."

"내부에 문제라도 생긴 모양이지."

파이옌과 준영이 성 벽 위를 주시할 때였다. 방패를 들어 공격을 방어하던 파소월의 병사들이 뒤로 물러나고, 그 사이로 궁수 부대가 도열하는 모습이 보였다.

"젠장, 문제가 벌써 해결된 모양이네."

떨떠름한 파이옌의 읊조림에 준영이 서둘러 병사들을 향해 명령했다.

"보병들은 방패를 들어라—! 궁수들을 보호하라!!!"

궁수 부대의 병사들 곁에 방패를 들고 대기해 있던 보병들이 머리 위로 방패를 들어 올려 궁수 부대를 보호했다. 그 직후 성벽 위에서 화살 비가 쏟아져 내렸다. 마찬가지로 방패를 들어 날아오는 화살을 막던 준영은 잠시 뒤 공격이 멈추자 방패를 내리고 성벽 위를 바라봤다. 바라본 곳, 검을 든 하센과 파소월이 양측에 자리한 가운데에 키얀이 서 있었다. 준영은 자신을 향하는 그의 붉은 시선을 느끼고 까드득 이를 갈았다.

"키얀……."

준영의 곁에 있던 파이옌과 홍 장군 역시 성벽 위에 선 키얀을 발견했다. 그들을 내려다보던 키얀이 조용히 오른손을 들어 올렸다. 대기하고 있던 제후군과 서국의 궁수 부대가 화살에 불을 붙였다. 키얀의 손이 아래를 향했다.

"쏴라."

무수한 불화살이 성 밖을 향해 쇄도했다.

"방패를 들어라!"

준영의 명령에 키얀의 입매가 호선을 그렸다. 나투국의 병사들이 일제히 방패를 높이 들어 화살을 막았다. 그 순간 '펑!' 하는 소리와 함께 방패에 닿았던 화살이 폭발했다. 화살이 떨어진 나투국 진영 곳곳에서 연달아 폭음이 울렸다.

일반 불화살과 섞여 나투국의 진영에 쇄도한 화살의 정체는 화전이었다. 화약을 종이와 베로 싸서 노끈으로 화살대에 묶어 불을 붙여 적을 공격하는 화전은 노끈이 타들어 감과 동시에 폭발을 일으켰다. 또 화약과 함께 배합해서 넣는 재료에 따라 연막탄이나 독가스와 같은 효과를 내기도 했다.

곳곳에서 들리는 폭음과 동시에 뿌연 연기가 시야를 가렸다. 눈과 코가 화끈거리는 매캐한 연기에 나투국 병사들의 대열이 흐트러졌다.

"당황하지 마라!!! 대열을 지켜라!!!"

홍 장군이 외쳤으나 곳곳에서 들려오는 폭음과 시야를 가리는 연기 탓에 병사들의 혼란은 가중되었다. 급히 코와 입을 틀어막은 채 연기 밖으로 빠져나온 준영이 소리쳤다.

"투석기!!! 바위를 날려라!!! 공격을 멈추지 마라-!!!"

매운 연기에 기침을 토하던 병사들이 급히 바위를 날라 투석기를 장전했다. 힘껏 당겨진 밧줄이 끊어지고, 거대한 바위가 성벽을 향해 날아갔다. 파소월이 병사들을 향해 소리쳤다.

"모두 피해라!!!"

"폐하-!!!"

하센이 급히 키얀을 보호하며 몸을 피했다. 바위가 키얀이 서 있던 자리를 강타했다. 미처 자리를 벗어나지 못한 제후군과 서국의 병사들이 움푹 파인 성벽과 함께 쓸려 나갔다. 부서진 바닥 위로 튀어 오른 파편이 키얀의 볼을 스쳤다. 찢어진 상처 위로 흐르는 피를 닦아 낸 키얀이 소리쳤다.

"노궁병!!! 투석기를 공격하라-!!!"

대기하고 있던 노궁병들이 투석기를 향해 거대한 화살을 연사했다.

"바위를 날려라-!!!"

준영의 외침과 동시에 다시금 바위가 날아갔다. 거대한 화살 수십 대가 투석기에 충돌하는 것과 거의 동시에 '쾅! 콰과광!' 천지를 뒤흔드는 굉음이 전장을 뒤흔들었다. 날아간 바위가 다시금 제후국과 서국의 병사들을 무참히 휩쓸었다.

바위를 날린 직후 우지끈 소리와 함께 부서진 투석기는 반동을 이기지 못하고 넘어지며 바닥에 흉측한 선을 그었다. 그 모습을 지켜보던 키얀이 파소월을 향해 신호했다. 그러자 그의 뒤를 따르는 천 명의 병사들이 성벽 아래로 내려갔다.

"화전을 계속 날려라!!! 적의 대형을 무너뜨려라!!!"

하센의 명령에 궁수들이 공격을 계속했다. 폭음과 연기가 걷히지 않았다. 매운 연기를 참지 못한 병사들이 대열을 이탈해 연기 밖으로 도망쳤다.

"대열을 지켜라!!! 흩어져선 안 된다-!!!"

"방패를 내리지 마라!!! 궁수들을 보호하라!!!"

다급한 홍 장군과 준영의 외침이 전장에 메아리쳤다. 이 모습을 지켜보던 대홍려 체밀이 황자를 따라 그와 함께 왔던 서국의 병사들을 향해 외쳤다.

"나투국의 병사들을 도와라!!! 방패를 들어 저들을 보호하라!!!"

천으로 코와 입을 가린 서국의 병사들이 쏟아지는 화살 비 사이로 빠르게 질주했다.

"평화를 위해 희생하신 황자 전하를 기억하라!!!"

"황자 전하를 위하여!!!"

"황자 전하를 위하여……!!!"

황자의 이름을 외친 그들이 무너진 나투국의 대열을 채우며 흩어진 병사들을 대신해 방패를 들었다. 이 광경을 지켜보던 키얀이 분노해 소리쳤다.

"성문을 열어라!!! 전차 부대 진격하라!!!"

계속되던 화공이 멈추고, 성벽에서부터 북소리가 울렸다. 서서히 열리는 성문 뒤로 파소월의 전차 부대가 모습을 드러냈다. 가장 먼저 이 모습을 발견한 홍 장군이 다급히 소리쳤다.

"서황의 전차 부대다!!! 준영아! 병력을 뒤로 물려라-!"

이를 발견한 준영이 말을 몰아 달려가며 병사들을 향해 소리쳤다.

"퇴각 신호를 보내라-!!! 궁수 부대 후퇴하라!!! 보병 부대 즉시 후퇴하라-!!!"

뿌연 연기 탓에 퇴각기를 보지 못한 병사들이 대열을 벗어나지 못했다. 퇴각을 알리는 소라고둥 소리가 재차 울렸으나, 연기 속에서 방향감각을 상실한 병사들이 혼란에 빠졌다. 훈련받지 못한 오합지졸처럼 제각기 다른 방향을 향해 달아나기 시작하는 나투국의 병사들을 바라보며 키얀이 조소했다.

"놈들을 모조리 쓸어 버려라-!!!"

열린 성문 뒤에서 파소월을 선봉으로 서황의 전차 부대가 진격했다. 파소월의 전차가 중심에 서고 양쪽으로 늘어선 황금빛 전차들을 선두로 천 대에 달하는 전차 부대가 대지를 박찼다.

두두두두두---!

일시에 정면을 향해 달려오는 무수한 전차들에 지진이 일어난 것처럼 땅이 흔들렸다. 실로 무서운 광경이었다. 이대로 밀린다면 승리를 장담할 수 없었다. 퇴각하는 궁수 부대와 보병 부대를 향해 밀려오는 전차들을 바라보던 준영이 도열한 기마 부대를 향해 외쳤다.

"기마 부대!!! 마지막까지 나와 함께하겠나!!!"

"예! 대장군!!!"

"나투국 최강의 전투력을 보여 줄 때가 왔다!!! 모두 창을 들어라!!!"

짙은 황금빛으로 빛나기 시작한 노을이 그들의 머리 위를 밝혔다. 어깨가 욱신거렸지만 그는 무시했다. 파이엔이 그런 준영의 상태를 알아채고 그의 옆에 섰다.

"긴장했냐?"

"네놈이야말로."

"죽지 말라고 했다."

"죽지 않겠다고 했다."

단호한 준영의 대답에 작게 웃던 파이엔이 창을 들었다. 준영은 천으로 묶어 단단히 고정한 대검을 높이 들어 올리며 소리쳤다.

"해가 지기 전에 우리는 승리한다-!!! 기마 부대!!! 돌격하라-!!!"

땅을 박찬 3천 명의 기마 부대가 밀려드는 서황의 전차 부대를 향해 돌격했다. 점점 빠르게 속도를 내며 질주하는 서황의 전차들 역시 마주 오는 준영의 기마 부대를 향해 무서운 기세로 달려가고 있었다.

성 안에서 이 모습을 지켜보던 최 승상이 자리에서 벌떡 일어나 열린 성문 밖을 바라봤다. 그와 눈짓을 주고받던 삼안과 그의 장수들도 마찬가지였다.

"부서져라."

최 승상이 자신도 모르게 중얼거렸다.

"부서져라……!"

가까워지는 서로를 바라보는 준영과 파소월의 표정에 비장함이 어렸다. 멀리서 이 모습을 지켜보던 키얀과 온 황제의 표정에도 긴장감이 어렸다. 천지를 뒤흔드는 힘의 격돌을 예상한 모든 이가 숨을 죽였다. 전차 부대와 기마 부대가 충돌하기 직전이었다.

그 순간, 빠르게 속력을 내던 파소월의 전차에서 바퀴 하나가 떨어져 나갔다. 상황은 순식간에 벌어졌다. 파소월의 전차를 시작으로 선봉에서 달리던 모든 전차들이 바퀴를 잃거나 중심을 잃고 바닥에 처박혔다. 그와 동시에 그를 뒤따르던 무수한 전차들이 앞선 전차와 충돌하며 부서지고 튕겨 나갔다.

기적 같은 상황에 성 안에서 이 모습을 지켜보던 나투국의 백성들이 하나둘 자리에서 벌떡 일어났다. 멍한 시선으로 그 광경을 바라보던 백성들 사이에서 환호성이 터졌다.

"기적이다……! 기적이 일어났다!!!"

환호하는 백성들 사이에 서 있던 최 승상이 삼안을 향해 소리쳤다.

"지금이다-!!!"

최 승상의 신호가 떨어짐과 동시에 삼안과 그의 장수들이 검을 뽑아 근처에 있던 서국의 병사들을 베었다.

"성문을 사수하라!!! 활로를 열어 아군의 입성을 도와라-!!!"

삼안의 외침에 대기하고 있던 2천 명의 병사가 일제히 검을 뽑아 들고 성문을 지키던 서국의 병사들과 제후군의 병사들을 향해 달려들었다.

파소월이 이끄는 서황의 전차 부대가 허망하게 부서지는 것을 지켜본 키얀의 시선이 진대원을 향했다. 나투국 최강이라 일컬어지던 자신의 군대가 전멸하는 모습에 충격을 받은 진대원이 겁에 질린 얼굴로 키얀을 바라봤다.

"폐, 폐하……!"

그의 말은 이어지지 못했다. 분노한 키얀의 검이 그의 머리 위로 여러 번 내리쳐졌다. 키얀의 얼굴과 옷 위로 피가 튀었다. 거친 숨을 몰아쉰 그가 잔혹한 몰골로 죽은 진대원의 모습을 노려봤다.

"폐하!!! 삼안의 병사들이 우리를 배신했습니다!!! 성문이 공격당하고 있습니다!!!"

뒤이은 병사들의 보고에 그가 참지 못하고 소리 질렀다.

"다 죽여라!!! 전부 다!!! 놈들을 모두 죽여 없애란 말이다!!!"

성문에서 치열한 전투가 벌어졌다. 삼안의 군대가 잡혀 있던 백성들을 보호하며 서국의 병사들과 맞섰다. 준영과 기마대가 괴멸한 서황의 전차 부대를 뛰어 넘어 그대로 성문을 향해 진격했다. 이를 지켜보던 홍 장군이 퇴각하던 궁수 부대와 보병 부대를 향해 소리쳤다.

"전군 돌격하라!!! 황성을 탈환하라-!!!"

성문을 향해 몰려오는 나투국의 군대에 하센이 급히 키얀을 피신시켰다.

"폐하! 속히 몸을 피하셔야 합니다! 병사들은 폐하를 보호하라!"

삼안의 병사를 베어 넘기며 성벽 아래로 내려온 키얀과 하센이 전차에 올랐다. 이미 열린 성문 안으로 들어온 기마대가 전투를 벌이고 있었다. 키얀이 전차를 출발하며 병사들을 향해 명했다.
"놈들을 막아라!!! 가옥에 불을 질러라!!!"
서국의 병사들이 시간을 벌기 위해 근처 가옥에 불을 지르기 시작했다. 기마대와 함께 황성 안으로 들어온 준영이 뒤따르는 병사들을 향해 소리쳤다.
"병사들은 화재를 진압하라!!! 불길이 번지는 것을 막아야 한다-!!!"
지금은 건기다. 번진 불은 대재앙이 될 수도 있었다. 이를 지켜보던 백성들 역시 앞다퉈 화재 현장으로 달려갔다.
"대장군!!! 서국의 황제가 황궁으로 도주했다!!!"
한쪽에서는 전투가 벌어지고 다른 한쪽에서는 화재를 진압하기 위해 병사들이 투입되는 혼란한 와중에 익숙한 목소리가 들려왔다. 소리가 들려온 방향으로 고개를 돌린 준영은 삼안과 함께 있던 최 승상을 발견했다.
"대승상! 무사하셨군요……!"
"대장군! 윤조가 사라졌네! 묘길에게 잡혀 갔는데 황궁 안 어디에 있는지 아직 찾지를 못했네! 어서 가 보게, 어서!!!"
최 승상이 무사하다는 반가움도 잠시, 윤조가 묘길에게 잡혀가 행방불명이라는 소식에 준영의 표정이 삽시간에 굳어졌다. 곁에서 그 이야기를 들은 파이옌이 욕지기를 삼키며 곧장 황궁을 향해 말을 달렸다. 준영이 그런 그를 향해 소리쳤다.
"파이옌! 혼자서는 무리다!!!"
"먼저 가 있겠다!!!"
"기마대!!! 나를 따르라!!! 속히 황궁으로 간다!!!"
기마대를 향해 소리친 준영이 파이옌을 뒤따라 황궁을 향해 빠르게 말을 몰았다. 뒤이어 입성한 홍 장군은 최 승상, 삼안과 함께 병사들을 통솔했다. 윤조의 행방을 알 수 없다는 최 승상의 말에 홍 장군이 분개했다. 그때 병사들 사이에서 비명이 터졌다.

"늑대다!!! 거대한 늑대가 나타났다!!! 모두 피해라!!!"

"늑대라니……?"

뜬금없는 소리에 최 승상과 삼안의 시선이 소리가 들려온 쪽을 향했다. 그들은 병사들의 비명처럼 거대한 몸집을 지닌 늑대 떼가 곧장 황궁이 있는 방향을 향해 달려 나가는 모습을 보고 입을 벌렸다.

"저 늑대는 설마……."

"저거 혹시 바위늑대 아닙니까? 국경 산성의 신수神獸라 불리는?"

바위늑대는 국경지대 산성의 신수라 불리는 영물로, 외형은 일반 늑대와 같으나 몸집이 더욱 크고 가죽이 철갑처럼 두꺼워 화살이나 웬만한 창검으로는 흠집조차 낼 수 없을 정도로 강력한 방어를 자랑했다. 또 무리를 이루어 사냥하는데 그 이빨과 악력은 호랑이도 물어 죽인다 하여 '서살랑噬殺狼'이라는 악명으로도 불렸다.

경악 어린 두 사람의 반응에도 홍 장군은 대수롭지 않게 반응했다.

"녀석들 수레 안에서 그 난리를 치더니 기어이 윤조를 찾아가는 모양이지."

"홍 장군, 그게 무슨 말인가? 바위늑대가 윤조를 찾아가다니?"

"저놈들 대장이 우리 윤조라더군."

"예?! 윤조 무녀님께서요?!"

"나람성 사람들이 입을 모아 그러더군. 늑대들의 주인이 윤조라고 말이야."

삼안의 입이 쩍 벌어졌다. 서살랑이라는 악명으로만 보면 괴수로 불려도 이상할 것 없는 바위늑대가 신수로 불리는 이유는 하나였다. 늑대라고는 생각할 수 없을 만큼 높은 지능을 가진 그들은 대장을 중심으로 동료 모두의 의식을 공유했다. 그렇기에 제아무리 멀리 떨어진 동료와도 대화를 하고 위치를 파악하는 일이 가능했다.

기록된 대륙의 고사에 그에 관한 유명한 일화가 나온다. 바위늑대의 새끼를 몰래 훔쳐다가 사막 너머 먼 대륙의 북쪽 나라의 귀족에게 비싼 값을 받고 판 욕심 많은 사내가 있었는데, 바위늑대들은 사막을 건너 새끼를 되찾은 것은 물론이고 새끼가 기억하는 사내의 얼굴과 행적을 모조리 공유해 끝까지 추적하여 물어 죽였다는 이야기가 바로 그것이다.

재차 놀라는 삼안의 모습에 '우리 며느리가 대단하지'라며 뿌듯하게 고개를 끄덕이던 홍 장군이 의문했다.

"그런데 자네는 누군가?"

한편, 파소월의 전차 부대가 진격 준비를 마쳤을 시각.

황실의 지하 비밀 통로. 윤조를 찾기 위해 사람들 몰래 방을 나섰던 의령은 먼저 출발한 수색대를 뒤따라 황궁의 비밀 통로로 들어오는 데 성공했다. 윤조가 알려 줬던 대로 우물 아래로 연결된 밧줄을 붙잡고 물 위로 나온 그녀는 축축하게 젖은 옷에서 물기를 짜내며 주변을 살폈다.

'수색대는 어디로 갔을까?'

조심스럽게 걸음을 옮기며 사람들의 흔적을 찾던 그녀는 비교적 가까운 곳에서 들려오는 인기척에 몸을 낮추고 숨을 죽였다. '끼이이익, 끼이이익' 하는, 쇠로 무언가를 긁는 것 같은 불쾌한 소리가 일정한 박자로 들려오고 있었다. 고개를 내밀어 소리가 들려오는 모퉁이 너머를 확인하던 그녀는 익숙한 뒷모습을 발견하고 눈을 크게 떴다.

"혜린 무녀……?"

순간 자리에서 멈춰 선 혜린이 뒤로 돌았다. 그보다 빨리 모퉁이 뒤로 몸을 숨긴 의령이 두 손으로 자신의 코와 입을 가렸다. 숨을 참고 귀를 기울이자 곧 멀어지는 혜린의 발소리가 들려왔다.

'혜린 무녀에게는 신목의 책이 있다.'

의령은 혜린을 마지막으로 봤을 당시 그녀가 신목의 책과 함께 자취를 감췄던 사실을 떠올렸다. 묘길이 윤조를 데리고 이곳 깊숙한 어딘가에 숨어 있다면 그들이 있는 곳을 정확히 찾아낼 수 있는 사람은 혜린뿐이었다. 의령이 조심스럽게 혜린의 뒤를 좇았다.

그렇게 얼마나 지났을까? 혜린은 문득문득 자리에 멈춰 서서 주변을 살폈으나 의령이 자신의 뒤를 몰래 따라오고 있다는 것은 눈치채지 못했다. 혜린은 신목의 책을 펼쳐 묘길의 신력을 추적했다. 빛이 되어 공중에 떠오른 신력이 서서히 한 곳을 향해 날아갔다. 점점 더 깊숙한 통로로 들어가는 혜린을 따라 의령 역시 그 뒤를 좇았다.

그러던 의령은 어두컴컴한 통로를 지나 모퉁이를 돌던 중 보이는 끔찍한 광경에 뒷걸음질 쳤다. 통로 안에는 시체가 가득했다. 죽은 서국의 병사들과 그들 사이로 보이는 호위 무녀들의 모습에 의령이 입을 틀어막았다. 절로 튀어나오려는 비명을 삼킨 그녀가 주변을 살폈다. 그사이 어디로 갔는지 혜린의 모습이 보이지 않았다.

"이런, 어디로 간 거지?"

조심스럽게 시체 사이를 넘어가며 주변을 살피던 그녀는 멀지 않는 곳에 쓰러져 있던 홍씨 가문의 식솔들을 발견했다. 수색대로 파견된 사람들이었다. 놀란 그녀가 식솔들을 향해 다가갔다.

"이보게! 눈을 떠 보게! 대체 무슨 일이 있었던 건가!"

"무녀님……?"

그때 쓰러져 있던 식솔들 중 한 명이 의식이 있었는지 힘겹게 의령을 향해 손을 뻗었다.

"무녀님, 무녀님. 쿨럭……!"

"가만히 있어라!"

의령이 급히 식솔의 상처에 신력을 불어넣었다.

'이미 피를 너무 많이 흘렸다.'

상처가 치료되지 않았다. 의령은 이미 식솔의 생명이 다해 간다는 것을 깨달았다. 식솔 역시 그런 사실을 알았는지 힘겹게 의령의 팔을 붙잡았다.

"무, 무녀들이 저 뒤에서 나왔습니다. 저, 저기, 저기 벽 뒤에서 무녀들이……."

의령은 식솔이 가리키는 벽을 바라봤다.

"저곳에서 호위 무녀들이 나왔단 말인가?"

"예, 예. 병사들이, 너무 많았습니다. 병사들이 계속해서……."

간신히 말을 잇던 식솔의 숨이 끊어졌다. 의령은 자신의 팔을 붙잡고 있던 그의 손이 힘없이 아래로 향하는 것을 지켜보며 괴로운 표정을 지었다.

이를 악물고 눈물을 참던 그녀가 자리에서 일어났다. 그녀는 시체를 넘어 식솔이 가리켰던 벽 앞에 섰다. 호위 무녀들이 이 뒤에서 나왔다면 어딘가 장치가 있을 것이다.

'혜린 무녀도 이 벽 뒤의 공간으로 들어갔을 것이다.'

의령이 초조하게 입술을 깨물었다. 그녀는 신목의 책과 함께 혜린이 들고 있던 검을 떠올렸다. 긴 장검을 바닥에 늘어뜨린 채 비틀거리며 걷던 불안한 혜린의 움직임이 뇌리를 떠나지 않았다. 불길한 예감이 그녀의 전신을 휘감았다. 의령이 벽을 살피며 다급히 손을 움직였다.

"제발 열려라! 제발! 제발……!"

"미안해요. 제발 나를 죽여 주세요."

내밀어진 단검이 시리게 빛났다. 잔인하고도 간절한 묘길의 소망이 비수가 되어 윤조의 심장에 날아들었다. 묘길은 미동 없는 윤조를 향해 간절히 애원했다.

"이렇게 빌게요. 제발 나를 죽여 줘요. 이 끔찍한 지옥에서 벗어날 수 있게 도와줘요. 제발 나를 좀 도와주세요……."

감옥 창살에 몸을 기댄 채 흐느끼던 묘길이 스르륵 바닥에 주저앉았다. 멍하니 서 있던 윤조의 입술이 작게 움직였다.

"문 열어요."

"대답해 주기 전까지 열지 않을 거예요."

"열어요, 당장……!!!"

"그럴 수 없어요."

"문 열으라고-!!!"

소리치던 윤조의 시선이 문득 묘길이 들고 있는 단검으로 향했다. 빠르게 움직인 그녀가 주저앉아 있던 묘길의 팔을 잡았다. 아니, 잡으려 했다. 간발의 차이로 윤조의 손길을 피한 묘길이 그녀를 노려봤다.

"뭘 하려고요? 자해라도 하려고요?"

"나를 치료하려면 이곳에서 나가야 할 테니까요."

이 공간 안의 무녀는 누구라도 신력을 사용할 수 없다. 그것은 묘길도 마찬가지였다.

"검이 없어도 상처 낼 방법은 많아요."

"지금 당신 목숨을 빌미로 나를 협박하는 겁니까?"

"내가 아니면 당신은 죽지 못해. 그러니 지금까지 나를 보호하기 위해 그토록 애쓴 거겠지."

"당신만을 보호하지는 않았어요. 다른 무녀들도 보호했죠."

"사랑해서?"

당당했던 이전과 달리 묘길은 쉽게 대답하지 못했다.

"당신은 무녀들을 사랑만 하는 게 아니잖아."

"……."

"당신은 당신과 같은 세상에서 온 나를, 당신을 이해하고 구원해줄 수 있는 나를 사랑할 수는 있어도 무녀들을 온전히 사랑하진 못해. 내말이 틀려?"

"아니에요. 난 그들을 사랑해요."

"동시에 증오하겠지."

"아니야!"

"당신이 당신 입으로 그랬잖아. 끔찍했다고. 살아도 사는 게 아니었다고. 원치 않는 아이들을 낳았다고!"

"아니야! 난 내 딸들을 사랑해!!!"

"당신이 무녀들을 살려 둔 이유는 단순히 사랑 때문이 아니잖아. 그들에게도 보여 주기 위해서잖아. 당신이 느꼈던 고통을, 당신의 세상이 철저하게 무너지고 파괴되는 그 고통을 무녀들에게도 느끼게 해 주고 싶었던 거잖아!!!"

"아니야!!! 아니라고!!! 나는 이 나라가 어떤 곳인지 일깨워 주려고 했을 뿐이야! 이 지옥이 어떤 추잡한 역사를 지니고 있는지 그들은 마땅히 알아야 해!!! 나는 이 나라를 파괴하고 그들을 구원하려 했던 거야! 사랑하니까-!!!!!"

"부모가 자식을 사랑하면 자식의 세상을 파괴하기보다는 지켜 주려 하지."

"네가 뭘 알아. 네가 뭘 안다고 그렇게 지껄여!!!"

"몰라. 모르니까 말할 수 있는 거야. 감히 상상조차 못 하겠어. 내가 당신 같은 일을 겪었다면 나 역시 광기에 사로잡혔을지도 모르지. 참을 수 없는 분노에 하루하루 마음이 깎여 나가며 버티고 버티다 당신처럼 온 세상을 향해 분노를 터뜨렸을지도 모르지."

"……."

"당신은 뭘 원한 거야? 뭘 원하고 이런 이야기를 내게 들려 준 거야? 당신을 이해하고 사랑해 주길 원한 거야? 당신을 대신해서 분노해 주길 원한 거야? 그것도 아니면 동정받기를 원한 거야?"

"나는……."

"그저 파괴가 원하는 전부였다면 때를 기다려 이런 이야기는 꺼내지 않았겠지. 당신에게는 지울 수 없는 상처잖아. 그런 상처를 내게 드러낸 거잖아. 왜 하필 나였어? 왜 하필 나를 사랑해야만 했어? 같은 세상에서 온 동향이라서? 이야기의 주인공이라서? 당신의 피를 이어받은 자식 중 하나라서? 당신이 필요로 하는 조건을 모두 충족해서? 어떻게 그런 걸 사랑이라고 할 수 있어?"

묘길은 대답하지 못했다. 윤조는 그런 묘길의 눈을 바라보며 말을 이었다.

"있지, 나는 평범한 가정에서 살아 보는 게 소원이었어. 평범한 어머니와 평범한 아버지 그리고 평범한 형제자매들 사이에서 단 한 번이라도 전전긍긍하지 않고 사는 게 꿈이었어. 자살했던 아버지가 다시 살아 돌아오셨으면, 아픈 어머니가 제발 며칠만 더 살아 계셨으면. 이렇게 힘든데 내 곁엔 아무도 없네. 이렇게 힘든데 나를 위로해 줄 사람은 아무도 없네. 다른 평범한 가정이 부럽다. 나도 저렇게 사랑받으며 살 수 있었는데. 부럽다. 한 번이라도 저런 가정에서 고민 없이 살아 보고 싶다. 사랑받고 사랑하며 살아 보고 싶다. 나는 왜 살아 있는 걸까? 다 나를 버리고 떠났는데 나는 왜 이렇게 멀쩡히 살아 있는 걸까? 차라리 죽어 버리면 좋을 텐데. 죽음이라고 느꼈던 마지막 그 순간이 왔을 때 드디어 나도 해방이라고 여길 줄 알았어. 그토록 바라 왔던 순간이니까 나는 기쁘게 죽음을 받아들일 줄 알았어. 그런데 마지막 순간까지도 내가 바랐던 건 죽음이 아니었어. 그런 해방이 아니었어. 다시 삶의 기회가 주어진다면 살아 보고 싶다고 바랐어."

"……."

"정말 처절하게 죽고 싶은 사람도 있겠지. 삶이 너무나 고통스러워서 정말 죽음을 간절히 바라는 사람도 분명 있을지 몰라. 그런데 당신은 9백 년을 살아왔잖아. 10년, 20년도 아니고 당신을 괴롭게 했던 그 남자를 죽이고 나서도 이 세계에서 9백 년을 살아왔잖아. 정말 죽지 못해서 살았어? 단 한 번도 누군가를 다시 사랑하지 못했어? 정말 단 한 순간도 사랑받고 있지 않다고 여겼어? 당신을 사랑했던, 사랑하는 많은 사람들의 마음을 조금도 느끼지 못했어? 조금도 닿지 않았어? 내가 나타나기 전까지 당신을 구원할 기회가 정말 단 한 번도 오지 않았어?"

"……."

"그런 걸 조금도 느끼지 못하고 9백 년의 세월을 살아야 했다면 나는 이미 미쳐 버렸을 거야. 짐승처럼 들판을 맴돌며 다시는 사람들 틈에 섞이려고 들지도 않았을 거야. 눈에 보이는 족족 나를 아프게 한 그들을 물어뜯어 죽였을 거야. 그런데 내가 본 당신은 그렇지 않았거든. 적어도 당신은 지금처럼 내게 감정을 드러내고 이야기를 하고 행복했던 추억을 회상하기도 하는 것 같거든. 그건 노여움과 분노만으로는 도저히 해낼 수 없는 것들이거든."

"무슨 말을 하고 싶은 거야……."

"다시 사랑하고 싶었던 거 아니야?"

묘길의 어깨가 흠칫 떨려 왔다. 윤조는 조심스럽게 그녀의 앞으로 다가갔다.

"지독한 삶이라도 내가 다시 살아 보고 싶어 했던 것처럼, 어쩌면 당신도 그랬던 거 아니야? 이 세계를, 누군가를 다시 사랑해 보고 싶었던 거 아니야? 다시 사랑하고 싶어서, 사랑했던 순간으로 돌아가고 싶어서. 그래서 그 긴긴 세월을 아무도 모르게 혼자 노력해 왔던 건 아니야?"

묘길의 눈가에 고인 눈물이 툭, 떨어져 내렸다. 윤조가 가만히 손을 뻗어 그녀의 눈물을 닦았다.

“내내 숨죽여 노력했는데, 노력하고 또 노력했는데 겪었던 고통을, 괴로운 기억을 잊을 수도 없어서. 하지만 그런 이야기를 꺼내면 당신을 사랑하는 사람들이 당신 곁을 떠나 버릴까 봐 그렇게 혼자 앓아 왔던 건 아니야? 그렇게 될 바에는 그들이 당신을 버리기 전에 당신이 그들을 버려야 한다고, 이것만이 당신의 괴로움을 끝낼 수 있는 유일한 길이라고 믿었던 건 아니야?”

“나는…….”

“두려웠지, 많이.”

“흐윽, 나는! 나는, 어떻게 해야 좋을지……! 흐으윽! 혼자서 어떻게 하면 좋을지……!”

윤조는 창살 너머로 손을 뻗어 아이처럼 엉엉 울음을 터뜨린 묘길을 힘껏 끌어안았다. 오랜 시간 홀로 두려움에 떨어 왔을 가녀린 여인의 어깨를 세게 끌어안았다.

“몰라 줘서 미안해요.”

“흐어엉! 흐으윽! 흐으으윽……!”

“곁에 있었는데도 몰라 줘서 미안해요. 많이 힘들었을 텐데 이제야 알아서 미안해요. 혼자 두려움에 떨게 해서 미안해요.”

묘길을 끌어안은 윤조의 두 눈에서도 굵은 눈물이 뚝뚝 떨어졌다.

“고생 많았어요. 정말, 정말로 고생 많았어요…….”

다시 사랑하고 싶었지만 두려웠던 여인을 위해. 버려질까 두려웠던 여인을 위해. 버려질 바에는 모든 것을 버리고 지우려 했던, 자신의 상처를 무수히 들추며 스스로와 싸워야 했던 여인을 위해 두 사람은 눈물을 흘렸다.

"내가 다 망쳤어요. 돌이키고 싶어도 너무 늦었어요."

"돌이킬 수는 없어도 새로 시작할 수는 있잖아요. 분명 쉽지는 않을 거예요. 당신을 미워하는 이들도 있겠죠. 원망하는 이들도 있을 거예요. 하지만 분명 당신을 그리워하는 사람들도 있어요."

윤조가 붉게 달아오른 묘길의 뺨을 쓸어 주며 그녀의 손을 잡았다.

"이번에는 제가 곁에 있을게요. 혼자 두지 않을게요."

"내가 그럴 자격이 있는 걸까요? 다시 누군가를 사랑하고 사랑받을 자격이 있는 걸까요……?"

"사랑에는 자격이 없어요. 용기가 필요할 뿐이에요."

"아니, 당신은 그럴 자격이 없어."

순간 윤조의 목소리 위로 또 다른 누군가의 목소리가 겹쳐졌다. 묘길은 자신의 등 뒤에서 들려오는 차가운 음성에 고개를 돌렸다. 핏발 선 눈동자와 마주한 순간, 날카로운 장검이 그녀의 복부를 꿰뚫었다.

"다, 당신이 어떻게 여길……."

"신력을 추적했지."

왈칵 피를 토한 묘길의 시선이 그녀의 앞에 선 혜린을 향했다. 들고 있던 신목의 책을 바닥에 내던진 혜린이 묘길의 복부에 꽂힌 검의 손잡이를 쥐었다. 혜린이 무슨 짓을 하려는지 깨달은 윤조가 다급히 소리쳤다.

"그만둬!!! 그러지 마-!!!"

하지만 혜린은 멈추지 않고 묘길에게 꽂혀 있던 검의 손잡이를 비틀어 단숨에 뽑아냈다. 그녀의 뺨과 옷 위로 붉은 선혈이 분수처럼 튀었다.

"내 아버지를 죽게 하고, 내 가문을 망하게 하고, 나를 나락에 떨어뜨린 주제에 감히 사랑받을 자격을 운운해?"

"허억……!"

혜린은 힘없이 바닥에 쓰러진 묘길을 향해 차갑게 뇌까렸다.

"아무도 당신을 사랑하지 않아. 어떻게 당신 같은 걸 사랑할 수 있겠어? 그 치욕스러운 역사를? 그 더러운 그 몸뚱이를?"

"혜린!!! 그만해!!!"

"넌 닥쳐……!!!"

혜린이 감옥 안에 있는 윤조를 노려봤다.

"가난이 자랑이니? 부족하고 못난 게 자랑이야? 세상 불행은 혼자 다 겪어 봤지? 그러면 좀 위안이 되니? 불쌍한 것들끼리 모여서 서로 괜찮다 보듬으면 좀 위안이 돼? 착한 척, 남을 위하는 척, 가증스럽게 굴지 말고 좀 솔직해져 보지 그래? 정말로 이런 자가 사랑받을 자격이 있다고 생각해? 사랑할 자격이 된다고 생각해?!!"

"그런 자격은 당신이 정하는 게 아니야."

"가진 자가 가지지 못한 자의 분수를 깨우쳐 주려고 만든 게 바로 자격이야."

"그럼 당신도 좀 깨달아 봐."

"뭐야?"

"아무것도 가지지 못한 당신의 분수를 깨달아 보라고."

"이……!!!"

검을 든 혜린이 금방이라도 윤조를 해칠 듯이 덤벼들었으나 굳게 닫힌 감옥의 문이 그녀를 가로막았다. 거칠게 창살을 흔들던 그녀가 꼼짝하지 않는 자물쇠에 씩씩거리며 몸을 떨어뜨렸다.

"어차피 넌 죽어. 검에 찔려 죽으나, 감옥에 갇힌 채 죽으나 결국에는 죽겠지!!! 그래, 그 안에서 배고픔과 갈증에 시달리며 천천히 죽어 가. 너 그런 거 잘하잖아? 못 먹고, 못 사는 거. 하하하하!"

광소하던 혜린이 고개 숙여 묘길을 바라봤다. 힘겹게 숨을 헐떡이는 묘길을 바라보던 그녀가 중얼거렸다.

"마음대로 죽지도 못한다면서요? 그런데 여긴 신력도 사용할 수 없는 공간 같던데. 어떻게 되려나? 이대로 놔두면 죽지도 살지도 못하고 내내 숨만 붙어 있으려나?"

"혜린 무녀……."

"더러운 입으로 내 이름 부르지 마, 이 창녀야."

"너 그 입 안 닥쳐---!!!"

분개한 윤조가 악성을 내지르며 창살에 매달렸다. 그런 윤조의 모습이 재미있다는 듯이 혜린은 웃었다.

"봐, 이제야 좀 본성이 나오네."

"거기 서!!! 당장 거기 서라고---!!!!!"

"어디 둘이 사이좋게 죽어 보라고."

혜린은 고함을 내지르는 윤조를 뒤로한 채 유유히 공간을 빠져나갔다. 발을 들어 창살을 발로 힘껏 차 보았지만 단단한 문은 꿈쩍도 하지 않았다. 윤조가 급히 묘길의 상태를 확인했다. 바닥에 쓰러진 묘길의 상처 위로 붉은 피가 계속해서 흘러나오고 있었다.

"묘길!!! 내 목소리 들려요? 묘길……!!!"

"콜록, 콜록! 나는 괜, 괜찮아요. 이 정도로는 죽지 않아요……."

"출혈이 심각해요! 당장 치료를 해야 한다고요! 열쇠는 어디에 있죠? 감옥 열쇠요!"

"열쇠는 내 품 안에 있어요."

"움직일 수 있겠어요?!"

"열쇠는 내 품 안에……."

눈을 감은 채 힘없이 늘어지는 묘길의 모습에 윤조가 비명을 지르며 문을 두드렸다.

"묘길? 묘길!!! 정신을 잃으면 안 돼요!!! 누가! 누가 좀 도와주세요!!! 밖에 아무도 없어요!!! 제발 누가 좀 도와주세요! 제발……!!!"

쾅쾅쾅! 창살을 주먹으로 내리치던 윤조가 몸을 날려 문에 부딪치기 시작했다. 쿵! 쿵! 어깨가 부서져라 몸을 부딪쳐도 잠긴 감옥의 문은 열릴 생각을 하지 않았다.

묘길의 상처에서 흐른 피가 그녀를 중심으로 피 웅덩이를 만들어 갔다. 처절한 윤조의 비명이 공간을 메아리쳤다.

"도와주세요!!! 제발 누가 좀 도와주세요---!!!"

"윤조야!!!"

문득 들려오는 의령의 목소리에 윤조가 퍼뜩 고개를 돌렸다. 열린 벽 뒤에서 달려오는 의령의 모습이 보였다. 그녀의 주변으로 매캐한 연기가 자욱했다. 옷소매로 코와 입을 가리고 달려온 의령이 심각한 상처를 입고 쓰러진 묘길의 모습에 놀라 입을 벌렸다.

"어떻게 된 거야? 윤조 넌 괜찮아?!"

"난 괜찮아! 어서 이 문을 열어 줘! 묘길의 품 안에 열쇠가 있어! 어서……!!!"

다급한 윤조의 외침에 의령이 재빨리 열쇠를 찾아 감옥의 자물쇠를 풀었다. 감옥 밖으로 나온 윤조가 묘길의 상태를 살폈다. 진맥을 보는 그녀의 손이 사시나무처럼 떨려 왔다.

"맥박이 너무 약해. 체온도 떨어지기 시작했어."

윤조가 급한 대로 자신의 치마를 찢어 묘길의 상처를 압박했다. 그 모습을 지켜보던 의령이 다급히 그녀의 팔을 붙잡았다.

"혜린 무녀가 통로에 불을 질렀어! 어서 밖으로 나가야 해!"

"무녀장님을 두고 갈 수는 없어! 도와줘! 밖으로 옮겨야 해!"

의령의 도움으로 묘길을 일으킨 윤조는 두 사람과 함께 서둘러 공간을 벗어났다. 의령이 장치를 움직여 문을 열자 닫혀 있던 벽이 밀려나며 지하 통로가 나왔다.

열린 문 밖으로 까만 연기가 자욱했다. 타오르는 시체들 사이로 새빨간 불꽃이 번져 갔다. 소매로 코와 입을 가린 윤조와 의령이 걸음을 재촉했다.

"이쪽으로……!"

환풍구가 없는 지하 통로 안은 순식간에 검은 연기로 가득 찼다. 길을 가늠할 수조차 없을 정도로 자욱한 연기에 계속해서 기침이 나왔다. 벽을 더듬어 간신히 방향을 기억한 의령이 윤조를 이끌었다.

우물로 돌아가기에는 거리가 너무 멀뿐더러 심각한 부상을 입은 묘길까지 함께였다. 우선은 지하를 벗어나 밖으로 나가는 게 급선무였다. 주위를 살피던 의령이 윤조를 향해 소리쳤다.

"콜록, 콜록! 근처에 밖으로 통하는 계단이 있을 거야!"

두 사람이 벽을 더듬으며 계단을 찾았다.

"여기! 이쪽이야!"

간신히 계단을 발견한 윤조가 소리쳤다. 먼저 계단 위로 올라간 의령이 닫혀 있던 문을 열었다. 도착한 곳은 자명전이었다. 참았던 숨을 토한 의령이 다시 계단 아래로 내려가 윤조와 묘길을 끌어 올렸다.

"콜록, 콜록, 콜록!!!"

지상으로 올라온 윤조와 의령이 기침을 토하며 거칠게 숨을 몰아 쉬었다. 윤조는 곧장 묘길을 바닥에 눕히고 그녀의 상처에 신력을 불어넣었다. 연기를 너무 마셨는지 머리가 아찔했다. 비틀거리는 그녀를 의령이 부축했다.

"나도 도울게!"

의령이 윤조와 함께 묘길의 상처에 신력을 불어넣었다. 맥박이 너무 약했다. 상처와 출혈이 심각했던 만큼 몸의 체온도 급격히 떨어진 상태였다. 하얗다 못해 파랗게 질려 가는 묘길의 안색에 윤조가 초조하게 입술을 깨물었다.

자명전 밖에서는 시끄러운 말발굽 소리와 병장기가 부딪치는 소리, 병사들의 비명 소리가 요란하게 들려오고 있었다. 날카롭게 울리는 쇳소리와 비명 소리에 의령이 흠칫 몸을 떨었다. 소리가 점점 가까워지고 있었다.

"제발 눈을 떠요. 제발!!!"

손안에 신력을 최대치로 끌어올린 윤조의 손바닥이 하얀빛으로 물들어 갔다. 묘길이 눈을 뜬 것은 닫혀 있던 자명전의 문이 부서지는 것과 거의 동시였다.

"단장님! 나투국 기마대가 추격해 옵니다!"

키얀을 호위하며 병사들과 함께 황궁으로 달아나던 하센은 그들을 쫓아오는 파이엔과 준영을 발견하고 까드득 이를 갈았다. 그녀는 전차를 호위하는 병사들을 향해 외쳤다.

"너희는 폐하를 모셔라!!! 이곳은 나와 병사들이 막겠다!!!"

키얀의 전차를 보낸 그녀가 말 머리를 돌렸다. 길을 막아선 서국의 병사들이 일제히 창검을 들었다.

"물러나지 마라!!! 놈들이 황궁으로 가지 못하게 막아라!!!"

말을 타고 빠르게 황궁으로 향하던 파이엔과 준영은 앞을 가로막은 채 서 있는 서국 병사들을 발견하고 미간을 좁혔다. 준영이 앞서 달리는 파이엔을 향해 외쳤다.

"파이엔! 멈춰라!!!"

"시끄러워-!"

"충돌한다!!!"

기마대와 함께라면 모를까, 단신으로 무수한 창을 든 병사들의 진영에 홀로 뛰어드는 짓은 자살 행위나 다름없었다. 하지만 파이엔은 멈추지 않고 속력을 더욱 올렸다.

'이곳에서 병사들에게 붙잡히면 시간이 지체된다.'

그는 자신의 군마를 더욱 채찍질했다. 마지막 돌격이라는 것을 알기라도 하듯 그의 군마가 크게 울었다. 갑옷을 두른 그의 군마가 엄청난 속도와 함께 적진에 충돌했다. 말에 짓밟힌 병사들이 무참히 쓰러지고 튕겨 나갔다.

파이엔의 군마 역시 무사하지 못했다. 무수한 창에 꿰뚫린 말이 그제야 돌격을 멈췄다. 군마가 적진에 충돌함과 동시에 말 위에서 뛰어오른 파이엔이 병사들을 뛰어넘어 적진 안쪽으로 착지했다. 뒤따른 준영과 기마대가 적진을 덮쳤다. 순식간에 접전이 벌어졌다.

"길을 열어라!!! 병사들은 곧장 황궁으로 진격하라!!!"

준영이 자신을 향하는 적군의 창을 쳐 내며 소리쳤다. 전투에 임한 병사들 외에 뒤따르던 다른 병사들이 곧장 황궁을 향해 진격했다. 파이옌은 자신의 머리 위로 곧장 쇄도하는 공격을 피해 바닥을 굴렀다.

챙! 챙! 챙!

쉼 없이 이어지는 공격을 막아 내며 간신히 몸을 일으킨 그의 시선이 정면을 향했다.

"하센."

그와 검을 맞댄 하센의 얼굴에 분노가 차올랐다.

"이 배신자……!!!!!"

캉! 캉! 캉! 카강-! 캉!

하센의 검격이 매섭게 휘몰아쳤다. 그녀의 검을 받아 내는 파이옌의 몸이 점점 뒤로 밀려났다. 공중에서 몸을 회전한 하센의 검이 그의 머리 위로 떨어졌다.

카앙-!!!

준영의 검보다는 가볍지만 결코 무시할 수 없는 공격이었다. 온몸의 체중을 실은 빠른 검격에 손안이 저릿했다. 파이옌이 어금니를 깨물며 그녀의 검을 밀어냈다. 뒤돌기로 고양이처럼 유연하게 거리를 벌린 하센은 자신의 공격을 막아 낸 파이옌의 검이 가료의 것이라는 것을 알고 더욱 분개했다.

"어떻게 감히! 감히 당신이 부관님의 검을 사용할 수 있는 겁니까!!!"

분노를 참지 못한 하센이 다시금 파이옌을 향해 달려들었다. 쉼 없이 몰아치는 날카로운 검격에 파이옌의 옷 곳곳이 잘려 나갔다.

"용서 못 해! 절대 용서할 수 없습니다-!!!"
카앙!!!
찔러 드는 검을 막아 낸 파이옌이 준영을 향해 소리쳤다.
"홍준영-! 여기는 내게 맡겨라!!! 기마대!!! 대장군의 길을 터라-!!!"
기마대가 준영의 곁으로 밀려드는 서국의 병사들을 밀어냈다.
"어서 가서 윤조를 구해!!!"
"죽지 마라!!!"
준영이 빠르게 말을 몰아 황궁으로 향하는 것을 바라보던 파이옌이 하센의 검을 밀어냈다. 양손에 곡도를 쥔 그가 자세를 달리했다. 마찬가지로 하센도 양손에 곡도를 쥐었다. 두 사람은 누가 먼저랄 것도 없이 서로를 향해 달려들었다.

"꺄아악……!!!"
부서진 문과 함께 자명전 안으로 날아들어 온 무언가에 의령이 비명을 내질렀다. 겁에 질려 뒤로 물러나던 그녀는 자명전 안으로 날아들어 온 물체가 나투국 병사의 시체라는 것을 깨닫고 다급히 윤조의 옷을 잡아당겼다.
"히익! 유, 윤조야! 윤조야!!!"
"이런……!"
나투국 병사의 시체를 발견한 윤조가 급히 묘길에게 물었다.
"정신이 들어요? 움직일 수 있겠어요?!"
"여긴 어떻게……."

눈을 뜬 곳이 자명전 안이라는 것을 깨달은 묘길은 윤조가 자신을 살리기 위해 일부러 자리를 옮겼다는 것을 깨달았다. 그때 의령이 더욱 질겁하며 윤조의 이름을 불렀다.

"윤조야, 저기……!!!"

윤조와 묘길의 고개가 동시에 한곳을 향했다. 윤조는 부서진 자명전의 문 안으로 들어오는 사내의 모습에 눈을 부릅떴다.

"키얀……."

온몸을 피로 물들인 서국의 황제가 그곳에 있었다.

"내가 찾던 무녀들이 죄다 여기 있구나."

얼굴이며 옷 할 것 없이 나투국 병사들의 피로 낭자한 그가 곡도를 휘둘러 검에 묻은 피를 털어 냈다. 그는 윤조의 뒤에 누워 있는 묘길의 모습에 입매를 당겼다.

"살아 있어서 다행이구나. 감히 나를 공격하고 달아나다니. 곱게 죽진 못할 것이다."

"물러나요."

윤조가 두 팔을 벌려 묘길과 의령의 앞을 막아서며 키얀을 노려봤다. 키얀은 그녀의 양손에 가득 묻은 피와 심각한 묘길의 상처를 보며 말했다.

"그대는 그대가 사랑하는 나라를 파멸로 물들인 여인마저 살리려는 것인가?"

"생명을 구하는 게 무녀의 일이니까요."

"그랬지. 그게 그대에게는 가치 있는 일이라고 했었지. 하나 곧 짐의 손에 죽을 목숨이다. 헛된 일에 힘쓸 것 없으니 비켜라."

"물러나라고 했습니다!!!"

윤조가 힘주어 소리쳤다. 살기 어린 윤조의 시선을 마주하던 키얀이 흥미롭다는 듯이 읊조렸다.

"좋은 눈빛이다. 뭔가 변했군. 그렇지?"

"……."

"사람을 죽였나? 무엇 때문이었지? 그대라면 아마도 누군가를 지키기 위해서였겠지. 몇이었지? 다섯? 열?"

"쉰둘."

고요한 윤조의 대답에 순간 검을 쥔 키얀의 손가락이 움찔했다. 윤조는 그런 키얀을 향해 쏘아붙이듯이 말했다.

"정확히 쉰두 명이었습니다. 내 손으로 직접 죽인 당신의 병사들은."

윤조는 의령을 구하기 위해 지하 통로에서 죽여야만 했던 서국의 병사들을 떠올렸다. 진지한 그녀의 대답에 잠시 멈칫했던 키얀이 실소했다. 조금도 예상치 못한 숫자라며 그는 웃음을 삼켰다.

"대단하군. 정말 칭찬해 주고 싶을 정도야. 무녀보다는 그쪽으로 더 소질이 있는 것 아닌가?"

"당신의 병사들이고 당신의 백성들이었습니다! 전쟁이 아니었다면 죽지 않아도 될 목숨이었습니다!"

"탓하려거든 그대 뒤에 죽어 가는 저 여인을 탓하라. 나를 이 전쟁에 끌어들인 것은 바로 저 여인이니까."

"다가오지 말라고 경고했습니다!!!"

윤조는 검을 들고 다가오는 키얀을 향해 신력을 사용했다. 실처럼 뻗어 오는 기운을 느낀 키얀이 급히 몸을 뒤로 피했다.

'피했다?'

지금까지 신력을 느끼고 피하기까지 한 것은 키얀이 처음이었다. 예감이 좋지 않았다. 양손을 사용해 재빨리 그의 다리를 낚아챈 그녀가 자명전 밖을 향해 힘껏 내던졌다.

"이틈에 어서……!!!"

의령과 윤조가 묘길을 부축하며 달아나기 시작했다. 그들은 자명전의 뒷문을 통해 빠져나왔다. 곳곳에서 병사들이 전투를 벌이고 있었다. 묘길이 말했다.

"나를 버려요."

"그런 말 하지 마세요."

"키얀을 따돌리는 건 무립니다. 그는 서국 최강의 전사예요. 오로지 무력만으로 황제의 자리에 오른 사내입니다. 이대로는 두 분 다 위험해져요!"

"싸워 보지도 않고 포기할 수는 없어요!"

"왜 이 전쟁의 주역으로 그가 선택된 것 같습니까?"

그는 책이 선택한 이 전쟁의 주역이었다. 주인공인 파이엔의 선택을 통해 묘길은 그 사실을 알았다. 책은 서국 황제의 편이다. 결코 쉽게 이길 수 없다. 그녀는 자신을 부축하는 윤조의 어깨를 힘주어 붙잡았다.

"대장군조차 그를 이길 수 있을지 장담할 수 없습니다. 현재로서는 대륙의 누구도 그의 무력을 이길 수 없어요. 내 말을 들어요. 내가 죽으면 시간이 멈출 겁니다. 소원의 조건이 충족되었으니 세계가 나타날 거예요."

"나는 이 나라에 남기로 결심했어요. 남의 소원을 대신 빌어 원래의 세상으로 도망가는 짓은 하지 않을 겁니다. 차라리 당신을 원래의 세상으로 돌려보내 달라고 빌게요."

"나는 너무 늦었어요."

"늦었다니요?"

"그동안 무수한 주인공들을 만났습니다. 그들은 하나같이 떠돌아다니는 낡은 책 한 권을 읽었다고 했죠. 그들 중에서는 책의 주인을 찾아 주려 했던 사람도 있었어요."

묘길을 부축하는 윤조의 손에 힘이 들어갔다. 묘길이 그런 윤조를 향해 옅은 미소를 지었다.

"저쪽 세상의 나는 이미 죽었다고 하더군요."

금방이라도 부서질 것 같은 그런 미소였다.

"나는 돌아갈 수 없어요. 이 세계에서의 죽음만이 유일하게 허락된 나의 안식이죠."

그래서, 더는 돌아갈 곳이 없어서, 묘길은 이 나라와 함께 자멸하는 극단적인 방법을 선택했던 걸까. 원래 세상에서의 그녀의 죽음은 이곳의 그녀에게 유일한 탈출구마저 잃어버린 것 같은 절망을 주었을 것이다. 이미 모든 것을 다 포기해 버린 것 같은 묘길의 모습에 윤조의 표정이 괴롭게 일그러졌다.

"정말 그것 외에는 당신을 위해 해 줄 수 있는 일이 아무것도 없는 거예요?"

자신을 대신해 세상을 탓해 주는 것 같은 윤조의 물음에 묘길은 잠시 침묵했다. 그러다 그녀에게만 들릴 정도로 무언가를 작게 속삭였다. 이야기를 들은 윤조의 눈동자가 커졌다. 그 순간 등 뒤에서 날아온 장창이 윤조와 묘길의 바로 옆에 떨어졌다. 저벅저벅 가까워지는 발소리가 들렸다.

"달아날 수 있으리라 여겼나?"

바로 등 뒤에서 키얀의 목소리가 들렸다. 섬뜩하리만치 차가운 음성이었다. 피부가 따가울 정도로 느껴지는 살기에 꼼짝할 수 없었다. 본능적인 두려움에 전신이 덜덜덜 떨려 왔다.

윤조의 머리 위로 검은 그림자가 졌다. 이를 지켜보던 의령이 바닥에 털썩 주저앉았다. 묘길의 보랏빛 눈동자가 윤조를 향해 곱게 휘었다.

"미안해요."

단검을 든 그녀가 윤조의 손을 감싸 쥔 채 자신의 심장을 찔렀다.

"무슨 짓을……!"

당혹감 어린 키얀의 외침을 마지막으로 시간이 멈췄다. 병장기가 부딪치는 높은 쇳소리가, 거친 말발굽 소리가, 병사들의 비명 소리가 모두 사라졌다. 타오르던 불길도, 하늘을 향해 치솟던 검은 연기도, 불어오던 바람도 모두 멈췄다. 기이하리만치 적막한 세상 가운데, 오직 윤조와 묘길만이 숨을 쉬고 움직였다.

"쿨럭, 쿨럭……!"

단검에 심장이 찔린 묘길이 기침과 함께 피를 토했다. 그녀의 몸 안에 있던 신력이 묘길을 살리기 위해 요동쳤으나 이번만큼은 통하지 않았다. 윤조가 쓰러지는 그녀의 몸을 받아 안았다. 절망으로 일그러진 윤조의 눈동자가 일렁였다.

"왜!!! 대체 왜 그랬어요!!! 왜……!"

"덕분에 시간을 벌었으니 그걸로 됐어요."

묘길이 검을 든 상태 그대로 굳어 버린 키얀을 바라봤다.

"소원을 빌면 다시 시간이 흐르기 시작할 거예요. 그 전에 이곳에서 최대한 멀리 도망쳐요."

"이건 무효예요! 듣고 있어?! 이건 무효라고!!! 내가 무녀장님을 찌른 게 아니야! 무녀장님 스스로 한 일이라고! 그러니 무녀장님을 죽게 하지 마!!! 죽게 놔두지 마……!"

윤조가 멈춰 버린 세상을 향해 소리쳤다. 묘길은 손을 뻗어 흐느끼는 윤조의 뺨을 매만졌다. 하늘을 향하던 윤조의 시선이 그녀를 향했다. 묘길이 조용히 고개를 저었다.

"내가 정한 결말은 '사랑하는 사람의 손에 죽는 것'이죠. 나의 의지나 당신의 의지와는 상관없이 사랑하는 사람의 손을 빌리는 것만으로도 조건은 성립돼요. 그게 바로 내가 말한 규칙의 맹점이에요."

윤조는 조금 전 자신의 귀에만 들릴 정도로 작게 속삭였던 묘길의 이야기를 떠올렸다.

—이 세계의 규칙은 완벽하지 않아요. 규칙의 맹점을 찾아 이 세계를 막을 수 있게 소원을 빌어요. 나는 이 세계로 인해 더는 나처럼 고통받는 이들이 없기를 바라요.

"울지 마요. 내가 원한 일이에요. 당신 잘못이 아니에요."

"하지만, 하지만……! 이런 게 어디 있어요! 이렇게 끝이라고? 뭔가! 그래요, 뭔가 다른 방법이 있을 거예요! 사실 죽고 싶지 않잖아요! 원래의 세상으로 돌아가고 싶었잖아요!!! 행복하게 살고 싶잖아!!! 당신만 억울하게 이게 뭐야!!! 이렇게 죽는 건 너무 불공평하다고……!"

"겨우 나를 위해 울어 주는 사람을 만났는데 이렇게 가네요."

지난 세월을 떠올리던 묘길의 머릿속에 문득 온 황제의 얼굴이 떠올랐다. 처음 만난 순간부터 지금까지 변함없이 진심으로 자신의 행복을 바란다고 이야기했던 그를. 울지 않는 자신을 위해 매번 대신 울어 주곤 했던 그를. 그 눈물 많던 소년을. 다정한 사내를. 자신의 옛 연인을 무척이나 닮은 따뜻한 그를.

"그가 나를 기억해 줄까요……?"

언제나 외면했지만, 자신을 향한 그의 마음을 언제나 모른 척했지만, 인정하지 않았지만, 끝내 그 손을 놓아 버렸지만 많이 고마웠다고, 너무나 큰 사랑을 받았다고, 당신을 사랑하고 싶었다고.

"사랑, 한다고……."

윤조의 뺨에 닿아 있던 묘길의 손이 아래로 떨어졌다. 낙화하는 흰 꽃처럼, 흩날리는 하얀 눈송이처럼. 눈을 감은 묘길의 입가에는 잔잔한 미소가 어려 있었다. 그녀가 그토록 원했던 마지막이었다.

세계가 크게 흔들렸다. 누구도 느끼지 못했지만 윤조는 알 수 있었다. 하늘과 땅이 진동했다. 마치 울부짖는 것처럼. 그리고 다음 순간 윤조의 눈앞으로 글자가 떠올랐다.

소원을 빌어라.

연필로 꾹꾹 눌러쓴 것 같은 커다란 글씨가 짧은 문장이 되어 허공에 둥둥 떠 있었다. 묘길이 말했던 대로였다. 세계가 보낸 메시지를 멍하게 바라보던 윤조가 부스스 몸을 일으켰다.

"질문이 있어."

허락한다.

"그런 식으로밖에 묘길을 붙잡을 수 없었어?"

방법은 많이 있었다.

"그런데 왜!!! 어째서 이렇게 잔혹하게……!"

잔혹하다는 건 뭐지?

"뭐?"

인간처럼 피를 흘리고 고통을 느껴야만 그것이 잔혹인가? 창조주가 자신이 만든 세상을 버리는 것은 잔혹하지 않은가?

"그녀는 그녀가 살아온 원래의 세계가 있었어!"

그녀는 그곳을 잔혹하다 여겼다. 그래서 도망쳤고, 그래서 이 세계를 만들었다. 잔혹하다는 건 인간이 느끼는 주관적인 감상일 뿐이다.

"네가 그렇게 만들었잖아!"

그건 질문이 아니다. 소원을 빌어라.

"아아아악! 제길-!!!"
벽을 보고 대화하는 것 같은 기분이었다. 세계는 인격을 갖춘 존재라기보다는 자아를 가진 시스템에 가까웠다. 비명을 지르며 분노를 토하던 윤조가 숨을 골랐다. 크게 몸을 들썩이며 허공에 뜬 글씨를 노려봤다.

"질문을 더 하겠다! 지금 내가 누군가를 죽이면 그는 죽는 건가?"

시간이 멈춘 상태에서는 누구도 죽일 수 없다.

"물건이나 사람을 옮기는 건 가능한가?"

가능하다. 하지만 누군가를 해칠 목적으로 자리를 옮겨 놓는다면 죽게 되는 건 너다.

"어떤 소원이라도 다 들어주는 건가?"

이 세계의 파멸을 원하는 것 외에는 전부 가능하다.

"예를 들어 신이 되게 해 달라는 소원도?"

'어떤' 힘을 지닌 신이 되게 해 달라는 구체적인 조건이 있어야만 가능하다. 그리고 그 힘은 이 세계 안에서만 사용할 수 있으며 세계를 무너트리지 않는 선에서만 가능하다.

조건이 너무 포괄적이거나 광범위한 소원은 이뤄 줄 수 없는 모양이었다. 그리고 세계는 철저하게 '생존'을 원하고 있었다. 마치 죽음을 두려워하는 인간처럼.

"하나의 결말에 하나의 소원이 조건이라고 들었다. 확실한가?"

확실하다. 하나의 결말에 하나의 소원. 이변은 없다.

시센의 말대로였다. 세계의 대답을 들은 윤조는 먼저 의령과 묘길을 안전한 장소로 옮기고자 했다.

"적당한 곳이……."

소원은 아직인가?

"때가 되면 빌 거니까 재촉하지 마."

오래 시간을 멈춰 둘 수는 없다. 초를 세겠다.

"뭐?"

허공 위로 '60'이라는 숫자가 떠올랐다.

"저거 설마 내가 생각하는 그건 아니지?"

숫자가 '0'이 되면 시간은 다시 흘러간다. 그 전에 소원을 빌어라.

허공의 숫자가 '60'에서 '59'가 되었다. 상황을 파악한 윤조가 허공을 향해 욕설을 퍼부었다.

"야!!! 이 몰카 같은 새끼야---!!!"

급히 주변을 살핀 그녀가 신력을 이용해 의령과 묘길을 근처에 보이는 전각의 지붕 위로 옮겼다. 전투를 피해 몸을 숨기려면 그곳이 가장 적당했다.

다음은 키얀이었다. 급히 키얀의 검을 빼앗은 윤조가 주변을 두리번거렸다. 밧줄 같은 묶을 것이 필요했으나 어디에도 보이지 않았다. 42, 41…… 숫자는 계속해서 줄어들었다. 키얀을 다른 지붕 위에 올려 두는 것도 생각했으나 오히려 그의 시야만 더 확보해 주는 꼴이 될 것 같았다. 34, 32…… 시간이 없었다. 지금이라도 도망쳐야 한다.

달아나려던 그녀는 무슨 생각에선지 키얀의 팔과 손을 움직여 한 손은 그 자신을, 다른 한 손은 허공에 뜬 글씨를 향하게 했다.

"이 씨플 디플 학사경고에 인생 사족 같은 새끼야!!! 내가 죽더라도 이건 꼭 하고 죽어야겠다……!"

그리고 키얀의 검을 빼앗아 든 채 미친 듯이 그곳을 달아나기 시작했다. 22, 21…… 허공의 숫자는 빠르게 줄어들었다. 10, 9…… 윤조는 숨을 몰아쉬며 계속해서 달렸다.

소원을 말해라.

눈앞으로 떠오른 글씨에 그녀가 소리쳤다.

"이 세계의 이야기는 이번으로 완전히 결말지어 줘!!!"

다시금 '쿠웅!' 하고 하늘과 땅이 진동했다. 잠시 뒤 그녀의 눈앞으로 새로운 글씨가 떠올랐다.

접수했다. 그 소원은 이루어질 것이다.

3, 2, 1, 0…….

숫자가 '0'을 가리킴과 동시에 시간이 다시 흐르기 시작했다. 주변의 소리가 다시 돌아왔다. 멈춰 있던 병사들이 움직이며 전투를 계속했다. 불꽃이 타오르고 연기가 피어올랐다. 불어오는 바람이 윤조의 뺨을 스치고 머리카락을 흩날렸다. 주인 잃은 말이 달리며 그녀의 앞을 지나쳤다. 악 소리를 내며 멈춰 선 윤조가 쿵쾅거리는 심장을 부여잡았다.

같은 시각, 멈춰 있던 시간이 흐름과 동시에 키얀이 정신을 차렸다. 눈앞으로 그의 팔과 손가락이 기이한 동작을 취하고 있었다. 한 손은 그를 향하고, 다른 한 손은 하늘을 향해 있었다. 열 손가락 중 가운데 손가락만을 쭉 편 채 다른 손가락은 모두 접힌 상태였다. 참으로 기묘한 자세였다.

"뭐지, 이건?"

들고 있던 검이 보이지 않았다. 자세를 바로 한 그는 바로 앞에 있던 윤조와 묘길 그리고 또 다른 무녀가 모두 사라졌다는 것을 깨달았다.

"끝까지 나를 방해하는구나."

자신을 기절시켰던 것처럼 묘길이 무언가 또 다른 술수를 부린 것이라 생각한 그는 바닥을 확인했다. 달아난 작은 발자국 하나가 대령전이 있는 방향을 향해 길게 이어져 있었다.

한편, 근처 전각의 지붕 위에서 깨어난 의령은 자신의 곁에 쓰러져 있는 묘길을 발견하고 기함했다.

"무녀장님! 무녀장님!"

단검이 심장을 관통했다. 묘길의 숨은 이미 끊어진 상태였다.

"여긴 대체 어디야. 윤조는……?!"

자신과 묘길을 지붕 위로 올릴 만한 힘을 가진 것은 윤조뿐이었다. 하지만 그녀의 모습은 어디에도 보이지 않았다.

지붕 아래를 살피던 의령은 멀지 않은 곳에 서 있는 키얀을 발견하고 숨을 죽였다. 몸을 숙여 바닥을 살피던 키얀은 곧 대령전이 있는 방향을 향해 빠르게 멀어졌다. 의령은 그곳으로 윤조가 달아났음을 짐작했다.

'윤조가 위험하다.'

높은 지붕 위에서 어찌할 바를 몰라 주변을 두리번거리고 있는데, 의령의 시야에 준영의 모습이 보였다. 말을 타고 빠르게 가까워지는 그의 모습에 의령이 자리에서 벌떡 일어나 소리쳤다.

"대장군님!!! 여기예요!!! 대장군님-!!!"

별안간 지붕 위에서 들려오는 목소리에 고개를 든 준영은 손짓을 하며 다급히 소리치는 의령을 발견했다.

"대령전으로 가세요! 서국의 황제가 그쪽으로 갔어요! 윤조가 위험해요-!!!"

의령의 외침에 준영이 급히 말을 몰아 대령전이 있는 방향으로 향했다.

한참을 달려 대령전에 도착한 윤조가 가쁜 숨을 골랐다. 그녀는 들고 있던 키얀의 곡도 두 개를 잠시 계단 위에 올려 두었다. 땀이 비오듯 했다. 턱 아래로 흐른 땀을 훔쳐낸 그녀가 바짝 긴장한 상태로 주변을 살폈다.

나투국의 병사들이 황성으로 밀려드는 가운데 서국 병사들의 방어도 만만치 않았다. 서로 죽고 죽이는 살풍경이 아수라장으로 그려졌다. 고통에 찬 병사들의 신음과 비명 소리에 두 귀가 멀어 버릴 것 같았다. 정신을 다잡기 위해 윤조는 두 손으로 자신의 뺨을 두드렸다.

"침착하자. 황궁 어딘가에 대장군님도 계실 거야. 숨어 있다가 대장군님을 찾으면 돼. 겁낼 것 없어. 침착하자."

다시 키얀의 곡도를 손에 든 그녀가 주변을 살피며 대령전 안으로 향하는 계단을 오를 때였다. 어디선가 날아온 검이 그녀가 서 있던 계단에 내리꽂혔다.

"악!"

비명을 지른 그녀가 자리에 주저앉았다. 깊게 베인 다리에서 울컥 피가 솟았다. 아릿한 고통에 그녀가 입술을 깨물며 신력을 모았다. 고개를 돌리자 멀리서 점점 가까워지는 키얀의 모습이 보였다.

'언제 여기까지……!'

키얀은 사라진 검 대신 죽은 병사의 시체에 꽂혀 있던 곡도를 뽑아 들었다. 그리고 다시금 윤조가 있는 방향을 향해 검을 날렸다. 놀란 윤조가 상처를 치료하던 것을 멈추고 황급히 신력을 운용해 날아오는 검을 막았다.

공중에서 튕겨 나가는 검을 바라보던 키얀의 눈이 가늘어졌다. 그는 죽은 서국 병사의 품에 있던 곡도를 찾아 양손에 쥐었다. 지혈을 할 틈도 없었다. 한시가 급했다. 가까워지는 키얀의 모습에 윤조는 비틀거리며 계단을 올랐다.

훔친 키얀의 검을 품에 안은 채 힘겹게 계단을 오르던 그녀는 어느새 계단 바로 아래까지 다가온 그의 모습에 기함했다. 손에 든 곡도를 멀리 던져 버린 그녀가 두 손으로 계단을 짚으며 황급히 위로 향했다. 새하얀 계단 위, 그녀가 지나친 자리에 붉은 선이 그어졌다.

"오지 마……! 오지 말라고!!!"

"너는 나와 함께 서국으로 갈 것이다."

그녀가 외쳤으나 키얀은 걸음을 멈추지 않았다. 그때 거친 말발굽 소리가 그들이 있는 방향을 향해 가까워졌다.

"키얀-!!!"

준영의 외침에 고개를 돌린 키얀은 자신을 향해 곧장 달려오는 그를 발견했다. 준영은 가까워진 그를 향해 대검을 휘둘렀다.

캉---!!!

병사들이 검을 마주하는 것과는 차원이 다른 소리가 울렸다. 준영의 검을 흘린 키얀이 거리를 벌렸다. 말에서 내린 준영이 윤조의 앞을 막아섰다.

"오랜만에 보는 반가운 얼굴이군."

오싹한 미소가 키얀의 만면에 번졌다. 준영은 고개를 돌려 윤조의 상태를 확인했다. 다리에 상처를 입은 그녀의 모습을 본 준영의 얼굴이 분노로 일그러졌다. 그런 준영의 모습에 키얀이 즐겁다는 듯이 읊조렸다.

"하도 귀찮게 굴기에 조금 손봤다."

"감히……!!!"

참지 못한 준영이 그를 향해 달려들었다. 횡으로 들어오는 검에 몸을 뒤로 피한 키얀이 틈을 노리고 곡도를 휘둘렀다. 그러나 허공에서 궤도를 바꾼 준영의 검이 이번에는 그의 목을 노리고 날아들었다.

캉!!!

다가오는 검을 위로 쳐 낸 키얀이 빠르게 움직였다. 사방에서 몰아치는 검격에 방어하는 준영의 몸이 뒤로 밀리기 시작했다. 서둘러 다리를 치료한 윤조가 자리에서 벌떡 일어났다. 눈으로도 좇기 힘든 키얀의 쾌검을 준영이 힘겹게 막아 내고 있었다.

"대장군님……!"

"건물 안으로 피해라! 어서!!!"

다급한 준영의 외침에 윤조가 열린 대령전의 문 안으로 내달렸다. 키얀이 시선이 그 모습을 놓치지 않고 좇았다. 두 개의 곡도로 준영의 대검을 튕겨 낸 그가 윤조를 쫓아 빠르게 대령전 안으로 향했다. 그의 뒤로 준영의 대검이 내리쳤다. 몸을 굴려 검을 피한 키얀은 다시금 윤조를 쫓았다. 준영 역시 그를 쫓으며 공격을 계속했다.

윤조는 자신의 뒤를 무섭게 따라오는 키얀을 피해 다급히 복도를 내달렸다. 꺾어지는 길에서 속도를 이기지 못하고 벽을 짚은 윤조가 발을 삐끗 했다. 팔을 휘저으며 비틀거리던 그녀가 다시 일어나 복도를 박찼다. 그 순간 쇄도한 키얀의 곡도가 조금 전까지 그녀가 있었던 자리를 휩쓸었다.

"꺄아악!"

그의 검격에 장식되어 있던 도자기와 장식장이 부서지며 요란한 소리를 냈다. 고개 숙인 윤조가 손으로 자신의 머리를 감싸며 비명을 질렀다. 깨진 도자기와 유리 파편이 사방으로 튀었다.

"거기 서라!"

"윤조에게서 떨어져-!!!"

준영이 몸을 날려 윤조를 잡으려는 그를 벽에 처박았다. 거친 충격에 인상을 쓰던 키얀이 준영의 복부를 걷어찼다. 밀려난 준영을 향해 그의 곡도가 쇄도했다. 찔러 드는 검을 방패로 막아 낸 준영이 몸을 회전해 그대로 키얀을 날려 버렸다.

"크……!"

다시금 벽에 부딪친 키얀의 입에서 처음으로 신음이 터졌다.

"윤조야! 달아나라!!!"

준영이 떨고 있는 윤조를 향해 소리쳤다. 화들짝 정신을 차린 그녀가 고개를 끄덕이며 다시 달리기 시작했다. 그런데 문제가 생겼다. 반대편 복도에서는 나투국의 병사들과 서국 병사들이 치열한 전투를 벌이고 있었다. 더는 달아날 곳이 없었다.

윤조는 닫혀 있던 대령전의 거대한 회의장 안으로 몸을 던졌다. 바라본 회의장 안은 온통 피바다였다. 머리가 잘린 무수한 시체가 바닥을 뒹굴었다. 시체가 부패하는 역겨운 냄새와 함께 비릿한 피 냄새가 올라왔다.

"우욱……."

윤조가 손을 들어 코와 입을 틀어막았다. 구역질과 함께 토기가 쏠렸다.

쾅!

큰 소리와 함께 회의장의 문이 박살 났다. 문에 박힌 대검을 뽑아 든 준영이 키얀을 견제하며 윤조를 자신의 등 뒤로 두었다.

회의장 안의 참혹한 광경을 목격한 준영은 목이 잘려 죽은 시체 중에서 사라졌던 제후국 궁수 부대의 장수 감사헌을 발견했다. 자세히 보니 감사헌의 시체 주변에 있는 시체들 중에는 서국의 편에 섰다던 제후와 그의 후계자로 보이는 어린 소년도 섞여 있었다.

"변절자다운 최후지."

키얀의 말에 준영의 시선이 그를 향했다.

"네 편에 섰던 자들이 아니었나?"

"내 편에 선 척했던 자들이지. 황위를 노리고 적국의 황제에게 고개를 조아린 놈들이니 거기서 거기 아니겠나."

"키얀, 이제 그만해라. 전쟁은 끝났다."

"끝나지 않았다."

"다 끝났다. 패배를 인정해라."

"패배를 인정해야 할 건 네놈이다."

키얀이 검 끝으로 윤조를 가리켰다.

"나는 이곳에서 너를 죽이고 저 아이를 데려갈 것이다."

"황후의 치료 때문이라면 내가 도와주겠다!"

"네놈의 도움 따위는 필요 없다!!! 너는 오늘 이곳에서 죽는다. 후환이 될 자를 살려 둘 수는 없지."

"키얀!!!"

"이 전쟁을 끝내려면 우리 둘 중 하나는 죽어야 할 거다."

더는 말을 섞을 가치도 없다는 듯이 키얀이 준영을 향해 달려들었다. 정확히 급소를 노리고 쇄도하는 검격에 준영은 파이옌과 함께했던 대련을 떠올렸다.

—눈이 좇아도 몸이 따라가지 못하면 막을 수 없는 검술이다. 내 검술이 키얀에게서 온 건 맞지만 완벽히 똑같지는 않아. 키얀의 검술은 검술 자체로 변칙적이다.

파이옌의 말처럼 변칙적인 키얀의 검이 쾌속으로 몰아쳤다. 좌, 우, 머리 위, 어깨, 허벅지, 얼굴, 가슴, 목, 배. 정면을 노리는가 싶으면 측면에서 공격이 들어왔고 측면을 노리던 검이 정면을 향해 찔러 오기도 했다.

캉! 캉! 카가강! 캉캉! 캉---!!!

무엇보다 파이옌보다 묵직한 공격의 무게감이 달랐다. 가벼운 곡도임에도 마치 같은 대검을 마주한 것 같은 파괴력이 느껴졌다. 키얀은 검과 한 몸이 된 것처럼 계속해서 움직였다. 몸을 회전하며 준영의 사각을 노리는 검격은 한 치의 틈도 없이 단단했다.

"이전보다 움직임이 둔해졌군."

키얀의 시선이 천을 감아 대검의 손잡이를 고정한 준영의 손과 반대편 손에 든 방패를 향했다. 그는 무언가 깨달은 듯 미소 지었다.

"어울리지 않게 방패를 쓰나 했더니. 어깨가 다 낫지 않았구나?"

"……."

"대검을 휘두르기엔 버티기도 힘든 것 아닌가? 그 팔."

준영은 말없이 검을 휘둘렀다. 몸을 회전해 목을 향해 찌르고 들어오는 대검을 피한 키얀이 소리 내어 웃었다.

두 사람의 이야기를 듣고 있던 윤조의 눈이 커졌다.

"팔이 다 낫지 않았다고……?"

그럴 리 없었다. 나람성에 있는 동안 매일 같이 준영의 팔을 치료했다. 치료 직후 상태를 확인했을 때는 분명 정상이었다.

'하지만 정말로 대장군님의 팔이 다 낫지 않았다면…….'

이유는 하나였다. 파이옌은 원래의 이야기 속 준영이 팔을 잃는다고 했다. 책이, 키얀을 전쟁의 주역으로 세우고 나투국의 멸망을 결정했던 세계가 준영의 회복을 원치 않고 있음이 분명했다. 신력을 제지할 수 있는 힘은 그것뿐이었다.

바라본 준영은 키얀의 말처럼 움직임이 둔했다. 그와는 대조적으로 예리한 키얀의 검격은 계속해서 속도를 높이고 있었다.

'이대로는 대장군님이 위험하다.'

틈을 만들어야 했다. 키얀의 공격을 치고 들어갈 틈을. 손안으로 신력을 끌어모으던 윤조는 동시에 자신을 향한 키얀의 시선을 느끼고 움찔 몸을 떨었다.

"허튼짓하지 않는 게 좋을 거다."

준영의 대검을 쳐 낸 키얀이 몸을 날려 곧장 윤조를 향했다. 무시무시한 기세로 가까워지는 그의 모습에 윤조의 몸이 굳어 버렸다. 높이 치솟았던 두 개의 곡도가 아래를 향하는 순간, 뻗어 온 준영의 대검이 키얀의 공격을 막았다.

카—앙!

"윽!"

온전치 않은 자세로 무리하게 힘을 주어 공격을 막은 탓에 어깨가 빠지는 것 같은 통증이 덮쳤다. 한계였다. 검을 흘리며 몸을 회전한 준영이 방패를 이용해 키얀의 검을 튕겨 냈다. 순간 견고했던 키얀의 방어가 풀리며 틈이 생겼다. 온 힘을 다한 준영의 마지막 일격이 그의 머리 위로 내리쳐졌다.

쾅—!!!

파이엔도 한차례 겪었던 폭격 같은 소리가 대령전 안을 울렸다. 콰직, 하고 무언가 부서지는 소리가 났다. 키얀이 밟고 선 대령전의 바닥에 금이 갔다. 두 개의 곡도가 준영의 검을 받아 냈다.

"이게 홍씨 가문의 비기인가?"

상대방의 뼈를 부수고 검을 부수는 홍씨 가문의 비기 파검술을 정통으로 받아 냈음에도 키얀은 건재했다.

"어떻게……."

"아쉽구나. 팔이 멀쩡했더라면 성공할 수 있었을 텐데."

거친 숨을 몰아쉬는 준영을 향해 키얀이 읊조렸다. 정말로 아쉽다는 듯이 담담하게 읊조린 그가 교차된 곡도에 힘을 주었다.

챙!!!

순식간에 튕겨 나간 준영의 대검이 하늘을 향했다. 방향을 바꾼 키얀의 곡도가 곧장 준영을 향했다.

"안 돼---!!!"

윤조가 급히 손을 뻗었으나 눈으로 좇기 힘들 정도로 빠르게 쇄도하는 두 개의 곡도를 온전히 다 막아 내진 못했다. 깊게 베인 준영의 가슴에서 피가 튀었다.

"대장군님……!!!"

달려 나간 윤조가 쓰러지는 준영을 받았다. 심각한 상처에 윤조가 빠르게 신력을 퍼부었다.

"괜찮을 거예요. 제가 치료할 수 있어요. 제가 할 수 있어요."

준영의 피로 흥건해진 윤조의 손이 덜덜덜 떨려 왔다. 준영이 그런 윤조의 팔을 잡았다.

"도망, 치거라……."

"싫어요."

"제발 가거라. 어서!!!"

"싫어요, 싫어요. 싫다구요……!"

윤조와 준영의 머리 위로 키얀의 그림자가 늘어졌다. 신력을 집중한 왼손을 준영의 상처 위에 고정한 윤조가 오른손을 들어 키얀을 향했다.

"다가오지 마."

경고와 동시에 빠르게 쏘아진 신력이 키얀의 미간을 향해 날아갔다. 고개를 꺾어 윤조의 공격을 피한 키얀이 곡도를 날렸다. 놀란 윤조가 급히 신력으로 날아드는 곡도를 막았다. 그 순간 그녀를 향해 키얀이 쇄도했다.

빠르게 가까워지는 그의 모습이 슬로 모션처럼 선명하게 보였다. 휘둘러지는 곡도가 점점 가까워졌다. 윤조는 질끈 눈을 감은 채 준영을 감싸 안았다.

챙-!!!

고통스러울 것이라 생각했던 순간, 연이어 들려온 금속성의 높은 마찰음과 함께 키얀의 공격이 멈췄다.

"야, 이 개만도 못한 새끼야. 너는 네 절반만 한 애한테 흉기를 휘두르고 싶냐?"

들려오는 익숙한 음성에 번쩍 눈을 뜬 윤조가 정면을 향했다.

"파이옌!!!"

눈물과 피로 엉망이 된 윤조의 모습을 바라보는 파이옌의 미간이 깊게 구겨졌다.

"너는 어째 볼 때마다 꼴이 그 모양이냐? 홍준영은?"

"상처가 심해."

"얼른 치료해. 놈은 내가 맡는다."

파이옌의 모습도 온전치는 않았다. 고된 전투를 치르다 왔는지 흙먼지를 뒤집어쓴 그의 뺨이며 온몸에 생채기가 가득했다. 입 안에 고인 핏물을 침과 함께 뱉어 낸 그가 곡도를 쥐고 자세를 잡았다. 그런 파이옌을 바라보는 키얀의 표정도 차갑게 굳어졌다.

"하센은 죽었나?"

"……."

"내가 정말 미친개를 키웠구나."

"알고도 거뒀잖아, 어떤 미친놈이."

"하하, 그랬지. 어떻게든 살아 보려고 악을 쓰는 모습이 애처로워 그랬지."

"두 번 애처롭다가는 아주 자살하겠다?"

"나를 이길 수 있을 것 같나?"

"기분 나쁘게 웃지 말고 덤벼!!!"

파이옌과 키얀이 동시에 바닥을 박찼다.

챙챙챙! 캉! 챙챙챙챙! 카앙-!!!

둘 다 쾌검을 구사하는 쌍검사답게 빠르고 유연한 공격이 이어졌다. 마주하는 검을 따라 두 사람이 쉴 새 없이 움직였다. 날아오른 파이옌이 몸을 회전해 그대로 검을 내리찍었다.

카아앙---!

교차된 키얀의 곡도가 파이옌의 검을 막았다. 다음 순간 빠르게 방어를 푼 그가 순식간에 파이옌의 목을 노리고 치고 들어왔다.

"윽!"

고개를 젖혀 간신히 그의 공격을 피한 파이옌이 급히 거리를 벌렸다. 키얀의 검이 스친 목에서 피가 흘렀다.

"그 정도로 나를 이길 수 있을 것 같나?"

"네놈 팔이나 보고 말해."

따끔한 통증에 고개를 돌린 키얀이 자신의 오른팔을 확인했다. 잘려 나간 옷 아래로 피가 흘렀다. 얕은 상처였으나 그의 화를 돋우기에는 충분했다. 파이옌이 미소 지었다.

"한동안 병석에 누워 계시더니 감이 많이 죽었나 봐?"

여유로운 척 도발하고 있었지만 파이옌은 극도로 긴장한 상태였다. 마주한 키얀의 살기에 목뒤가 쭈뼛거렸다. 그의 등골을 따라 식은땀이 흘러내렸다. 어드밴티지로 강화된 육체만큼이나 강화된 본능은 한시라도 빨리 이곳을 뜨라고 경고하고 있었다.

머릿속에 울리는 경고등을 무시한 채 파이옌은 자세를 고쳤다. 힐끗 곁눈질을 하자 준영을 치료하는 윤조의 모습이 보였다. 여기서 자신이 밀리면 두 사람 다 위험하다. 곡도를 쥔 그의 손에 힘이 들어갔다. 근처에 불이 났는지 매캐한 냄새가 퍼지기 시작했다.

"스안은 어딨어?"

파이옌의 물음에 키얀의 손이 움찔했다. 대답하지 않는 그를 향해 파이옌이 소리쳤다.

"말해!!! 스안은 어디 있어!!!"

"황자는 지하 감옥에 있다."

지하라는 말에 놀란 윤조가 그들을 돌아봤다.

"지하 감옥이라고요? 지하 통로는 지금 화재로 연기가 자욱해요! 감옥도 연결되어 있다면 그곳도 무사하지 못할 거예요!"

"뭐?"

경악한 파이옌이 키얀을 바라봤다. 화재라는 이야기에 키얀의 얼굴에서도 표정이 사라졌다.

"뭐 하고 있어! 빨리 가서 스안을 구해야지!!!"

"……."

"키얀-!!!"

"감옥은 병사들이 지키고 있다. 화재가 났다면 이미 몸을 피했을 것이다."

"뭐라는 거야! 밖은 아수라장이라고! 병사들이 살아남을지 어떨지 장담할 수 없어!"

"황명을 어기고 적국의 편에 선 황자의 잘못이다."

"황자가 죽어도 상관없다는 거야?"

"가도 여기서 네놈들을 죽이고 가겠다."

키얀의 몸이 좌우로 흔들리는가 싶더니 순식간에 파이옌을 향해 간격을 좁혀 왔다. 두 개의 곡도가 춤을 췄다. 이전과는 비교도 되지 않을 정도로 빨라진 그의 움직임에 파이옌이 어금니를 깨물었다. 눈으로 보고 난 뒤에는 이미 늦었다. 검의 흐름을 느끼고 몸을 맡겨야 했다.

관자놀이를 노리고 곧장 다가오는 키얀의 검을 막아 낸 파이옌이 발로 키얀의 턱을 걷어찼다. 준영에게는 통했던 기술이었으나 오랜 대련으로 파이옌의 움직임을 꿰고 있던 키얀에게는 통하지 않았다. 고개를 뒤로 꺾어 발차기를 피한 그가 파이옌의 발목을 잡고 그대로 비틀었다.

우드득.

뼈가 비틀리는 소리와 함께 파이옌의 입에서 비명이 터졌다.

"아악……!!!"

"파이옌!!!"

윤조가 다급히 파이옌을 불렀다. 죽음의 위기를 느낀 순간 파이옌의 어드밴티지가 그 어느 때보다 강하게 발동됐다. 순식간에 근육이 팽창하며 단단해졌다. 황급히 몸을 회전한 그가 반대편 다리로 키얀의 복부를 걷어찼다.

"큭-!"

제대로 들어간 돌려차기에 키얀의 몸이 날아갔다. 배를 움켜쥔 그가 곡도를 지지대 삼아 자리에서 일어났다.

"쿨럭……!"

기침을 토한 키얀의 입에서 피가 쏟아졌다.

"그게 바로 태권도라는 거다! 아오 씨, 내 발목-!!!"

욕지기를 내뱉으며 탈골된 발목을 확인한 파이옌의 얼굴이 고통으로 일그러졌다.

"파이옌! 괜찮아?!"

"윤조 너는 홍준영이나 챙겨! 후, 체대 실기 본 이후로 내가 이 짓을 또 하게 될 줄은 몰랐는데."

대학교 실기 직전 발목이 탈골됐던 순간을 떠올린 그가 한숨을 내쉬었다. 발목을 잡은 그가 억지로 탈골된 뼈를 맞췄다. 비명을 삼킨 그의 이마 위로 식은땀이 흘렀다.

뼈는 맞췄지만 비틀린 근육이 파열됐다. 바닥을 딛는 순간 찢어지는 통증에 그가 입술을 깨물었다. 키얀에게서 파이옌이 전수받은 서국 쌍검술의 극의인 신속迅速은 속도를 받쳐 주는 다리와 검과 하나 된 팔 동작을 기본으로 했다. 다친 다리로는 균형이 깨질 수밖에 없었다.

'그걸 아니까 놈이 이 짓을 한 거겠지만.'

부어오르기 시작한 다리를 힐끗 바라보던 파이옌이 키얀을 노려봤다. 이대로는 제대로 된 타격을 줄 수 없었다.

번진 불길이 어느새 대령전의 천장에 옮겨 붙었다. 타들어 가는 천장을 바라보는 파이옌의 표정이 좋지 못했다. 그때 윤조의 치료를 받은 준영이 눈을 떴다.

"대장군님! 정신이 드세요?"

"키얀은?"

"파이옌이 막고 있어요."

"일어났나?"

파이옌이 그런 준영을 바라보며 고개를 까딱였다. 성치 않은 파이옌의 상태를 확인한 준영이 비틀거리며 자리에서 일어났다. 치료 직후의 팔은 일시적으로나마 정상으로 돌아왔다. 상처를 치료한 신력이 팔에도 흘러들어 갔기 때문인지 다시 움직일 수 있었다. 준영은 만류하는 윤조의 손길에도 묵묵히 일어나 다시 검을 들었다.

"내가 활로를 열겠다. 그 틈에 놈을 베라."

"할 수 있겠어?"

윤조의 치료를 받았으나 한눈에도 준영의 가슴에 난 상처는 심각했다. 걱정 어린 파이옌의 물음에 준영이 고개를 끄덕였다.

"지금이라면."

확실히 성공할 수 있다. 준영은 비틀거리며 다시 자세를 잡는 키얀을 노려봤다. 조금 전의 일격은 실패하지 않았다.

쩌적.

어디선가 단단한 무언가에 균열이 가는 소리가 들려왔으나 타닥거리며 천장이 불타오르는 소리에 묻혔다. 준영과 파이옌의 시선이 다시 움직이기 시작하는 키얀을 향했다. 점차 커져 가는 불길에 그도 초조함을 느낀 모양이었다.

자세를 고칠 생각도 하지 않고 달려오기 시작하는 키얀의 모습에 준영이 양손으로 대검을 움켜쥔 채 자세를 잡았다. 일격을 날리기 전 자세였다. 가까워진 키얀의 신영이 자리를 박찼다. 가속이 붙은 두 개의 곡도가 일격을 가했다. 준영의 뒤를 이어 공격을 대비해 파이옌의 근육이 팽창했다. 하늘을 향해 치솟은 준영의 대검이 순식간에 아래를 향했다.

콰앙---!!!!!

폭발음과 함께 일대가 진동했다. 엄청난 힘의 충돌에 건물 내부에서 바람이 느껴질 정도였다.

"으윽!"

준영의 입에서 신음이 터졌다. 키얀의 곡도 끝이 그의 어깨를 찌르고 있었다. 곡도는 점점 더 상처를 파고들었다.

"한 번 실패한 기술로는 나를 이길 수 없다."

"실패하지 않았다."

"뭐라고?"

쩌저적.

단단한 무언가가 갈라지며 금이 가는 소리가 선명히 들려왔다. 순식간에 키얀이 들고 있던 곡도 두 개가 부서져 내렸다. 아래를 향한 준영의 일격이 그대로 키얀의 상체를 베었다.

"크……!"

키얀이 급히 몸을 뒤로 피했으나 파이옌이 순간을 놓치지 않고 곡도를 내질렀다.

"커헉……!!!"

키얀은 자신의 복부를 관통한 파이옌의 검을 바라봤다. 치명상이었다.

"네놈-!!!"

"빨리 치료하면 살 순 있을 거다."

검을 뽑으려던 파이옌은 문득 떠오른 스안의 얼굴에 그대로 손을 놓았다. 한 움큼 피를 토한 키얀이 비틀거리며 바닥에 쓰러졌다. 길고 긴 전쟁의 끝이었다.

"어서 나가자."

불길이 점점 거세졌다. 천장의 구조물이 하나둘 바닥으로 떨어지기 시작했다. 걸음을 옮기려던 파이옌의 발이 삐끗하며 몸이 기울었다. 준영이 넘어지려는 그의 팔을 붙잡았다.

"조심해라."

"놔! 에이, 쪽팔리게 다리 힘 풀렸어……."

툴툴거리며 준영의 손을 뿌리치는 파이옌의 모습에 바짝 긴장했던 윤조의 얼굴이 풀어졌다. 그녀는 멀지 않은 곳에 쓰러져 있던 키얀을 바라봤다.

"키얀은 어떡하죠?"

파이옌이 손을 들었다.

"내가 옮길게."

"다리 봐 봐요."

윤조가 퉁퉁 부어오른 파이옌의 발목에 손을 가져갔다.

"윽! 살살! 살살-!"

"엄살은."

“엄살 아니거든?!”

“네네.”

신력이 스며들자 부어 있던 그의 발목이 원래대로 돌아왔다. 툭툭 바닥에 두드리며 발목의 상태를 확인하던 파이옌의 얼굴이 언제 그랬냐는 듯이 활짝 펴졌다.

“진짜 신기하네. 어떻게 이렇게 빨리 낫지?”

“그쪽이 유난히 치유력이 잘 듣긴 해요.”

“주인공 버프인가?”

“체질인가 보죠.”

묘길에 이어 준영, 파이옌까지. 신력을 거의 바닥까지 사용한 윤조가 어지러운 머리를 짚었다. 준영이 그런 윤조의 어깨를 잡았다.

“괜찮으냐?”

“힘을 좀 많이 썼나 봐요. 괜찮아요.”

밖으로 나가기 위해 복도를 확인하던 파이옌이 급히 문을 닫았다. 밖으로 이어지는 복도의 통로는 이미 화염이 가득했다.

“큰일 났다. 길이 막혔어.”

한고비 넘겼다 싶었는데 이제는 불에 타 죽게 생겼다. 세 사람이 흩어져 밖으로 나갈 다른 길을 찾던 때였다.

쾅! 쾅! 쾅!

건물이 부서지는 요란한 소리가 났다. 지진이라도 난 것처럼 흔들리는 대령전에 놀란 세 사람의 눈동자가 소리가 들려오는 방향을 향했다.

쾅-!!!

별안간 바깥쪽에 위치한 대령전의 모퉁이가 와르르 무너져 내렸다. 커다란 구멍이 난 대령전 밖으로 도열한 서국의 병사들이 보였다. 긴장한 준영과 파이옌이 검을 움켜쥐었다.

"파이옌-!"

익숙한 목소리에 파이옌이 검을 내렸다. 부서진 대령전의 잔해를 빠르게 옮기는 병사들 앞으로 스안의 모습이 보였다.

"아가야! 괜찮느냐!"

자세히 보니 홍 장군과 나투국의 병사들이 충차를 몰고 있었다. 그 뒤로는 최 승상과 다른 사람들도 함께였다. 준영이 골치 아픈 이마를 짚었다.

"황궁을 박살 내면 어떡합니까, 아버지."

"이놈은 구해 줘도! 지금 그게 중요하냐! 내 며느리가 위험한데!"

"아버님-!"

"오이 우리 예쁜 며늘아가! 조금만 기다려라! 금방 꺼내 주마!"

아우우---!

높이 울어 대는 늑대들의 소리에 윤조가 반갑게 눈을 빛냈다. 홍 장군이 부서진 잔해 틈으로 달려가려는 댕댕이의 작은 몸을 번쩍 들어 올렸다.

"안 된다, 욘석아. 그러다 다칠라."

끼잉.

홍 장군이 커다란 손으로 댕댕이의 까만 머리를 쓱쓱 쓰다듬었다.

"늑대들이 아니었으면 어디 있는지 못 찾을 뻔했다."

댕댕이를 어미인 2호에게 넘겨준 그가 빠르게 병사들을 움직여 잔해를 치우게 했다. 커다란 잔해들이 치워지는 것을 바라보던 준영이 엉망이 된 윤조의 머리카락을 쓰다듬었다.

"먼저 나가라. 뒤따라가마."

파이엔이 윤조를 향해 손을 흔들었다.

"어, 먼저 가. 난 저놈 좀 챙기고."

파이옌이 쓰러진 채 정신을 잃은 키얀의 팔을 자신의 어깨에 둘렀다. 검에 관통당한 그의 모습에 스안이 놀라 소리쳤다.

"아바마마-!!!"

"네 애비 안 죽었다."

"파이옌……."

"하여간 목숨은 질겨 가지고."

아버지께서 살아 있다. 그거면 충분했다. 툴툴거리는 파이옌의 말에 울컥 차오른 눈물을 닦아 낸 스안이 크게 고개를 끄덕였다. 문제는 그다음이었다.

웅성대는 사람들의 소리에 눈을 뜬 키얀은 멀리 부서진 건물 너머로 보이는 사람들의 모습과 자신의 몸을 부축하는 파이옌의 모습을 발견했다. 늘어져 있던 그의 손가락이 움찔거리며 곡도를 쥐었다. 미동을 느낀 파이옌의 시선이 키얀을 향했다. 그 순간 키얀의 곡도가 순식간에 파이옌의 가슴을 꿰뚫었다.

푹-!

불쾌한 소리가 났다. 파이옌을 향해 미소 짓고 있던 스안의 표정이 굳어졌다. 상황을 목격한 사람들과 같은 공간 안에 있던 윤조와 준영의 표정도 경악으로 물들었다.

"파이옌!!!"

윤조와 준영이 비명처럼 외쳤다. 쓰러지는 파이옌의 뒤로 키얀이 몸을 일으켰다. 양손으로 곡도를 움켜쥔 그가 바닥에 쓰러진 파이옌을 향해 다시금 검을 내리꽂으려는 순간이었다. 빠르게 달려 나간 준영이 떨어지는 키얀의 검을 막았다. 윤조가 다급히 파이옌의 상태를 살폈다.

"파이옌!!! 파이옌!!! 정신 차려! 파이옌!!!"

정확히 심장을 찔렸다. 신력을 끌어모았으나 이미 바닥나 버린 신력은 희미하게 그녀의 손안을 맴돌 뿐이었다.

"안 돼! 제발!!! 제발……!!!"

"커윽."

윤조가 경련하는 파이옌의 몸을 끌어안았다. 할 수 있는 게 아무것도 없었다.

"파이옌! 안 돼! 죽으면 안 돼!!! 눈을 떠!!!"

절망으로 물들어 가는 그녀의 눈에서 굵은 눈물이 흘러내렸다. 의식이 점점 멀어지는 와중에도 일그러진 시야를 가득 메운 윤조의 모습에 파이옌이 읊조렸다.

"또 우네……."

"파이옌! 내 목소리 들려? 밖에 누구 없습니까!!! 무녀가 필요해요!!! 지금 당장-!!!"

악성을 내지르는 윤조의 손을 그가 가만히 붙잡았다.

"미안해."

"……."

"매번 울려서 미안해."

"지금 뭐라는……!"

"한 번쯤은 웃게 해 주고 싶었는데."

"그런 말 하지 마. 마지막인 것처럼 말하지 마! 괜찮을 거야. 곧 무녀들이 올 거야. 조금만 버텨. 응?"

윤조의 목소리가 점점 멀어졌다. 파이엔은 자신의 손을 꽉 움켜쥔 그녀의 작은 손을, 그 온기를 가만히 느꼈다. 소리가 사라지니 입 모양만 벙긋거리는 윤조의 모습이 정말로 병아리 같았다. 마지막까지 이런 실없는 감상이라니. 그런 생각에 절로 웃음이 났다. 윤조의 볼을 따라 흐른 눈물이 식어 가는 그의 뺨 위로 떨어졌다. 울지 말지. 울리고 싶지 않았는데. 더는 울리고 싶지 않았는데. 그는 거슬리는 그녀의 눈물이 정말 지긋지긋하다고 생각했다.

웃는 모습이 예뻤는데. 그날, 날이 맑았던 시장에서의 그날. 새하얀 혼례복을 입고 수줍게 웃던 그녀의 그 모습이 정말로 예뻤다고. 글을 모른다 거짓말을 했던 자신에게 글공부를 시켜 주겠다며 당부를 했던 그녀의 모습이, 소중하게 숨겨 두었던 금화를 건네며 자랑스럽게 웃던 그녀의 모습이, 장난을 치는 자신에게 퉁명스럽게 쏘아붙이던 그 목소리가, 약이 올라 뾰족하게 노려보던 시선이, 태양을 닮은 그 눈동자가, 작지만 야무진 손이, 아담한 체구가, 복슬복슬한 금빛 머리카락이, 강인한 의지가, 남을 위하는 마음이…….

아아, 이렇게 보니 무엇 하나 예쁘지 않은 것이 없었다고.

"병아리."

그렇게 너를 부르던 내 마음을 너는 알까? 이름을 부를수록 가슴께가 간지러워서. 동글동글한 네 이름이 자꾸 내 가슴속을 굴러다녀서. 괜히 너를 닮은 무언가를 찾고, 너를 닮은 모든 것에 의미를 부여하고, 그런 내가 이상해서 입을 다물다가 다시 너를 보면, 네가 보이면, 어떻게든 부르지 않을 수가 없어서. 나를 바라보는 네 시선이 그저 좋아서. 퉁명스럽게라도, 짓궂은 놀림으로라도 너를 부르던 내 마음을.

"좋아했어."

사랑이겠지만 사랑이 아니기를. 아직 시작도 못 했지만 끝이 나기를. 다른 사람을 향하는 네 마음에, 그 마음만큼은 내가 걸림돌이 되지 않기를. 그러니 좋아했어. 사랑이 아니야. 좋아한 거야. 그냥 너라는 사람을 좋아했던 거야. 그러니까 이제부터는 아무것도 아닌 거야. 내 마음은 여기까지야. 그러니 부디 행복해.

파이옌이 웃었다. 언제나처럼 그다운 미소였다.

"그동안 즐거웠어."

그다운 마지막 인사였다.

"파이옌? 파이옌! 죽으면 안 돼! 파이옌……!!!"

그렇게 전쟁이 끝났다.

"윤조야, 준비 다 됐어?"

"이제 옷만 갈아입으면 돼."

열린 창문으로 들어오는 햇살이 눈부셨다. 신부 화장을 마친 윤조가 침상 위에 놓인 하얀 혼례복을 가리켰다. 방 안에 들어와 혼례복을 구경하던 의령이 수줍게 웃었다.

"히히, 나도 나중에 입게 되겠지?"

"삼안이 열렬히 구애 중이라며? 언제까지 애태우려고?"

"조금만 더 애타라지."

"으이그, 하여간 은근 짓궂어."

"이게 바로 밀당이라는 거지!"

의령의 말에 윤조가 의외라는 듯 그녀를 바라봤다.

"그런 말은 또 어떻게 알아?"

"나래가 알려 줬지롱~"

"나래가?"

"응. 내가 알려 줬어."

"나래야!"

의령이 방으로 들어오는 나래를 반갑게 맞았다. 나래도 그런 의령이 싫지는 않은지 알은체했다. 출발 준비가 다 되었다고 말한 나래가 탁자 곁에 있던 의자를 당겨 앉았다.

"윤조 네가 알려 준 말 중에 '밀당'이라는 게 가장 쓸모 있던걸?"

"그거 설마 길림 부관님께도 해당되는 거야?"

"당연하지. 그렇게 쓰라고 있는 건데."

의령이 맞장구쳤다.

"맞아, 맞아. 해 보니까 남녀 간에 밀고 당기기가 정말 중요하더라고!"

"그렇지. 요즘 수도 안에 귀족이고 평민 할 것 없이 자유연애 분위기도 많이 퍼져서 밀당의 기술이 많이 유행하고 있기도 하고."

나래의 말에 윤조가 몰랐다는 듯이 어깨를 으쓱했다.

"어쩐지 요즘 거리에 커플들이 많이 보이더라니."

"아무튼, 밀당은 아주 중요해."

어딘지 모르게 날이 서 있는 나래의 목소리에 윤조가 의문했다.

"길림 부관님이랑 무슨 일 있었어?"

"아니."

"있는 거 같은데."

"없었거든."

"확실히 있네. 그렇지?"

동의를 구하는 윤조의 물음에 의령이 고개를 끄덕였다.

"무슨 일인데 그래? 이렇게 좋은 날 신부 친구가 활짝 웃어야지."

"걱정 마셔. 사람들 앞에서는 잘 웃어 줄 테니까."

"이 프로가식러야……."

떨떠름하게 읊조리던 윤조가 걱정스럽게 나래의 앞에 앉았다.

"정말 무슨 일인데 그래? 설마 부관님이 한눈이라도 팔았어?"

"달라붙는 여자가 너무 많아."

"뭐?"

"달라붙는 여자가 너무 많다고!"

나래의 외침에 눈을 깜빡이던 윤조와 의령이 서로를 마주 봤다.

"그러니까 이건 그거네?"

"확실히 그거네."

"뭐가 그거라는 건데!"

"질투."

"질투."

동시에 떨어진 윤조와 의령의 대답에 나래의 얼굴이 새빨갛게 달아올랐다.

"내, 내가 언제 질투를 했다고!"

"많이 하고 계신 거 같은데요. 안 그렇습니까? 의령 무녀."

"예. 저도 그렇게 보입니다, 윤조 무녀."

"에이, 몰라! 하여튼! 건강 회복되더니 여자들이 줄줄이 붙잖아!

모질게 거절하는 법도 몰라서 쩔쩔매고 있고!"

'탕!' 하고 탁자를 세게 내리친 나래가 열린 창밖을 노려봤다.

"또 몰라. 지금도 어디서 여자들한테 둘러싸여 있을지!"

같은 시각, 황실 연회장.

"에취! 에취!"

갑자기 재채기를 하는 길림의 모습에 주례사를 재차 검토하고 있던 최 승상이 말했다.

"누가 자네 욕을 하나 보군?"

"예? 설마요. 하하하. 봄날 꽃가루가 날리나 봅니다."

"설마가 아니던데. 나래가 자네 욕을 많이 하던데."

"예……?"

예식용 장식품을 옮기던 길림의 낯이 딱딱하게 굳어졌다. 최 승상의 날카로운 시선이 그를 훑었다.

"요즘 수도 안의 여성들에게 인기가 좋다지?"

"아, 아닙니다! 누가 그런 말도 안 되는 소리를!"

"나래가 그러더군."

"말이 되는 소리였네요! 죄송합니다……!!!"

"길림 부관."

"예, 대승상님!"

최 승상이 바짝 얼어붙은 길림의 주위를 한 바퀴 맴돌며 읊조렸다.

"나래 눈에서 눈물 나면 그대는 눈이 뽑힐 각오를 하게."

혀 다음에는 눈이었던가! 길림은 첫 만남에서 거짓을 고하면 자신의 혀를 뽑아 버리겠다고 으름장을 놓던 나래의 모습을 떠올렸다.

"대답이 늦군?"

"각오하겠습니다!"

"지켜보지."

아무래도 한 나라의 대승상을 장인어른으로 모시는 일은 전쟁보다 어려운 일이 될 것 같다고 길림은 생각했다.

"윤인, 윤의, 윤예, 윤지! 이제 출발해야 되니 어서 오렴!"

윤조 어머니의 부름에 늑대들과 놀고 있던 윤조의 동생들이 조르르르 달려갔다. 어느새 훌쩍 자란 댕댕이가 꼬리를 흔들며 그 뒤를 따랐다. 아이들은 방 안에서 나온 윤조의 모습에 반짝반짝 눈을 빛냈다.

"우와! 언니 예쁘다!

"누나! 누나가 수도에서 젤 예쁘다!"

"아냐, 이 대륙에서 가장 예뻐!"

"하늘만큼!"

"우리 윤조는 우주만큼 예쁘지-!"

불쑥 끼어든 목소리는 홍 장군이었다. 대들보 뒤에 숨어 윤조가 나오기만을 기다리고 있던 그의 말에 윤조의 동생들이 꺄르륵 웃음을 터트렸다.

"장군님 웃기다!"

"히히, 장군님 좋아!"

"아이고, 예쁜 내 강아지들! 장군님이 그리 좋누?"

홍 장군은 자신의 품에 와락 안기는 윤조의 동생들을 보듬어 안으며 싱글벙글했다.

"애들아, 장군님 힘드셔."

어머니의 만류에도 아이들은 홍 장군의 팔이며 다리에 매달린 채 떨어질 줄 몰랐다.

"괜찮습니다, 사돈. 아직 팔팔합니다. 놀아 줄 수 있을 때 마음껏 놀아 줘야죠. 안 그랬다간 우리 준영이처럼 무뚝뚝해집니다. 못써요, 못써."

그 말에 윤조를 포함한 모두가 웃음을 터뜨렸다.

얇은 면사포를 머리 위에 뒤집어쓴 윤조가 조심스럽게 마차에 올랐다. 나래와 의령도 함께였다. 마차가 달리기 시작했다. 봄꽃이 활짝 핀 풍경을 바라보던 나래가 말했다.

"예전이 생각나네. 그때는 윤조 너보다 내가 더 떨린다고 난리였는데."

"그러게. 그랬었는데."

달리는 마차 안에서 윤조는 엉망으로 망쳐졌던 자신의 첫 혼례를 떠올렸다. 그녀는 새로 맞춘 자신의 혼례복을 바라보며 누군가를 추억했다.

"자꾸 생각나서 큰일이야."

"뭐가?"

"내 혼례식을 망쳤던 사람."

윤조의 말에 나래와 의령이 잠시 침묵했다. 조심스러워하는 그들의 모습에 윤조가 괜찮다며 미소 지었다.

"좋은 날이잖아. 웃어야지."

"파이옌도 축하해 줄 거야."

"맞아. 분명 그럴 거야."

윤조가 애써 웃으며 고개를 끄덕였다.

"그랬으면 좋겠다. 매번 못난이라고 놀렸어도 혼례복 입었을 때만큼은 예쁘다고 했었거든."

마차는 곧 황궁 연회장 앞에 멈춰 섰다. 윤조는 길림의 도움을 받아 마차에서 내렸다. 나래와 의령도 마찬가지였다. 길림의 손을 잡기 전 나래의 뾰족한 시선이 길림을 향했지만 잠깐이었다. 길림이 어색한 미소를 지었다. 그런 두 사람의 모습이 웃겨서 윤조와 의령이 웃었다.

잠시 뒤, 가례를 알리는 풍악 소리와 함께 닫혀 있던 연회장의 문이 열렸다. 상석까지 이어지는 붉은 비단길을 따라 윤조가 천천히 걸음을 옮겼다. 머리 위로 꽃잎이 흩날렸다. 지난 혼례식과 조금도 다르지 않은 풍경이었다. 달라진 것이 있다면 혼례를 축하하기 위해 연회장 안에 모인 사람들이었다.

고개를 들어 상석을 바라보자 그 길의 끝, 황제와 황후만이 자리할 수 있는 높은 계단 위에 모여 있는 사람들이 보였다.

온 황제와 나투국의 황후, 이제는 황위에 오른 서국의 황제 스안과 건강을 되찾은 서국의 황후, 아니 태후가 나란히 그녀를 향해 축하를 보냈다. 그 아래 조금 더 낮은 계단 위에는 윤조를 축하하기 위해 와 준 서국 수르암 후궁들의 모습도 보였다. 그들의 주변으로 푸근한 미소를 짓고 있는 홍 장군의 모습도, 어머니와 동생들의 모습도, 유모와 식솔들의 모습과 흥에 겨워 만세를 외치고 있는 시장 사람들의 모습도 보였다.

얼마 전까지만 해도 상상할 수 없던 꿈 같은 풍경이었다. 한데 모인 나투국과 서국의 사람들이 함께 축가를 부르며 축배를 들었다. 그들은 입을 모아 윤조와 준영의 혼례를 축하했다.

윤조가 천천히, 그리고 점차 속도를 내어 비단길을 나아갔다. 그녀가 행진을 시작함과 동시에 차분했던 음악이 흥겹고 빠른 박자로 변하며 비단길 양쪽에 있던 사람들도 손뼉을 치며 춤을 주기 시작했다.

그때 윤조의 앞으로 내밀어지는 손이 있었다. 첫 번째 춤 신청자였다. 고개를 드니 보이는 어머니와 동생들의 모습에 윤조가 환히 웃으며 손을 마주 잡았다. 가족들과 함께 동그랗게 모여 손을 잡은 그녀가 원을 그리며 춤췄다. 그 가운데로 난입한 댕댕이가 펄쩍펄쩍 뛰며 꼬리를 흔들어 댔다.

"우리 딸, 건강하고 무사하게 돌아와 주어 고맙다."

어머니의 축하 속에 다시 행진을 이어 가던 그녀의 앞에 다시금 누군가의 손이 내밀어졌다. 홍 장군이었다.

"우리 며늘아기, 언제 봐도 정말 예쁘구나."

홍 장군의 손을 잡은 그녀가 다시금 빙그르르 가볍게 몸을 회전했다. 그녀가 움직일 때마다 펼쳐지는 치맛자락이 마치 커다란 꽃잎처럼 활짝 피어났다.

"환영한다, 윤조야."

홍 장군의 배웅을 받으며 다시 행진이 시작되었다. 사방에서 들려오는 환호성에 윤조가 환하게 웃었다. 머리 위로 내리쬐는 햇살이 따스했다. 기분 좋은 바람이 불었다.

"이번에는 나랑 춤춰!"

수르암에서 윤조를 챙겨 주었던 후궁 나빌이 그녀를 향해 손을 내밀었다. 윤조가 반갑게 그녀의 손을 잡았다.

“나빌! 와 줘서 정말 기뻐요! 다른 후궁분들도요.”

“내가 다 데려왔지~ 나투국의 또 다른 피부 관리 비법도 알아 갈 겸!”

활기찬 나빌의 말에 윤조가 키득거리며 웃었다.

“제가 다음에 또 다른 거 해 드릴게요.”

“어? 정말? 우리야 좋지! 덕분에 태후마마께서도 건강해지셨고, 폐하께서도 회복 중이시고. 정말 고마워.”

“별말씀을요.”

“귀여운 것. 아, 이런, 너무 오래 붙잡았다! 또 봐!”

나빌을 지나친 윤조는 계속해서 앞을 향했다. 그 뒤로 최 승상과 길림, 나래, 의령을 지난 윤조가 어느새 길의 끝에 다다랐다. 계단 위에서 윤조를 기다리던 준영이 손을 내밀었다.

“어지럽진 않느냐?”

많은 사람과 춤을 춘 윤조가 걱정된 모양이었다.

“괜찮아요. 즐거웠어요.”

활짝 웃는 윤조를 따라 준영이 마주 웃었다. 첫 혼례식의 그날처럼 그녀의 작은 손을 감싸는 온기가 따스했다. 고개를 들어 바라본 준영은 그 어느 때보다 행복한 미소를 짓고 있었다.

음악이 바뀌고 온 황제와 스안이 나란히 연회장 안에 모인 양국의 신료들과 백성들 앞에 섰다.

“오늘은 너무나 기쁜 날이다. 나투국과 서국 양국이 모두 한 가정의 탄생을 축하하는 자리에 모였으니 이보다 더 기쁜 날이 있겠나! 이로써 우리는 가족으로 맺어졌다. 나 나투국의 황제 온은 언제까지나 양국의 평화와 교류가 이어지기를 바라는 마음을 담아 국경에 세워 두었던 모든 벽을 무너뜨리겠노라!"

그것은 양국 간의 자유로운 왕래를 뜻하는 새로운 첫발이었다. 파격적인 선언에 서국은 물론이고 나투국의 백성들도 환호성을 내질렀다. 언약식을 위해 윤조와 준영이 마주 선 가운데, 최 승상의 주례가 이어졌다.

"신랑 홍준영은 신부 윤조를 아내로 맞아 평생을 함께하겠나?"

"예."

"신부 윤조는 신랑 홍준영을 남편으로 맞아 평생을 함께하겠나?"

"네."

"이것으로 두 사람이 부부가 되었음을 인정하는 바이다."

우레와 같은 함성이 나투국의 황성에 메아리쳤다. 하늘 위로 오색 천을 다리에 묶은 매가 날아올랐다. 윤조의 손을 꼭 맞잡은 준영이 하늘을 올려다보며 말했다.

"녀석이 배 아파하겠군."

"왜요? 놀리려고요?"

"여기서 놀리기까지 하면 너무 가엽잖나."

"이미 놀리는 거 같은데."

"놀리려면 이 정도는 되어야지."

"으앗!"

준영이 윤조를 번쩍 들어 올려 품에 안았다. 놀란 윤조가 무수히 모인 사람들을 바라보며 당황스럽게 준영을 올려다봤다.

"무, 무슨 짓을 하시려고요!"

"이런 짓."

윤조의 목뒤를 가볍게 당기더니, 준영의 입술이 그녀의 입술 위로 내려앉았다.

"어머, 어머, 어머! 대장군님 멋있다!"

어디선가 환호하는 의령의 목소리가 들렸다. 웃음이 터진 윤조가 준영의 목을 끌어안았다.

"역시 우리 귀염둥이! 여자는 박력이지!"

나빌이 휘파람을 불며 소리쳤다. 마찬가지로 웃음이 터진 준영이 윤조와 이마를 맞댄 채 키득거렸다.

"여자는 박력이라는데 어떻게 생각하시오, 부인?"

"오늘 밤 박력 있게 넘어뜨려 드리죠."

야무진 윤조의 대답에 폭소한 준영이 그녀를 안은 채 사람들이 모여 있는 객석으로 향했다. 윤조가 하늘을 향해 손을 흔들었다.

누군가에게 보란 듯이 환한 미소를 지으며.

누군가에게 보란 듯이 환한 미소를 지으며.

책의 마지막 문장을 읽은 파이엔, 아니 지훈의 손이 잘게 떨려 왔다. 낡은 책장 위로 눈물이 떨어질까 그는 가슴에 책을 꽉 끌어안았다. 다리에 힘이 풀린 그가 벽에 기댄 채 주르륵 미끄러졌다. 바닥에 주저앉은 그는 어제까지는 누군가의 병실이었던, 그러나 지금은 비어 버린 어느 병실 안에서 숨죽여 흐느꼈다.

"짜증 나는 것들. 끝까지 염장질이냐?"

울면서도 웃음이 났다. 턱턱 막히는 숨을 가끔씩 토하며 그는 퉁명스럽게 읊조렸다. 병실 앞을 지나던 간호사가 그런 지훈을 발견하고 놀라 물었다.

"어머, 괜찮으세요?"

"괜찮습니다."

간신히 눈물을 그친 지훈이 간호사를 향해 물었다.

"여기 있던 환자, 어디 갔는지 압니까? 환자 이름은 '신채영'입니다."

"신채영이요? 잠시만요."

들고 있던 입원 차트를 확인하던 간호사가 고개를 갸웃거렸다.

"그런 환자는 없는데요?"

"없다고요?"

"네. 이 병실은 지난달부터 계속 비어 있었어요."

"……."

"뭔가 잘못 아신 거 아닐까요? 괜찮다면 데스크에 알아봐 드릴게요."

"아니요. 괜찮습니다."

지훈이 눈물을 닦으며 자리에서 일어났다. 그는 들고 있던 모자를 푹 눌러쓴 채 병원을 나섰다.

신채영은 사라졌다. 원래의 세상에서 그녀는 없는 사람이 되었다. 누구도 그녀를 기억하지 못했다. 누구도 그녀의 부재를 알아차리지 못했다. 단 한 명, 낡은 책 한 권을 품에 안은 지훈을 제외하고는. 결말이 완전히 바뀌어 버린 책을 읽은 그는 책 속 세계에서 자신이 죽은 직후 윤조가 자신을 살려 냈다는 것을 알았다.

그녀는 세계를 향해 말했다.

그녀는 세계를 향해 말했다.

"소원을 빌게. 당장 내 눈앞에 나타나!!!"

그녀의 부름에 응답하듯 세계가 다시 허공에 뜬 거대한 글씨가 되어 그녀의 앞에 나타났다. 윤조가 말했다.

"하나의 결말에 하나의 소원. 이번은 없다고 했지?"

그렇다.

"내 첫 번째 소원은 뭐였지?"

이 세계의 이야기는 이번으로 완전히 결말지어 달라고 했다.

"너는 그 소원이 이루어질 거라고 했어. 그렇지?"

그렇다. 그 소원은 이루어졌다. 더 이상 새로운 이야기를 위한 다음 주인공들은 없을 것이다. 네가 이 세계의 마지막 주인공이다.

"좋아. 나는 이 세계의 이야기를 완전히 '결말' 맺었어. 두 번째 결말이야. 하나의 결말에 하나의 소원. 그러니 나는 소원을 하나 더 빌 수 있어. 내 말이 틀려?"

그녀의 말에 긍정하듯 세계가 답했다.

소원을 말해라.

윤조가 숨이 멎은 파이옌의 몸을 힘껏 끌어안은 채 말했다.
“파이옌을 원래의 세상에서 살아갈 수 있게 해 줘.”

그리고 그 소원은 이루어졌다. 살아 있는 자신이 바로 그 증거였다.
집으로 돌아가는 버스 안에서 지훈은 모자를 푹 눌러쓴 채 울컥울컥 치솟는 감정을 참았다. 정류장에 도착해 집의 현관문을 열고 안으로 들어갈 때까지 그는 모자를 벗지 못했다.
“지훈이 왔니? 밥은 먹었어?”
늦은 저녁, 갑자기 벌컥 열리는 현관문에 놀라 달려 나온 그의 어머니가 지훈을 향해 물었다.
“엄마.”
“응?”
“다녀왔어요.”
물기 어린 목소리에 그의 어머니가 걱정스럽게 지훈을 살폈다. 푹 눌러쓴 모자를 벗겨 낸 그의 어머니는 숨죽여 흐느끼는 지훈의 모습에 다급히 그의 뺨을 쓸었다.
“아들? 왜 울어? 어디 아파? 밖에서 무슨 일 있었니?”
“엄마.”
“왜 그래, 지훈아. 말을 해 봐. 응?”
“보고 싶었어요…….”

크게 울음을 터뜨린 지훈이 팔을 뻗어 그의 어머니를 끌어안았다. 큰 울음소리에 화장실에서 놀라 달려 나온 그의 아버지가 바지를 추스르며 두 사람을 바라봤다.

"뭐, 뭐야! 왜 그래?! 지훈이 너 또 사고 쳤어?!"

"아버지."

"또 뭔데!"

"사랑해요."

지훈은 어리둥절해하며 자신을 바라보는 아버지를 끌어안았다. 사랑한다는 아들의 말에 멍하게 서 있던 그의 아버지는 서럽게 우는 지훈의 등을 토닥였다.

"왜, 무슨 일인데 그래? 아버지가 많이 혼 안 낼게. 응?"

"하하하. 그런 거 아니에요. 그런 거 아니에요, 정말로."

지훈이 웃으며 눈물을 훔쳤다. 그 순간 닫혀 있던 현관문이 다시금 열리며 지훈의 남동생이 들어왔다.

"아, 깜짝이야! 뭐야?! 왜 다들 현관 앞에 모여 있어?"

놀란 지훈의 동생이 현관 앞에 모여 있는 가족들의 모습에 어깨를 움츠렸다. 지훈이 그런 동생을 보며 장난스럽게 웃었다.

"왔냐, 우지랄."

"아, 형!!! 지랄 아니고 지란! 난초처럼 향기로운 동생 이름을 막 부르고 말이야! 어! 에……? 뭐야? 형 울어?!"

눈물이 범벅 된 지훈의 모습에 깜짝 놀란 지란이 어머니와 아버지를 바라봤다.

"뭐야, 왜 이래 무섭게. 형 또 사고 쳤어?"

"아니거든! 너는 내가 맨날 사고만 치는 줄 아냐!"

지훈이 지란의 목을 와락 끌어안았다.

"아! 아파! 에이, 진짜! 좀 떨어져라!"

"좋아서 그런다, 좋아서. 으이그!"

사이좋은 형제의 모습에 지켜보던 어머니와 아버지가 너털웃음을 터뜨렸다. 징그럽다며 떨어지라고 고래고래 소리를 질러 대는 동생의 외침에도 아랑곳없이 지훈은 환히 웃었다.

"다녀왔습니다!"

네가 준 삶 소중히 쓸게. 네 말처럼 열심히 살아갈게.

'내가 너를 기억할게.'

-비익조 (完)-

외전. 지나치는 계절의 이야기

외전. 지나치는 계절의 이야기

전쟁이 끝난 그해 가을은 나투국과 서국 모두에게 불행하고 불운한 시기였다. 많은 것을 바로 잡아야 했으나 온 황제는 먼저 전투와 화재로 피해를 입은 나투국 황성의 가옥들을 복구하는 작업과 군량미를 풀어 백성들을 구제하는 일에 힘썼다. 이를 함께 도운 것은 스안의 명령으로 나투국에 남게 된 대홍려 체밀과 1만 명의 서국 병사들이었다. 전투가 끝난 후 며칠 뒤 나람성에서 복귀한 모든 무녀들은 전투로 부상을 입은 양국 병사들을 치료하는 데 전념했다.

한편 서국의 편으로 돌아섰던 제후군의 수장과 장수들은 최 승상을 도와 황성 탈환에 큰 공을 세운 삼안과 그의 장수들을 제외하고는 모두 참형을 면치 못했다. 한발 물러서 상황을 방관하던 다른 지방 제후들 역시 소식을 듣고 부리나케 황성으로 달려왔으나 그들 또한 참형을 면치 못했다. 혼란한 상황 가운데서도 온 황제는 최 승상과 홍 장군의 도움을 받아 대대적인 정권 교체를 이뤄 갔다. 세습과 공천으로 이루어지던 제후 제도를 갈아엎고 3년에 한 번씩 중앙에서 시험을 통해 선출된 관료를 지방으로 파견하는 방식으로 바뀌었다. 또 수도에서 관찰사 파견 시 황제의 인장과 더불어 신료들의 대표인 최 승상과 군권을 통솔하는 대장군의 인장을 받지 못한 자는 정식으로 권한을 행사할 수 없도록 했으며 소규모 군대의 이동도 허용치 않았다.

복구 작업을 하는 동안 시간은 빠르게 흘렀다. 그나마 다행인 일은 나투국의 그해 농사가 풍작을 맞았다는 것이다. 예년의 세 배에 가까운 양의 곡식을 거둬들인 나투국은 기근과 역병에 시달리고 있는 서국의 백성들에게 곡식을 나눠 주었다. 나투국의 황후는 자신의 앞으로 진상될 예정이었던 '선단仙丹'을 윤조를 중심으로 편성된 열 명의 무녀들을 통해 서국에 전달했다.

그리고 그해 겨울, 대륙에 첫눈이 내렸다.

"와, 함박눈이다!"

창밖으로 떨어지는 눈송이에 윤조가 소리쳤다. 방 안쪽에서 짐을 싸고 있던 의령과 무녀들이 우르르 창가로 몰려들었다.

"올해 첫눈이네요."

"너무 예뻐요."

"어쩜, 서국에서 보는 첫눈이라니."

"떠나기 전날에 선물처럼 내리다니 더 운치 있는 것 같아요."

"앗, 너무 많이 오면 산길 넘기 힘든데!"

"어머 그러네요! 조금만 내려라! 조금만!"

재잘거리는 무녀들의 목소리를 들으며 윤조는 하얗게 나부끼는 눈송이를 향해 손을 뻗었다. 가만히 손바닥에 내려앉은 눈송이는 잠깐의 차가움을 남긴 채 소리 없이 녹아내렸다. 그녀는 문득 눈꽃을 닮았던 한 여인을 떠올렸다. 금방이라도 사라질 것 같은 아련한 미소를 머금은 채 자신의 아픔을 꼭꼭 감추며 녹아 갔던 한 여인을.

"진짜 이름조차 듣지 못했는데……."

생각해 보니 묘길이라는 이름 외에 저쪽 세상에서 사용했을 그녀의 진짜 이름을 들은 기억이 없었다. 아쉽게 여기던 윤조는 고개를 저었다. 진짜와 가짜는 따로 있지 않다. 이 세계에서의 그녀의 삶은 모두 진짜였으니까. 그녀는 조용히 창밖으로 뻗었던 손을 거뒀다. 잠깐 사이 스민 한기에 팔에 오소소 닭살이 돋았다.

"으흐, 추워!"

창문을 닫은 윤조가 겉옷을 걸치며 나갈 채비를 했다. 치료 시간이었다.

"저 다녀올게요~!"

"무녀장님! 발밑 조심하시구요."

"잘 다녀오세요!"

무녀들의 배웅을 받으며 방을 나선 그녀는 멀리 복도 창가에 서 있는 낯익은 모습에 놀란 눈을 했다.

"언니!"

반가운 윤조의 부름에 고개를 돌린 하센이 작게 고개 숙였다.

"무녀장님, 기다리고 있었습니다."

딱딱한 그녀의 말투에 윤조가 이제 그만할 때도 되지 않았느냐며 팔짱을 꼈다. 쑥 들어오는 팔에 깜짝 놀란 하센이 몸을 움찔했다.

키득거리며 웃던 윤조가 그녀에게 더욱 바짝 붙어 섰다.

"추운데 안으로 들어오지 않고요."

"아, 눈이 예뻐서……."

하센이 복도의 창밖을 가리켰다. 그녀의 말에 윤조가 고개를 끄덕이며 걸어 나갔다.

"몸은 좀 괜찮아요?"

"거의 다 나았습니다. 덕분에."

하센은 지난 전투 중 파이옌과의 싸움에서 큰 부상을 입은 채 발견되었다. 왜 자신을 죽이지 않은 것이냐며 악성을 내지르는 그녀에게 윤조는 파이옌의 죽음을 전했다. 순간 그녀의 얼굴에 드리웠던 표정을 기억한다.

길길이 날뛰던 것과 달리 그녀는 기뻐하지 않았다. 그녀는 파이옌의 죽음에 큰 충격을 받은 사람처럼 멍하니 허공을 응시했다. 그러다 어처구니없다는 듯이 웃었고, 그러다 울었다. 말도 안 된다며 그 죽음을 부정했다. 사선을 넘나들며 몇 번이고 살아 돌아왔던 그의 죽음이 도무지 믿기지 않는다는 듯이.

그녀는 부상당한 자신을 안전한 곳에 옮겨 둔 채 떠나던 파이옌의 뒷모습이 자신이 보았던 마지막 모습이라는 것을 깨달았다. 기억 속 패배를 모르던 그의 모습을 이제 이 땅 어디에서도 볼 수 없다는 사실을 깨달았다. 정들었던 만큼 배신감이 컸다는 것도, 미워하면서도 그리워 한다는 것도, 종잡을 수 없는 그의 성격에 고생도 많았지만 한편으로 존경하고 있었다는 것도.

하센에게는 전투에서 패배했다는 것보다도 파이옌의 죽음이 더한 충격이었다. 치료를 하겠다는 무녀들을 밀쳐내며 죽게 놔두라 소리쳤다. 그 뒤로 한 달 넘게 그녀는 말을 하지 않았다. 부하와 동료와 상관의 죽음으로 모든 것을 다 포기한 것처럼 보였다.

윤조는 그런 그녀를 끝까지 포기하지 않았다. 한 달이 지날 무렵 하센이 물었다. 왜 자신을 포기하지 않는 것이냐고. 윤조가 말했다. 이 세계에서 죽이는 것밖에 할 수 없던 파이옌이 마지막의 마지막에 살린 목숨을 어떻게 포기할 수 있겠느냐고. 그녀의 말에 하센이 변했다. 그녀는 다시 살아가기로 결심했다.

윤조가 미소 지었다.

"그래도 아직 무리하면 안 돼요. 어디의 누구 씨처럼 벌써 검 들고 그러는 거 아니죠?"

뜨끔한 하센이 슬쩍 고개를 돌려 윤조의 시선을 피했다.

"언니, 날 봐요. 어딜 봐요?"

"크흠흠, 알겠습니다. 무리하지 않겠습니다."

"약속이에요?"

"약속합니다."

"좋아요. 믿는다. 내가."

"그런데 어디의 누구 씨라는 건 설마……?"

"뭘 상상하든지 그게 맞을 거예요."

"……."

하센의 침묵에 궁금해진 윤조가 고개를 갸웃했다.

"왜요? 누굴 생각했는데요?"

"떠오른 사람이 둘이라서요."

"둘이요? 제정신이 아닌 사람이 둘이나 되요?!"

하센이 난처한 얼굴로 콜록거렸다. 그녀의 반응에 두 사람이 누구인지 짐작한 윤조가 떨떠름한 표정으로 혀를 찼다.

"언니 위에 그 두 분이죠? 파하고 키."

"황궁 안이니 불경한 언행은 삼가심이……."

"뭐 어때요, 듣지도 못하는데."

"……."

딱히 틀린 말은 아니라 하센은 부정하지 않았다. 윤조가 어깨를 으쓱하며 장난스럽게 웃었다.

"어서 가요. 황태후마마 기다리시겠어요."

세계가 말했던 대로 새로운 이야기는 시작되지 않았고, 새로운 주인공 역시 나타나지 않았다. 새로운 주인공이 나타나지 않으니 마지막 주인공으로서 부여받은 윤조의 능력도 그대로였다. 윤조가 성장하며 능력 또한 성장했다. '언젠가는 전대 무녀장인 묘길의 신력도 능가할 수 있지 않을까?'라는 게 다른 무녀들의 조심스러운 추측이었다.

"윤조 무녀! 어서 와요. 이제는 무녀장이라고 불러야 하나요?"

"편하게 부르셔도 괜찮아요."

서국의 황후, 이제는 황태후가 된 그녀가 윤조를 기쁘게 맞았다. 윤조와 무녀들의 치료로 건강을 회복한 황태후는 한 달 넘는 시간 동안 무사히 깨어 있었다. 앞으로도 정기적인 치료를 받아야겠지만 이만큼 건강을 회복한 것만 해도 기적이었다.

"여희단 단장 하센, 황제 폐하와 황태후마마를 뵙습니다."

"단장도 함께 왔군."

황태후와 함께 있던 스안이 두 사람을 반갑게 맞았다. 얼마 전

대관식을 치른 그는 이제 서국의 어엿한 황제였다. 두 사람에게 예를 갖춘 윤조가 침상으로 다가갔다. 그곳에는 혼수 상태에 빠진 키얀이 누워 있었다.

"별다른 반응은 없었나요?"

윤조의 물음에 황태후가 고개를 끄덕였다.

"얼마 전 손끝을 조금 움직인 것 외에는 아직. 괜찮은 걸까요?"

"상처는 거의 다 나았어요. 이 정도면 의식을 차릴 법도 한데……."

키얀의 상태를 살핀 윤조가 골몰했다.

"육체적인 문제라기보다는 정신적인 문제 같아요. 의식적으로 환자가 깨어나길 거부하는 경우도 있거든요. 일종의 도피 현상이에요."

"만약 그렇다면 어떻게 해야 하죠?"

"깨어날 준비가 될 때까지 시간이 필요할 거예요. 그동안 너무 고된 길을 걸었으니까요."

윤조의 말뜻을 이해했다는 듯 고개를 끄덕인 황태후가 잠든 키얀의 손을 잡았다.

"기다릴게요. 당신이 나를 기다려 줬던 것처럼."

윤조와 하센이 물러가고 나서도 한참을 황태후와 스안은 키얀의 곁에 머물렀다.

"아바마마, 지금 밖은 눈이 와요. 올해 대륙에 내리는 첫눈이에요. 어마마마께서도 무척 좋아하셨어요."

"여보, 우리 가족 이렇게 함께 있는 게 얼마만인지 모르겠어요. 그동안 내가 아파서 미안해요. 당신 혼자 힘들게 해서, 버거운 짐을 지게 해서 미안해요. 당신이 눈을 뜨면 그동안 못했던 거 하나

씩 다 해 봐요. 여름마다 겨울마다 여행도 가고, 스안이랑 당신이 좋아하는 꿩 사냥도 가고, 칠성제에는 나투국에 가서 축제도 즐겨요. 윤조 무녀랑 대장군이 기다린다고 했어요."

황태후는 눈가에 스민 눈물을 조용히 닦아 내며 키얀의 이마에 입 맞췄다.

"당신이 깨어나면 놀랄 만한 일들이 많을 거예요. 당신이 눈을 뜬 세상은 더는 전쟁도, 기근도, 역병도 없는 평화로운 세상일 거예요. 그러니 두려워 말고 일어나요. 내 사랑."

아직은 때가 아닐지도 모른다. 하지만 이 겨울이 지나면, 이 시린 계절이 지나고 봄이 오면, 날리던 눈송이가 보드라운 꽃잎으로 변하면, 어쩌면 따스한 그 계절에는, 잠들었던 세상이 움트는 그 계절에는…….

"어-! 대장군님?"

아트완의 황성 안으로 들어오는 말은 분명 산이였다. 윤조는 말에서 내리는 준영의 모습에 놀라 소리쳤다. 하센과 함께 있던 윤조의 모습을 발견한 준영이 그녀를 향해 팔을 벌렸다. 놀란 그녀가 멍하게 준영을 바라보다 반갑게 달려갔다. 온몸을 날려 와락 안겨 드는 윤조를 받아 낸 준영이 자리에서 빙그르 돌았다. 그의 어깨 위에 쌓여 있던 눈송이가 흩어져 날렸다.

"얌전히 잘 지냈느냐?"

"히히, 당연히 잘 지냈죠! 내일 오신다면서요. 어떻게 된 거예요?"

"왜? 빨리 와서 싫으냐?"

"아니요! 좋아요!"

윤조가 준영의 목을 꽉 끌어안으며 그의 볼에 입을 맞췄다. 그런 윤조의 환영이 싫지 않는지 준영도 흐뭇하게 웃으며 그녀를 마주 안았다. 이 모습을 지켜보고 있던 하센은 조용히 자리를 비켜 주었다. 준영이 윤조의 머리 위에 앉은 눈을 털어내며 말했다.

"아버지께서 보고 싶다고 성화구나."

"홍 장군님께서요?"

"그래. 하루 세 번 식사 때마다 들들 볶아 대는 통에 일찍 나와 버렸다."

질린 얼굴로 혀를 차는 그의 모습에 윤조가 폭소했다. 며늘아기를 데려오라며 준영을 닦달하는 홍 장군님의 모습이 훤히 그려졌기 때문이다.

"큭큭, 아버님도 참 못 말리신다니까요."

"정말 못 말리겠다. 윤조 네가 가서 말려 보거라. 나는 두 손 두 발 다 들었다."

"역시 제가 있어야죠?"

"그래. 역시 네가 있어야지. 치료는 다 끝냈나?"

"네! 황태후마마 치료는 무녀들이 번갈아 가며 파견 오기로 했어요."

"키얀은?"

"상처는 다 아물었는데 아직 깨어나지 않고 있어요."

"그런가."

"시간이 필요할 거예요."

"그래, 시간이 필요하겠지. 강한 자이니 털고 일어날 거다."

"사실 일어나자마자 대장군님이랑 싸우자고 할까 봐 조금 겁나긴 해요. 하하."

윤조의 말에 준영이 피식 웃으며 그녀의 손을 잡았다.
“그거 조금 무섭긴 하구나.”
“그쵸?”
“짐은 다 쌌나?”
“아! 아직이요! 얼른 준비할게요! 안에서 조금만 기다려 주세요!”
부리나케 숙소로 달려가는 윤조의 모습에 준영이 급히 소리쳤다.
“그렇게 뛰다 넘어진다!”
“괜찮아요!”
“윤조야!”
“네!”
“사랑한다!”
달려가던 윤조가 삐끗하다 중심을 잡았다. 자리에 멈춰 준영을 돌아보는 윤조의 얼굴이 불에 달군 것처럼 새빨개져 있었다.
“그, 그걸 여기서 그렇게 크게 말씀하시면 어떡해요-!”
“안 될 이유라도 있느냐?”
“아니, 그걸, 아무리 그래도, 이렇게 탁 트인, 크흐흠…….”
우물쭈물거리며 주변을 살피던 윤조가 손가락으로 작은 하트 모양을 만들었다.
“저도 사랑해요!”
말을 마치자마자 후다닥 도망가 버리는 그녀의 모습에 준영이 웃음을 터뜨렸다.

“어머, 대장군도 참 사랑꾼이네요. 저런 거 보면 당신이랑 참 닮았어요.”

창밖으로 이 모습을 지켜보던 황태후가 키얀을 바라보며 작게 웃었다. 잠든 키얀의 입가가 옅은 호선을 그렸다.

—끝

비익조 下

초판 1쇄 인쇄 2019년 10월 18일
초판 1쇄 발행 2019년 10월 28일

지은이 이수연
펴낸이 신현호
편집부장 예숙영
편집 박상희
편집디자인 한방울
영업 · 관리 김민원 조은걸 조인희
물류 이순우 최준혁 박찬수

펴낸곳 ㈜디앤씨미디어
출판등록 2002년 5월 1일 제117-90-51792호
주소 서울시 구로구 디지털로 26길 111 JnK디지털타워 503호
대표전화 (02)333-2513 팩스 (02)333-2514
전자우편 dncbooks@dncmedia.co.kr
디앤씨북스 블로그 http://blog.naver.com/dncbooks

ISBN 979-11-264-4930-9 04810
ISBN 979-11-264-4927-9 세트